아~름다운 샘
A~ssam

기본기를 다지는
문제기본서 하이 매쓰
# Hi Math
## 수학 Ⅰ
이창주 지음

[기본+유형]
• 교과서 개념을 다지는 기본편
• 학교 시험 완벽대비 유형편

아름다운샘

Hi 시리즈

| ❖ 아샘 Hi Math | ❖ 아샘 Hi High |
|---|---|
| • 수학(상) | • 수학(상) |
| • 수학(하) | • 수학(하) |
| • 수학 I | • 수학 I |
| • 수학 II | • 수학 II |
| • 확률과 통계 | • 확률과 통계 |
| • 미적분 | • 미적분 |
| • 기하 | |

아름다운 샘
A~ssam 샘

기본기를 다지는
문제기본서 하이 매쓰
# Hi Math
## 수학 I

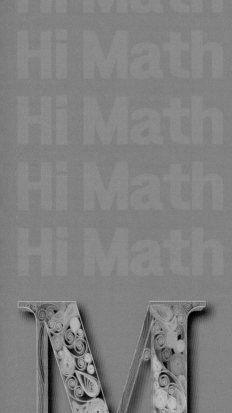

수학의 자신감

역시! 믿고 보는 아샘 하이매쓰와 함께...

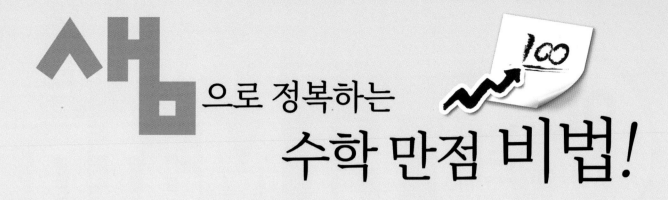

**샘으로 정복하는 수학 만점 비법!**

### 수학의 샘으로 기본기를 충실히!

수학 기본서 '수학의 샘'은 자세한 개념 설명으로 수학의
원리를 쉽게 이해할 수 있는 교재입니다. 최고의 기본서
수학의 샘으로 수학의 기본기를 충실히 다질 수 있습니다.

### Hi Math로 학교 시험에 대한 자신감을!

충분한 기본 문제, 학교 시험에 자주 출제되는
문제를 수록하여 구성한 교재입니다.
유형별 문제기본서 '아샘 Hi Math'로 학교 시험에
대한 자신감을 가질 수 있습니다.

### Hi High로 최고난도 문제에 대한 자신감을!

중간 난이도 수준의 문제부터 심화 문제까지
충분히 수록하여 구성한 교재입니다.
출제빈도가 높은 최상위권 유형을 충분히 연습하여
학교 시험 100점을 자신하게 됩니다.

■ **대표저자:** 이창주(前 한영고, EBS·강남구청 강사, 7차 개정 교과서 집필위원), 이명구(한영고, 수학의 샘, 수학의 뿌리-3점짜리 시리즈, 전국 모의고사 집필위원)

■ **편집 및 연구:** 박상원, 윤원석, 전신영, 박호형, 이창민, 강은홍, 장혜진, 정홍래

■ **일러스트 출처:** 1쪽_좌, 2쪽, 3쪽_상, 4쪽_상, 본문_좌측 상단, 본문_우측 상단   designed by freepik.com

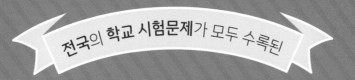

최상위권을 위한 유형별 문제기본서 (실력편)

아름다운 샘 A~ssam

# Hi High

[전 6권] 수학(상), 수학(하), 수학 I , 수학 II, 확률과 통계, 미적분

- 유형문제, 심화(1등급)문제로 구성

- 개념기본서 「수학의 샘」, 문제기본서 「Hi Math」와 연계된 교재

- 변별력 있는 문제들을 충분히 연습할 수 있는 문제기본서

- 내신 1등급, 모의고사 1등급을 책임지는 문제기본서

# Hi Math
## 수학 I

# "아름다운 샘 Hi Math는?"

## Hi Math의 특징

### 개념기본서 「수학의 샘」과 연계된 문제기본서

개념기본서 「수학의 샘」에서 익힌 수학적 개념을 적용하여 문제 연습을 할 수 있는 문제기본서입니다. 단원의 구성과 순서가 동일하여 「수학의 샘」의 개념과 「Hi Math」의 문제를 연계하여 공부할 수 있습니다.

### 수학의 기본을 다지는 문제기본서

처음으로 문제집을 공부하거나 기본기가 부족하다고 생각하는 학생을 위한 교재입니다. 기본 연산의 충분한 반복 연습, 알기 쉽게 체계적으로 분류된 유형별 문항 연습이 가능합니다.

### 기본 문제 수가 많은 문제기본서

이 교재의 구성은 [개념 정리] + [기본 문제] + [유형 문제] + [쌤이 시험에 꼭 내는 문제]입니다. 특히, [기본 문제]를 많이 수록하여 확실하게 개념 이해를 할 수 있도록 하였습니다.

### 내신 성적 2등급까지 책임지는 문제기본서

학교 시험 및 모의고사 등에 자주 출제되는 문제들을 분석하여 그 문제들을 위주로 수록한 교재입니다. 효율적인 문제 유형별 해법을 제시하여 시험 대비에 적합하며 시험에 대한 자신감을 갖게 합니다.

수학의 기본 실력을 탄탄히 쌓아 고등 수학에 자신감을 가질 수 있도록

**기본 개념을 많이 연습할 수 있는 문제**

**학교 시험을 완벽 대비할 수 있는 문제**

들을 수록하여 충분히 문제 연습을 할 수 있도록 만든 문제기본서입니다.

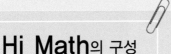

**Hi Math의 구성**

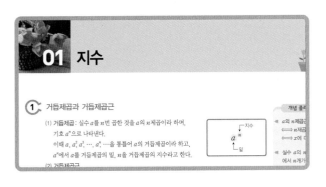

● **개념 정리**

교과서 내용을 꼼꼼하게 분석하여 각 단원의 중요 핵심 개념을 한눈에 볼 수 있도록 정리하였습니다. 보충설명이 필요한 부분은 개념플러스에서 추가하여 제시하였습니다.

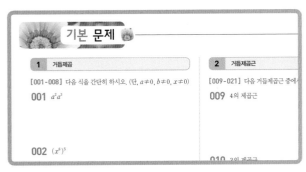

● **기본 문제**

수학의 기본을 다지는 계산 문제, 개념 이해 문제입니다. 단원의 핵심 개념에 해당하는 문제들을 충분히 반복 연습할 수 있도록 많은 문제들을 수록하였습니다.

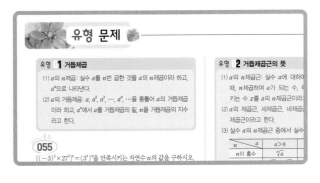

● **유형 문제**

학교 시험의 출제 경향을 치밀하게 분석하여 그 유형을 분류한 후, 해법을 제시하였습니다. 다양한 문제를 연습할 수 있도록 구성하였고, 시험에서 출제 비율이 높은 문항에는 '중요' 표시를 하였습니다.

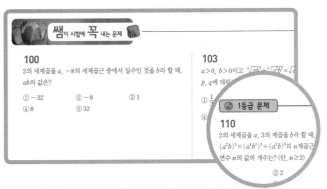

● **쌤이 시험에 꼭 내는 문제**

학교 시험에 꼭 나오는 단골 문제들을 선별하여 구성하였습니다. 자주 출제되는 유형의 문제들을 집중적으로 풀어 볼 수 있도록 하였고, 만점을 위한 '1등급 문제'도 수록하였습니다.

# 차례

# 01 지수

# 01 지수

## ① 거듭제곱과 거듭제곱근

(1) **거듭제곱**: 실수 $a$를 $n$번 곱한 것을 $a$의 $n$제곱이라 하며, 기호 $a^n$으로 나타낸다.

이때 $a, a^2, a^3, \cdots, a^n, \cdots$을 통틀어 $a$의 거듭제곱이라 하고, $a^n$에서 $a$를 거듭제곱의 밑, $n$을 거듭제곱의 지수라고 한다.

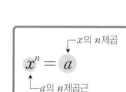

(2) **거듭제곱근**

① 실수 $a$에 대하여 $n$이 2 이상의 자연수일 때, $x^n=a$를 만족시키는 수 $x$를 $a$의 $n$제곱근이라고 한다.

② $a$의 제곱근, 세제곱근, 네제곱근, $\cdots$을 통틀어 $a$의 거듭제곱근이라고 한다.

(3) **실수인 거듭제곱근**: 실수 $a$에 대하여 $a$의 $n$제곱근 중에서 실수인 것은 다음과 같다.

| $n$ ＼ $a$ | $a>0$ | $a=0$ | $a<0$ |
|---|---|---|---|
| $n$이 홀수 | $\sqrt[n]{a}$ (1개) | 0 (1개) | $\sqrt[n]{a}$ (1개) |
| $n$이 짝수 | $\sqrt[n]{a}, -\sqrt[n]{a}$ (2개) | 0 (1개) | 없다. (0개) |

참고 '$a$의 $n$제곱근'과 '$n$제곱근 $a$'를 혼동하지 않도록 유의한다.

➡ $a$의 $n$제곱근은 $x^n=a$를 만족시키는 수 $x$이고, $n$제곱근 $a$는 $\sqrt[n]{a}$이다.

## ② 거듭제곱근의 성질

$a>0, b>0$이고, $m, n$이 2 이상의 자연수일 때

(1) $\sqrt[n]{a}\sqrt[n]{b}=\sqrt[n]{ab}$

(2) $\dfrac{\sqrt[n]{a}}{\sqrt[n]{b}}=\sqrt[n]{\dfrac{a}{b}}$

(3) $(\sqrt[n]{a})^m=\sqrt[n]{a^m}$

(4) $\sqrt[m]{\sqrt[n]{a}}=\sqrt[mn]{a}$

참고 $a>0, b>0$의 조건이 없으면 거듭제곱근의 성질이 성립하지 않는다.

## ③ 지수의 확장

(1) **0 또는 음의 정수인 지수**

$a\neq0$이고, $n$이 양의 정수일 때 ➡ $a^0=1$, $a^{-n}=\dfrac{1}{a^n}$

(2) **유리수인 지수**

$a>0$이고, $m, n\ (n\geq2)$이 정수일 때 ➡ $a^{\frac{1}{n}}=\sqrt[n]{a}$, $a^{\frac{m}{n}}=\sqrt[n]{a^m}$

(3) **지수법칙(지수가 실수일 때)**

$a>0, b>0$이고, $x, y$가 실수일 때

① $a^x a^y=a^{x+y}$

② $a^x \div a^y=a^{x-y}$

③ $(a^x)^y=a^{xy}$

④ $(ab)^x=a^x b^x$

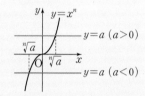
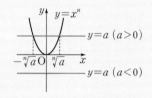

 기본 문제

**1** 거듭제곱

[001-008] 다음 식을 간단히 하시오. (단, $a \neq 0$, $b \neq 0$, $x \neq 0$)

**001** $a^2 a^3$

**002** $(x^6)^5$

**003** $(x^2 y^3)^4$

**004** $\left(\dfrac{y^2}{x^5}\right)^3$

**005** $\dfrac{(ab)^5}{a^3 b^2}$

**006** $a^5 \left(\dfrac{b}{a}\right)^3$

**007** $a^8 \div a^4$

**008** $x^5 \div x^5$

**2** 거듭제곱근

[009-021] 다음 거듭제곱근 중에서 실수인 것을 모두 구하시오.

**009** 4의 제곱근

**010** 3의 제곱근

**011** $-9$의 제곱근

**012** 8의 세제곱근

**013** 125의 세제곱근

**014** $-1$의 세제곱근

**015** $-64$의 세제곱근

**016** 5의 세제곱근

**017** $-12$의 세제곱근

**018** 16의 네제곱근

**019** $\dfrac{1}{81}$의 네제곱근

**020** 3의 네제곱근

**021** $-16$의 네제곱근

[022-027] 다음 식을 간단히 하시오.

**022** $\sqrt[3]{2}\,\sqrt[3]{5}$

**023** $\sqrt[4]{32}\,\sqrt[4]{8}$

**024** $\dfrac{\sqrt[3]{8}}{\sqrt[3]{2}}$

**025** $\dfrac{\sqrt[3]{54}}{\sqrt[3]{2}}$

**026** $\sqrt{\sqrt[3]{64}}$

**027** $\sqrt[6]{25}$

## 3 지수의 확장

[028-031] 다음 값을 구하시오.

**028** $7^0$

**029** $\left(-\dfrac{1}{4}\right)^0$

**030** $3^{-3}$

**031** $\left(-\dfrac{1}{2}\right)^{-4}$

[032-035] 다음을 $a^r$의 꼴로 나타내시오.
(단, $a>0$, $r$는 유리수이다.)

**032** $\sqrt[3]{a}$

**033** $\sqrt[4]{a^2}$

**034** $\sqrt[7]{a^3}$

**035** $\dfrac{1}{\sqrt[5]{a^2}}$

[036-041] 다음 식을 간단히 하시오.

**036** $\left(2^{\frac{3}{4}}\right)^2 \times 2^2$

**037** $5^{\frac{2}{3}} \times 25^{-\frac{5}{6}}$

**038** $\left(2^{\frac{6}{5}}\right)^2 \times 2^{\frac{3}{5}} \div \left(2^2\right)^{\frac{1}{2}}$

**039** $8^{\frac{1}{3}} \times 8^{-\frac{2}{3}} \times 8^{\frac{4}{3}}$

**040** $\sqrt{8} \div \sqrt[3]{4} \times \sqrt[6]{2}$

**041** $\sqrt[3]{9} \times \sqrt[6]{27}$

[042-043] 다음 식을 간단히 하시오. (단, $a>0$, $b>0$)

**042** $\left(a^{\frac{1}{3}} b^{\frac{5}{6}}\right)^{12}$

**043** $\sqrt[3]{a^2} \div \sqrt[4]{a} \times \sqrt[12]{a}$

기본 문제

**[044-047]** 다음 식을 간단히 하시오. (단, $a>0$)

**044** $7^{\sqrt{2}} \times 7^{\sqrt{2}}$

**045** $\left(2^{\sqrt{3}}\right)^{\sqrt{3}}$

**046** $5^{\sqrt{32}} \times 5^{\sqrt{8}} \div 5^{\sqrt{2}}$

**047** $a^{\sqrt{2}} a^{2\sqrt{2}}$

**[048-049]** 다음 물음에 답하시오.

**048** 세 수 $a, b, c$에 대하여 $a^6, b^6, c^6$의 크기를 비교하시오.

$$a=\sqrt{2}, \qquad b=\sqrt[3]{3}, \qquad c=\sqrt[6]{6}$$

**049** 세 수 $a, b, c$에 대하여 $a^{12}, b^{12}, c^{12}$의 크기를 비교하시오.

$$a=\sqrt{3}, \qquad b=\sqrt[3]{4}, \qquad c=\sqrt[4]{7}$$

**[050-052]** $x+x^{-1}=3$일 때, 다음 식의 값을 구하시오.

(단, $x>1$)

**050** $x^2+x^{-2}$

**051** $x-x^{-1}$

**052** $x^3+x^{-3}$

**[053-054]** 다음 식의 분모, 분자에 각각 $a^x$을 곱하여 간단히 하시오. (단, $a>0$)

**053** $\dfrac{a^x-a^{-x}}{a^x+a^{-x}}$

**054** $\dfrac{a^{5x}+a^{-x}}{a^{2x}-a^{-x}}$

## 유형 문제

### 유형 01 거듭제곱

(1) $a$의 $n$제곱: 실수 $a$를 $n$번 곱한 것을 $a$의 $n$제곱이라 하고, $a^n$으로 나타낸다.

(2) $a$의 거듭제곱: $a$, $a^2$, $a^3$, $\cdots$, $a^n$, $\cdots$을 통틀어 $a$의 거듭제곱이라 하고, $a^n$에서 $a$를 거듭제곱의 밑, $n$을 거듭제곱의 지수라고 한다.

**중요**
**055**

$\{(-3)^3 \times 27^2\}^4 = (3^4)^n$을 만족시키는 자연수 $n$의 값을 구하시오.

**056**

한 변의 길이가 $a$인 정사각형과 한 모서리의 길이가 $a$인 정육면체가 있다. 정사각형의 넓이를 $x$, 정육면체의 부피를 $y$라 할 때, $xy$의 값은?

① $a^2$      ② $a^3$      ③ $a^4$

④ $a^5$      ⑤ $a^6$

**057**

$P(n) = n^3$이라 할 때, $P(P(P(4))) = 2^a$을 만족시키는 상수 $a$의 값을 구하시오.

### 유형 02 거듭제곱근의 뜻

(1) $a$의 $n$제곱근: 실수 $a$에 대하여 $n$이 2 이상의 자연수일 때, $n$제곱하여 $a$가 되는 수, 즉 방정식 $x^n = a$를 만족시키는 수 $x$를 $a$의 $n$제곱근이라고 한다.

(2) $a$의 제곱근, 세제곱근, 네제곱근, $\cdots$을 통틀어 $a$의 거듭제곱근이라고 한다.

(3) 실수 $a$의 $n$제곱근 중에서 실수인 것은 다음과 같다.

| $n$ \ $a$ | $a>0$ | $a=0$ | $a<0$ |
|---|---|---|---|
| $n$이 홀수 | $\sqrt[n]{a}$ | $0$ | $\sqrt[n]{a}$ |
| $n$이 짝수 | $\sqrt[n]{a}$, $-\sqrt[n]{a}$ | $0$ | 없다. |

**참고** 0의 $n$제곱근은 $\sqrt[n]{0} = 0$이다.

**중요**
**058**

다음 설명 중 옳은 것은?

① 49의 제곱근은 7이다.

② 제곱근 9는 $-3$, 3이다.

③ $-1$은 $-1$의 제곱근이다.

④ 81의 네제곱근 중에서 실수인 것은 3이다.

⑤ $-27$의 세제곱근 중에서 실수인 것은 $-3$이다.

**059**

$-125$의 세제곱근 중에서 실수인 것을 $a$라 하고, 네제곱근 81을 $b$라 할 때, $a+b$의 값을 구하시오.

## 060

$-8$의 세제곱근 중에서 실수인 것의 개수를 $m$, 2의 네제곱근 중에서 실수인 것의 개수를 $n$이라 할 때, $m+n$의 값을 구하시오.

## 061

2의 네제곱근 중에서 양수인 것을 $x$라 할 때, $x^n$이 세 자리의 자연수가 되도록 하는 자연수 $n$의 최댓값을 구하시오.

## 062

한 변의 길이가 $a^3$인 정삼각형의 넓이가 $\dfrac{\sqrt{3}}{2}$일 때, $a$의 값은?

① $\sqrt[6]{2}$
② $\sqrt[6]{3}$
③ $\sqrt[3]{2}$
④ $\sqrt{2}$
⑤ $\sqrt[3]{3}$

---

### 유형 **03** 거듭제곱근의 계산

$a>0$, $b>0$이고, $m$, $n$이 2 이상의 자연수일 때

(1) $(\sqrt[n]{a})^n = a$
(2) $\sqrt[n]{a}\sqrt[n]{b} = \sqrt[n]{ab}$
(3) $\dfrac{\sqrt[n]{a}}{\sqrt[n]{b}} = \sqrt[n]{\dfrac{a}{b}}$
(4) $(\sqrt[n]{a})^m = \sqrt[n]{a^m}$
(5) $\sqrt[m]{\sqrt[n]{a}} = \sqrt[mn]{a} = \sqrt[n]{\sqrt[m]{a}}$
(6) $\sqrt[np]{a^{mp}} = \sqrt[n]{a^m}$ (단, $p$는 양의 정수)

## 063

$a>0$, $b>0$이고, $m$, $n$이 2 이상의 자연수일 때, 〈보기〉에서 옳은 것만을 있는 대로 고른 것은?

┤ 보 기 ├

ㄱ. $\sqrt[n]{a}\sqrt[n]{b} = \sqrt[n]{ab}$

ㄴ. $(\sqrt[n]{a})^m = \sqrt[mn]{a}$

ㄷ. $a^n = b^m$이면 $a = \sqrt[n]{b^m}$이다.

① ㄱ
② ㄷ
③ ㄱ, ㄷ
④ ㄴ, ㄷ
⑤ ㄱ, ㄴ, ㄷ

## 064

$\sqrt[4]{\dfrac{\sqrt{2}}{\sqrt[8]{2}}} = \sqrt[32]{2^k}$ 을 만족시키는 상수 $k$의 값을 구하시오.

## 065

$a>0$, $b>0$일 때, $\sqrt[4]{\dfrac{\sqrt{b}}{\sqrt[3]{a}}} \times \sqrt{\dfrac{\sqrt[6]{a}}{\sqrt[4]{b}}}$ 를 간단히 하면?

① $\dfrac{\sqrt{a}}{b}$
② $\dfrac{a}{b}$
③ $1$
④ $\dfrac{b}{a}$
⑤ $\dfrac{a\sqrt{b}}{b}$

## 066

$\sqrt{\dfrac{8^{10}+4^{10}}{8^4+4^{11}}}$ 의 값을 구하시오.

## 067

$(\sqrt[3]{6}+\sqrt[3]{3})(\sqrt[3]{36}-\sqrt[3]{18}+\sqrt[3]{9})$ 의 값을 구하시오.

## 068

그림과 같이 한 모서리의 길이가 $a$이고, 겉넓이가 162인 정육면체의 대각선 $l$의 길이는?

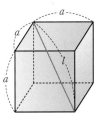

① 6  ② 7
③ 8  ④ 9
⑤ 10

유형 **04** 지수법칙 – 지수가 정수일 때

(1) $a \neq 0$이고, $n$이 양의 정수일 때

① $a^0=1$  ② $a^{-n}=\dfrac{1}{a^n}$

(2) $a \neq 0$, $b \neq 0$이고, $m$, $n$이 정수일 때

① $a^m a^n=a^{m+n}$  ② $a^m \div a^n=a^{m-n}$

③ $(a^m)^n=a^{mn}$  ④ $(ab)^m=a^m b^m$

## 069

$5^0+\left(\dfrac{1}{3}\right)^{-2}$ 의 값은?

① 9  ② 10  ③ 11
④ 12  ⑤ 13

## 070

다음 수 중에서 세 번째로 큰 것은?

① $2^{-2}$  ② $\left(\dfrac{1}{2}\right)^{-2}$  ③ $-(3^0)$

④ $(-5)^{-3}$  ⑤ $\left(-\dfrac{1}{5}\right)^{-3}$

## 071

$\dfrac{7^{-10}+7^{-100}}{7^{10}+7^{100}}=7^k$ 일 때, 상수 $k$의 값을 구하시오.

## 유형 **05** 지수법칙 – 지수가 유리수일 때

(1) $a>0$이고, $m$, $n$ $(n≥2)$이 정수일 때
  ① $a^{\frac{m}{n}}=\sqrt[n]{a^m}$    ② $a^{\frac{1}{n}}=\sqrt[n]{a}$
(2) $a>0$, $b>0$이고, $r$, $s$가 유리수일 때
  ① $a^r a^s=a^{r+s}$    ② $a^r÷a^s=a^{r-s}$
  ③ $(a^r)^s=a^{rs}$    ④ $(ab)^r=a^r b^r$

### 072

$\left\{\left(\dfrac{2\sqrt{2}}{3\sqrt{3}}\right)^{-\frac{3}{2}}\right\}^{\frac{4}{9}}$의 값은?

① $\dfrac{8}{27}$    ② $\dfrac{4}{9}$    ③ $\dfrac{2}{3}$

④ $\dfrac{3}{2}$    ⑤ $\dfrac{9}{4}$

### 073

다음 계산에서 처음으로 잘못된 곳은?

$$2=4^{\frac{1}{2}}=\{(-2)^2\}^{\frac{1}{2}}=(-2)^{2\times\frac{1}{2}}=(-2)^1=-2$$
    ↑   ↑     ↑     ↑     ↑
    ①  ②    ③    ④    ⑤

### 074

1이 아닌 양수 $a$에 대하여 $\sqrt[4]{a^3\sqrt{a\sqrt{a}}}=a^{\frac{n}{m}}$일 때, $m+n$의 값을 구하시오. (단, $m$, $n$은 서로소인 자연수이다.)

### 075

$a>0$, $a≠1$이고 $a^{\frac{3}{2}}\times\sqrt[3]{a^4}\times\sqrt[3]{\sqrt{a}}÷a^{-\frac{3}{2}}=a^k$이 성립할 때, $10k$의 값을 구하시오. (단, $k$는 상수이다.)

### 076

$\sqrt{ab^3}÷\sqrt[3]{a^2b^4}\times(ab^5)^{\frac{1}{6}}$을 간단히 하면? (단, $a>0$, $b>0$)

① $\sqrt{a}$    ② $\sqrt{b}$    ③ $a\sqrt{b}$

④ $b$    ⑤ $ab$

### 077

두 양수 $a$, $b$가 $a^5=3$, $b^{12}=9$를 만족시킬 때, 100 이하의 자연수 $n$에 대하여 $(\sqrt[7]{ab^3})^n$이 자연수가 되도록 하는 모든 $n$의 값의 합을 구하시오.

## 유형 $6$ 지수법칙 – 지수가 실수일 때

$a>0$, $b>0$이고, $x$, $y$가 실수일 때
(1) $a^x a^y = a^{x+y}$ (2) $a^x \div a^y = a^{x-y}$
(3) $(a^x)^y = a^{xy}$ (4) $(ab)^x = a^x b^x$

**078**
$(a^{\sqrt{3}})^{2\sqrt{3}} \div a^3 \times (\sqrt[3]{a})^6 = a^k$일 때, 상수 $k$의 값을 구하시오.

(단, $a>0$, $a \neq 1$)

**079**
두 양의 실수 $a$, $b$에 대하여 연산 $*$를

$$a * b = \begin{cases} a^b & (a<b) \\ b^a & (a \geq b) \end{cases}$$

으로 정의할 때, $(3 * \sqrt[3]{2}) * 2\sqrt{2}$의 값은?

① $2^{\sqrt{2}}$ ② $2^{\frac{3}{2}}$ ③ $2^{2\sqrt{2}}$
④ $2^4$ ⑤ $2^8$

**080**
두 실수 $a$, $b$에 대하여 $5^a = c$, $5^b = d$일 때, $\left(\dfrac{1}{5}\right)^{a-2b}$을 $c$, $d$로 나타내면?

① $\dfrac{d^3}{c^2}$ ② $\dfrac{d^2}{c}$ ③ $\dfrac{c^2}{d}$
④ $\dfrac{d^2}{c^3}$ ⑤ $\dfrac{d}{c}$

## 유형 $7$ 거듭제곱근의 대소 관계

(1) 밑을 같게 할 수 없을 때에는 지수를 같게 하여 밑을 비교한다. (단, (밑)$>0$)
지수는 분수로 고쳐서 ⇨ 각 분모의 최소공배수를 이용하여 통분하고 ⇨ 밑이 큰 쪽이 크다고 결정한다.
(2) 밑을 같게 할 수 있을 때에는 지수를 비교한다.
① $0<$(밑)$<1$이면 지수가 작은 쪽이 큰 수
② (밑)$>1$이면 지수가 큰 쪽이 큰 수

참고 ① $A<B$이면 $\sqrt[k]{A}<\sqrt[k]{B}$
(단, $A>0$, $B>0$, $k$는 2 이상의 정수)
② $(\sqrt[m]{A})^k < (\sqrt[n]{B})^k$이면 $\sqrt[m]{A} < \sqrt[n]{B}$
(단, $A>0$, $B>0$, $k$, $m$, $n$은 2 이상의 정수)

**081**
$A = \sqrt{3}$, $B = \sqrt[3]{4}$, $C = \sqrt[4]{5}$라 할 때, 세 수 $A$, $B$, $C$의 대소 관계를 바르게 나타낸 것은?

① $A<B<C$ ② $A<C<B$ ③ $B<A<C$
④ $B<C<A$ ⑤ $C<B<A$

**082**
세 수 $A = \sqrt[3]{\sqrt{10}}$, $B = \sqrt{5}$, $C = \sqrt[3]{\sqrt{28}}$의 대소 관계를 바르게 나타낸 것은?

① $A<B<C$ ② $A<C<B$ ③ $B<A<C$
④ $B<C<A$ ⑤ $C<A<B$

**083**
세 수 $\sqrt[3]{3}$, $\sqrt[4]{5}$, $\sqrt[3]{\sqrt{7}}$ 중에서 가장 큰 수를 $a$, 가장 작은 수를 $b$라 할 때, $a^{12} + b^{12}$의 값을 구하시오.

## 유형 08 지수법칙과 곱셈 공식

$a>0$이고, $x$가 유리수일 때

(1) $a^x=t \Rightarrow a^{2x}=t^2, a^{-x}=\dfrac{1}{t}$

(2) $a^{2x}+a^{-2x}=(a^x+a^{-x})^2-2=(a^x-a^{-x})^2+2$

(3) $a^{3x}+a^{-3x}=(a^x+a^{-x})^3-3(a^x+a^{-x})$,

$\quad a^{3x}-a^{-3x}=(a^x-a^{-x})^3+3(a^x-a^{-x})$

### 084

$a^{2x}=4$일 때, $(a^x-a^{-x})^2$의 값은? (단, $a>0$)

① $\dfrac{3}{2}$  ② $\dfrac{7}{4}$  ③ $2$

④ $\dfrac{9}{4}$  ⑤ $\dfrac{5}{2}$

### 085

$a>0, b>0$일 때, $\left(a^{\frac{1}{4}}-b^{\frac{1}{4}}\right)\left(a^{\frac{1}{4}}+b^{\frac{1}{4}}\right)\left(a^{\frac{1}{2}}+b^{\frac{1}{2}}\right)$을 간단히 하면?

① $a-b$  ② $a^{\frac{3}{2}}-b^{\frac{3}{2}}$  ③ $a^2-b^2$

④ $a^{\frac{5}{2}}-b^{\frac{5}{2}}$  ⑤ $a^3-b^3$

### 086 중요

$x+x^{-1}=10$일 때, $x^{\frac{1}{2}}+x^{-\frac{1}{2}}$의 값은? (단, $x>0$)

① $\sqrt{3}$  ② $\sqrt{6}$  ③ $\sqrt{10}$

④ $2\sqrt{3}$  ⑤ $6$

### 087

$a^x+a^{-x}=4$일 때, $\dfrac{a^{3x}+a^{-3x}}{2}$의 값을 구하시오. (단, $a>0$)

### 088 중요

$2^x-2^{-x}=2$일 때, $8^x-8^{-x}$의 값은?

① $13$  ② $14$  ③ $15$

④ $16$  ⑤ $17$

### 089

$x^{\frac{1}{2}}+x^{-\frac{1}{2}}=3$일 때, $\dfrac{x^{\frac{3}{2}}+x^{-\frac{3}{2}}+4}{x^2+x^{-2}+7}$의 값을 구하시오. (단, $x>0$)

## 유형 09 $\dfrac{a^x-a^{-x}}{a^x+a^{-x}}$ 의 꼴로 주어진 식의 값

조건 $a^x=k$ ($a>0$, $k$는 상수)가 주어지면 이를 이용할 수 있도록 주어진 식의 분모, 분자에 각각 $a^x$을 곱하여 $a^{2x}$의 꼴로 나타낸다.

참고 $a>0$일 때, $a^x>0$이다.

### 중요 090

$a^{2x}=9$일 때, $\dfrac{a^x-a^{-x}}{a^x+a^{-x}}$의 값은? (단, $a>0$)

① $\dfrac{1}{3}$   ② $\dfrac{2}{5}$   ③ $\dfrac{3}{4}$

④ $\dfrac{4}{5}$   ⑤ $\dfrac{3}{2}$

### 091

$2^{8x}=9$일 때, $\dfrac{2^{6x}-2^{-6x}}{2^{2x}+2^{-2x}}$의 값은?

① $\dfrac{5}{3}$   ② $\dfrac{11}{6}$   ③ 2

④ $\dfrac{13}{6}$   ⑤ $\dfrac{7}{3}$

### 092

$\dfrac{2^x-2^{-x}}{2^x+2^{-x}}=\dfrac{1}{2}$일 때, $4^x-4^{-x}$의 값은?

① $\dfrac{4}{3}$   ② $\dfrac{5}{3}$   ③ 2

④ $\dfrac{7}{3}$   ⑤ $\dfrac{8}{3}$

## 유형 10 밑이 서로 다른 꼴로 주어진 식의 값

$a^x=b^y=k$ ($a>0$, $b>0$, $xy\neq0$, $k$는 상수)일 때

(1) $a=k^{\frac{1}{x}}$, $b=k^{\frac{1}{y}}$

(2) $ab=k^{\frac{1}{x}+\frac{1}{y}}$, $\dfrac{a}{b}=k^{\frac{1}{x}-\frac{1}{y}}$

### 093

$2^x=3^y=6$일 때, $\dfrac{1}{x}+\dfrac{1}{y}$의 값을 구하시오.

### 094

두 실수 $x$, $y$에 대하여 $15^x=25$, $375^y=125$일 때, $\dfrac{2}{x}-\dfrac{3}{y}$의 값은?

① $-2$   ② $-1$   ③ 0

④ $\dfrac{1}{2}$   ⑤ 2

### 중요 095

$2^x=9^y=18^z$일 때, $\dfrac{1}{x}+\dfrac{1}{y}-\dfrac{1}{z}$의 값은? (단, $xyz\neq0$)

① $-1$   ② $-\dfrac{1}{2}$   ③ 0

④ $\dfrac{1}{2}$   ⑤ 1

## 유형 **11** 지수법칙의 활용

사회현상, 자연현상, 과학 분야 등과 관련되어 출제되는 지수법칙의 활용 문제는 다음과 같이 해결한다.

(1) 문제에서 공식이 주어진 경우, 제시된 수치를 대입하여 문제를 해결한다.

(2) 문제에서 제시된 규칙을 이용하여 식을 세우고 수치를 대입하여 문제를 해결한다.

## 096

아름이가 가지고 있는 계산기에 양수를 입력한 후, $\boxed{\sqrt{}}$ 키를 누르면 계산기는 화면에 나타나 있는 수의 양의 제곱근을 계산하여 그 값을 화면에 나타낸다. 다음과 같은 순서대로 키를 눌렀을 때, 화면에 나타나는 수의 값은?

① $2^{\frac{3}{4}}$      ② $2^{\frac{5}{4}}$      ③ $2^{\frac{7}{4}}$

④ $2^{\frac{9}{4}}$      ⑤ $2^{\frac{11}{4}}$

## 097

컴퓨터 중앙처리장치의 속도는 2000년 1MHz이었던 것이 3년마다 4배의 비율로 빨라지고 있다. 이러한 추세로 컴퓨터 중앙처리장치의 속도가 빨라진다면 1THz에 도달할 것으로 예상되는 해를 구하시오.

(단, $1\text{THz}=10^{6}\text{MHz}$이고, $2^{10}=10^{3}$으로 계산한다.)

## 098

어느 호수의 수면에서의 빛의 세기가 $I_0$일 때, 수심이 $d$ m인 곳에서의 빛의 세기 $I_d$는 다음과 같이 나타난다고 한다.

$$I_d = I_0 \times 2^{-0.25d}$$

이 호수에서 수심이 8 m인 곳의 빛의 세기는 수면에서의 빛의 세기의 몇 %인가?

① 20 %      ② 25 %      ③ 30 %

④ 35 %      ⑤ 40 %

## 중요
## 099

어떤 특정 방사능 핵종의 원자 수가 방사성 붕괴에 의해서 원래의 수의 반으로 줄어드는 데 걸리는 시간을 반감기라고 한다. 따라서 반감기가 $T$(시간)인 어떤 방사능 핵종의 원래의 원자 수가 $M_0$일 때, $t$시간 후의 원자 수 $M$은

$$M = M_0 \left(\frac{1}{2}\right)^{\frac{t}{T}}$$

으로 계산된다. 반감기가 100시간인 어떤 핵종의 현재 원자 수가 $N_0$일 때, 이 핵종의 500시간 후의 원자 수는 200시간 후의 원자 수의 몇 배인가?

① $\frac{1}{16}$      ② $\frac{1}{8}$      ③ $\frac{1}{6}$

④ $\frac{1}{4}$      ⑤ $\frac{1}{2}$

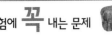
## 100

2의 네제곱을 $a$, $-8$의 세제곱근 중에서 실수인 것을 $b$라 할 때, $ab$의 값은?

① $-32$      ② $-8$      ③ $1$

④ $8$      ⑤ $32$

## 101

양의 실수 $a$에 대하여 〈보기〉에서 $\sqrt[8]{a^5}$과 같은 것만을 있는 대로 고른 것은?

┌─ 보 기 ├────────────────────────┐
│  ㄱ. $\left(\sqrt[8]{a}\right)^5$      ㄴ. $\sqrt{\sqrt[4]{a^5}}$      ㄷ. $\sqrt[4]{a^2\sqrt{a}}$  │
└──────────────────────────────────┘

① ㄱ      ② ㄴ      ③ ㄱ, ㄴ

④ ㄴ, ㄷ      ⑤ ㄱ, ㄴ, ㄷ

## 102

$4^{-6} \div \left(2^{-8} \div 4^{-5}\right)^{-3} = 2^k$일 때, 정수 $k$의 값을 구하시오.

## 103

$a>0$, $b>0$이고 $\sqrt[4]{ab^3} \div \sqrt[3]{a^2b^2} \times \sqrt{a^3b} = a^p b^q$일 때, 두 유리수 $p$, $q$에 대하여 $p+q$의 값은?

① $\dfrac{1}{3}$      ② $\dfrac{2}{3}$      ③ $1$

④ $\dfrac{4}{3}$      ⑤ $\dfrac{5}{3}$

## 104

세 수 $A = \sqrt[3]{3}$, $B = \sqrt[5]{6}$, $C = \sqrt[15]{2^8}$의 대소 관계를 바르게 나타낸 것은?

① $A<B<C$      ② $A<C<B$      ③ $B<A<C$

④ $B<C<A$      ⑤ $C<A<B$

## 105

다음 중 $\left\{3^{\sqrt{2}} + \left(\sqrt{3}\right)^{\sqrt{2}}\right\}\left\{3^{\sqrt{2}} - \left(\sqrt{3}\right)^{\sqrt{2}}\right\}$의 값과 같은 것은?

① $3^{\sqrt{2}}\left(3^{\sqrt{2}} - 1\right)$      ② $3^{\sqrt{2}}\left(2^{\sqrt{2}} + 1\right)$      ③ $3^{\sqrt{2}} - 1$

④ $3$      ⑤ $\left(\sqrt{3}\right)^{\sqrt{2}} - 1$

## 106

$a^{\frac{1}{2}}+a^{-\frac{1}{2}}=\sqrt{5}$일 때, $a+a^{-1}$의 값을 구하시오. (단, $a>0$)

## 107

$x=\sqrt[3]{4}-\sqrt[3]{2}$일 때, $x^3+6x$의 값을 구하시오.

## 108

$a^{2x}=4$일 때, $\dfrac{a^{3x}+a^{-3x}}{a^x+a^{-x}}$의 값은? (단, $a>0$)

① $\dfrac{5}{4}$      ② $\dfrac{7}{4}$      ③ $\dfrac{9}{4}$

④ $\dfrac{11}{4}$      ⑤ $\dfrac{13}{4}$

## 109

0이 아닌 세 실수 $x$, $y$, $z$가 다음 조건을 만족시킬 때, 상수 $a$의 값은?

> (가) $4^x=9^y=24^z$               (나) $\dfrac{a}{x}+\dfrac{1}{y}=\dfrac{2}{z}$

① 1      ② 2      ③ 3
④ 4      ⑤ 5

### 1등급 문제

## 110

2의 세제곱을 $a$, 3의 제곱을 $b$라 할 때, $(a^2b)^3\times(a^4b^3)^2\div(a^2b)^6$의 $n$제곱근이 정수가 되도록 하는 자연수 $n$의 값의 개수는? (단, $n\geq2$)

① 1      ② 2      ③ 3
④ 4      ⑤ 5

## 111

처음 개체 수가 $n$인 어떤 박테리아를 최적의 조건하에서 배양하였을 때, $t$시간 후의 개체 수를 $N$이라 하면
$$N=n\times2^{kt} \quad (k\text{는 상수})$$
인 관계가 성립한다고 한다. 배양한 지 2시간 후 박테리아의 개체 수가 $5n$일 때, 배양한 지 6시간 후의 개체 수는 처음 개체 수의 몇 배인지 구하시오.

# 02 로그

## 1 로그의 정의

$a>0$, $a\neq1$일 때, 양수 $N$에 대하여
$$a^x=N$$
을 만족시키는 실수 $x$는 오직 하나 존재한다.
이와 같은 실수 $x$를
$$x=\log_a N$$
으로 나타내고, 이것을 $a$를 밑으로 하는 $N$의 로그라고 한다. 여기서 $N$을 $\log_a N$의 진수라고 한다.

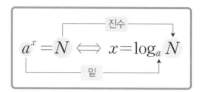

## 2 로그의 성질

### (1) 로그의 성질

$a>0$, $a\neq1$, $M>0$, $N>0$일 때

① $\log_a 1=0$, $\log_a a=1$

② $\log_a MN=\log_a M+\log_a N$

③ $\log_a \dfrac{M}{N}=\log_a M-\log_a N$

④ $\log_a M^k=k\log_a M$ (단, $k$는 실수)

### (2) 로그의 밑의 변환 공식

$a$, $b$, $c$가 양수일 때

① $\log_a b=\dfrac{\log_c b}{\log_c a}$ (단, $a\neq1$, $c\neq1$)

② $\log_a b=\dfrac{1}{\log_b a}$ (단, $a\neq1$, $b\neq1$)

### (3) 로그의 여러 가지 성질

$a>0$, $a\neq1$, $b>0$, $c>0$, $c\neq1$일 때

① $\log_{a^m} b^n=\dfrac{n}{m}\log_a b$ (단, $m\neq0$)

② $a^{\log_c b}=b^{\log_c a}$

③ $a^{\log_a b}=b$

## 3 로그의 정수 부분과 소수 부분

$a>1$이고 양수 $M$과 정수 $n$에 대하여 $a^n\leq M<a^{n+1}$일 때,
$$\log_a a^n\leq\log_a M<\log_a a^{n+1} \quad \therefore n\leq\log_a M<n+1$$
➡ $\log_a M=n.\times\times\times$이므로 $\log_a M$의 정수 부분은 $n$, 소수 부분은 $\log_a M-n$이다.

◀ $\log_a N$이 정의되기 위해서는
(1) 밑은 1이 아닌 양수이어야 한다.
  ⇨ $a>0$, $a\neq1$
(2) 진수는 양수이어야 한다.
  ⇨ $N>0$

◀ 로그의 진수와 밑의 조건
(1) (진수)$=0$인 경우
  $\log_3 0=x \Longleftrightarrow 3^x=0\,(\times)$
(2) (진수)$<0$인 경우
  $\log_3 -5=x \Longleftrightarrow 3^x=-5\,(\times)$
$a^x>0\,(a>0)$이므로 (진수)$>0$이어야 하고, 로그의 밑의 조건도 위와 같은 방법으로 생각해 보면 (밑)$>0$, (밑)$\neq1$임을 알 수 있다.

◀ $a>0$, $a\neq1$, $M>0$일 때
(1) $\log_a a^k=k$ (단, $k$는 실수)
(2) $\log_a \dfrac{1}{M}=-\log_a M$

◀ $a$, $b$, $c$가 1이 아닌 양수일 때
(1) $\log_a b\times\log_b a=1$
(2) $\log_a b\times\log_b c\times\log_c a=1$

◀ 착각하기 쉬운 로그의 성질
$a>0$, $a\neq1$, $M>0$, $N>0$일 때
(1) $\log_a(M+N)\neq\log_a M+\log_a N$
(2) $\log_a(M-N)\neq\log_a M-\log_a N$
(3) $\log_a M\times\log_a N$
  $\neq\log_a M+\log_a N$
(4) $\dfrac{\log_a M}{\log_a N}\neq\log_a M-\log_a N$
(5) $(\log_a M)^k\neq k\log_a M$
  (단, $k$는 실수)
(6) $(\log_a M)^k\neq\log_a M^k$
  (단, $k$는 실수)

## 기본 문제

### 1 로그의 정의

[001-002] 다음 등식을 $x=\log_a b$의 꼴로 나타내시오.

**001** $2^4=16$

**002** $9^{\frac{1}{2}}=3$

[003-005] 다음 등식을 $a^x=b$의 꼴로 나타내시오.

**003** $\log_2 32=5$

**004** $\log_4 8=\dfrac{3}{2}$

**005** $\log_3 \sqrt{3}=\dfrac{1}{2}$

[006-008] 로그의 정의를 이용하여 다음 값을 구하시오.

**006** $\log_2 8$

**007** $\log_{27} 3$

**008** $\log_{\frac{1}{3}} 3$

[009-012] 다음 등식을 만족시키는 실수 $x$의 값을 구하시오.

**009** $\log_3 x=4$

**010** $\log_x 8=3$

**011** $\log_3 x=\dfrac{1}{2}$

**012** $\log_5 x=-1$

[013-015] 다음 등식을 만족시키는 $x$의 값을 로그를 이용하여 구하시오.

**013** $3^x=10$

**014** $10^x=15$

**015** $7^x=\dfrac{1}{2}$

**[016-019]** 다음 로그가 정의되도록 하는 실수 $x$의 값의 범위를 구하시오.

**016** $\log_2 (x-5)$

**017** $\log_3 (x^2-4)$

**018** $\log_{x-5} 3$

**019** $\log_x (5-x)$

---

**2**　로그의 성질

**[020-022]** 다음 값을 구하시오.

**020** $\log_3 1$

**021** $\log_3 3$

**022** $\log_2 2 - \log_2 1$

---

**[023-032]** 다음 값을 구하시오.

**023** $\log_2 \dfrac{2}{3} + \log_2 3$

**024** $\log_3 12 - \log_3 4$

**025** $\log_5 125$

**026** $\log_3 \sqrt{3}$

**027** $\log_6 3 + \log_6 12$

**028** $\log_5 10 - \log_5 \dfrac{2}{5}$

**029** $\log_2 \dfrac{4}{3} + 2\log_2 \sqrt{12}$

**030** $\log_2 8 + \log_2 2\sqrt{2} - \log_2 \sqrt{2}$

**031** $\log_3 18 - \log_3 \dfrac{4}{9} + \log_3 6$

**032** $\log_4 3 + 5\log_4 2 - \log_4 6$

[033-036] 다음 ☐ 안에 알맞은 것을 써넣으시오.

**033** $\log_3 5 = \dfrac{\log_{\square} 5}{\log_2 \square}$

**034** $\log_5 2 = \dfrac{1}{\log_2 \square}$

**035** $\dfrac{\log_3 7}{\log_3 5} = \log_5 \square$

**036** $\dfrac{1}{\log_4 6} = \log_{\square} 4$

[037-042] 로그의 밑의 변환 공식을 이용하여 다음 값을 구하시오.

**037** $\dfrac{\log_7 9}{\log_7 3}$

**038** $\dfrac{1}{\log_{32} 2}$

**039** $\log_2 3 \times \log_3 8$

**040** $\log_2 5 \times \log_5 4$

**041** $\log_3 2 \times \log_2 5 \times \log_5 9$

**042** $\log_3 5 \times \log_5 7 \times \log_7 27$

**3** 로그의 여러 가지 성질

[043-048] 다음 □ 안에 알맞은 것을 써넣으시오.

(단, $a>0$, $a\neq1$, $b>0$, $c>0$, $c\neq1$, $m\neq0$)

**043** $\log_{a^m} b^n = \boxed{\phantom{x}} \log_a b$

**044** $a^{\log_c b} = \boxed{\phantom{x}}^{\log_c \boxed{\phantom{x}}}$

**045** $a^{\log_a b} = \boxed{\phantom{x}}$

**046** $\log_9 8 = \boxed{\phantom{x}} \log_3 2$

**047** $5^{\log_3 6} = \boxed{\phantom{x}}^{\log_3 \boxed{\phantom{x}}}$

**048** $3^{\log_3 7} = \boxed{\phantom{x}}$

[049-056] 다음 값을 구하시오.

**049** $\log_8 128$

**050** $\log_{\sqrt{3}} 27$

**051** $\log_{\frac{1}{10}} \sqrt[3]{10}$

**052** $\log_2 5 + \log_4 9$

**053** $2^{\log_2 5}$

**054** $9^{\log_3 \sqrt{5}}$

**055** $8^{\log_2 3} - 10^{\log_{10} 5}$

**056** $3^{\log_3 2 + \log_3 5}$

## 4 조건식을 이용한 로그의 표현

[057-062] $\log_{10} 2 = a$, $\log_{10} 3 = b$일 때, 다음을 $a$, $b$로 나타내시오.

**057** $\log_{10} 12$

**058** $\log_{10} \dfrac{3}{2}$

**059** $\log_{10} \dfrac{1}{9}$

**060** $\log_{10} 30$

**061** $\log_{10} 400$

**062** $\log_{10} 5$

[063-067] $\log_3 2 = a$, $\log_3 5 = b$일 때, 다음을 $a$, $b$로 나타내시오.

**063** $\log_2 5$

**064** $\log_8 25$

**065** $\log_{125} 4$

**066** $\log_{10} 20$

**067** $\log_2 6$

$a>0$, $a\neq1$, $N>0$일 때,
$$a^x=N \Longleftrightarrow x=\log_a N$$

## 068

$\log_2 x=2$, $\log_y \dfrac{1}{8}=3$을 만족시키는 $x$, $y$에 대하여 $xy$의 값을 구하시오.

## 069

$x=\log_2 3$일 때, $2^x+2^{-x}$의 값은?

① $\dfrac{7}{3}$      ② $\dfrac{8}{3}$      ③ $\dfrac{10}{3}$

④ $\dfrac{11}{3}$      ⑤ $\dfrac{13}{3}$

## 중요
## 070

$\log_2 (\log_x 9)=1$을 만족시키는 $x$의 값을 구하시오.

$\log_a N$이 정의되기 위해서는
(1) 밑은 1이 아닌 양수이어야 한다. ⇨ $a>0$, $a\neq1$
(2) 진수는 양수이어야 한다. ⇨ $N>0$

## 071

실수 $x$에 대하여 $\log_2 (x-2)+\log_2 (x-3)$이 정의될 때, $|x-2|+|x-3|$을 간단히 하면?

① $5$      ② $-2x$      ③ $2x-5$

④ $2x$      ⑤ $5x-2$

## 중요
## 072

모든 실수 $x$에 대하여 $\log_5 (x^2-2ax+3a)$가 정의되도록 하는 실수 $a$의 값의 범위는?

① $-3<a<-1$      ② $-3<a<0$      ③ $-1<a<1$

④ $0<a<3$      ⑤ $1<a<4$

## 073

$\log_{x-3} (-x^2+6x-8)$이 정의되도록 하는 실수 $x$의 값의 범위는?

① $3<x<4$      ② $5<x<7$      ③ $7<x<9$

④ $10<x<13$      ⑤ $14<x<16$

## 유형 **03** 로그의 성질을 이용한 계산

$a>0$, $a \neq 1$, $M>0$, $N>0$일 때
(1) $\log_a 1=0$, $\log_a a=1$
(2) $\log_a MN=\log_a M+\log_a N$
(3) $\log_a \dfrac{M}{N}=\log_a M-\log_a N$
(4) $\log_a M^k=k\log_a M$ (단, $k$는 실수)

## 074

$\log_3 (\log_2 8) \times 8^{\frac{1}{3}}$의 값은?

① $1$　　　　② $2$　　　　③ $3$

④ $4$　　　　⑤ $5$

## 075

$\log_3 6+\log_3 27-\log_3 2$의 값을 구하시오.

## 076

$\dfrac{1}{3}\log_2 \dfrac{5}{4}-\log_2 \dfrac{\sqrt[3]{10}}{8}-\dfrac{1}{3}\log_2 4$의 값은?

① $\dfrac{1}{3}$　　　　② $\dfrac{2}{3}$　　　　③ $1$

④ $\dfrac{4}{3}$　　　　⑤ $\dfrac{5}{3}$

## 077

두 양수 $a$, $b$에 대하여
$$\log_2 a+\log_2 b=5,\ \log_2 (a-b)=3$$
일 때, $\log_2 (a^2+b^2)^3$의 값을 구하시오.

## 078

$$\log_7 \left(1-\dfrac{1}{2}\right)+\log_7 \left(1-\dfrac{1}{3}\right)+\log_7 \left(1-\dfrac{1}{4}\right)+\cdots$$
$$+\log_7 \left(1-\dfrac{1}{49}\right)$$

의 값을 구하시오.

## 079

$a>0$, $a \neq 1$, $x>0$, $y>0$이고
$$A=\log_a \dfrac{x^2}{y^3},\ B=\log_a \dfrac{y^2}{x^3}$$
일 때, 다음 중 $3A+2B$와 같은 것은?

① $\log_a \dfrac{1}{x^5}$　　　　② $\log_a \dfrac{1}{y^5}$　　　　③ $\log_a \dfrac{1}{xy}$

④ $\log_a \dfrac{x^5}{y^5}$　　　　⑤ $\log_a \dfrac{x^5}{y^7}$

## 유형 04 로그의 밑의 변환 공식

$a$, $b$, $c$가 양수일 때

(1) $\log_a b = \dfrac{\log_c b}{\log_c a}$ (단, $a \neq 1$, $c \neq 1$)

(2) $\log_a b = \dfrac{1}{\log_b a}$ (단, $a \neq 1$, $b \neq 1$)

### 080

$\log_4 5 \times \log_5 7 \times \log_7 16$의 값을 구하시오.

### 081

1이 아닌 세 양수 $a$, $b$, $c$에 대하여 $\log_a c = 3$, $\log_b c = 1$일 때, $\log_{ab} c$의 값은?

① $\dfrac{1}{3}$  ② $\dfrac{2}{3}$  ③ $\dfrac{3}{4}$

④ $1$  ⑤ $\dfrac{4}{3}$

### 082

$\log_5 35 - \dfrac{\log_7 14}{\log_7 5} + \dfrac{1}{\log_{10} 5}$ 의 값을 구하시오.

### 083

다음 등식을 만족시키는 양수 $k$의 값을 구하시오. (단, $x > 0$, $x \neq 1$)

$$\frac{1}{\log_2 x} + \frac{1}{\log_3 x} + \frac{1}{\log_4 x} = \frac{1}{\log_k x}$$

### 084

1보다 큰 세 실수 $a$, $b$, $c$에 대하여 $\log_a c : \log_b c = 3 : 1$일 때, $\log_a b + \log_b a$의 값은?

① $\dfrac{7}{3}$  ② $\dfrac{8}{3}$  ③ $3$

④ $\dfrac{10}{3}$  ⑤ $\dfrac{11}{3}$

### 085

$\log_a b + \log_b a = \dfrac{10}{3}$일 때, $\dfrac{a^3 b^2 + ab}{a^4 + b^3}$ 의 값을 구하시오.

(단, $1 < a < b$)

## 유형 **05** 로그의 성질의 증명

로그의 정의와 성질을 이용하여 빈칸에 알맞은 식을 구한다.

### 086

다음은 로그의 성질을 증명한 것이다.

┤ 증명 ├

$\log_a M = m$, $\log_a N = n$ $(a > 0, a \neq 1, M > 0, N > 0)$이라 하면

$$a^m = \boxed{(가)}, \ a^n = \boxed{(나)}$$

$$\therefore \boxed{(다)} = a^{m+n}$$

로그의 정의에 의하여

$$\log_a \boxed{(다)} = m + n$$

즉, $\log_a \boxed{(다)} = \log_a \boxed{(가)} + \log_a \boxed{(나)}$

위의 증명에서 (가), (나), (다)에 알맞은 것을 순서대로 적은 것은?

① $M, N, MN$
② $M, N, M+N$
③ $N, M, MN$
④ $N, M, M+N$
⑤ $M, N, M^N$

### 087

다음은 $\log_p q^r = r \log_p q$ $(p > 0, p \neq 1, q > 0, r$는 실수$)$를 이용하여 $m$이 0이 아닌 실수일 때,

$$\log_{a^m} b^n = \frac{n}{m} \log_a b \ (a > 0, a \neq 1, b > 0, n은 실수)$$

가 성립함을 증명한 것이다.

┤ 증명 ├

$x = \log_{a^m} b^n$으로 놓으면 $b^n = \boxed{(가)} = (a^x)^{\boxed{(나)}}$

$$\boxed{(다)} = a^x$$

따라서 $x = \log_a \boxed{(다)} = \frac{n}{m} \log_a b$가 성립한다.

다음 중 위의 증명에서 (가), (나), (다)에 알맞은 것은?

| | (가) | (나) | (다) | | (가) | (나) | (다) |
|---|---|---|---|---|---|---|---|
| ① | $a^x$ | $m$ | $b^n$ | ② | $a^x$ | $\frac{m}{n}$ | $b^{\frac{n}{m}}$ |
| ③ | $(a^m)^x$ | $m$ | $b^{\frac{n}{m}}$ | ④ | $(a^m)^x$ | $\frac{m}{n}$ | $b^{\frac{n}{m}}$ |
| ⑤ | $(a^x)^m$ | $m$ | $b^n$ | | | | |

## 유형 **06** 로그의 여러 가지 성질을 이용한 계산

$a > 0, a \neq 1, b > 0, c > 0, c \neq 1$일 때

(1) $\log_{a^m} b^n = \dfrac{n}{m} \log_a b$ (단, $m \neq 0$)

(2) $a^{\log_c b} = b^{\log_c a}$

(3) $a^{\log_a b} = b$

### 088

$\log_{\sqrt{3}} 3 + \log_4 \dfrac{1}{2}$의 값은?

① $1$
② $\dfrac{3}{2}$
③ $2$
④ $\dfrac{5}{2}$
⑤ $3$

### 089

$(\log_2 3 + \log_4 9)(\log_3 4 + \log_9 2)$의 값을 구하시오.

### 중요 090

$9^{2\log_3 2 + \log_3 6 - \log_3 12}$의 값을 구하시오.

## 091

$x=2\log_3\dfrac{2\sqrt{2}}{3}+\log_3\sqrt{162}-\dfrac{1}{2}\log_3 32$일 때, $3^x$의 값을 구하시오.

## 092

$a>0$, $b>0$, $ab\neq 1$일 때, $(\log_3 a+3\log_{27} b)\log_{\sqrt{ab}} 9$의 값을 구하시오.

## 093

세 수 $A=\log_3 2$, $B=\log_4 8$, $C=\log_2 3$의 대소 관계를 바르게 나타낸 것은?

① $A<B<C$    ② $A<C<B$    ③ $B<C<A$
④ $C<A<B$    ⑤ $C<B<A$

### 유형 07 조건식을 이용한 로그의 표현

로그의 값을 주어진 조건식을 이용하여 나타내는 문제는
① 로그의 진수를 분수꼴로 나타내거나 소인수분해한다.
② ①을 조건식을 이용할 수 있도록 로그의 성질을 이용하여 간단히 한다.

## 094

$\log_{10} 2=a$, $\log_{10} 3=b$라 할 때, $\log_{10} 24$를 $a$, $b$로 나타내면?

① $a+2b$    ② $a+3b$    ③ $2a+b$
④ $2a+2b$    ⑤ $3a+b$

## 095

$\log_2 a=x$, $\log_2 b=y$라 할 때, $\log_{a^3}\sqrt[3]{ab^2}$을 $x$, $y$로 나타내면?
(단, $a>0$, $a\neq 1$, $b>0$)

① $\dfrac{x+y}{3x}$    ② $\dfrac{2x+y}{3x}$    ③ $\dfrac{x+2y}{3x}$
④ $\dfrac{x+y}{6x}$    ⑤ $\dfrac{x+2y}{6x}$

## 096

$5^a=2$, $5^b=3$이라 할 때, $\log_6 72$를 $a$, $b$로 나타내면?

① $\dfrac{a+b}{a-b}$    ② $\dfrac{2a+b}{b-a}$    ③ $\dfrac{2a-b}{a+b}$
④ $\dfrac{2a+b}{a+b}$    ⑤ $\dfrac{3a+2b}{a+b}$

$a > 1$이고, 양수 $M$과 정수 $n$에 대하여
$a^n \le M < a^{n+1}$일 때,
$\log_a a^n \le \log_a M < \log_a a^{n+1}$ ∴ $n \le \log_a M < n+1$
⇨ $\log_a M$의 정수 부분은 $n$, 소수 부분은 $\log_a M - n$이다.

## 097
$\log_3 12$의 소수 부분을 $a$라 할 때, $27^a$의 값은?

① $\dfrac{4}{9}$  　　② $\dfrac{16}{27}$  　　③ $1$

④ $\dfrac{16}{9}$  　　⑤ $\dfrac{64}{27}$

## 098

$\log_3 5 + \dfrac{1}{\log_7 3}$의 정수 부분을 $a$, 소수 부분을 $b$라 할 때,

$27(2^a + 3^b)$의 값을 구하시오.

## 099

$\log_2 7$의 정수 부분을 $x$, 소수 부분을 $y$라 할 때,

$\dfrac{2^y - 2^{-y}}{2^x + 2^{-x}}$의 값을 구하시오.

(1) 이차방정식 $ax^2 + bx + c = 0$의 두 근을 $\alpha$, $\beta$라 하면
$$\alpha + \beta = -\frac{b}{a}, \ \alpha\beta = \frac{c}{a}$$
(2) 이차방정식 $px^2 + qx + r = 0$의 두 근을 $\log_a \alpha$, $\log_a \beta$라 하면
$$\log_a \alpha + \log_a \beta = \log_a \alpha\beta = -\frac{q}{p}, \ \log_a \alpha \times \log_a \beta = \frac{r}{p}$$

## 100
이차방정식 $x^2 - 12x + 16 = 0$의 두 근을 $\alpha$, $\beta$라 할 때,
$\log_2 \alpha + \log_2 \beta$의 값을 구하시오.

## 101
이차방정식 $x^2 - ax + b = 0$의 두 근이 $2$, $\log_2 3$일 때,
$\dfrac{b}{a}$의 값은? (단, $a$, $b$는 실수이다.)

① $-\log_{12} 3$  　　② $\log_{12} 3$  　　③ $2\log_{12} 3$

④ $3\log_{12} 3$  　　⑤ $4\log_{12} 3$

## 102
이차방정식 $x^2 - 8x + 2 = 0$의 두 근이 $\log_{10} a$, $\log_{10} b$일 때,
$\log_a b + \log_b a$의 값을 구하시오.

## 유형 10 조건을 이용하여 식의 값 구하기

$a^x=b^y=c^z=k \ (k>0)$로 놓고, 로그의 정의와 성질을 이용하여 구하고자 하는 식의 값을 구한다.

### 103

두 양수 $x$, $y$에 대하여 $x^3=y^2$일 때, $\log_x \dfrac{x^2}{y^3}$의 값은?

(단, $x \neq 1$)

① $-\dfrac{5}{2}$      ② $-\dfrac{3}{2}$      ③ $-\dfrac{1}{2}$

④ $\dfrac{1}{2}$      ⑤ $\dfrac{3}{2}$

### 104

$150^x=25$, $6^y=125$일 때, $\dfrac{2}{x}-\dfrac{3}{y}$의 값을 구하시오.

### 105

1이 아닌 세 양수 $a$, $b$, $c$에 대하여 $a^x=b^y=c^z=64$,

$\log_2 abc=12$일 때, $\dfrac{1}{x}+\dfrac{1}{y}+\dfrac{1}{z}$의 값을 구하시오.

## 유형 11 로그의 활용

① 주어진 식의 문자에 해당하는 값을 대입하여 식을 세운다.
② ①의 식에서 로그의 정의와 성질을 이용하여 구하고자 하는 값을 구한다.

### 106

어떤 물질이 녹아 있는 용액에 단색광을 투과시킬 때, 투과 전 단색광의 세기에 대한 투과 후 단색광의 세기의 비를 그 단색광의 투과도라고 한다. 투과도를 $T$, 단색광이 투과한 길이를 $l$, 용액의 농도를 $d$라 할 때, 다음 관계가 성립한다.

$$\log_{10} T = -kld \ (단, k는 양의 상수이다.)$$

이 물질에 대하여 투과 길이가 $l_0 \ (l_0>0)$이고 용액의 농도가 $3d_0 \ (d_0>0)$일 때의 투과도를 $T_1$, 투과 길이가 $2l_0$이고 용액의 농도가 $4d_0$일 때의 투과도를 $T_2$라 하자. $T_2=T_1{}^n$을 만족시키는 실수 $n$의 값은?

① $2$      ② $\dfrac{13}{6}$      ③ $\dfrac{7}{3}$

④ $\dfrac{5}{2}$      ⑤ $\dfrac{8}{3}$

### 107

어느 상품의 수요량 $D$와 판매 가격 $P$ 사이에는

$$\log_a D = \log_a c - \frac{1}{3}\log_a P \ (a, c는 양의 상수, a \neq 1)$$

인 관계가 성립한다고 한다. 이 상품의 판매 가격이 $P_1$, $4P_1$일 때의 수요량을 각각 $D_1$, $D_2$라 할 때, $\dfrac{D_2}{D_1}$의 값은?

① $2^{-\frac{2}{3}}$      ② $2^{-\frac{1}{2}}$      ③ $2^{-\frac{1}{3}}$

④ $2^{\frac{1}{3}}$      ⑤ $2^{\frac{2}{3}}$

**쌤**이 시험에 **꼭** 내는 문제

## 108

$\log_2(-x^2+4x+12)$가 정의되도록 하는 정수 $x$의 개수는?

① 5      ② 6      ③ 7

④ 8      ⑤ 9

## 109

$\log_2 \dfrac{4}{3}+2\log_2 \sqrt{6}$ 의 값을 구하시오.

## 110

$\log_3(\log_2 5)+\log_3(\log_5 7)+\log_3(\log_7 8)$의 값을 구하시오.

## 111

1이 아닌 네 양수 $a, b, c, x$에 대하여

$\log_a x=\dfrac{1}{3}$, $\log_b x=\dfrac{1}{4}$, $\log_c x=\dfrac{1}{5}$일 때, $\dfrac{1}{\log_{abc} x}$의 값은?

① $\dfrac{1}{24}$      ② $\dfrac{1}{9}$      ③ 9

④ 12      ⑤ 24

## 112

$$T=\log_5\left(1+\frac{1}{1}\right)+\log_5\left(1+\frac{1}{2}\right)+\log_5\left(1+\frac{1}{3}\right)+\cdots$$
$$+\log_5\left(1+\frac{1}{25}\right)$$

이라 할 때, $25^T$의 값은?

① $25^2$      ② $26^2$      ③ $2^{25}$

④ $3^{20}$      ⑤ $5^{25}$

## 113

$\log_3 x+\log_3 y=2$일 때, $x+4y$의 최솟값을 구하시오.

## 114

$\log_2 3 = a$, $\log_5 2 = b$라 할 때, $\log_{15} 27$을 $a$, $b$로 나타내면?

① $\dfrac{2ab}{ab-1}$      ② $\dfrac{3ab}{ab-1}$      ③ $\dfrac{ab}{ab+1}$

④ $\dfrac{2ab}{ab+1}$      ⑤ $\dfrac{3ab}{ab+1}$

## 115

$\log_2 6$의 정수 부분을 $x$, 소수 부분을 $y$라 할 때, $3^x + 2^{y+1}$의 값을 구하시오.

## 116

이차방정식 $x^2 - 2x\log_2 3 + 1 = 0$의 두 근을 $\alpha$, $\beta$라 할 때, $2^{\alpha+\beta+\alpha\beta}$의 값을 구하시오.

## 117

$9^x = 4^y = 6$일 때, $\dfrac{1}{x} + \dfrac{1}{y}$의 값은?

① 1      ② 2      ③ 3

④ 4      ⑤ 5

### 1등급 문제

## 118

$1 < a < b$인 두 실수 $a$, $b$에 대하여

$$\frac{3a}{\log_a b} = \frac{b}{2\log_b a} = \frac{3a+b}{3}$$

가 성립할 때, $10\log_a b$의 값을 구하시오.

## 119

$k = 1, 2, 3, 4, \cdots$에 대하여 $b_k$가 0 또는 1이고

$$\log_7 2 = \frac{b_1}{2} + \frac{b_2}{2^2} + \frac{b_3}{2^3} + \frac{b_4}{2^4} + \cdots$$

일 때, $b_1$, $b_2$, $b_3$의 값을 순서대로 적은 것은?

① 0, 0, 0      ② 0, 0, 1      ③ 0, 1, 0

④ 0, 1, 1      ⑤ 1, 1, 1

# 03 상용로그

### 1 상용로그

10을 밑으로 하는 로그를 상용로그라 하고, 보통 밑 10을 생략하여

$$\log N \ (N>0)$$

과 같이 나타낸다.

◀ $\log_{10} N \iff \log N$ (단, $N>0$)

### 2 상용로그표

(1) 0.01의 간격으로 1.00에서 9.99까지의 수에 대한 상용로그의 값을 반올림하여 소수점 아래 넷째 자리까지 나타낸 표를 상용로그표라고 한다.

예를 들어 상용로그표에서 $\log 3.42$의 값은 3.4의 행과 2의 열이 만나는 곳의 수이다.

즉, $\log 3.42 = 0.5340$이다.

| 수 | 0 | 1 | 2 |
|---|---|---|---|
| 1.0 | .0000 | .0043 | .0086 |
| 1.1 | .0414 | .0453 | .0492 |
| ⋮ | ⋮ | ⋮ | ⋮ |
| 3.4 | .5315 | .5328 | .5340 |
| 3.5 | .5441 | .5453 | .5465 |

(2) **상용로그의 계산**: 양수 $N$을 $N = a \times 10^n$ ($1 \le a < 10$, $n$은 정수)의 꼴로 변형한 후, 상용로그표를 이용하여 $\log N$의 값을 구할 수 있다.

➡ $\log N = \log (a \times 10^n) = \log a + \log 10^n = n + \log a$

◀ 상용로그표에 있는 상용로그의 값은 근삿값이지만 편의상 등호를 사용하여 나타낸다.

◀ 로그의 진수가 커질수록 상용로그의 값도 커진다.

### 3 상용로그의 정수 부분과 소수 부분

양수 $N$에 대하여

$$\log N = n + \alpha \ (n은 \ 정수, \ 0 \le \alpha < 1)$$

로 나타낼 때, $n$을 $\log N$의 정수 부분, $\alpha$를 $\log N$의 소수 부분이라고 한다.

◀ 소수(小數): 0보다 크고 1보다 작은 실수

◀ $N>1$일 때, $\log N$의 정수 부분은 $n$이다.
$\iff n \le \log N < n+1$
$\iff 10^n \le N < 10^{n+1}$
$\iff N$은 정수 부분이 $(n+1)$자리인 수이다.

### 4 상용로그의 정수 부분과 소수 부분의 성질

(1) **정수 부분의 성질**

① 정수 부분이 $n$자리인 수의 상용로그의 정수 부분은 $(n-1)$이다.

② 소수점 아래 $n$째 자리에서 처음으로 0이 아닌 숫자가 나타나는 수의 상용로그의 정수 부분은 $-n$이다.

(2) **소수 부분의 성질**

숫자의 배열이 같고 소수점의 위치만 다른 수들의 상용로그의 소수 부분은 모두 같다.

참고 상용로그의 소수 부분에 대한 조건이 주어지면 다음을 이용한다.

① 두 상용로그의 소수 부분이 같다. ➡ (두 상용로그의 차)=(정수)

② 두 상용로그의 소수 부분의 합이 1이다. ➡ (두 상용로그의 합)=(정수)

◀ 상용로그와 가우스 기호
$N>0$에 대하여
$\log N = n + \log a$
　　　($n$은 정수, $0 \le \log a < 1$)
이고, $[x]$가 $x$보다 크지 않은 최대의 정수를 나타낼 때
(1) $[\log N]$은 $\log N$의 정수 부분이다.
(2) $\log N - [\log N]$은 $\log N$의 소수 부분이다.

## 기본 문제

**1 상용로그**

[001-005] 다음 상용로그의 값을 구하시오.

**001** $\log 100$

**002** $\log 0.1$

**003** $\log \dfrac{1}{1000}$

**004** $\log \sqrt[3]{10}$

**005** $\log \sqrt{1000}$

[006-012] $\log 2 = a$, $\log 3 = b$라 할 때, 다음을 $a$, $b$로 나타내시오.

**006** $\log 4$

**007** $\log 5$

**008** $\log 6$

**009** $\log 8$

**010** $\log 9$

**011** $\log 27$

**012** $\log \dfrac{16}{9}$

[013-016] 양수 $N$에 대하여
$\log N = n + \alpha$ ($n$은 정수, $0 \le \alpha < 1$)로 표현할 때, $n$과 $\alpha$의 값을 다음 상용로그표를 이용하여 구하시오.

| 수 | ... | 3 | 4 | 5 | ... |
|---|---|---|---|---|---|
| ⋮ | ⋱ | ⋮ | ⋮ | ⋮ | ⋰ |
| 2.2 | ... | .3483 | .3502 | .3522 | ... |
| 2.3 | ... | .3674 | .3692 | .3711 | ... |
| ⋮ | ⋰ | ⋮ | ⋮ | ⋮ | ⋱ |

**013** $\log 2340$

**014** $\log 233$

**015** $\log 2.24$

**016** $\log 0.0223$

**[017-018]** 상용로그표를 이용하여 다음 상용로그의 값을 구하시오.

| 수 | $\cdots$ | 4 | 5 | 6 | $\cdots$ |
|---|---|---|---|---|---|
| $\vdots$ | $\ddots$ | $\vdots$ | $\vdots$ | $\vdots$ | $\ddots$ |
| 2.2 | $\cdots$ | .3502 | .3522 | .3541 | $\cdots$ |
| 2.3 | $\cdots$ | .3692 | .3711 | .3729 | $\cdots$ |
| $\vdots$ | $\ddots$ | $\vdots$ | $\vdots$ | $\vdots$ | $\ddots$ |

**017** $\log 2250$

**018** $\log 0.235$

**[019-022]** $\log 3.42 = 0.5340$일 때, 다음 상용로그의 값을 구하시오.

**019** $\log 34200$

**020** $\log 342$

**021** $\log 0.342$

**022** $\log 0.0342$

**[023-025]** 양수 $N$에 대하여 $\log N = n + \alpha$ ($n$은 정수, $0 \leq \alpha < 1$)로 표현할 때, $n$과 $\alpha$의 값을 구하시오.

**023** $\log N = 2.6042$

**024** $\log N = -0.3354$

**025** $\log N = -2.4145$

## 2 상용로그의 성질

[026-028] 다음 상용로그를 $n+\alpha$ ($n$은 정수, $0 \le \alpha < 1$)로 표현할 때, $n$의 값을 구하시오.

**026** $\log 425000$

**027** $\log 0.425$

**028** $\log 0.00425$

[029-032] 다음 상용로그를 $n+\log x$ ($n$은 정수, $1 \le x < 10$)로 표현하시오.

**029** $\log 254$

**030** $\log 0.0254$

**031** $\log 45.6$

**032** $\log 0.00456$

[033-039] 양수 $N$에 대하여 $\log N = f(N) + g(N)$ ($f(N)$은 정수, $0 \le g(N) < 1$)일 때, 상용로그표(207쪽 참고)를 이용하여 다음을 구하시오.

**033** $f(1500)$

**034** $f(13.6)$

**035** $f(0.604)$

**036** $f(0.000385)$

**037** $g(24500)$

**038** $g(0.768)$

**039** $f(472) + g(472)$

**기본 문제**

[040-043] $\log 8.35 = 0.9217$일 때, 다음 값을 구하시오.
(단, $[x]$는 $x$보다 크지 않은 최대의 정수이다.)

**040** $[\log 8.35]$

**041** $[\log 835]$

**042** $[\log 0.835]$

**043** $\log 8350 - [\log 8350]$

[044-049] $\log 5.94 = 0.7738$일 때, $x$의 값을 구하시오.

**044** $\log 5940 = x$

**045** $\log 0.594 = x$

**046** $\log 0.00594 = x$

**047** $\log x = 4.7738$

**048** $\log x = 1.7738$

**049** $\log x = -3.2262$

유형 문제

## 유형 01 상용로그의 값

양수 $N$에 대하여

$N = a \times 10^n$ (단, $1 \le a < 10$, $n$은 정수)

$\Rightarrow \log N = n + \log a$

### 050

$\log 100 - \log \dfrac{1}{1000} + \log \sqrt[3]{10}$ 의 값을 구하시오.

### 051

다음은 $\log 273$의 값을 구하는 과정이다. ㈎에 알맞은 수는?

(단, $\log 2.73 = 0.4362$로 계산한다.)

$$\log 273 = \log(2.73 \times 10^2) = \log 2.73 + \log \boxed{\phantom{00}}$$
$$= 0.4362 + \boxed{㈎} = \boxed{㈎}.4362$$

① 1      ② 2      ③ 3

④ 4      ⑤ 5

### 052

$\log 2.38 = 0.3766$일 때, $\log 0.00238$의 값은?

① $-3.6234$      ② $-2.6234$      ③ $-2.3766$

④ $2.3766$      ⑤ $3.3766$

### 053

$\log 845 = a$, $\log 0.845 = b$라 할 때, $2a - b$의 값은?

(단, $\log 8.45 = 0.9269$로 계산한다.)

① $1.9269$      ② $2.9269$      ③ $3.9269$

④ $4.9269$      ⑤ $5.9269$

### 054 중요

$\log 13.5 = 1.1303$일 때, $\log x = -2 + 0.1303$을 만족시키는 $x$의 값은?

① $0.000135$      ② $0.00135$      ③ $0.0135$

④ $0.135$      ⑤ $1.35$

### 055

$\log 3.26 = 0.5132$이고 $a = \log 0.326$, $\log b = -1.4868$이라 할 때, $10000(a+b)$의 값을 구하시오.

## 유형 02 상용로그의 계산

$\log a$, $\log b$의 값이 주어지면

$$\log a^m b^n = m\log a + n\log b,$$

$$\log \frac{a^m}{b^n} = m\log a - n\log b$$

임을 이용하여 구하려는 상용로그의 값을 구한다.

(단, $a>0$, $b>0$이고 $m$, $n$은 실수)

### 056

$\log 3.18 = 0.5024$일 때, $\log 318^4 + \log\sqrt{318}$의 값을 구하시오.

### 057

$\log \dfrac{5}{2}$의 값은? (단, $\log 2 = 0.3010$으로 계산한다.)

① 0.1505   ② 0.2140   ③ 0.3980

④ 0.4770   ⑤ 0.6990

### 058

$\log 2 = 0.3010$, $\log 3 = 0.4771$일 때, $\log 24$의 값을 구하시오.

### 059 중요

$\log 2 = a$, $\log 3 = b$라 할 때, $\log_5 \dfrac{27}{16}$을 $a$, $b$로 나타내면?

① $\dfrac{3b-4a}{1-a}$   ② $\dfrac{2b-a}{1+a}$   ③ $\dfrac{3b+4a}{2-a}$

④ $\dfrac{b-4a}{1+a}$   ⑤ $\dfrac{3b+4a}{1-b}$

### 060

$\log a^2 = 1.2424$일 때, $\log a^3 + \log\sqrt{a}$의 값을 구하시오.

### 061

$\log 2 = a$, $\log 3 = b$라 할 때, $\log 75$를 $a$, $b$로 나타내면?

① $-2a+b+2$   ② $-a+2b+1$   ③ $a-2b+2$

④ $2a-2b$   ⑤ $2a-b+1$

## 유형 **03** 상용로그표를 이용한 상용로그의 값

$\log 0.abc$의 값은 다음과 같은 방법으로 구한다.

① 상용로그표에서 $\log a.bc$의 값을 찾는다.

  ⇨ $a.b$의 행과 $c$의 열이 만나는 곳의 수

② $\log 0.abc = \log(a.bc \times 10^{-1})$임을 이용하여 $\log 0.abc$의 값을 구한다.

### 062

다음 상용로그표를 이용하여 $\log 234^4$의 값을 구하시오.

| 수 | 0 | 1 | 2 | 3 | 4 | ⋯ |
|---|---|---|---|---|---|---|
| ⋮ | ⋮ | ⋮ | ⋮ | ⋮ | ⋮ | ⋰ |
| 2.2 | .3424 | .3444 | .3464 | .3483 | .3502 | ⋯ |
| 2.3 | .3617 | .3636 | .3655 | .3674 | .3692 | ⋯ |
| 2.4 | .3802 | .3820 | .3838 | .3856 | .3874 | ⋯ |
| ⋮ | ⋮ | ⋮ | ⋮ | ⋮ | ⋮ | ⋱ |

### 063

$\log x = 2.1399$일 때, $x$의 값을 상용로그표를 이용하여 구하시오.

### 064

다음은 상용로그표를 이용하여 $2.3^9$을 구하는 과정이다.
(가), (나), (다), (라)에 알맞은 수를 순서대로 써넣으시오.

$\log 2.3^9 = 9 \log 2.3 = 9 \times \boxed{\text{(가)}}$

$\qquad = \boxed{\text{(나)}}$

상용로그표에서 $\log \boxed{\text{(다)}} = 0.2553$이므로

$\qquad \log 2.3^9 = 3 + 0.2553 = 3 + \log \boxed{\text{(다)}}$

$\qquad\qquad = \log \boxed{\text{(라)}}$

따라서 $2.3^9 = \boxed{\text{(라)}}$ 이다.

## 유형 **04** 상용로그의 정수 부분

양수 $N$에 대하여

$\qquad \log N = n + \alpha$ ($n$은 정수, $0 \le \alpha < 1$)

의 꼴로 나타낼 때, $n$을 $\log N$의 정수 부분, $\alpha$를 $\log N$의 소수 부분이라고 한다.

(1) 진수 $N$은 정수 부분이 $(n+1)$자리인 수이다.

$\qquad\qquad\qquad\qquad\qquad$ ←$N>1$인 경우

(2) 진수 $N$은 소수점 아래 $|n|$째 자리에서 처음으로 0이 아닌 숫자가 나온다. ←$0<N<1$인 경우

참고 $[x]$가 $x$보다 크지 않은 최대의 정수를 나타낼 때

① $[\log N]$은 $\log N$의 정수 부분이다.

② $\log N - [\log N]$은 $\log N$의 소수 부분이다.

### 065

$\log x$의 정수 부분을 $f(x)$라 할 때,

$\dfrac{f(101) + f(202) + f(303)}{f(1001) + f(2002)}$ 의 값을 구하시오.

### 066

양수 $N$에 대하여

$\qquad \log N = f(N) + g(N)$ ($f(N)$은 정수, $0 \le g(N) < 1$)

으로 나타낼 때, $f(7230) + f(0.235)$의 값은?

① 2 　　　　② 4 　　　　③ 6

④ 8 　　　　⑤ 10

### 067

$\log a = n + \alpha$ ($n$은 정수, $0 \le \alpha < 1$)로 나타낼 때, $n = 3$을 만족시키는 자연수 $a$의 개수를 구하시오.

## 068

상용로그의 정수 부분이 3인 수 중에서 가장 큰 정수를 $a$, 상용로그의 정수 부분이 2인 수 중에서 가장 작은 정수를 $b$라 할 때, $a-b$의 값을 구하시오.

### 중요
## 069

$[\log 1]+[\log 2]+[\log 3]+\cdots+[\log 1000]$의 값은?

(단, $[x]$는 $x$보다 크지 않은 최대의 정수이다.)

① 1890     ② 1891     ③ 1892
④ 1893     ⑤ 1894

## 070

양수 $A$에 대하여 $\log A=n+\alpha\left(n\text{은 정수},\ \dfrac{1}{3}<\alpha<\dfrac{2}{3}\right)$일 때,

$\log \dfrac{1}{A^3}$의 정수 부분은?

① $-3n-2$     ② $-3n-1$     ③ $-3n$
④ $-3n+1$     ⑤ $-3n+2$

### 유형 **05** 상용로그의 정수 부분과 소수 부분

(1) $N>1$일 때, $\log N$의 정수 부분이 $n$, 소수 부분이 $\alpha$이면
  ① $10^n \le N < 10^{n+1}$     ② $\alpha=\log N-n$

(2) 두 양수 $M$, $N$에 대하여
$$\log M=m+\log a,\ \log N=n+\log a$$
$$(m,\ n\text{은 정수},\ 0\le \log a<1)$$
이면 두 진수 $M$, $N$의 숫자의 배열은 같다.
역으로 진수의 숫자의 배열이 같으면 소수 부분이 같다.

## 071

$\log_2 x=5.2$일 때, $\log \dfrac{1}{x}=n+\alpha$ ($n$은 정수, $0\le \alpha<1$)에서 $\alpha$의 값을 구하시오. (단, $\log 2=0.3$으로 계산한다.)

### 중요
## 072

$\log 12$의 정수 부분을 $x$, 소수 부분을 $y$라 할 때, $10^x+10^{-y}$의 값을 구하시오.

## 073

$x$는 네 자리의 자연수이고, $\log x$의 소수 부분이 $0.6022$일 때, $\log x^2+\log \sqrt{x}$의 값은?

① $-8.4945$     ② $-5.9945$     ③ $5.4033$
④ $9.0055$     ⑤ $11.5055$

## 074

$x$, $y$가 각각 두 자리, 세 자리의 자연수일 때, 〈보기〉에서 옳은 것만을 있는 대로 고른 것은?

┌ 보기 ├
ㄱ. $xy$는 네 자리 또는 다섯 자리의 자연수이다.
ㄴ. $y=10x$이면 $\log x$와 $\log y$의 소수 부분은 같다.
ㄷ. $\dfrac{1}{x}$은 소수점 아래 둘째 자리에서 처음으로 0이 아닌 숫자가 나온다.

① ㄱ　　　　　② ㄷ　　　　　③ ㄱ, ㄴ
④ ㄴ, ㄷ　　　　⑤ ㄱ, ㄴ, ㄷ

## 075

양수 $A$에 대하여 $\log A=n+\alpha$ ($n$은 정수, $0\leq\alpha<1$)라 할 때, $n$과 $\alpha$는 이차방정식 $2x^2-33x+k=0$의 두 근이다. 상수 $k$의 값을 구하시오.

## 076

양수 $A$에 대하여
$\log A=f(A)+g(A)$ ($f(A)$는 정수, $0<g(A)<1$)라 할 때, $f(A)+f\left(\dfrac{1}{A}\right)=a$, $g(A)+g\left(\dfrac{1}{A}\right)=b$라 하자. $a^2+b^2$의 값을 구하시오.

## 유형 06 상용로그의 정수 부분의 성질

상용로그의 정수 부분의 성질을 이용하여 $A^k$ ($A>0$)에 대한 문제를 다음과 같이 해결할 수 있다. (단, $n$은 양의 정수)
① 조건을 이용하여 $\log A^k$의 정수 부분을 구한다.
② 정수 $A^k$에 대하여 $\log A^k$의 정수 부분이 $n$
　⟺ $A^k$은 $(n+1)$자리의 정수
③ $\log A^k$의 정수 부분이 $-n$ ⟺ $A^k$은 소수점 아래 $n$째 자리에서 처음으로 0이 아닌 숫자가 나타난다.

## 077

$\log 3=0.4771$일 때, $3^{20}$은 몇 자리의 정수인가?

① 8자리　　　　② 9자리　　　　③ 10자리
④ 11자리　　　　⑤ 12자리

## 078

$A^{100}$은 173자리의 정수일 때, $A^{50}$은 몇 자리의 정수인가?

① 86자리　　　　② 87자리　　　　③ 88자리
④ 89자리　　　　⑤ 90자리

## 079

$\left(\dfrac{1}{\sqrt{2}}\right)^{20}$은 소수점 아래 $n$째 자리에서 처음으로 0이 아닌 숫자가 나타날 때, $\log_2 n$의 값을 구하시오.
(단, $\log 2=0.3010$으로 계산한다.)

## 유형 07 상용로그의 소수 부분의 성질

1보다 큰 두 수 $A$, $B$에 대하여

(1) $\log A$와 $\log B$의 소수 부분이 같다.

  ⇨ $\log A - \log B = $ (정수)

(2) $\log A$와 $\log B$의 소수 부분의 합이 1이다.

  ⇨ $\log A + \log B = $ (정수)

### 중요
### 080

$\log x$의 정수 부분이 5이고, $\log x$의 소수 부분과 $\log\sqrt{x}$의 소수 부분의 합이 1일 때, $\log\sqrt{x}$의 소수 부분은?

① $\dfrac{1}{7}$      ② $\dfrac{1}{5}$      ③ $\dfrac{1}{3}$

④ $\dfrac{2}{5}$      ⑤ $\dfrac{2}{3}$

### 081

$1 < x < 1000$에서 $\log x$의 소수 부분과 $\log\sqrt{x}$의 소수 부분이 같을 때, $x$의 값을 구하시오.

### 082

$10^3 < x < 10^4$이고, $\log x$의 소수 부분과 $\log x^3$의 소수 부분이 같을 때, $\log x^2$의 값을 구하시오.

## 유형 08 상용로그의 활용

처음 양이 $A$이고, 매년 $a\%$씩 증가할 때, $k$년 후의 양

⇨ $A\left(1 + \dfrac{a}{100}\right)^k$

### 083

A 도시의 인구증가율이 매월 1 %일 때, 현재 인구의 2배 이상이 되는 것은 몇 개월 후부터인가?

(단, $\log 1.01 = 0.0043$, $\log 2 = 0.3010$으로 계산한다.)

① 68개월      ② 69개월      ③ 70개월

④ 71개월      ⑤ 72개월

### 084

실험실에서 어떤 박테리아의 번식력을 측정하였더니 1시간마다 3배로 증가하였다. 처음에 2마리의 박테리아로 번식력을 측정하였다면 18000마리 이상이 되기까지 걸리는 시간을 구하시오.

(단, $\log 3 = 0.5$로 계산한다.)

### 085

어느 지역에서 1년 동안 발생하는 규모 $M$ 이상인 지진의 평균 발생 횟수 $N$은 다음 식을 만족시킨다고 한다.

$\log N = a - 0.9M$ (단, $a$는 양의 상수이다.)

이 지역에서 규모 4 이상인 지진이 1년에 평균 64번 발생할 때, 규모 $x$ 이상인 지진은 1년에 평균 한 번 발생한다. $9x$의 값을 구하시오. (단, $\log 2 = 0.3$으로 계산한다.)

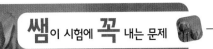

## 086

$\log 425 + \log 0.0425$의 값은?

(단, $\log 4.25 = 0.6284$로 계산한다.)

① 0.3142　　　② 0.6284　　　③ 0.9426

④ 1.0997　　　⑤ 1.2568

## 087

$\log 2 = 0.3010$, $\log 3 = 0.4771$일 때, $\log \left(\dfrac{6}{5}\right)^{100}$의 값을 구하시오.

## 088

$\log 2 = a$, $\log 3 = b$일 때, $\log_{18} 24$를 $a$, $b$로 나타내면?

① $\dfrac{a+3b}{a+2b}$　　　② $\dfrac{2a+b}{a+3b}$　　　③ $\dfrac{3a+b}{a+2b}$

④ $\dfrac{3a+b+1}{a+b-1}$　　　⑤ $\dfrac{3a+b}{a+b}$

## 089

상용로그표를 이용하여 $41.9^6$을 계산하면?

① $4.19 \times 10^9$　　　② $4.19 \times 10^{10}$　　　③ $4.19 \times 10^{11}$

④ $5.41 \times 10^9$　　　⑤ $5.41 \times 10^{10}$

## 090

양수 $A$는 정수 부분이 다섯 자리인 수일 때, $\log A$의 값의 범위는?

① $2 \leq \log A < 3$　　　② $3 \leq \log A < 4$

③ $4 \leq \log A < 5$　　　④ $5 \leq \log A < 6$

⑤ $6 \leq \log A < 7$

## 091

$\log x$의 정수 부분을 $f(x)$라 할 때,

$f(1) + f(2) + f(3) + \cdots + f(2000)$의 값을 구하시오.

## 092

$\log 500$의 소수 부분을 $a$라 할 때, $100^a$의 값을 구하시오.

## 093

$\log 300$의 정수 부분과 소수 부분이 이차방정식 $x^2+ax+b=0$의 두 근일 때, 두 상수 $a$, $b$에 대하여 $a+b$의 값은?

① $\log 0.03$     ② $\log 0.3$     ③ $\log 3$

④ $\log 1.3$     ⑤ $\log 13$

## 094

$6^{20}$은 몇 자리의 정수인가?

(단, $\log 2=0.3010$, $\log 3=0.4771$로 계산한다.)

① 15자리     ② 16자리     ③ 17자리

④ 18자리     ⑤ 19자리

## 095

정수 부분이 네 자리인 실수 $x$에 대하여 $\log x$의 소수 부분과 $\log x\sqrt{x}$의 소수 부분의 합이 1이 되는 모든 $\log x$의 소수 부분의 합은?

① $\dfrac{1}{3}$     ② $\dfrac{3}{5}$     ③ $\dfrac{2}{3}$

④ $\dfrac{4}{5}$     ⑤ $\dfrac{6}{5}$

### 1등급 문제

## 096

두 자연수 $a$, $b$에 대하여 $a^5 \times b^5$은 24자리의 수이고, $\dfrac{a^5}{b^5}$은 정수 부분이 16자리인 수일 때, $a$는 몇 자리의 자연수인가?

① 1자리     ② 2자리     ③ 3자리

④ 4자리     ⑤ 5자리

## 097

양수 $A$에 대하여

$\log A=f(A)+g(A)$ ($f(A)$는 정수, $0 \le g(A) < 1$)라 하자.

다음 조건을 만족시키는 두 양수 $x$, $y$에 대하여 $\dfrac{x}{y}$의 값을 구하시오. (단, $g(y) \ne 0$)

> (가) $\log x^2 y^3 = 12.5$       (나) $f(x)=f(y)$
>
> (다) $g(x)=g\left(\dfrac{1}{y}\right)$

# 04 지수함수와 로그함수

# 04 지수함수와 로그함수

## ① 지수함수

일반적으로 $a$가 1이 아닌 양수일 때, 임의의 실수 $x$에 대하여 $a^x$의 값은 하나로 정해진다. 따라서 $x$에 $a^x$의 값을 대응시키면

$$y=a^x \ (a>0, \ a\neq1)$$

은 $x$에 대한 함수이다. 이 함수를 $a$를 밑으로 하는 지수함수라고 한다.

**개념 플러스**

◀ $y=a^x$에서 $a=1$이면 모든 실수 $x$에 대하여 $y=1^x=1$이므로 상수함수가 된다.

## ② 지수함수 $y=a^x \ (a>0, \ a\neq1)$의 성질

(1) 정의역은 실수 전체의 집합이고, 치역은 양의 실수 전체의 집합이다.
(2) 그래프는 점 $(0, 1)$을 지난다.
(3) 그래프의 점근선은 $x$축이다.
(4) $a>1$일 때, $x$의 값이 증가하면 $y$의 값도 증가한다.
  $0<a<1$일 때, $x$의 값이 증가하면 $y$의 값은 감소한다.

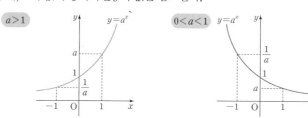

◀ 지수함수 $y=a^x \ (a>0, \ a\neq1)$의 그래프를
(1) $x$축의 방향으로 $m$만큼, $y$축의 방향으로 $n$만큼 평행이동
  $\Rightarrow y=a^{x-m}+n$
(2) $x$축에 대하여 대칭이동
  $\Rightarrow y=-a^x$
(3) $y$축에 대하여 대칭이동
  $\Rightarrow y=a^{-x}=\left(\dfrac{1}{a}\right)^x$
(4) 원점에 대하여 대칭이동
  $\Rightarrow y=-a^{-x}=-\left(\dfrac{1}{a}\right)^x$

## ③ 로그함수

지수함수 $y=a^x \ (a>0, \ a\neq1)$은 실수 전체의 집합에서 양의 실수 전체의 집합으로의 일대일 대응이므로 역함수를 갖는다. 이때 로그의 정의에 의하여

$$y=a^x \iff x=\log_a y \ (a>0, \ a\neq1)$$

이므로 $x=\log_a y$에서 $x$와 $y$를 서로 바꾸면 지수함수 $y=a^x$의 역함수

$$y=\log_a x \ (a>0, \ a\neq1)$$

를 얻는다. 이 함수를 $a$를 밑으로 하는 로그함수라고 한다.

◀ 로그함수 $y=\log_a x \ (a>0, \ a\neq1)$는 지수함수 $y=a^x$의 역함수이므로 지수함수 $y=a^x$의 그래프는 로그함수 $y=\log_a x$의 그래프와 직선 $y=x$에 대하여 대칭이다.

## ④ 로그함수 $y=\log_a x \ (a>0, \ a\neq1)$의 성질

(1) 정의역은 양의 실수 전체의 집합이고, 치역은 실수 전체의 집합이다.
(2) 그래프는 점 $(1, 0)$을 지난다.
(3) 그래프의 점근선은 $y$축이다.
(4) $a>1$일 때, $x$의 값이 증가하면 $y$의 값도 증가한다.
  $0<a<1$일 때, $x$의 값이 증가하면 $y$의 값은 감소한다.

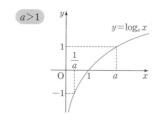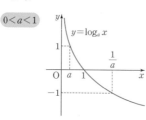

◀ 로그함수 $y=\log_a x \ (a>0, \ a\neq1)$의 그래프를
(1) $x$축의 방향으로 $m$만큼, $y$축의 방향으로 $n$만큼 평행이동
  $\Rightarrow y=\log_a(x-m)+n$
(2) $x$축에 대하여 대칭이동
  $\Rightarrow y=-\log_a x$
(3) $y$축에 대하여 대칭이동
  $\Rightarrow y=\log_a(-x)$
(4) 원점에 대하여 대칭이동
  $\Rightarrow y=-\log_a(-x)$

# 기본 문제

## 1 지수함수 $y=a^x$ ($a>0$, $a\neq1$)의 성질

[001-006] 다음은 지수함수 $f(x)=a^x$ ($a>0$, $a\neq1$)에 대한 설명이다. ☐ 안에 알맞은 것을 써넣으시오.

**001** 그래프의 점근선은 ☐이다.

**002** 그래프는 반드시 점 (☐, 1)을 지난다.

**003** 정의역은 {$x$ | $x$는 ☐}이다.

**004** 치역은 {$y$ | ☐}이다.

**005** $a>1$일 때, $f(x_1)<f(x_2)$이면 $x_1$☐$x_2$이다.

**006** $0<a<1$일 때, $f(x_1)<f(x_2)$이면 $x_1$☐$x_2$이다.

[007-008] 다음 두 지수함수의 그래프를 하나의 좌표평면 위에 나타내시오.

**007** $y=2^x$, $y=3^x$

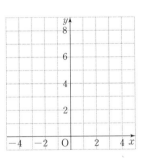

**008** $y=\left(\dfrac{1}{2}\right)^x$, $y=\left(\dfrac{1}{3}\right)^x$

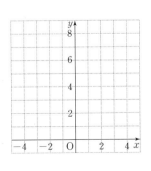

## 2 지수함수의 그래프의 평행이동과 대칭이동

[009-012] 지수함수 $y=a^x$ ($a>0$, $a\neq1$)의 그래프가 그림과 같을 때, 다음 함수의 그래프를 같은 좌표평면 위에 나타내시오.

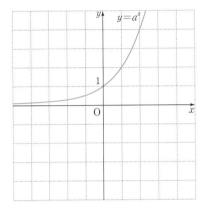

**009** $y=a^{x-2}$

**010** $y=a^{x-1}+1$

**011** $y=\left(\dfrac{1}{a}\right)^x$

**012** $y=-a^x$

[013-018] 지수함수 $y=5^x$의 그래프를 다음과 같이 평행이동 또는 대칭이동한 그래프의 식을 구하시오.

**013** $x$축의 방향으로 3만큼 평행이동

**014** $y$축의 방향으로 $-2$만큼 평행이동

**015** $x$축의 방향으로 $-1$만큼, $y$축의 방향으로 4만큼 평행이동

**016** $x$축에 대하여 대칭이동

**017** $y$축에 대하여 대칭이동

**018** 원점에 대하여 대칭이동

**3** 지수함수의 그래프의 점근선과 최대·최소

**019** 다음 □ 안에 알맞은 수를 써넣으시오.

> 함수 $y=3^{x-1}+2$의 그래프는 지수함수 $y=3^x$의 그래프를 $x$축의 방향으로 □만큼, $y$축의 방향으로 □만큼 평행이동한 것이다.
> 이때, 점근선의 방정식은 $y=$□이다.

**[020-022]** 다음 함수의 그래프의 점근선의 방정식을 구하시오.

**020** $y=2^{x-3}$

**021** $y=\left(\dfrac{1}{2}\right)^x+5$

**022** $y=2^{x+2}+1$

**[023-025]** 다음 함수의 주어진 범위에서의 최댓값과 최솟값을 각각 구하시오.

**023** $y=3^x \ (1\leq x\leq 4)$

**024** $y=2^{x-1} \ (-2\leq x\leq 3)$

**025** $y=\left(\dfrac{1}{3}\right)^{x+1} \ (-2\leq x\leq 1)$

**4** 로그함수의 정의역

**[026-029]** 다음 함수의 정의역을 구하시오.

**026** $y=\log_4 x$

**027** $y=\log_3(x-5)$

**028** $y=\log_2(3-x)$

**029** $y=\log_5 x^2$

**5**  로그함수 $y=\log_a x \ (a>0,\ a\neq1)$의 성질

[030-033] 다음은 로그함수 $f(x)=\log_a x \ (a>0,\ a\neq1)$에 대한 설명이다. $\square$ 안에 알맞은 것을 써넣으시오.

**030** 그래프의 점근선은 $\boxed{\phantom{xxx}}$이다.

**031** 그래프는 반드시 점 ($\boxed{\phantom{x}}$, 0)을 지난다.

**032** 정의역은 $\{x\,|\,\boxed{\phantom{xxx}}\}$이다.

**033** 치역은 $\{y\,|\,y는 \boxed{\phantom{xxx}}\}$이다.

[034-035] 다음 두 로그함수의 그래프를 하나의 좌표평면 위에 나타내시오.

**034** $y=\log_2 x,\ y=\log_3 x$

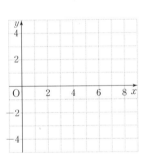

**035** $y=\log_{\frac12} x,\ y=\log_{\frac13} x$

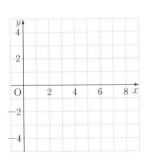

**6**  로그함수의 그래프의 평행이동과 대칭이동

[036-039] 로그함수 $y=\log_a x \ (a>0,\ a\neq1)$의 그래프가 그림과 같을 때, 다음 함수의 그래프를 같은 좌표평면 위에 나타내시오.

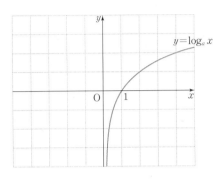

**036** $y=\log_a (x-1)$ **037** $y=\log_a x+1$

**038** $y=\log_a (-x)$ **039** $y=\log_a \dfrac{1}{x}$

[040-045] 로그함수 $y=\log_5 x$의 그래프를 다음과 같이 평행이동 또는 대칭이동한 그래프의 식을 구하시오.

**040** $x$축의 방향으로 1만큼 평행이동

**041** $y$축의 방향으로 $-2$만큼 평행이동

**042** $x$축의 방향으로 $-3$만큼, $y$축의 방향으로 $4$만큼 평행이동

**043** $x$축에 대하여 대칭이동

**044** $y$축에 대하여 대칭이동

**045** 원점에 대하여 대칭이동

---

**7** 로그함수의 그래프의 점근선과 최대 · 최소

**046** 다음 ☐ 안에 알맞은 수를 써넣으시오.

> 함수 $y=\log_3(x-2)-1$의 그래프는 로그함수 $y=\log_3 x$의 그래프를 $x$축의 방향으로 ☐만큼, $y$축의 방향으로 ☐만큼 평행이동한 것이다.
> 이때, 점근선의 방정식은 $x=$☐이다.

**[047-049]** 다음 함수의 그래프의 점근선의 방정식을 구하시오.

**047** $y=\log_3(x-5)$

**048** $y=\log_2 x+2$

**049** $y=\log_5(x+3)+1$

---

**[050-052]** 다음 함수의 주어진 범위에서의 최댓값과 최솟값을 각각 구하시오.

**050** $y=\log_2 x \ (1 \le x \le 16)$

**051** $y=\log_{\frac{1}{2}}(x+1) \left(-\dfrac{1}{2} \le x \le 3\right)$

**052** $y=\log x \left(\dfrac{1}{100} \le x \le 10000\right)$

---

**8** 지수함수와 로그함수의 관계

**[053-056]** 다음 함수의 역함수를 구하시오.

**053** $y=2^x$

**054** $y=3^{-x}$

**055** $y=2^{x+3}$

**056** $y=\log_5(x-2)$

## 유형 문제

### 유형 01 지수함수의 그래프

지수함수 $y=a^x$ $(a>0, a \neq 1)$의 그래프
(1) 정의역은 실수 전체의 집합이고, 치역은 양의 실수 전체의 집합이다.
(2) 그래프는 점 $(0, 1)$을 지난다.
(3) 그래프의 점근선은 $x$축이다.
(4) $a>1$일 때, $x$의 값이 증가하면 $y$의 값도 증가한다.
  $0<a<1$일 때, $x$의 값이 증가하면 $y$의 값은 감소한다.

**057**

지수함수 $f(x)=\left(\dfrac{1}{3}\right)^x$에 대한 〈보기〉의 설명 중에서 옳은 것만을 있는 대로 고른 것은?

┤ 보기 ├

ㄱ. 그래프는 점 $(0, 1)$을 지난다.
ㄴ. 그래프의 점근선의 방정식은 $y=0$이다.
ㄷ. 두 실수 $a, b$에 대하여 $a<b$이면 $f(a)<f(b)$이다.

① ㄱ    ② ㄷ    ③ ㄱ, ㄴ
④ ㄴ, ㄷ    ⑤ ㄱ, ㄴ, ㄷ

**058**

지수함수 $y=a^x$ $(0<a<1)$의 그래프가 그림과 같을 때, $4a+k$의 값을 구하시오.

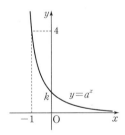

**059**

지수함수 $y=2^x$의 그래프와 직선 $y=x$가 그림과 같을 때, $a+b+c+d$의 값을 구하시오.

(단, 점선은 $x$축 또는 $y$축에 평행하다.)

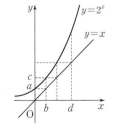

### 유형 02 지수함수의 성질

지수함수 $f(x)=a^x$ $(a>0, a \neq 1)$에 대하여
(1) $f(0)=1$
(2) $f(x+y)=f(x)f(y)$
(3) $f(x-y)=\dfrac{f(x)}{f(y)}$
(4) $f(kx)=\{f(x)\}^k$ (단, $k$는 실수)

**060**

함수 $f(x)=a^x+b$에 대하여 $f(1)=3$, $f^{-1}(1)=0$일 때, $a$의 값을 구하시오. (단, $a>0$, $b$는 상수이다.)

**061**

지수함수 $f(x)=a^x$이 임의의 실수 $x$에 대하여
$$f(x+2)+3f(x)=4f(x+1)$$
을 만족시킬 때, $\log_3 f(20)$의 값을 구하시오. (단, $a>0$, $a \neq 1$)

**062**

지수함수 $f(x)=3^x$에 대하여 다음 중 옳지 <u>않은</u> 것은?

(단, $m, n$은 실수이다.)

① $f(0)=1$
② $f(-2)=\dfrac{1}{f(2)}$
③ $f(m+n)=f(m)f(n)$
④ $f(2m)=2f(m)$
⑤ $f(m-n)=\dfrac{f(m)}{f(n)}$

## 유형 03 지수함수를 이용한 수의 대소 비교

지수함수 $y=a^x \ (a>0, \ a \neq 1)$에서
(1) $a>1$일 때, $x$의 값이 증가하면 $y$의 값도 증가한다.
(2) $0<a<1$일 때, $x$의 값이 증가하면 $y$의 값은 감소한다.

**063**

세 수 $A=\sqrt{2}, \ B=\sqrt[3]{4}, \ C=\left(\dfrac{1}{2}\right)^{-0.6}$ 의 대소 관계를 바르게 나타낸 것은?

① $A<B<C$     ② $A<C<B$     ③ $B<A<C$

④ $B<C<A$     ⑤ $C<B<A$

**064**

$0<a<1$일 때, 〈보기〉에서 옳은 것만을 있는 대로 고른 것은?

┤ 보기 ├
ㄱ. $a<a^a$     ㄴ. $a^a<a^{a^2}$     ㄷ. $a<a^{a^2}$

① ㄱ     ② ㄱ, ㄴ     ③ ㄱ, ㄷ

④ ㄴ, ㄷ     ⑤ ㄱ, ㄴ, ㄷ

**065**

[그림1]에서 연산 $*$ 는 $A$, $B$에 있는 두 수 중에서 큰 수를 $C$에 나타내기로 하자. [그림2]에서 1이 아닌 서로 다른 두 양의 실수 $a$, $b$에 대하여 ㉠, ㉡에 알맞은 것을 순서대로 적은 것은?

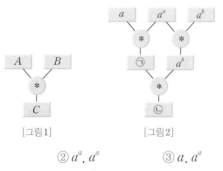

[그림1]     [그림2]

① $a, \ a$     ② $a^a, \ a^a$     ③ $a, \ a^a$

④ $a^a, \ a^b$     ⑤ $a, \ a^b$

## 유형 04 지수함수의 그래프의 평행이동과 대칭이동

지수함수 $y=a^x \ (a>0, \ a \neq 1)$의 그래프를
(1) $x$축의 방향으로 $m$만큼, $y$축의 방향으로 $n$만큼 평행이동
    $\Rightarrow y=a^{x-m}+n$
(2) $x$축에 대하여 대칭이동 $\Rightarrow y=-a^x$
(3) $y$축에 대하여 대칭이동 $\Rightarrow y=a^{-x}=\left(\dfrac{1}{a}\right)^x$
(4) 원점에 대하여 대칭이동 $\Rightarrow y=-a^{-x}=-\left(\dfrac{1}{a}\right)^x$

**066**

지수함수 $y=\left(\dfrac{1}{3}\right)^x$의 그래프를 $x$축의 방향으로 1만큼 평행이동한 후 $y$축에 대하여 대칭이동하면 점 $(1, \ k)$를 지날 때, $k$의 값을 구하시오.

**067**

함수 $y=a^{x-1}+3$의 그래프가 $a$의 값에 관계없이 점 $(p, \ q)$를 지날 때, $pq$의 값을 구하시오. (단, $a>0, \ a \neq 1$)

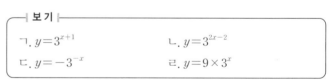
**068**

다음 〈보기〉의 함수 중에서 평행이동 또는 대칭이동하여 지수함수 $y=3^x$의 그래프와 일치하는 것만을 있는 대로 고른 것은?

┤ 보기 ├
ㄱ. $y=3^{x+1}$     ㄴ. $y=3^{2x-2}$
ㄷ. $y=-3^{-x}$     ㄹ. $y=9 \times 3^x$

① ㄱ, ㄴ     ② ㄱ, ㄷ     ③ ㄴ, ㄷ

④ ㄷ, ㄹ     ⑤ ㄱ, ㄷ, ㄹ

## 069 ★중요

함수 $y=2^{2x}$의 그래프를 $x$축의 방향으로 $m$만큼, $y$축의 방향으로 $n$만큼 평행이동하였더니 함수 $y=4\times2^{2x}-2$의 그래프와 일치하였다. $m+n$의 값을 구하시오.

## 070

그림은 지수함수 $y=2^x$의 그래프를 $y$축에 대하여 대칭이동한 후, $x$축의 방향으로 $a$만큼, $y$축의 방향으로 $b$만큼 평행이동한 그래프와 그 점근선을 나타낸 것이다. $a-b$의 값을 구하시오.

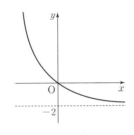

## 071

그림과 같이 $x$축 위의 두 점 A, B와 두 함수 $y=2^x$, $y=2^{x-a}$의 그래프 위의 두 점 D, C를 연결한 도형은 직사각형이다. 이 직사각형 ABCD의 넓이가 24일 때, 점 A의 $x$좌표 $a$의 값을 구하시오. (단, $a$는 자연수이다.)

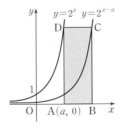

## 유형 05 지수함수의 최대·최소

정의역이 $\{x\,|\,m\leq x\leq n\}$인 함수
$f(x)=a^{px+q}+r\ (a>0,\ a\neq1,\ p>0)$에 대하여
(1) $a>1$일 때
⇨ $f(x)$의 최댓값은 $f(n)$, 최솟값은 $f(m)$
(2) $0<a<1$일 때
⇨ $f(x)$의 최댓값은 $f(m)$, 최솟값은 $f(n)$

## 072

정의역이 $\{x\,|-1\leq x\leq3\}$인 두 지수함수 $f(x)=4^x$, $g(x)=\left(\dfrac{1}{2}\right)^x$에 대하여 $f(x)$의 최댓값을 $M$, $g(x)$의 최솟값을 $m$이라 할 때, $Mm$의 값을 구하시오.

## 073

정의역이 $\{x\,|-1\leq x\leq1\}$인 함수 $y=2^x\times5^{-x}+1$의 치역이 $\{y\,|\,a\leq y\leq b\}$일 때, $5a+2b$의 값을 구하시오.

## 074 ★중요

$-1\leq x\leq3$에서 정의된 함수 $y=4^x-2^{x+2}+5$의 최댓값을 $M$, 최솟값을 $m$이라 할 때, $M-m$의 값은?

① 16      ② 20      ③ 24
④ 30      ⑤ 36

## 075

$1 \leq x \leq 3$에서 정의된 함수 $y=4^x-4 \times 2^x+a$의 최댓값이 35일 때, 상수 $a$의 값을 구하시오.

## 076

두 함수 $f(x)=2^x$, $g(x)=x^2+2x+3$에 대하여 함수 $y=(f \circ g)(x)$는 $x=a$일 때, 최솟값 $m$을 갖는다고 한다. $a+m$의 값을 구하시오.

## 중요
## 077

함수 $y=9^x+9^{-x}-2(3^x+3^{-x})+5$의 최솟값은?

① 2        ② 3        ③ 4
④ 5        ⑤ 6

### 유형 06 지수함수의 그래프의 응용

지수함수 $y=a^x$ $(a>0, a \neq 1)$의 그래프가 점 $(\alpha, \beta)$를 지나면 $\beta=a^\alpha$

## 078

좌표평면 위의 두 지수함수 $y=2^x$, $y=4^x$의 그래프와 직선 $y=8$이 만나는 서로 다른 두 점을 각각 A, B라 하고 원점을 O라 할 때, 삼각형 OAB의 넓이는?

① 4        ② 5        ③ 6
④ 7        ⑤ 8

## 중요
## 079

그림은 두 지수함수 $y=2^x$, $y=\left(\dfrac{1}{2}\right)^x$의 그래프이다. 곡선 $y=2^x$ 위의 점 P의 $y$좌표가 4일 때, 색칠한 부분의 넓이를 구하시오.
(단, 점선은 $x$축 또는 $y$축에 평행하다.)

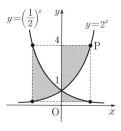

## 080

그림과 같이 지수함수 $y=2^x$의 그래프와 직선 $y=x$, 좌표축에 평행한 직선들로 만들어지는 색칠한 세 삼각형 A, B, C의 넓이의 합을 구하시오.

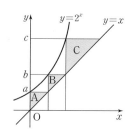

## 081

그림과 같이 곡선 $y=3^x$ 위의 두 점 B, E에서 $x$축, $y$축에 내린 수선의 발을 각각 A, D, C, F라 하자. 점 A의 $x$좌표가 3일 때, 사각형 ODEF의 넓이는 사각형 OABC의 넓이의 몇 배인가?

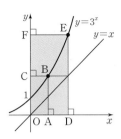

① $3^{15}$배    ② $3^{20}$배

③ $3^{21}$배    ④ $3^{26}$배

⑤ $3^{27}$배

## 082

그림과 같이 직선 $y=4$가 $y$축과 만나는 점을 B, 점 A를 지나는 두 지수함수 $y=2^x$, $y=a^x$의 그래프와 만나는 점을 각각 C, D라 하자. 삼각형 ACB와 삼각형 ADC의 넓이의 비가 2 : 1일 때, 상수 $a$의 값은? (단, $1<a<2$)

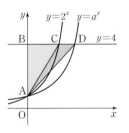

① $\sqrt[4]{2}$    ② $\sqrt[3]{2}$    ③ $\sqrt[4]{3}$

④ $\sqrt[3]{4}$    ⑤ $\sqrt[4]{8}$

로그함수 $y=\log_a x$ $(a>0, a\neq1)$의 그래프

(1) 정의역은 양의 실수 전체의 집합이고, 치역은 실수 전체의 집합이다.

(2) 그래프는 점 $(1, 0)$을 지난다.

(3) 그래프의 점근선은 $y$축이다.

(4) $a>1$일 때, $x$의 값이 증가하면 $y$의 값도 증가한다.
    $0<a<1$일 때, $x$의 값이 증가하면 $y$의 값은 감소한다.

## 083

로그함수 $y=\log_a x$ $(a>0, a\neq1)$에 대한 〈보기〉의 설명 중에서 옳은 것만을 있는 대로 고른 것은?

| 보기 |

ㄱ. 그래프는 점 $(1, 0)$을 지나고, 점근선의 방정식은 $x=0$이다.

ㄴ. $a>1$일 때, $x$의 값이 감소하면 $y$의 값도 감소한다.

ㄷ. 그래프는 지수함수 $y=a^x$의 그래프와 직선 $y=x$에 대하여 대칭이다.

① ㄴ          ② ㄱ, ㄴ          ③ ㄱ, ㄷ

④ ㄴ, ㄷ      ⑤ ㄱ, ㄴ, ㄷ

## 084

함수 $y=\log_3(2x-1)$의 치역이 $\{y\,|\,2\leq y\leq3\}$이 되도록 정의역 $\{x\,|\,a\leq x\leq b\}$를 정할 때, $a+b$의 값을 구하시오.

## 085

그림과 같은 로그함수 $y=\log_3 x$의 그래프에서 선분 AB의 길이가 2일 때, $\dfrac{b}{a}$의 값을 구하시오.

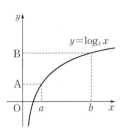

## 유형 08 로그함수의 성질

로그함수 $f(x)=\log_a x$ $(a>0,\ a\neq 1)$에 대하여

(1) $f(1)=0$

(2) $f(xy)=f(x)+f(y)$

(3) $f\left(\dfrac{x}{y}\right)=f(x)-f(y)$

(4) $f(x^k)=kf(x)$ (단, $k$는 실수)

### 086

두 로그함수 $f(x)=\log_2 x$, $g(x)=\log_3 x$에 대하여

$$(f \circ g)(81)=(g \circ f)(k)$$

를 만족시킬 때, 상수 $k$의 값을 구하시오. (단, $x>1$)

### 087

다음 〈보기〉의 함수 중에서 로그함수 $y=\log_2 x$와 같은 것만을 있는 대로 고른 것은?

┤ 보기 ├

ㄱ. $y=-\log_2 \dfrac{1}{x}$      ㄴ. $y=\log_4 x^2$

ㄷ. $y=3\log_2 \sqrt[3]{x}$

① ㄱ      ② ㄴ      ③ ㄷ

④ ㄱ, ㄷ      ⑤ ㄱ, ㄴ, ㄷ

### 088

양의 실수 전체의 집합에서 정의된 함수 $f(x)=\log 2x$에 대하여 〈보기〉에서 옳은 것만을 있는 대로 고른 것은?

┤ 보기 ├

ㄱ. $f\left(\dfrac{1}{8}\right)=-f(2)$      ㄴ. $f(x)+f(y)=f(2xy)$

ㄷ. $f(x^2)=2f(x)$

① ㄱ      ② ㄴ      ③ ㄱ, ㄴ

④ ㄱ, ㄷ      ⑤ ㄴ, ㄷ

## 유형 09 로그함수를 이용한 수의 대소 비교

로그함수 $y=\log_a x$ $(a>0,\ a\neq 1)$에서

(1) $a>1$일 때, $x$의 값이 증가하면 $y$의 값도 증가한다.

(2) $0<a<1$일 때, $x$의 값이 증가하면 $y$의 값은 감소한다.

### 089

$0<x<1$일 때, 세 수 $A=\log_x 2$, $B=\log_x 5$, $C=\log_x 7$의 대소 관계를 바르게 나타낸 것은?

① $A<B<C$      ② $A<C<B$      ③ $B<C<A$

④ $C<A<B$      ⑤ $C<B<A$

### 090 중요

$1<x<2$일 때, 세 수 $A$, $B$, $C$의 대소 관계를 바르게 나타낸 것은?

$$A=\log_2 x,\quad B=(\log_2 x)^2,\quad C=\log_x 2$$

① $A<B<C$      ② $A<C<B$      ③ $B<A<C$

④ $B<C<A$      ⑤ $C<B<A$

### 091

$0<b<a<1$일 때, 세 수 $A=\log_a b$, $B=\log_b a$, $C=\log_a \dfrac{a}{b}$의 대소 관계를 바르게 나타낸 것은?

① $A<C<B$      ② $B<A<C$      ③ $B<C<A$

④ $C<A<B$      ⑤ $C<B<A$

## 유형 10 로그함수의 그래프의 평행이동과 대칭이동

로그함수 $y=\log_a x$ $(a>0,\ a\neq1)$의 그래프를

(1) $x$축의 방향으로 $m$만큼, $y$축의 방향으로 $n$만큼 평행이동
$$\Rightarrow y=\log_a(x-m)+n$$

(2) $x$축에 대하여 대칭이동 $\Rightarrow y=-\log_a x$

(3) $y$축에 대하여 대칭이동 $\Rightarrow y=\log_a(-x)$

(4) 원점에 대하여 대칭이동 $\Rightarrow y=-\log_a(-x)$

### 092 ★중요

함수 $y=\log_2(2x+8)$의 그래프는 로그함수 $y=\log_2 x$의 그래프를 $x$축의 방향으로 $a$만큼, $y$축의 방향으로 $b$만큼 평행이동한 것이다. $a+b$의 값을 구하시오.

### 093

로그함수 $y=\log_3 x$의 그래프를 평행이동 또는 대칭이동하여 일치할 수 있는 것만을 〈보기〉에서 있는 대로 고른 것은?

┤ 보기 ├
ㄱ. $y=\log_3(-x)$　　　　ㄴ. $y=\log_3(x-2)$
ㄷ. $y=3\log_3 x$　　　　　ㄹ. $y=\log_3 3x$

① ㄱ　　　　② ㄴ　　　　③ ㄱ, ㄷ
④ ㄱ, ㄹ　　　⑤ ㄱ, ㄴ, ㄹ

### 094

함수 $y=\log_3 a(x+b)$의 그래프를 $x$축의 방향으로 1만큼, $y$축의 방향으로 $-2$만큼 평행이동하면 로그함수 $y=\log_3 x$의 그래프와 일치한다. 두 상수 $a$, $b$에 대하여 $a+b$의 값을 구하시오.

### 095

두 함수 $y=\log_a x$, $y=\log_a(3x+b)$의 그래프는 점 $(9,2)$에서 만나고, 로그함수 $y=\log_a x$의 그래프를 $x$축의 방향으로 $m$만큼, $y$축의 방향으로 $n$만큼 평행이동하면 함수 $y=\log_a(3x+b)$의 그래프와 일치한다. $a+b+m+n$의 값을 구하시오.

(단, $a$, $b$는 상수이다.)

### 096 ★중요

그림과 같이 두 함수 $y=\log_2 x$, $y=\log_2 2x$의 그래프와 두 직선 $x=1$, $x=4$로 둘러싸인 부분의 넓이를 구하시오.

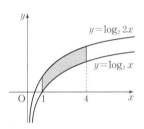

### 097

함수 $y=\log_a(x-b)+c$의 그래프가 제1사분면을 지나지 않을 때, 〈보기〉에서 옳은 것만을 있는 대로 고른 것은?

┤ 보기 ├
ㄱ. $0<a<1$　　　　ㄴ. $b<0$　　　　ㄷ. $c<0$

① ㄱ　　　　② ㄴ　　　　③ ㄱ, ㄴ
④ ㄱ, ㄷ　　　⑤ ㄱ, ㄴ, ㄷ

## 유형 **11** 로그함수의 최대·최소

정의역이 $\{x \mid m \leq x \leq n\}$인 함수
$g(x) = \log_a f(x)$ $(a > 0, a \neq 1)$에 대하여 주어진 정의역에서
$f(x)$의 최댓값을 $\alpha$, 최솟값을 $\beta$라 하면

(1) $a > 1$일 때
  ⇨ $g(x)$의 최댓값은 $\log_a \alpha$, 최솟값은 $\log_a \beta$

(2) $0 < a < 1$일 때
  ⇨ $g(x)$의 최댓값은 $\log_a \beta$, 최솟값은 $\log_a \alpha$

### 098

$2 \leq x \leq 3$일 때, 함수 $y = \log_{\frac{1}{3}}(x+1)$의 최댓값을 구하시오.

### 099

$0 \leq x \leq 4$에서 함수 $y = \log_2(x^2 - 2x + 4)$의 최댓값을 $M$, 최솟값을 $m$이라 할 때, $M - m$의 값을 구하시오.

### 100

$1 \leq x \leq 8$에서 정의된 함수 $y = (\log_2 x)^2 - 2\log_2 x + 3$의 최댓값을 $M$, 최솟값을 $m$이라 할 때, $M + m$의 값은?

① 2          ② 4          ③ 6
④ 8          ⑤ 10

### 101

함수 $y = (\log_3 x)^2 + a\log_3 x + b$는 $x = \dfrac{1}{9}$일 때 최솟값 $-2$를 가진다. 두 상수 $a$, $b$에 대하여 $ab$의 값을 구하시오.

### 102

$x > 0$에서 함수 $y = \log_4(x+1) + \log_4\left(\dfrac{9}{x}+1\right)$의 최솟값은?

① 0          ② 1          ③ 2
④ 3          ⑤ 4

### 103

$1 \leq x \leq 100$일 때, 함수 $y = 10 \times x^{4-\log x}$의 최댓값은?

① $10^2$          ② $10^3$          ③ $10^4$
④ $10^5$          ⑤ $10^6$

## 유형 12 로그함수의 그래프의 응용

로그함수 $y=\log_a x$ $(a>0,\ a\neq1)$의 그래프가 점 $(m,\ n)$을 지나면

$$n=\log_a m \Longleftrightarrow a^n=m$$

### 104

그림과 같이 두 로그함수 $y=\log_2 x$, $y=\log_4 x$의 그래프와 직선 $x=k$가 만나는 서로 다른 두 점을 각각 A, B라 할 때, 선분 AB의 길이가 3이 되도록 하는 $k$의 값을 구하시오. (단, $k>1$)

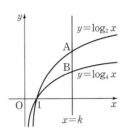

### 105

그림과 같이 한 변은 $x$축 위에 있고, 한 꼭짓점은 곡선 $y=\log_3(x-1)$ 위에 있는 두 정사각형이 서로 붙어 있다. 작은 정사각형의 넓이가 4일 때, 큰 정사각형의 넓이는?

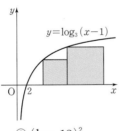

① $(\log_3 10)^2$     ② $(\log_3 11)^2$     ③ $(\log_3 12)^2$

④ $\log_3 20$     ⑤ $\log_3 22$

### 106

좌표평면 위의 네 점 $A(2,\ 0)$, $B(4,\ 0)$, $C(8,\ 0)$, $D(16,\ 0)$에서 $x$축에 수직인 직선을 그어 로그함수 $y=\log_2 x$의 그래프와 만나는 점을 각각 P, Q, R, S라 하자. 두 사다리꼴 ABQP, CDSR의 넓이의 합을 구하시오.

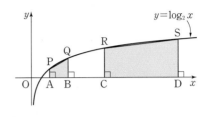

### 107

그림과 같이 직선 $x=10$이 $x$축 및 두 곡선 $y=\log ax$, $y=\log bx$와 만나는 점을 각각 P, Q, R라 하자. $\overline{PQ}=\overline{QR}$일 때, $a,\ b$ 사이의 관계식은?
(단, $b>a>0$)

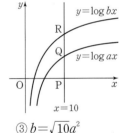

① $b=a^2$     ② $a=b^2$     ③ $b=\sqrt{10}\,a^2$

④ $a=\sqrt{10}\,b^2$     ⑤ $b=10a^2$

### 108

1보다 큰 양수 $a$에 대하여 두 함수 $y=\log_a x$, $y=\log_a(16-x)$의 그래프가 $x$축과 만나는 점을 각각 A, B라 하고, 두 함수 $y=\log_a x$, $y=\log_a(16-x)$의 그래프가 만나는 점을 C라 하자. 삼각형 ABC의 넓이가 14일 때, $a$의 값은?

① $\sqrt{2}$     ② $2$     ③ $2\sqrt{2}$

④ $3$     ⑤ $3\sqrt{2}$

## 유형 13 지수함수와 로그함수의 관계

$a>0$, $a\neq1$일 때

(1) $y=\log_a x \Longleftrightarrow x=a^y$

(2) 로그함수 $y=\log_a x$는 지수함수 $y=a^x$의 역함수이다.

(3) 두 함수 $y=\log_a x$, $y=a^x$의 그래프는 직선 $y=x$에 대하여 대칭이다.

참고 로그함수 $f(x)=\log_a x\ (a>0,\ a\neq1)$의 역함수를 $g(x)$라 할 때
$f(p)=q \Longleftrightarrow g(q)=p$, 즉 $\log_a p=q \Longleftrightarrow a^q=p$

### 109

로그함수 $y=\log_2 x$의 그래프를 직선 $y=x$에 대하여 대칭이동한 후 다시 $x$축에 대하여 대칭이동하면 일치하는 함수의 그래프는?

① $y=-2^{-x}$     ② $y=-2^x$     ③ $y=2^{-x}$

④ $y=\log_{\frac{1}{2}} x$     ⑤ $y=\log_2(-x)$

### 110

함수 $f(x)=\log_2 \dfrac{1}{x+3}$일 때, $(g\circ f)(x)=x$를 만족시키는 함수 $y=g(x)$의 그래프에 대하여 〈보기〉에서 옳은 것만을 있는 대로 고른 것은?

| 보기 |

ㄱ. 두 함수 $y=f(x)$, $y=g(x)$의 그래프는 직선 $y=x$에 대하여 대칭이다.

ㄴ. 함수 $y=g(x)$의 그래프의 점근선의 방정식은 $y=-3$이다.

ㄷ. 함수 $y=g(x)$의 그래프는 제2, 3, 4사분면을 지난다.

① ㄱ     ② ㄴ     ③ ㄱ, ㄴ

④ ㄴ, ㄷ     ⑤ ㄱ, ㄴ, ㄷ

### 111

두 함수 $y=10^{ax}$, $y=\dfrac{a}{100}\log x$의 그래프가 직선 $y=x$에 대하여 대칭일 때, 양수 $a$의 값을 구하시오.

### 중요 112

지수함수 $y=2^x$의 그래프와 그 역함수 $y=f(x)$의 그래프 위의 세 점 A, B, C가 그림과 같다. 함수 $y=f(x)$의 그래프가 $x$축과 만나는 점을 A라 하고 점 C의 좌표를 $(a,b)$라 할 때, $\log_2 ab$의 값은? (단, 점선은 $x$축 또는 $y$축에 평행하다.)

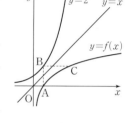

① 2     ② 3     ③ 4

④ 5     ⑤ 6

### 113

그림과 같이 각 변이 $x$축 또는 $y$축에 평행한 두 정사각형 ABCD, DEFG가 있다. 두 점 A, G는 곡선 $y=3^x$ 위의 점이고, 두 점 C, E는 곡선 $y=\log_3 x$ 위의 점이다. 점 A의 $x$좌표가 1일 때, 두 정사각형 ABCD와 DEFG의 넓이의 합을 구하시오.

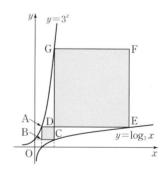

## 114

지수함수 $f(x)=2^x$에 대하여 〈보기〉에서 옳은 것만을 있는 대로 고른 것은?

┤ 보기 ├

ㄱ. 임의의 실수 $x$에 대하여 $f(x)>0$이다.

ㄴ. 함수 $y=f(x)$의 그래프는 지수함수 $y=\left(\dfrac{1}{2}\right)^x$의 그래프와 $y$축에 대하여 대칭이다.

ㄷ. $x$의 값이 증가하면 $y$의 값은 감소한다.

① ㄱ      ② ㄴ      ③ ㄱ, ㄴ

④ ㄴ, ㄷ      ⑤ ㄱ, ㄴ, ㄷ

## 115

다음 세 수의 대소 관계를 바르게 나타낸 것은?

$$A=\sqrt{\dfrac{1}{9}}, \quad B=\sqrt[3]{\dfrac{1}{3}}, \quad C=\sqrt[5]{\dfrac{1}{81}}$$

① $A<B<C$    ② $A<C<B$    ③ $B<A<C$

④ $C<A<B$    ⑤ $C<B<A$

## 116

함수 $y=8\times2^x+1$의 그래프는 지수함수 $y=2^x$의 그래프를 $x$축의 방향으로 $a$만큼, $y$축의 방향으로 $b$만큼 평행이동한 것이다. $a+b$의 값을 구하시오.

## 117

$a\le x\le3$에서 정의된 함수 $y=3^{x-1}+b$의 최댓값이 11, 최솟값이 3일 때, $a+b$의 값을 구하시오. (단, $b$는 상수이다.)

## 118

함수 $y=\left(\dfrac{1}{2}\right)^{x^2-4x+1}$의 최댓값은?

① 1      ② 2      ③ 4

④ 8      ⑤ 16

## 119

로그함수 $f(x)=\log_a x \ (a>1)$의 그래프가 그림과 같을 때, $a+b$의 값은?

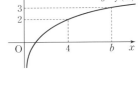

① 6      ② 8

③ 10      ④ 12

⑤ 14

## 120

함수 $f(x)=\log_3(x-2)+3$에 대하여 〈보기〉에서 옳은 것만을 있는 대로 고른 것은?

┤ 보 기 ├

ㄱ. 정의역은 실수 전체의 집합이다.

ㄴ. $x_1<x_2$이면 $f(x_1)<f(x_2)$이다.

ㄷ. 그래프의 점근선의 방정식은 $x=2$이다.

① ㄱ     ② ㄴ     ③ ㄷ

④ ㄴ, ㄷ     ⑤ ㄱ, ㄴ, ㄷ

## 121

로그함수 $y=\log_3 x$의 그래프를 $x$축의 방향으로 $m$만큼, $y$축의 방향으로 $n$만큼 평행이동한 그래프가 두 점 $(5, 0)$, $(29, 2)$를 지날 때, $m^2+n^2$의 값을 구하시오.

## 122

$0\leq x\leq 3$에서 함수 $f(x)=\log_{\frac{1}{2}}(-x^2+2x+7)$의 최솟값은?

① $-6$     ② $-5$     ③ $-4$

④ $-3$     ⑤ $-2$

## 123

함수 $y=\log_2(x-2)+3$의 그래프는 지수함수 $y=2^x$의 그래프를 $x$축의 방향으로 $a$만큼, $y$축의 방향으로 $b$만큼 평행이동한 후, 직선 $y=x$에 대하여 대칭이동한 것이다. $a+b$의 값을 구하시오.

### ⚙ 1등급 문제

## 124

함수 $f(x)=2^{2x}+2^{-2(x+1)}$이 $x=a$에서 최솟값 $b$를 가질 때, $a+b$의 값을 구하시오.

## 125

그림과 같이 $x$축 위의 두 점 $P(p, 0)$, $Q(q, 0)$에서 각각 $y$축에 평행한 직선을 그어 곡선 $y=\log_3 x$와 만나는 점을 $P_1$, $Q_1$이라 하고, 두 점 $P_1$, $Q_1$에서 각각 $x$축에 평행한 직선을 그어 곡선 $y=3^x$과 만나는 점을 $P_2$, $Q_2$라 하자.

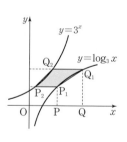

사각형 $P_1Q_1Q_2P_2$의 넓이를 $f(p, q)$라 할 때, $f(9, 81)$의 값은? (단, $p>3$, $q>3$)

① $36-\log_3 2$     ② $72-\log_3 2$     ③ $72+2\log_3 2$

④ $90-3\log_3 2$     ⑤ $90+\log_3 2$

# 05 지수함수의 활용

# 05 지수함수의 활용

## 1 지수방정식

지수에 미지수가 있는 방정식은 다음과 같이 푼다.

**(1) 밑을 같게 할 수 있는 경우 ($a^{f(x)}=a^{g(x)}$의 꼴)**

방정식에서 양변의 밑을 $a$로 같게 할 수 있으면 $a^{f(x)}=a^{g(x)}$의 꼴로 정리한 다음 지수가 같거나 밑을 1로 만드는 값을 찾는다.

➡ $f(x)=g(x)$ 또는 $a=1$

**(2) 밑을 같게 할 수 없는 경우 ($a^{f(x)}=b^{g(x)}$의 꼴)**

방정식에서 각 항의 밑을 같게 할 수 없으면 $a^{f(x)}=b^{g(x)}$의 꼴로 정리한 다음 양변에 상용로그를 취하여 $\log a^{f(x)}=\log b^{g(x)}$을 푼다.

**(3) 지수가 같은 경우 ($a^{f(x)}=b^{f(x)}$의 꼴)**

방정식의 지수를 같게 하여 $a^{f(x)}=b^{f(x)}$의 꼴로 정리할 수 있으면 밑이 같거나 지수가 0이 되는 값을 찾는다.

➡ $a=b$ 또는 $f(x)=0$

**(4) $a^x=t$로 치환하는 경우**

방정식의 항이 3개 이상일 때, $a^x=t\ (t>0)$로 치환하여 $t$에 대한 방정식을 푼다.

**개념 플러스**

◀ $a^{f(x)}=b^{g(x)}\ (a>0,\ b>0)$의 꼴이면
(ⅰ) $a=b$인 경우
(ⅱ) $a\neq b$, $f(x)\neq g(x)$인 경우
(ⅲ) $f(x)=g(x)$인 경우
에 따라서 방정식을 푼다.

◀ 밑이 1일 때에는 지수가 같지 않아도 등식이 성립하고, 지수가 0일 때에는 밑이 같지 않아도 등식이 성립한다.

◀ $a^{2x}+a^x+k=0$에서 $a^x=t\ (t>0)$로 놓으면
$t^2+t+k=0$
이 이차방정식의 해가 $t=\alpha$이면 $a^x=\alpha$를 만족시키는 $x$의 값이 구하는 해이다.

## 2 지수부등식

지수에 미지수가 있는 부등식은 다음과 같이 푼다.

**(1) 밑을 같게 할 수 있는 경우**

부등식에서 양변의 밑을 $a$로 같게 할 수 있으면

① $a>1$일 때, $a^{f(x)}<a^{g(x)}$의 꼴로 정리한 다음 $f(x)<g(x)$를 푼다.

② $0<a<1$일 때, $a^{f(x)}<a^{g(x)}$의 꼴로 정리한 다음 $f(x)>g(x)$를 푼다.

**(2) 밑을 같게 할 수 없는 경우**

부등식에서 각 항의 밑을 같게 할 수 없으면 $a^{f(x)}<b^{g(x)}$의 꼴로 정리한 다음 양변에 상용로그를 취하여 $\log a^{f(x)}<\log b^{g(x)}$을 푼다.

**(3) $a^x=t$로 치환하는 경우**

부등식의 항이 3개 이상일 때, $a^x=t\ (t>0)$로 치환하여 $t$에 대한 부등식을 푼다.

◀ 지수에 미지수가 있는 부등식을 풀 때에는 밑이 1보다 큰지 작은지에 따라 부등호의 방향이 달라짐에 유의해야 한다.
(1) $a>1$일 때,
함수 $y=a^x$은 $x$의 값이 증가하면 $y$의 값도 증가하므로
$a^{f(x)}<a^{g(x)} \Longleftrightarrow f(x)<g(x)$
(2) $0<a<1$일 때,
함수 $y=a^x$은 $x$의 값이 증가하면 $y$의 값은 감소하므로
$a^{f(x)}<a^{g(x)} \Longleftrightarrow f(x)>g(x)$

# 기본 문제

## 1 지수방정식

[001-010] 다음 방정식을 푸시오.

**001** $2^x = 64$

**002** $3^{x-1} = 81$

**003** $2 \times 3^x = 54$

**004** $2^{x+2} = \dfrac{1}{32}$

**005** $8^x = 2\sqrt{2}$

**006** $\left(\dfrac{1}{9}\right)^x = \sqrt{3}$

**007** $x^3 = x^{x+1}$ (단, $x \neq 0$)

**008** $2^{x+1} = 3^x$

**009** $2^x = 5^{x-1}$

**010** $(x-1)^{x-2} = 4^{x-2}$

**2** 지수방정식(치환하는 경우)

**[011-013]** 방정식 $2^{2x}-5\times2^x+4=0$에 대하여 다음 물음에 답하시오.

**011** $2^x=t\ (t>0)$라 할 때, 주어진 방정식을 $t$에 대한 방정식으로 나타내시오.

**012** 011의 방정식의 해를 구하시오.

**013** 012의 해를 이용하여 $x$의 값을 구하시오.

**[014-015]** 다음 방정식을 푸시오.

**014** $(3^x)^2-6\times3^x-27=0$

**015** $4^x-2\times2^x-8=0$

**3** 지수부등식

**[016-017]** 다음 □ 안에 알맞은 부등호를 써넣으시오.

**016** $3^{x_1}<3^{x_2}$이면 $x_1\square x_2$

**017** $\left(\dfrac{1}{5}\right)^{x_1}<\left(\dfrac{1}{5}\right)^{x_2}$이면 $x_1\square x_2$

**[018-025]** 다음 부등식을 푸시오.

**018** $2^{x+1}>2^{3-x}$

**019** $\left(\dfrac{1}{10}\right)^{x-2}<\dfrac{1}{100}$

**020** $\left(\dfrac{2}{3}\right)^{3x}\geq\left(\dfrac{3}{2}\right)^{2-x}$

**021** $5^{2x-1} > 125$

**022** $\left(\dfrac{1}{8}\right)^{2x+1} < 32$

**023** $7^{x+1} \le \left(\dfrac{1}{49}\right)^x$

**024** $2^x \ge 3$

**025** $3^x < 5^{x+1}$

## 4 지수부등식(치환하는 경우)

[026-028] 부등식 $2^{2x} - 6 \times 2^x + 8 < 0$에 대하여 다음 물음에 답하시오.

**026** $2^x = t \ (t>0)$라 할 때, 주어진 부등식을 $t$에 대한 부등식으로 나타내시오.

**027** 026의 부등식을 만족시키는 $t$의 값의 범위를 구하시오.

**028** 027에서 구한 $t$의 값의 범위를 이용하여 $x$의 값의 범위를 구하시오.

[029-030] 다음 부등식을 푸시오.

**029** $(2^x)^2 + 4 \times 2^x - 32 > 0$

**030** $9^x - 6 \times 3^x - 27 \le 0$

## 유형 문제

**유형 01 지수방정식**

(1) $a^{f(x)}=a^{g(x)} \Longleftrightarrow f(x)=g(x)$ (단, $a>0$, $a \neq 1$)

(2) $a^{f(x)}=b^{g(x)} \Longleftrightarrow \log a^{f(x)}=\log b^{g(x)}$
(단, $a>0$, $a \neq 1$, $b>0$, $b \neq 1$, $a \neq b$)

(3) $a^{f(x)}=b^{f(x)} \Longleftrightarrow a=b$ 또는 $f(x)=0$
(단, $a>0$, $a \neq 1$, $b>0$, $b \neq 1$)

참고 $a^{f(x)}=a^{g(x)}$에서 $a=1$이면 등식은 항상 성립한다.

### 031

방정식 $2^{-x+6}=4^{x-1}$의 근을 $a$라 할 때, $3a$의 값은?

① 2        ② 4        ③ 6

④ 8        ⑤ 10

### 032

$x$에 대한 방정식 $\sqrt{a^3}=\sqrt[3]{a\sqrt{a^x}}$ 을 만족시키는 $x$의 값을 구하시오.
(단, $a>0$, $a \neq 1$)

### 033

방정식 $\left(\dfrac{4}{3}\right)^{2x^2-5}=\left(\dfrac{3}{4}\right)^{2-x}$ 을 만족시키는 모든 근의 합은?

① $\dfrac{1}{3}$        ② $\dfrac{1}{2}$        ③ 1

④ 2        ⑤ 3

### 034

방정식 $x^{3x+2}=x^{2x}$의 두 근의 곱은?

① $-2$        ② $-1$        ③ 0

④ 1        ⑤ 2

### 035

방정식 $(x-1)^{x+1}=2^{x+1}$을 만족시키는 $x$의 값을 구하시오.
(단, $x>1$)

### 036

방정식 $5^x=2^{2-x}$의 근을 $a$라 할 때, $10^{3a}$의 값을 구하시오.

## 유형 **02** $a^x = t$로 치환하는 지수방정식

$a^x$의 꼴이 반복되는 방정식은 $a^x = t$ $(t > 0)$로 치환한 후 해를 구한다.

### 037
방정식 $2^{2x} - 9 \times 2^x + 8 = 0$의 두 근을 $\alpha$, $\beta$라 할 때, $\alpha + \beta$의 값은?

① 0       ② 1       ③ 2

④ 3       ⑤ 4

### 038
방정식 $9^x - 2 \times 3^{x+1} = 27$의 해를 구하시오.

### 중요
### 039
$x$에 대한 방정식 $4^x - 5 \times 2^{x+1} + 2^k = 0$의 한 근이 1일 때, 나머지 한 근은? (단, $k$는 상수이다.)

① $-1$       ② 0       ③ 2

④ 3       ⑤ 4

### 040
방정식 $4^{x-1} = 2^{x+1} + 1$을 만족시키는 $x$에 대하여 $4^x = a + b\sqrt{5}$일 때, $a + b$의 값을 구하시오. (단, $a$, $b$는 정수이다.)

### 중요
### 041
방정식 $2^x + 2^{-x} = 2$를 만족시키는 $x$에 대하여 $8^x$의 값은?

① $\dfrac{1}{4}$       ② $\dfrac{1}{2}$       ③ 1

④ 2       ⑤ 4

### 042
방정식 $2(2^x + 2^{-x})^2 - 7(2^x + 2^{-x}) + 5 = 0$의 모든 실근의 곱은?

① $-2$       ② $-1$       ③ 0

④ 1       ⑤ 2

## 유형 03 지수방정식의 연립방정식

(1) 한 방정식을 한 미지수에 대하여 정리한 후, 다른 방정식에 대입하여 해를 구한다.

(2) $a^x$, $b^y$의 꼴이 반복되는 경우 $a^x=X$, $b^y=Y$로 치환하여 해를 구한다.

### 043

연립방정식 $\begin{cases} x-y=-1 \\ 4^x-2^y=48 \end{cases}$ 을 만족시키는 두 실수 $x$, $y$에 대하여 $x+y$의 값을 구하시오.

### 044

연립방정식 $\begin{cases} 2^x+2\times 3^y=34 \\ 2^{x+1}-3^y=23 \end{cases}$ 의 근을 $x=\alpha$, $y=\beta$라 할 때, $\alpha+\beta$의 값은?

① 5          ② 6          ③ 7

④ 8          ⑤ 9

### 045

연립방정식 $\begin{cases} 2^x-2^y=4 \\ 2^{x+y}=32 \end{cases}$ 를 만족시키는 두 실수 $x$, $y$에 대하여 $x-y$의 값을 구하시오.

## 유형 04 지수방정식과 이차방정식의 근

방정식 $p(a^x)^2+qa^x+r=0$의 두 근을 $\alpha$, $\beta$라 하면

(1) $a^x=t$로 치환한 이차방정식 $pt^2+qt+r=0$의 두 근은 $a^\alpha$, $a^\beta$이다.

(2) 이차방정식의 근과 계수의 관계에 의하여
$$a^\alpha+a^\beta=-\frac{q}{p},\ a^\alpha\times a^\beta=\frac{r}{p}$$

### 046

방정식 $4^x-7\times 2^x+8=0$이 서로 다른 두 실근 $\alpha$, $\beta$를 가질 때, $\alpha+\beta$의 값을 구하시오.

### 047

$x$에 대한 방정식 $a^{2x}-5a^x+6=0$의 두 근의 합이 2일 때, 실수 $a$의 값은? (단, $a>1$)

① $\sqrt{2}$          ② $\sqrt{3}$          ③ 2

④ $\sqrt{6}$          ⑤ $2\sqrt{2}$

### 048

방정식 $4^{2x}-4^{x+1}+1=0$의 두 근을 $\alpha$, $\beta$라 할 때, $2^\alpha+2^\beta$의 값은?

① $\sqrt{5}$          ② $\sqrt{6}$          ③ $2\sqrt{2}$

④ $3\sqrt{2}$          ⑤ $4\sqrt{5}$

## 유형 05 지수부등식

(1) $a>1$일 때, $a^{f(x)}<a^{g(x)} \Longleftrightarrow f(x)<g(x)$

(2) $0<a<1$일 때, $a^{f(x)}<a^{g(x)} \Longleftrightarrow f(x)>g(x)$

## 049

부등식 $3^{3-x} \leq 9^{x+6}$을 만족시키는 $x$의 값의 범위는?

① $x \leq -3$　　　② $x \geq -3$　　　③ $x \leq -1$

④ $x \geq 1$　　　⑤ $x \leq 3$

## 050

부등식 $\left(\dfrac{1}{2}\right)^{x^2}>\left(\dfrac{1}{4}\right)^{x+4}$을 만족시키는 정수 $x$의 개수를 구하시오.

## 051

부등식 $\left(\dfrac{\sqrt{3}}{3}\right)^{-2x-2}>9(\sqrt{3})^x$을 만족시키는 $x$의 값의 범위는?

① $x<-1$　　　② $x>-1$　　　③ $x>0$

④ $x<2$　　　⑤ $x>2$

## 052

$0<a<1$일 때, $x$에 대한 부등식 $a^{2x+1}>\sqrt[3]{a} \times a^{3x}$을 만족시키는 $x$의 값의 범위는?

① $x<-3$　　　② $-3<x<2$　　　③ $x>-3$

④ $x<\dfrac{3}{2}$　　　⑤ $x>\dfrac{2}{3}$

## 053

부등식 $x^x \leq x^3$을 만족시키는 실수 $x$의 값의 범위는? (단, $x>0$)

① $0<x<3$　　　② $0<x \leq 3$　　　③ $1<x \leq 3$

④ $1 \leq x<3$　　　⑤ $1 \leq x \leq 3$

## 054

부등식 $3^{2x}>2^{3x}$을 풀면?

① $x>-1$　　　② $x<0$　　　③ $x>0$

④ $x<1$　　　⑤ $x>1$

## 유형 **06** $a^x = t$로 치환하는 지수부등식

$a^x$의 꼴이 반복되는 부등식은 $a^x = t$ $(t > 0)$로 치환한 후 해를 구한다.

### 055

부등식 $(3^x - 9)(3^x - 81) \leq 0$을 만족시키는 모든 자연수 $x$의 값의 합은?

① 5        ② 7        ③ 9
④ 11       ⑤ 13

### 중요 056

부등식 $4^{x+1} - 9 \times 2^x + 2 \leq 0$을 만족시키는 정수 $x$의 개수를 구하시오.

### 057

부등식 $4^x - 2^{x+4} + 64 \leq 0$의 해를 구하시오.

### 058

부등식 $\left(\dfrac{1}{9}\right)^x - 12\left(\dfrac{1}{3}\right)^x + 27 \leq 0$을 만족시키는 $x$의 최댓값을 $M$, 최솟값을 $m$이라 할 때, $M + m$의 값은?

① $-3$       ② $-2$       ③ $-1$
④ $1$         ⑤ $2$

### 059

부등식 $2^x + 2^{-x+3} < 6$을 만족시키는 실수 $x$의 값의 범위가 $\alpha < x < \beta$일 때, $\alpha + \beta$의 값은?

① $1$        ② $2$        ③ $3$
④ $4$        ⑤ $5$

### 중요 060

$x$에 대한 부등식 $4^{x+1} + a \times 2^x + b < 0$의 해가 $-2 < x < 4$일 때, 두 상수 $a$, $b$에 대하여 $b - a$의 값을 구하시오.

$A < B < C$의 꼴인 경우

⇨ 연립부등식 $\begin{cases} A < B \\ B < C \end{cases}$ 를 푼다.

## 061

연립부등식 $\begin{cases} 3^{x^2} \leq 9^{x+4} \\ \left(\dfrac{1}{25}\right)^{x-3} \geq \left(\dfrac{1}{5}\right)^{3x-4} \end{cases}$ 을 만족시키는 정수 $x$의 개수를

구하시오.

## 062

다음 부등식을 만족시키는 정수 $x$의 개수는?

$$\left(\frac{1}{8}\right)^{2x+1} < 32 < \left(\frac{1}{4}\right)^{2x-4}$$

① 0      ② 1      ③ 2

④ 3      ⑤ 4

## 063

두 집합

$$A = \{x \mid 4^x - 12 \times 2^x + 32 = 0\}, \quad B = \left\{x \,\middle|\, \left(\frac{1}{9}\right)^x - \left(\frac{1}{3}\right)^x < 72\right\}$$

에 대하여 $A \cap B$를 구하시오.

(1) 이차방정식의 판별식을 $D$라 할 때

① 서로 다른 두 실근 ⇨ $D > 0$

② 중근 ⇨ $D = 0$

(2) 모든 실수 $x$에 대하여 지수부등식 $pa^{2x} + qa^x + r > 0$이

성립 (단, $a > 0$, $a \neq 1$, $p \neq 0$)

⇨ $a^x = t$로 치환한 이차부등식 $pt^2 + qt + r > 0$이 $t > 0$인

모든 실수 $t$에 대하여 성립

참고   이차부등식이 항상 성립할 조건

① $ax^2 + bx + c \geq 0 \ (a \neq 0) \Longleftrightarrow a > 0$, $D \leq 0$

② $ax^2 + bx + c < 0 \ (a \neq 0) \Longleftrightarrow a < 0$, $D < 0$

## 064

방정식 $3^{2x} - k \times 3^x + 18 = 0$의 한 근이 $\log_3 2$일 때, 상수 $k$의 값

을 구하시오.

## 065

$x$에 대한 부등식 $4^x - 2^{x+1} - k > 0$이 모든 실수 $x$에 대하여 성립

하도록 하는 실수 $k$의 값의 범위는?

① $k < -2$      ② $k < -1$      ③ $k < 0$

④ $0 < k < 2$      ⑤ $k > 3$

## 066

모든 실수 $x$에 대하여 부등식 $\left(\dfrac{1}{3}\right)^{x^2+6} \leq 3^{k(1-2x)}$이 성립하기 위한

정수 $k$의 최댓값을 $M$, 최솟값을 $m$이라 할 때, $M^2 + m^2$의 값을

구하시오.

## 유형 **09** 지수방정식과 지수부등식의 활용

매시간 일정한 비율 $p$로 늘어나는 어느 물질의 처음의 양을 $a$, $x$시간 후 변화된 양을 $y$라 하면

$$y=a\times p^x$$

### 067

매시간 일정한 비율로 늘어나는 어느 단세포 생물의 개체 수가 2배로 늘어나는 데 $k$시간이 걸린다고 한다. 이 단세포 생물 1마리가 4시간 후 8마리가 된다고 할 때, 이 단세포 생물 1마리는 12시간 후 몇 마리가 되겠는가?

① 32마리      ② 64마리      ③ 128마리
④ 256마리      ⑤ 512마리

### 068

불순물을 포함하는 어느 물질이 여과기를 한 번 통과할 때마다 불순물의 양이 통과 전 양의 절반이 된다고 한다. 이 물질에 포함된 불순물의 양이 $0.1\%$ 이하가 되도록 하려면 이 여과기를 적어도 몇 번 통과해야 하는가?

① 6번      ② 7번      ③ 8번
④ 9번      ⑤ 10번

### 069

육안으로 본 별의 밝기를 겉보기 등급, 그 별이 10 (pc)의 거리에 있다고 가정했을 때의 밝기를 절대 등급이라고 한다. 어떤 별이 지구로부터 $r$ (pc)만큼 떨어져 있을 때, 겉보기 등급 $m$과 절대 등급 $M$은

$$\left(\frac{r}{10}\right)^2=100^{\frac{1}{5}(m-M)}$$

을 만족시킨다. '데네브'라는 별은 지구로부터 $10^{2.7}$ (pc)만큼 떨어져 있고 겉보기 등급은 1.3이다. 이 별의 절대 등급은?

(단, pc은 거리를 나타내는 단위이다.)

① $-3.6$      ② $-4.8$      ③ $-6.0$
④ $-7.2$      ⑤ $-8.4$

### 070

어느 박테리아는 환경 조건을 일정하게 할 때, $a$마리를 $t$시간 동안 배양하면 $ak^{0.5t}$마리가 된다고 한다. 2마리의 박테리아를 4시간 동안 배양하여 50마리가 되었을 때, 2마리의 박테리아를 배양하여 처음으로 400마리 이상이 되는 것은 몇 시간 후인가?

(단, $k>0$인 상수, $\log 2=0.3$으로 계산한다.)

① 5시간 후      ② 6시간 후      ③ 7시간 후
④ 8시간 후      ⑤ 9시간 후

## 071

방정식 $\left(\dfrac{3}{2}\right)^{x+1}=\left(\dfrac{3}{2}\right)^{-x+5}$의 해를 구하시오.

## 072

방정식 $4^x-6\times2^x+8=0$의 두 근을 $\alpha$, $\beta$라 할 때, $\alpha^2+\beta^2$의 값을 구하시오.

## 073

방정식 $2^x-2^{-x+1}=2$를 만족시키는 $x$에 대하여 $4^x=a+b\sqrt{3}$일 때, $a+b$의 값은? (단, $a$, $b$는 유리수이다.)

① 2      ② 4      ③ 6
④ 8      ⑤ 10

## 074

방정식 $4^x-8\times2^x+15=0$의 두 근을 $\alpha$, $\beta$라 할 때, $2^{2\alpha}+2^{2\beta}$의 값을 구하시오.

## 075

부등식 $2^{x^2}<4\times2^x$의 해가 $\alpha<x<\beta$일 때, $\alpha+\beta$의 값은?

① 1      ② 2      ③ 3
④ 4      ⑤ 5

## 076

두 집합

$$A=\left\{x\left|\left(\dfrac{1}{3}\right)^{2x}\geq\dfrac{1}{81}\right.\right\}, B=\{x\,|\,8^{x^2+2x-4}\leq4^{x^2+x}\}$$

에 대하여 다음 중 옳은 것은? (단, $U$는 실수 전체의 집합이다.)

① $A\cap B=\varnothing$      ② $A\cap B=A$      ③ $A\cup B=A$
④ $A\cup B=U$      ⑤ $A-B=\varnothing$

## 077

방정식 $3^{x+2}=96$의 근을 $\alpha$라 할 때, 다음 중 옳은 것은?

① $0<\alpha<1$  ② $1<\alpha<2$  ③ $2<\alpha<3$
④ $3<\alpha<4$  ⑤ $4<\alpha<5$

## 078

부등식 $9^x-3^{x+2}+18<0$의 해가 $\alpha<x<\beta$일 때, $3^\alpha \times 3^\beta$의 값을 구하시오.

## 079

연립부등식 $\begin{cases} 4^x-3\times 2^{x+2}+32<0 \\ \left(\dfrac{1}{2}\right)^{3x+1}<\left(\dfrac{1}{2}\right)^{2x} \end{cases}$ 의 해가 $a<x<b$일 때, $a+b$의 값을 구하시오.

## 080

처음 개체 수가 $n$인 어느 박테리아를 최적의 조건하에서 배양하였을 때, $t$시간 후의 개체 수를 $N$이라 하면
$$N=n\times 2^{kt} \ (k는 상수)$$
인 관계가 성립한다고 한다. 이 박테리아를 배양한 지 2시간 후의 개체 수가 $5n$일 때, 배양한 지 5시간 후의 개체 수는 처음 개체 수의 몇 배인가?

① $\sqrt{5}$배  ② $5\sqrt{5}$배  ③ 25배
④ $25\sqrt{5}$배  ⑤ 125배

### 1등급 문제

## 081

방정식 $4^x-9^y=15$를 만족시키는 음이 아닌 정수 $x$, $y$의 값을 구하시오.

## 082

$x$에 대한 방정식 $4^x=2^{x+1}+k$가 서로 다른 두 실근을 갖도록 하는 상수 $k$의 값의 범위는 $\alpha<k<\beta$이다. $\alpha+\beta$의 값은?

① $-2$  ② $-1$  ③ $1$
④ $2$  ⑤ $4$

# 06 로그함수의 활용

# 06 로그함수의 활용

## 1 로그방정식

로그에 미지수가 있는 로그방정식은 다음과 같이 푼다.

(단, $a>0$, $a\ne1$, $f(x)>0$, $g(x)>0$)

**(1) 밑이 같은 경우**

로그방정식에서 양변의 밑을 $a$로 같게 할 수 있으면 $\log_a f(x)=\log_a g(x)$의 꼴로 정리한 다음 $f(x)=g(x)$를 푼다.

**(2) 밑이 같지 않은 경우**

로그방정식에서 밑이 다를 때에는 로그의 성질이나 밑의 변환 공식을 이용하여 밑을 같게 한 후 푼다.

**(3) $\log_a x=t$로 치환하는 경우**

로그방정식에서 $\log_a x$ 꼴이 반복될 때 $\log_a x=t$로 치환하여 $t$에 대한 방정식을 푼다.

**(4) 양변에 로그를 취하는 경우**

로그방정식에서 지수에 $\log_a x$를 포함하는 경우는 양변에 $a$를 밑으로 하는 로그를 취하여 방정식을 푼다.

## 2 로그부등식

로그에 미지수가 있는 로그부등식은 다음과 같이 푼다.

(단, $a>0$, $a\ne1$, $f(x)>0$, $g(x)>0$)

**(1) 밑이 같은 경우**

로그부등식에서 양변의 밑을 $a$로 같게 할 수 있으면
① $a>1$일 때 $\log_a f(x)<\log_a g(x)$의 꼴로 정리한 다음 $f(x)<g(x)$를 푼다.
② $0<a<1$일 때 $\log_a f(x)<\log_a g(x)$의 꼴로 정리한 다음 $f(x)>g(x)$를 푼다.

**(2) 밑이 같지 않은 경우**

로그부등식에서 밑이 다를 때에는 로그의 성질이나 밑의 변환 공식을 이용하여 밑을 같게 한 후 푼다.

**(3) $\log_a x=t$로 치환하는 경우**

로그부등식에서 $\log_a x$ 꼴이 반복될 때 $\log_a x=t$로 치환하여 $t$에 대한 부등식을 푼다.

**(4) 양변에 로그를 취하는 경우**

로그부등식에서 지수에 $\log_a x$를 포함하는 경우는 양변에 $a$를 밑으로 하는 로그를 취하여 부등식을 푼다.

# 기본 문제

### 1  $\log_a f(x) = b$ 꼴의 로그방정식

[001-002] 다음은 로그방정식의 해를 구하는 과정이다.
□ 안에 알맞은 것을 써 넣으시오.

**001** $\log_2 x = 4$

> $\log_2 x = 4$에서 $x = 2^{\Box}$
> $\therefore x = \Box$

**002** $\log_3 x = 2$

> $\log_3 x = 2$에서 $x = \Box^2$
> $\therefore x = \Box$

[003-008] 다음 등식을 만족시키는 $x$의 값을 구하시오.

**003** $\log_2 x = 1$

**004** $\log_5 x = 0$

**005** $\log_{\frac{1}{3}} x = 2$

**006** $\log_2 x = -3$

**007** $\log_3 (x+1) = 1$

**008** $\log_2 (3x-5) = 2$

### 2  밑이 같은 로그방정식

[009-012] 다음 방정식을 푸시오.

**009** $\log_3 (x+2) = \log_3 5$

**010** $\log_{\frac{1}{2}} (x-3) = \log_{\frac{1}{2}} 6$

**011** $\log_5 (3x-1) = \log_5 2x$

**012** $\log_{\frac{1}{2}} (4x-3) = \log_{\frac{1}{2}} (3x+5)$

### 3  밑이 같지 않은 로그방정식

**013** 다음은 방정식 $\log_2 (x-4) = \log_4 2x$의 해를 구하는 과정이다. □ 안에 알맞은 것을 써넣으시오.

> 진수의 조건에서 $x-4 > 0$, $2x > 0$
> $\therefore x > \Box$ ······ ㉠
> $\log_2 (x-4) = \log_4 2x$에서
> $\log_2 (x-4) = \Box \log_2 2x$
> $\Box \log_2 (x-4) = \log_2 2x$
> $\log_2 (x-4)^{\Box} = \log_2 2x$
> $(x-4)^{\Box} = 2x$
> $x^2 - 8x + 16 = 2x$
> $x^2 - 10x + 16 = 0$
> $(x-2)(x-8) = 0$
> $\therefore x = 2$ 또는 $x = 8$
> 그런데 ㉠에서 $x > \Box$이므로 $x = \Box$

[014-016] 다음 방정식을 푸시오.

**014** $\log_2 (x-1) = \log_4 (x+1)$

**015** $\log_3 (x-3) = \log_9 (5-x)$

**016** $\log_2 (x-2) = \log_4 (8-x)$

---

**4** 치환을 이용한 로그방정식의 풀이

**017** 다음은 방정식 $(\log_3 x)^2 - 4\log_3 x + 4 = 0$의 해를 구하는 과정이다. □ 안에 알맞은 것을 써넣으시오.

> 진수의 조건에서 $x > 0$ $\quad \cdots\cdots$ ㉠
> $(\log_3 x)^2 - 4\log_3 x + 4 = 0$에서
> $\log_3 x = t$로 놓으면
> $\boxed{\phantom{xxxxx}} = 0$
> $(t-2)^2 = 0$
> $\therefore t = \boxed{\phantom{x}}$
> 즉, $\log_3 x = \boxed{\phantom{x}}$이므로 $x = 3^{\square} = \boxed{\phantom{x}}$
> $x = \boxed{\phantom{x}}$는 ㉠을 만족하므로 구하는 해이다.

---

[018-020] 다음 방정식을 푸시오.

**018** $(\log_2 x)^2 - 3\log_2 x + 2 = 0$

**019** $(\log_2 x)^2 + \log_2 x - 2 = 0$

**020** $(\log_2 x)^2 - \log_2 x^2 - 3 = 0$

---

**5** 밑이 같은 로그부등식

[021-027] 다음 부등식을 푸시오.

**021** $\log_3 x > \log_3 4$

**022** $\log_{\frac{1}{2}} (x+1) \leq \log_{\frac{1}{2}} 3$

**023** $\log_5 x < \log_5 3$

**024** $\log_{\frac{1}{3}}(x-3) < \log_{\frac{1}{3}}5$

**025** $\log_2(5-x) < \log_2 3$

**026** $\log_2(3x-2) \leq \log_2(x+4)$

**027** $\log_{\frac{1}{5}}(3x-2) < \log_{\frac{1}{5}}(6-x)$

**6** 밑이 같지 않은 로그부등식

[028-032] 다음 부등식을 푸시오.

**028** $\log_3(2x-3) \leq 2$

**029** $\log_{\frac{1}{2}}(x-1) \geq 3$

**030** $\log_2(x-1) < \log_4(2x+1)$

**031** $\log_3(x-4) \leq \log_9(x+8)$

**032** $\log_2(x-3) \geq \log_4(15-x)$

**7** 치환을 이용한 로그부등식의 풀이

[033-035] 다음 부등식을 푸시오.

**033** $(\log_2 x)^2 - 4\log_2 x + 3 \leq 0$

**034** $(\log_3 x)^2 - \log_3 x - 2 < 0$

**035** $(\log_2 x)^2 - \log_2 x^2 - 8 \leq 0$

## 유형 01 로그방정식

(1) 밑이 같은 경우

$$\log_a f(x) = \log_a g(x) \Rightarrow f(x) = g(x)$$

(단, $a > 0$, $a \neq 1$, $f(x) > 0$, $g(x) > 0$)

(2) 밑이 같지 않은 경우

로그의 성질이나 밑의 변환 공식을 이용하여 밑을 같게 한 후 방정식을 푼다.

### 036

방정식 $\log_2 (x+1)^2 = \log_2 (3x+1)$을 만족시키는 모든 $x$의 값의 합은?

① $-2$  ② $-1$  ③ $0$
④ $1$  ⑤ $2$

### 037

방정식 $\log_2 x + \log_2 (x+3) = \log_2 10$의 해는?

① $-5$ 또는 $2$  ② $-2$ 또는 $5$  ③ $2$
④ $3$  ⑤ $5$

### 038

방정식 $\log_2 (x-3) = \log_4 (x-1)$을 만족시키는 $x$의 값은?

① $1$  ② $3$  ③ $5$
④ $7$  ⑤ $9$

### 039

방정식 $\log_4 (x-3) + \log_{\frac{1}{4}} (x-5) = \frac{1}{2}$의 해를 구하시오.

### 040 중요

방정식 $\log_2 (\log_3 (\log_5 x)) = 0$을 만족시키는 정수 $x$의 값을 구하시오. (단, $x > 5$)

### 041

방정식 $\log_2 |x-2| = 3$을 만족시키는 모든 $x$의 값의 합은?

① $2$  ② $4$  ③ $6$
④ $8$  ⑤ $10$

**유형 02** $\log_a x = t$로 치환하는 로그방정식

$\log_a x$ 꼴이 반복될 때 $\log_a x = t$로 치환하여 $t$에 대한 방정식을 푼다. (단, $a > 0$, $a \neq 1$, $x > 0$)

**042**

방정식 $(\log_2 x)^2 - 3\log_2 x + 2 = 0$의 두 실근을 $\alpha$, $\beta$라 할 때, $2\alpha + \beta$의 값은? (단, $\alpha < \beta$)

① 2      ② 4      ③ 6

④ 8      ⑤ 10

**043**

방정식 $\log_x 4 - \log_2 x = 1$의 두 실근을 $\alpha$, $\beta$라 할 때, $\alpha - \beta$의 값을 구하시오. (단, $\alpha > \beta$)

**044**

방정식 $\log_3 x - \log_9 x = 2\log_3 x \times \log_9 x$의 두 근을 $\alpha$, $\beta$라 할 때, $\alpha^2 + \beta^2$의 값은?

① 1      ② 2      ③ 4

④ 8      ⑤ 16

**045**

방정식 $\log_3 3x \times \log_3 \dfrac{x}{3} = 8$의 해를 구하시오.

**046**

방정식 $\log_{\frac{1}{3}} x \times \log_3 x + 2\log_3 x + k = 0$의 한 근이 81일 때, 다른 한 근은? (단, $k$는 상수이다.)

① $\dfrac{1}{9}$      ② $\dfrac{1}{4}$      ③ $\dfrac{1}{2}$

④ 2      ⑤ 4

**047**

방정식 $\log_3 x^{\log_3 x} - \log_3 x^3 - 4 = 0$의 두 근을 $\alpha$, $\beta$라 할 때, $\alpha\beta$의 값은?

① $\dfrac{1}{27}$      ② $\dfrac{1}{9}$      ③ 1

④ 9      ⑤ 27

## 유형 **03** 로그방정식과 이차방정식의 근

방정식 $p(\log_a x)^2 + q\log_a x + r = 0$의 두 근을 $\alpha$, $\beta$라 하면 $\log_a x = t$로 치환한 이차방정식 $pt^2 + qt + r = 0$의 두 근은 $\log_a \alpha$, $\log_a \beta$이다. (단, $a > 0$, $a \neq 1$)

(1) 이차방정식의 근과 계수의 관계에 의하여
$$\log_a \alpha + \log_a \beta = -\frac{q}{p}, \ \log_a \alpha \times \log_a \beta = \frac{r}{p}$$
(2) 이차방정식의 판별식을 $D$라 할 때,
  ① 서로 다른 두 실근 $\Rightarrow D > 0$
  ② 중근 $\Rightarrow D = 0$

### 048

방정식 $(\log_2 x - 4)\log_2 x = 1$의 모든 근의 곱은?

① 2       ② 4       ③ 8

④ 16       ⑤ 32

### 049

방정식 $\log x \times \log \dfrac{x}{32} = 1$의 두 근을 $\alpha$, $\beta$라 할 때, $\alpha\beta$의 값을 구하시오.

### 050 <sub>중요</sub>

방정식 $(\log x)^2 - k\log x - 2 = 0$의 두 근의 곱이 1000일 때, 상수 $k$의 값은?

① 1       ② 2       ③ 3

④ 4       ⑤ 5

## 유형 **04** 로그부등식

(1) 밑이 같은 경우
  ① $a > 1$일 때
  $$\log_a f(x) < \log_a g(x) \Rightarrow f(x) < g(x)$$
  ② $0 < a < 1$일 때
  $$\log_a f(x) < \log_a g(x) \Rightarrow f(x) > g(x)$$
  $$(\text{단}, \ f(x) > 0, \ g(x) > 0)$$
(2) 밑이 같지 않은 경우
  로그의 성질이나 밑의 변환 공식을 이용하여 밑을 같게 한 후 부등식을 푼다.

### 051

로그부등식 $\log_2 (2x - 1) < 1$을 만족시키는 $x$의 값의 범위를 구하시오.

### 052 <sub>중요</sub>

부등식 $\log_{\frac{1}{5}} (x^2 - 2x + 5) \geq -1$을 만족시키는 $x$의 최댓값은?

① $-2$       ② $-1$       ③ 0

④ 1       ⑤ 2

### 053

부등식 $\log_3 (x - 1) + \log_3 (7 - x) > \log_3 5$를 만족시키는 정수 $x$의 개수는?

① 1       ② 2       ③ 3

④ 4       ⑤ 5

**054**

부등식 $\log_2 (x-1) \leq \log_4 (x+5)$를 만족시키는 정수 $x$의 개수를 구하시오.

**055**

부등식 $\log_2 (\log_2 x) \leq 1$을 만족시키는 모든 정수 $x$의 합은?

① 5        ② 7        ③ 9

④ 11       ⑤ 13

**056**

부등식 $\log_{\frac{1}{2}} (x^2 - ax + b) \geq \log_{\frac{1}{2}} x$의 해가 $1 \leq x \leq 3$일 때, 두 상수 $a$, $b$에 대하여 $a^2 + b^2$의 값을 구하시오.

**유형 5 $\log_a x = t$로 치환하는 로그부등식**

$\log_a x$ 꼴이 반복될 때 $\log_a x = t$로 치환하여 $t$에 대한 부등식을 푼다. (단, $a > 0$, $a \neq 1$, $x > 0$)

**057**

부등식 $(\log_3 x - 1)(\log_3 x - 2) < 0$을 만족시키는 정수 $x$의 개수는?

① 3        ② 4        ③ 5

④ 6        ⑤ 7

**058**

부등식 $\left(\log_{\frac{1}{2}} x\right)^2 - 2\log_{\frac{1}{2}} x - 3 \leq 0$의 해는?

① $0 < x \leq \dfrac{1}{8}$ 또는 $x \geq 2$      ② $0 < x \leq \dfrac{1}{4}$ 또는 $x \geq 2$

③ $\dfrac{1}{8} \leq x \leq 2$             ④ $\dfrac{1}{4} \leq x \leq 2$

⑤ $\dfrac{1}{2} \leq x \leq 2$

**059**

부등식 $(\log_3 x)^2 < \log_{\frac{1}{3}} x^2$의 해를 구하시오.

**060**

로그부등식 $(\log_2 x)^2 + \log_2 x - 2 \geq 0$의 해는?

① $\dfrac{1}{4} \leq x \leq 2$   ② $\dfrac{1}{2} \leq x \leq 2$

③ $2 \leq x \leq 4$   ④ $0 < x \leq \dfrac{1}{4}$ 또는 $x \geq 2$

⑤ $0 < x \leq \dfrac{1}{2}$ 또는 $x \geq 4$

**061**

부등식 $\log_3 9x \times \log_3 27x < 2$의 해가 $\alpha < x < \beta$일 때, $\dfrac{\beta}{\alpha}$의 값은?

① $\dfrac{1}{27}$   ② $\dfrac{1}{9}$   ③ $1$

④ $9$   ⑤ $27$

**062** 중요

부등식 $(\log_3 3x)^2 - \log_3 x^5 + 1 < 0$의 해와 이차부등식 $x^2 + ax + b < 0$의 해가 서로 같을 때, 두 상수 $a$, $b$의 합 $a+b$의 값을 구하시오.

**유형 06 로그부등식의 응용**

(1) 모든 실수 $x$에 대하여
$ax^2 + bx + c > 0 \Rightarrow a > 0, \ b^2 - 4ac < 0$
$ax^2 + bx + c < 0 \Rightarrow a < 0, \ b^2 - 4ac < 0$

(2) 이차방정식 $ax^2 + bx + c = 0$이 실근을 갖는다.
$\Rightarrow b^2 - 4ac \geq 0$

**063**

모든 실수 $x$에 대하여 부등식 $\log_2(x^2 + 2x + a) > 0$이 항상 성립하기 위한 상수 $a$의 값의 범위는?

① $a \leq -2$   ② $0 < a < 2$   ③ $a > 0$

④ $a > 2$   ⑤ $a \leq 3$

**064** 중요

임의의 양수 $x$에 대하여 부등식 $(\log_3 x)^2 + a\log_3 x + a + 8 > 0$이 항상 성립하도록 하는 정수 $a$의 개수는?

① $3$   ② $5$   ③ $7$

④ $9$   ⑤ $11$

**065**

$x$에 대한 방정식 $x^2 - 2(2 + \log_2 a)x + 1 = 0$이 실근을 가지도록 하는 상수 $a$의 값의 범위를 구하시오.

## 유형 **07** 양변에 로그를 취하는 방정식과 부등식

지수에 $\log_a x$를 포함하는 경우는 양변에 $a$를 밑으로 하는 로그를 취하여 방정식, 부등식을 푼다.

### 066

방정식 $2^{\log_8 x}=3$의 해는?

① 19      ② 21      ③ 23

④ 25      ⑤ 27

### 067

방정식 $x^{\log_2 x^2}=4x^3$의 모든 근의 곱은?

① $\sqrt{2}$      ② 2      ③ $2\sqrt{2}$

④ 4      ⑤ 8

### 068

부등식 $x^{\log_2 x}<4x$의 해가 $\alpha<x<\beta$일 때, $\alpha\beta$의 값은?

① 2      ② 3      ③ 4

④ 5      ⑤ 6

## 유형 **08** 연립방정식과 연립부등식

$\log_a x$, $\log_b y$에 대한 연립방정식인 경우
$$\log_a x=X,\ \log_b y=Y$$
로 치환하여 푼다.

### 069

연립방정식 $\begin{cases} y=x+2 \\ 3=\log_2 x+\log_2 y \end{cases}$ 의 해를 $x=\alpha$, $y=\beta$라 할 때, $\alpha^2-\beta^2$의 값을 구하시오.

### 070

연립방정식 $\begin{cases} \log_2 x+\log_3 y=4 \\ \log_3 x \times \log_2 y=3 \end{cases}$ 을 만족시키는 두 실수 $x$, $y$에 대하여 $xy$의 값을 구하시오. (단, $0<y<x$)

### 071

연립부등식 $\begin{cases} (\log_2 x)^2-\log_2 x^2<3 \\ 4^x-2^{x+2}\leq 32 \end{cases}$ 를 만족시키는 모든 정수 $x$의 값의 합은?

① 3      ② 4      ③ 5

④ 6      ⑤ 7

## 유형 9 로그방정식과 로그부등식의 활용

(1) 조건에 맞게 방정식 또는 부등식을 세운 다음 상용로그를 취하여 그 해를 구한다.
(2) 주어진 관계식에 알맞은 문자 또는 값을 대입한 후 지수와 로그의 성질을 이용하여 푼다.

### 072

소리의 강도에 따라 소리의 크기를 분류하는 방법으로 데시벨 (dB)이 있다. 강도가 $I$ (W/cm²)인 소리의 크기 $x$ (dB)를

$$x = 10 \log \frac{I}{I_0}$$

로 정의할 때, 100 (dB)의 소리의 강도는?

(단, $I_0 = 10^{-8}$ W/cm²)

① 1 W/cm²　　② 2 W/cm²　　③ 10 W/cm²
④ 100 W/cm²　　⑤ 200 W/cm²

### 073 중요

어떤 물질 200 cc를 물에 넣은 후 $t$시간이 지났을 때, 물에 분해되고 남아 있는 물질의 양을 $f(t)$ cc라 하면 다음 관계식을 따른다고 한다.

$$f(t) = 200 - 50 \log_2 (1+t)$$

물에 분해되고 남아 있는 물질의 양이 120 cc가 될 때까지의 시간을 $a$라 할 때, 남아 있는 물질의 양이 40 cc가 될 때까지의 시간을 $a$로 나타낸 것은?

① $(a+1)^2 - 1$　　② $(a+1)^2$　　③ $(a+1)^2 + 1$
④ $(a-1)^2 - 1$　　⑤ $(a-1)^2$

### 074

개체 수가 1시간마다 2배씩 증가하는 어떤 세균은 $n$시간 후 최초로 처음 세균의 수의 4000배 이상이 된다. 이때, 자연수 $n$의 값을 구하시오. (단, $\log 2 = 0.3$으로 계산한다.)

### 075

현재 연봉이 $a$원인 회사원이 매년 $p$%씩 인상된 연봉을 받을 경우 연봉이 현재 연봉의 2배 이상이 되는 것은 10년 후부터라고 한다. 이때, $p$의 최솟값을 구하시오.

(단, $\log 2 = 0.30$, $\log 1.072 = 0.03$으로 계산한다.)

### 076

들어오는 빛의 양의 10%를 반사시키는 특수한 필름이 있다. 이 필름을 유리에 붙여서 유리를 통과한 빛의 양이 처음 들어오는 빛의 양의 $\dfrac{1}{4}$ 이하가 되도록 하려면 이 필름을 최소한 몇 장 붙여야 하는가? (단, $\log 2 = 0.3010$, $\log 3 = 0.4771$)

① 12장　　② 13장　　③ 14장
④ 15장　　⑤ 16장

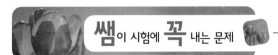

## 077

로그방정식 $\log_2 (x+2)=\log_{\sqrt{2}} x$의 해는?

① 1  ② 2  ③ 3

④ 4  ⑤ 5

## 078

방정식 $(\log x+2)(\log x-1)=4$의 두 근의 곱을 구하시오.

## 079

방정식 $(\log_{\frac{1}{2}} x)^2+3\log_{\frac{1}{2}} x-10=0$의 해를 구하시오.

## 080

방정식 $(\log_2 x)^2=\log_2 x^2+8$의 두 근을 $\alpha$, $\beta$라 할 때, $\alpha\beta$의 값은?

① 2  ② 4  ③ 6

④ 8  ⑤ 10

## 081

부등식 $2\log_3 (x-1)\leq\log_3 (2x+6)$의 해는?

① $x\leq -1$  ② $-1\leq x\leq 1$  ③ $-1<x\leq 5$

④ $1<x\leq 5$  ⑤ $x\geq 5$

## 082

부등식 $(\log_2 x)^2+2\log_2 x-3\geq 0$의 해는?

① $0<x\leq\frac{1}{8}$ 또는 $x\geq 2$  ② $0<x\leq\frac{1}{4}$ 또는 $x\geq 8$

③ $\frac{1}{8}\leq x\leq 2$  ④ $\frac{1}{4}\leq x\leq 2$

⑤ $2\leq x\leq 8$

## 083

$x$에 대한 부등식 $x^2-2(1+\log_3 a)x+1-(\log_3 a)^2>0$이 항상 성립하도록 하는 양수 $a$의 값의 범위는?

① $0<a<\dfrac{1}{3}$ 　　　② $0<a<\dfrac{1}{3}$ 또는 $a>1$

③ $0<a<1$ 또는 $a>1$ 　　　④ $\dfrac{1}{3}<a<1$

⑤ $a>1$

## 084

방정식 $x^{\log x}=10$을 만족시키는 모든 실수 $x$의 값의 곱은?

① $\dfrac{1}{100}$ 　　　② $\dfrac{1}{10}$ 　　　③ $1$

④ $10$ 　　　⑤ $100$

## 085

연립방정식 $\begin{cases} \log_2 x+2\log_4 y=5 \\ \log_2 x^2-\log_2 y=1 \end{cases}$ 의 해를 $x=\alpha$, $y=\beta$라 할 때, $\alpha+\beta$의 값은?

① $12$ 　　　② $15$ 　　　③ $28$

④ $36$ 　　　⑤ $40$

## 086

15세에서 25세까지의 남자들의 몸무게를 조사해 보았더니 나이 $t$와 몸무게 $y\,(\text{kg})$ 사이에

$$y=45+20\log(t-14)\ (15\le t\le 25)$$

의 관계가 성립하였다고 한다. 3살 차이의 두 남자의 몸무게의 합이 110 kg일 때, 두 남자의 나이의 합은?

① $33$ 　　　② $35$ 　　　③ $37$

④ $39$ 　　　⑤ $41$

### 1등급 문제

## 087

방정식 $\log_{x^2-8}(x-3)=\log_{2x+7}(x-3)$의 모든 근의 곱은?

① $-20$ 　　　② $-15$ 　　　③ $10$

④ $15$ 　　　⑤ $20$

## 088

임의의 실수 $x$에 대하여 부등식 $10^{x^2+\log a}>a^{2x}$이 항상 성립하도록 하는 양의 정수 $a$의 총합을 구하시오.

# 07 삼각함수의 뜻

# 07 삼각함수의 뜻

## 1 일반각의 뜻

동경 OP가 나타내는 한 각의 크기를 $a°$라 할 때,

$\angle\text{XOP}=360°\times n+a°$ ($n$은 정수)

로 나타내어지는 각 XOP의 크기를 동경 OP가 나타내는 일반각이라고 한다.

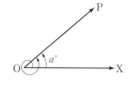

**개념 플러스**

◀ 좌표평면에서 시초선은 보통 $x$축의 양의 방향으로 정한다.

◀ 각의 크기는 회전 방향이 양의 방향 (시계 반대 방향)이면 $+$, 음의 방향 (시계 방향)이면 $-$를 붙여서 나타낸다.

## 2 호도법

(1) 1라디안 : 반지름의 길이가 $r$인 원에서 길이가 $r$인 호에 대한 중심각의 크기
(2) **호도법** : 라디안을 단위로 하여 각의 크기를 나타내는 방법

$$1\text{라디안}=\frac{180°}{\pi},\ 1°=\frac{\pi}{180}\text{라디안}$$

◀ 일반각으로 나타낼 때, $a°$는 보통 $0°\leq a°<360°$ 또는 $-180°<a°\leq 180°$인 것을 택한다.

◀ 각의 크기를 호도법으로 나타낼 때에는 단위인 라디안을 생략하고 실수처럼 쓴다.

## 3 부채꼴의 호의 길이와 넓이

반지름의 길이가 $r$, 중심각의 크기가 $\theta$(라디안)인 부채꼴의 호의 길이를 $l$, 넓이를 $S$라 하면

$$l=r\theta,\ S=\frac{1}{2}r^2\theta=\frac{1}{2}rl$$

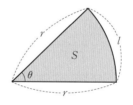

◀ 부채꼴의 호의 길이와 넓이는 중심각의 크기에 정비례하므로
$2\pi:\theta=2\pi r:l$ $\therefore l=r\theta$
$2\pi:\theta=\pi r^2:S$
$\therefore S=\frac{1}{2}r^2\theta=\frac{1}{2}rl$

## 4 삼각함수

동경 OP가 나타내는 각 $\theta$에 대하여

$$\sin\theta=\frac{y}{r},$$

$$\cos\theta=\frac{x}{r},$$

$$\tan\theta=\frac{y}{x}\ (x\neq 0)$$

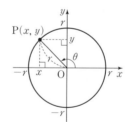

◀ 각 사분면에서 값이 양수인 삼각함수를 좌표평면 위에 나타내면 다음과 같다.

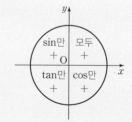

## 5 삼각함수 사이의 관계

(1) $\tan\theta=\dfrac{\sin\theta}{\cos\theta}$

(2) $\sin^2\theta+\cos^2\theta=1$

# 기본 문제

## 1 일반각과 호도법

[001-004] 다음 각을 나타내는 동경의 위치를 그림으로 알맞게 나타낸 것을 〈보기〉에서 고르시오.

**001** 30°

**002** −60°

**003** 150°

**004** 240°

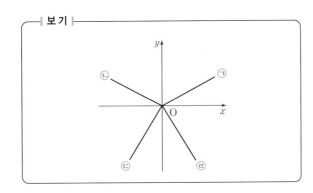
┤ 보 기 ├

[005-007] 반직선 OX가 시초선일 때, 동경 OP가 나타내는 일반각을 나타낸 것이다. ☐ 안에 알맞은 양수를 써넣으시오.

**005**

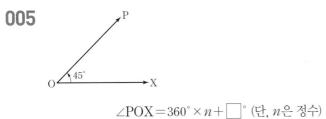

∠POX＝360°×n＋☐° (단, n은 정수)

**006**

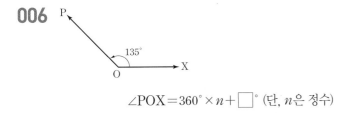

∠POX＝360°×n＋☐° (단, n은 정수)

**007**

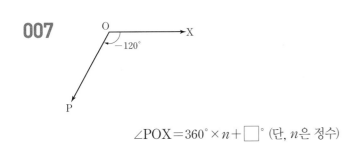

∠POX＝360°×n＋☐° (단, n은 정수)

[008-010] 다음 각의 동경이 나타내는 일반각을 360°×n＋α (n은 정수, 0°≤α＜360°)꼴로 나타내시오.

**008** 460°

**009** 750°

**010** −300°

[011-015] 다음 각은 몇 사분면의 각인지 말하시오.

**011** 120°

**012** 210°

**013** 315°

**014** 400°

**015** −150°

[016-034] 다음 각을 육십분법으로 나타낸 것은 호도법으로, 호도법으로 나타낸 것은 육십분법으로 나타내시오.

**016** 30°

**017** 45°

**018** 60°

**019** 90°

**020** 120°

**021** 135°

**022** 180°

**023** 240°

**024** 330°

**025** 360°

**026** $\dfrac{\pi}{6}$

**027** $\dfrac{\pi}{4}$

**028** $\dfrac{\pi}{3}$

**029** $\dfrac{\pi}{2}$

**030** $\dfrac{5}{6}\pi$

**031** $\dfrac{7}{6}\pi$

**032** $\dfrac{4}{3}\pi$

**033** $\dfrac{7}{4}\pi$

**034** $2\pi$

---

**2** 부채꼴의 호의 길이와 넓이

[035-038] 다음 부채꼴의 □ 안에 알맞은 것을 써넣으시오.

**035**    **036**

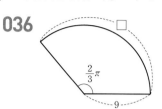

**037**    **038**

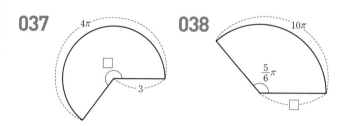

[039-040] 다음 부채꼴의 넓이를 구하시오.

**039**

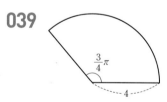

**040**

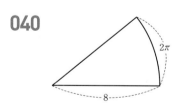

## 3 삼각함수

[041-043] 점 P(4, 3)에 대하여 동경 OP가 나타내는 각의 크기를 $\theta$라 할 때, 다음 삼각함수의 값을 구하시오.

(단, O는 원점이다.)

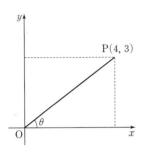

**041** $\sin \theta$

**042** $\cos \theta$

**043** $\tan \theta$

[044-046] 점 P$(-1, 2)$에 대하여 동경 OP가 나타내는 각의 크기를 $\theta$라 할 때, 다음 삼각함수의 값을 구하시오.

(단, O는 원점이다.)

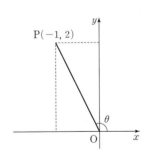

**044** $\sin \theta$

**045** $\cos \theta$

**046** $\tan \theta$

[047-049] $\theta$가 제2사분면의 각일 때, 다음 삼각함수의 값의 부호를 말하시오.

**047** $\sin \theta$

**048** $\cos \theta$

**049** $\tan \theta$

[050-052] $\theta$가 제3사분면의 각일 때, 다음 삼각함수의 값의 부호를 말하시오.

**050** $\sin \theta$

**051** $\cos \theta$

**052** $\tan \theta$

[053-061] 다음 삼각형을 이용하여 삼각함수의 값을 구하시오.

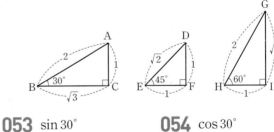

**053** $\sin 30°$        **054** $\cos 30°$

**055** $\tan 30°$        **056** $\sin 45°$

**057** $\cos 45°$        **058** $\tan 45°$

**059** $\sin 60°$        **060** $\cos 60°$

**061** $\tan 60°$

**4** 삼각함수 사이의 관계

[062-063] $\sin\theta=\dfrac{\sqrt{3}}{2}$, $\cos\theta=-\dfrac{1}{2}$일 때, 다음의 값을 구하시오.

**062** $\tan\theta$

**063** $\sin^2\theta+\cos^2\theta$

[064-067] 주어진 삼각형과 각 사분면에 따른 삼각함수의 부호를 이용하여 다음을 구하시오.

**064** $\theta$가 제1사분면의 각이고 $\sin\theta=\dfrac{3}{5}$일 때, $\cos\theta$, $\tan\theta$의 값

**065** $\theta$가 제2사분면의 각이고 $\sin\theta=\dfrac{4}{5}$일 때, $\cos\theta$, $\tan\theta$의 값

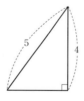

**066** $\theta$가 제3사분면의 각이고 $\tan\theta=\dfrac{1}{2}$일 때, $\sin\theta$, $\cos\theta$의 값

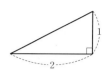

**067** $\theta$가 제4사분면의 각이고 $\cos\theta=\dfrac{1}{\sqrt{2}}$일 때, $\sin\theta$, $\tan\theta$의 값

[068-070] 다음 조건이 주어질 때, 곱셈공식 $(a\pm b)^2=a^2\pm2ab+b^2$을 이용하여 $\sin\theta\cos\theta$의 값을 구하시오.

**068** $\sin\theta+\cos\theta=\dfrac{1}{2}$

**069** $\sin\theta+\cos\theta=-\dfrac{1}{3}$

**070** $\sin\theta-\cos\theta=\dfrac{1}{3}$

## 유형 문제

### 유형 01 육십분법과 호도법

(1) 호도법의 각 $\theta$ 라디안을 육십분법의 각으로 고칠 때

$$\Rightarrow \theta \times \frac{180°}{\pi}$$

(2) 육십분법의 각 $\alpha°$ 를 호도법의 각으로 고칠 때

$$\Rightarrow \alpha \times \frac{\pi}{180}$$

#### 071 중요

〈보기〉에서 옳은 것의 개수는?

┌─ 보 기 ─────────────────────────┐

ㄱ. $2 = \frac{360°}{\pi}$  　　ㄴ. $\frac{\pi}{3} = 60°$  　　ㄷ. $150° = \frac{2}{3}\pi$

ㄹ. $\frac{1}{2} = \frac{45°}{\pi}$  　　ㅁ. $\frac{\pi}{2} = 90°$  　　ㅂ. $\frac{\pi}{4} = 30°$

└──────────────────────────────┘

① 2　　　　　② 3　　　　　③ 4

④ 5　　　　　⑤ 6

#### 072

다음 중 옳지 <u>않은</u> 것은?

① $15° = \frac{\pi}{12}$　　② $120° = \frac{2}{3}\pi$　　③ $225° = \frac{5}{4}\pi$

④ $300° = \frac{11}{6}\pi$　　⑤ $360° = 2\pi$

#### 073

그림에서 각 $x$의 크기를 호도법으로 나타내시오.

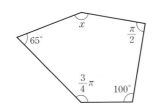

### 유형 02 일반각과 사분면의 각

(1) 제1사분면의 각: $2n\pi < \theta < 2n\pi + \frac{\pi}{2}$

(2) 제2사분면의 각: $2n\pi + \frac{\pi}{2} < \theta < 2n\pi + \pi$

(3) 제3사분면의 각: $2n\pi + \pi < \theta < 2n\pi + \frac{3}{2}\pi$

(4) 제4사분면의 각: $2n\pi + \frac{3}{2}\pi < \theta < 2n\pi + 2\pi$

(단, $n$은 정수)

#### 074

다음 중 각을 나타내는 동경이 존재하는 사분면이 나머지 넷과 <u>다른</u> 것은?

① $910°$　　　　② $-520°$　　　　③ $-\frac{5}{6}\pi$

④ $\frac{4}{3}\pi$　　　　⑤ $\frac{14}{5}\pi$

#### 075

그림에서 반직선 OX를 시초선으로 할 때, 동경 OP가 나타내는 각이 될 수 <u>없는</u> 것은?

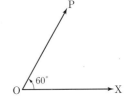

① $420°$　　　　② $780°$

③ $-300°$　　　④ $-420°$

⑤ $-660°$

#### 076 중요

$\theta$가 제3사분면의 각일 때, $\frac{\theta}{2}$는 제 몇 사분면의 각인지 구하시오.

## 유형 03 두 동경의 위치 관계

두 동경이 나타내는 각의 크기가 각각 $\alpha$, $\beta$일 때 두 동경의 위치에 따른 $\alpha$, $\beta$의 관계식은 다음과 같다.

(1) 일치 $\Rightarrow \beta-\alpha=2n\pi$

(2) 일직선 위에 있고 방향이 반대 $\Rightarrow \beta-\alpha=2n\pi+\pi$

(3) $x$축에 대하여 대칭 $\Rightarrow \beta+\alpha=2n\pi$

(4) $y$축에 대하여 대칭 $\Rightarrow \beta+\alpha=2n\pi+\pi$

(단, $n$은 정수)

### 077

어떤 예각을 6배하면 처음의 각의 동경과 일치한다고 할 때, 이 예각의 크기를 구하시오.

### 078

각 $\theta$를 나타내는 동경과 각 $7\theta$를 나타내는 동경이 일직선 위에 있고 방향이 반대일 때, $\sin\left(\theta-\dfrac{2}{3}\pi\right)$의 값을 구하시오.

$$\left(단, \frac{\pi}{2}<\theta<\pi\right)$$

### 079

$0°<\theta<90°$이고, 각 $2\theta$를 나타내는 동경과 각 $4\theta$를 나타내는 동경이 $x$축에 대하여 대칭일 때, $\theta$의 값은?

① $15°$  ② $30°$  ③ $45°$

④ $60°$  ⑤ $75°$

## 유형 04 부채꼴의 호의 길이와 넓이

반지름의 길이가 $r$, 중심각의 크기가 $\theta$(라디안)인 부채꼴에 대하여

(1) 호의 길이: $l=r\theta$

(2) 넓이: $S=\dfrac{1}{2}rl=\dfrac{1}{2}r^2\theta$

(3) 둘레의 길이: $2r+l=2r+r\theta$

### 080

반지름의 길이가 12이고, 중심각의 크기가 $\theta$인 부채꼴의 호의 길이가 $4\pi$일 때 $\sin\theta$의 값을 구하시오.

### 081

중심각의 크기가 $\dfrac{\pi}{3}$이고, 호의 길이가 $2\pi$ cm인 부채꼴의 넓이는?

① $6\pi$ cm$^2$  ② $8\pi$ cm$^2$  ③ $10\pi$ cm$^2$

④ $12\pi$ cm$^2$  ⑤ $14\pi$ cm$^2$

### 082

그림과 같이 반지름의 길이가 4, 중심각의 크기가 $315°$인 부채꼴이 있다. 이 부채꼴의 둘레의 길이를 구하시오.

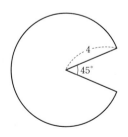

## 083

반지름의 길이가 2인 원의 넓이와 반지름의 길이가 4인 부채꼴의 넓이가 같을 때, 이 부채꼴의 둘레의 길이를 구하시오.

## 084

둘레의 길이가 8인 부채꼴의 최대 넓이를 구하시오.

## 085

그림과 같이 밑면의 반지름의 길이가 1인 세 개의 원기둥을 끈으로 팽팽하게 묶으려고 한다. 이때, 필요한 끈의 길이의 최솟값은?

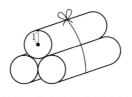

(단, 매듭을 지은 부분의 길이는 생각하지 않는다.)

① $3\pi$  ② $3+\pi$  ③ $6+\pi$

④ $3+2\pi$  ⑤ $6+2\pi$

---

### 유형 05 삼각함수의 정의

동경 OP가 나타내는 각 $\theta$에 대하여

(1) $r=\overline{\mathrm{OP}}=\sqrt{x^2+y^2}$

(2) $\sin\theta=\dfrac{y}{r}$, $\cos\theta=\dfrac{x}{r}$,

$\tan\theta=\dfrac{y}{x}$ $(x\neq 0)$

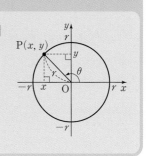

## 086

원점 O와 점 $\mathrm{P}(4, -3)$에 대하여 동경 OP가 나타내는 각을 $\theta$라 할 때, $\sin\theta+\cos\theta$의 값을 구하시오.

## 087

원점 O와 점 $\mathrm{P}(a, 1)$에 대하여 동경 OP가 나타내는 각을 $\theta$라 하면 $\tan\theta=-\dfrac{3}{5}$이다. 이때, 선분 OP의 길이를 구하시오.

## 088

직선 $y=-\dfrac{4}{3}x$ 위의 점 $\mathrm{P}(a, b)$ $(b>0)$에 대하여 $\overline{\mathrm{OP}}$가 $x$축의 양의 방향과 이루는 각의 크기를 $\theta$라 할 때, $\sin\theta\cos\theta$의 값을 구하시오. (단, O는 원점이다.)

## 089

그림과 같이 원 $x^2+y^2=4$와 직선 $y=-\sqrt{3}x$의 두 교점을 A, B라 하고, 동경 OA와 OB가 나타내는 일반각의 크기를 각각 $\alpha$, $\beta$라 할 때, $\sin\alpha\cos\beta$의 값을 구하시오.

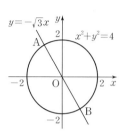

## 090

그림을 이용하여

$$\tan\alpha=\frac{1}{3},\ \tan\beta=1$$

일 때, $\tan(\alpha+\beta)$의 값을 구하시오.

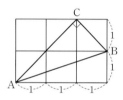

## 091

그림에서 두 점 P, Q는 직각삼각형 ABC의 변 BC를 삼등분하는 점이고, $\overline{AC}=\overline{AB}+\overline{BP}$가 성립할 때, $\tan A$의 값은?

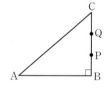

① $\dfrac{\sqrt{2}}{3}$     ② $\dfrac{\sqrt{3}}{3}$     ③ $\dfrac{\sqrt{2}}{2}$

④ $\dfrac{\sqrt{3}}{2}$     ⑤ $\dfrac{3}{4}$

### 유형 06 삼각함수의 값의 부호

(1) $\theta$가 제1사분면의 각이면
$\sin\theta>0$, $\cos\theta>0$, $\tan\theta>0$
(2) $\theta$가 제2사분면의 각이면
$\sin\theta>0$, $\cos\theta<0$, $\tan\theta<0$
(3) $\theta$가 제3사분면의 각이면
$\sin\theta<0$, $\cos\theta<0$, $\tan\theta>0$
(4) $\theta$가 제4사분면의 각이면
$\sin\theta<0$, $\cos\theta>0$, $\tan\theta<0$

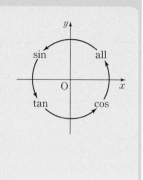

## 092

$\theta$가 제3사분면의 각일 때, 〈보기〉에서 옳은 것만을 있는 대로 고른 것은?

| 보기 |

ㄱ. $\sin\theta\cos\theta>0$      ㄴ. $\dfrac{\cos\theta}{\sin\theta}>0$

ㄷ. $\dfrac{\sin\theta}{\tan\theta}<0$

① ㄱ     ② ㄱ, ㄴ     ③ ㄱ, ㄷ

④ ㄴ, ㄷ     ⑤ ㄱ, ㄴ, ㄷ

## 093

$\sin\theta\cos\theta<0$일 때, $\theta$는 제 몇 사분면의 각인가?

① 제1사분면 또는 제2사분면
② 제1사분면 또는 제3사분면
③ 제1사분면 또는 제4사분면
④ 제2사분면 또는 제3사분면
⑤ 제2사분면 또는 제4사분면

## 094

$\dfrac{\pi}{2}<\theta<\pi$일 때, 다음 식을 간단히 하시오.

$$|\sin\theta|-\sqrt{\cos^2\theta}-\sqrt{(\cos\theta-\sin\theta)^2}$$

## 095

$\dfrac{\sqrt{\cos\theta}}{\sqrt{\tan\theta}}=-\sqrt{\dfrac{\cos\theta}{\tan\theta}}$ 를 만족시키는 각 $\theta$에 대하여

$\sqrt{(\sin\theta-\cos\theta)^2}-|\sin\theta|$ 를 간단히 하시오. (단, $\cos\theta\neq0$)

## 096

다음 두 조건을 동시에 만족시키는 $\theta$는 제 몇 사분면의 각인가?

| (가) $\sin\theta\cos\theta<0$ | (나) $\cos\theta\tan\theta>0$ |
|---|---|

① 제1사분면       ② 제2사분면       ③ 제3사분면

④ 제4사분면       ⑤ 제2, 4사분면

## 097

$\sin\theta=3\cos\theta$일 때, $\sin\theta\cos\theta$의 값을 구하시오.

(단, $\sin\theta\cos\theta\neq0$)

## 유형 07 삼각함수 사이의 관계

(1) $\tan\theta=\dfrac{\sin\theta}{\cos\theta}$

(2) $\sin^2\theta+\cos^2\theta=1$

## 098

$\tan\theta=\dfrac{1}{4}$일 때, $\dfrac{\cos\theta+\sin\theta}{\cos\theta-\sin\theta}$의 값을 구하시오.

## 099

$\dfrac{1}{\cos\theta}\times\dfrac{1}{\sin\theta}=2$일 때, $(\sin\theta+\cos\theta)^2$의 값은?

① $\dfrac{1}{4}$       ② $\dfrac{1}{2}$       ③ 1

④ $\dfrac{3}{2}$       ⑤ 2

## 100

$\cos\theta=\dfrac{\sqrt{2}}{2}$일 때, $\dfrac{\cos\theta}{1-\sin\theta}+\dfrac{1-\sin\theta}{\cos\theta}$의 값은?

① $-2\sqrt{2}$       ② $-\sqrt{2}$       ③ $\sqrt{2}$

④ $2\sqrt{2}$       ⑤ $4\sqrt{2}$

**101**

$\theta$는 제2사분면의 각이고 $\sin\theta+\cos\theta=\dfrac{1}{\sqrt{2}}$일 때,
$\sin\theta-\cos\theta$의 값을 구하시오.

**102**

$\tan\theta+\dfrac{1}{\tan\theta}=2$일 때, $\dfrac{1}{\sin^2\theta}+\dfrac{1}{\cos^2\theta}$의 값을 구하시오.

**103**

$\theta$가 제1사분면의 각이고, $2\tan\theta=\cos\theta$일 때, $\sin\theta$의 값은?

① $-1-\sqrt{2}$    ② $1-\sqrt{2}$    ③ $-1+\sqrt{2}$

④ $-1+2\sqrt{2}$    ⑤ $-2+3\sqrt{2}$

## 유형 08 삼각함수와 이차방정식

이차방정식 $ax^2+bx+c=0$의 두 근이 $\sin\theta$, $\cos\theta$이면 근과 계수의 관계에 의하여

$$\sin\theta+\cos\theta=-\frac{b}{a},\ \sin\theta\cos\theta=\frac{c}{a}$$

**104**

이차방정식 $2x^2-x+k=0$의 두 근이 $\sin\theta$, $\cos\theta$일 때, 실수 $k$의 값을 구하시오.

**105**

$\sin\theta+\cos\theta=\dfrac{\sqrt{6}}{2}$일 때, $\sin\theta$와 $\cos\theta$를 두 근으로 하고 $x^2$의 계수가 4인 이차방정식은? $\left(\text{단, } 0<\theta<\dfrac{\pi}{2}\right)$

① $4x^2-2\sqrt{6}x-1=0$    ② $4x^2-2\sqrt{6}x+1=0$

③ $4x^2-2\sqrt{3}x-1=0$    ④ $4x^2-2\sqrt{3}x+1=0$

⑤ $4x^2-2\sqrt{2}x-1=0$

**106**

이차방정식 $3x^2-x+k=0$의 두 근이 $\sin\theta$, $\cos\theta$이고, 이차방정식 $ax^2+bx+8=0$의 두 근이 $\tan\theta$, $\dfrac{1}{\tan\theta}$이다. 이때, 상수 $a$, $b$, $k$에 대하여 $abk$의 값을 구하시오.

## 107

$150° + \dfrac{2}{3}\pi - 210° = a\pi$일 때, 상수 $a$의 값은?

① $\dfrac{1}{6}$  　　② $\dfrac{1}{3}$  　　③ $\dfrac{1}{2}$

④ $\dfrac{2}{3}$  　　⑤ $\dfrac{5}{6}$

## 108

〈보기〉의 각을 나타내는 동경 중 $120°$를 나타내는 동경과 일치하는 것을 고른 것은?

┤ 보 기 ├
ㄱ. $840°$ 　　　　　 ㄴ. $-380°$
ㄷ. $\dfrac{17}{3}\pi$ 　　　　　 ㄹ. $-960°$

① ㄱ, ㄴ  　　② ㄱ, ㄷ  　　③ ㄱ, ㄹ
④ ㄴ, ㄷ  　　⑤ ㄴ, ㄹ

## 109

$\theta$가 제3사분면의 각일 때, $\dfrac{\theta}{3}$가 존재할 수 있는 사분면을 모두 고른 것은?

① 제1, 3사분면  　　② 제1, 4사분면
③ 제2, 4사분면  　　④ 제1, 2, 4사분면
⑤ 제1, 3, 4사분면

## 110

$\dfrac{\pi}{2} < \theta < \pi$에 대하여 각 $\theta$를 나타내는 동경과 각 $4\theta$를 나타내는 동경이 일치한다. 이때, $\theta$의 값은?

① $\dfrac{\pi}{6}$  　　② $\dfrac{\pi}{3}$  　　③ $\dfrac{\pi}{2}$

④ $\dfrac{2}{3}\pi$  　　⑤ $\dfrac{5}{6}\pi$

## 111

호의 길이가 $\dfrac{\pi}{3}$, 넓이가 $\dfrac{3}{2}\pi$인 부채꼴의 중심각의 크기는?

① $\dfrac{\pi}{3}$  　　② $\dfrac{\pi}{6}$  　　③ $\dfrac{\pi}{9}$

④ $\dfrac{\pi}{18}$  　　⑤ $\dfrac{\pi}{27}$

## 112

그림과 같이 반지름의 길이가 5인 부채꼴의 둘레의 길이와 넓이가 같을 때, 중심각의 크기 $\theta$를 구하시오.

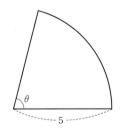

## 113

그림과 같이 정육각형 ABCDEF가 원 $x^2+y^2=4$에 내접하고 있다. 두 동경 OA, OD가 나타내는 일반각의 크기를 각각 $\alpha$, $\beta$라 할 때, $\dfrac{\sin\alpha}{\cos\beta}$의 값을 구하시오.

(단, $\overline{\text{AF}}$와 $\overline{\text{CD}}$는 $x$축과 평행하다.)

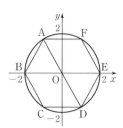

## 114

$\sin\theta\tan\theta>0$일 때, 〈보기〉에서 항상 옳은 것만을 있는 대로 고른 것은?

┤ 보기 ├
ㄱ. $\sin\theta+|\sin\theta|=0$　　　ㄴ. $\sqrt{\cos^2\theta}=\cos\theta$
ㄷ. $|\tan\theta|=-\tan\theta$

① ㄱ　　　　② ㄴ　　　　③ ㄷ
④ ㄱ, ㄴ　　　⑤ ㄴ, ㄷ

## 115

$\sin\theta+\cos\theta=\dfrac{3}{2}$일 때, $\sin^3\theta+\cos^3\theta$의 값은?

① $\dfrac{3}{8}$　　　　② $\dfrac{7}{16}$　　　　③ $\dfrac{1}{2}$

④ $\dfrac{9}{16}$　　　　⑤ $\dfrac{5}{8}$

## 116

이차방정식 $x^2-kx+2=0$의 두 근이 $\dfrac{1}{\sin\theta}$, $\dfrac{1}{\cos\theta}$일 때, $k^2$의 값을 구하시오. (단, $k$는 상수이다.)

1등급 문제

## 117

넓이가 일정한 부채꼴의 둘레의 길이가 최소일 때, 이 부채꼴의 중심각의 크기를 구하시오.

## 118

그림과 같이 좌표평면에서 직선 $y=\dfrac{\sqrt{3}}{3}x$ 위의 한 점 P와 $y$축에 동시에 접하는 두 원 A, A′이 있다. 두 원 A, A′의 반지름의 길이의 비는?

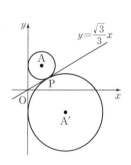

① $1:2$　　　　② $1:3$
③ $1:2\sqrt{2}$　　　④ $1:2\sqrt{3}$
⑤ $1:3\sqrt{2}$

# 08 삼각함수의 그래프

# 08 삼각함수의 그래프

## 1️⃣ $y=\sin x$, $y=\cos x$의 그래프

(1) 정의역: 실수 전체의 집합
(2) 치역: $\{y\,|-1\leq y\leq 1\}$
(3) 주기가 $2\pi$인 주기함수이다.
(4) $y=\sin x$의 그래프는 원점에 대하여 대칭이고
  $y=\cos x$의 그래프는 $y$축에 대하여 대칭이다.

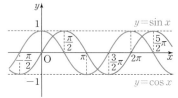

## 2️⃣ $y=\tan x$의 그래프

(1) 정의역: $x\neq n\pi+\dfrac{\pi}{2}$ ($n$은 정수)인 실수 전체의
  집합
(2) 치역: 실수 전체의 집합
(3) 주기가 $\pi$인 주기함수이다.
(4) 그래프는 원점에 대하여 대칭이다.
(5) 점근선의 방정식: $x=n\pi+\dfrac{\pi}{2}$ ($n$은 정수)

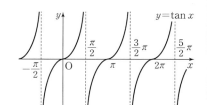

## 3️⃣ 일반각에 대한 삼각함수의 성질

(1) $2n\pi+\theta$ ($n$은 정수)의 삼각함수
  $\sin{(2n\pi+\theta)}=\sin\theta$, $\cos{(2n\pi+\theta)}=\cos\theta$, $\tan{(2n\pi+\theta)}=\tan\theta$
(2) $-\theta$의 삼각함수
  $\sin{(-\theta)}=-\sin\theta$, $\cos{(-\theta)}=\cos\theta$, $\tan{(-\theta)}=-\tan\theta$
(3) $\pi\pm\theta$의 삼각함수
  $\sin{(\pi\pm\theta)}=\mp\sin\theta$, $\cos{(\pi\pm\theta)}=-\cos\theta$, $\tan{(\pi\pm\theta)}=\pm\tan\theta$ (복부호 동순)
(4) $\dfrac{\pi}{2}\pm\theta$의 삼각함수
  $\sin\left(\dfrac{\pi}{2}\pm\theta\right)=\cos\theta$, $\cos\left(\dfrac{\pi}{2}\pm\theta\right)=\mp\sin\theta$, $\tan\left(\dfrac{\pi}{2}\pm\theta\right)=\mp\dfrac{1}{\tan\theta}$ (복부호 동순)

## 4️⃣ 삼각방정식

① 주어진 방정식을 $\sin x=k$ (또는 $\cos x=k$, $\tan x=k$)의 꼴로 고친다.
② 삼각함수 $y=\sin x$ (또는 $y=\cos x$, $y=\tan x$)의 그래프와 직선 $y=k$의 교점의 $x$좌표를
  구한다.

## 5️⃣ 삼각부등식

① 부등호를 등호로 바꾸어 삼각방정식을 푼다.
② 삼각함수의 그래프를 이용하여 주어진 부등식을 만족시키는 미지수의 값의 범위를 구한다.

---

### 개념 플러스

◀ 주기함수
  함수 $y=f(x)$의 정의역에 속하는
  임의의 실수 $x$에 대하여
  $$f(x+p)=f(x)$$
  인 0이 아닌 상수 $p$가 존재할 때,
  $y=f(x)$를 주기함수라 하고, 이러
  한 상수 $p$의 값 중에서 최소인 양수
  를 그 함수의 주기라고 한다.

◀ 삼각함수의 최댓값, 최솟값, 주기
  함수 $y=a\sin b(x-m)+n$,
  $y=a\cos b(x-m)+n$
  ⇨ 최댓값: $|a|+n$,
    최솟값: $-|a|+n$,
    주기: $\dfrac{2\pi}{|b|}$
  함수 $y=a\tan b(x-m)+n$
  ⇨ 최댓값, 최솟값은 없다.
    주기: $\dfrac{\pi}{|b|}$

◀ $\dfrac{3}{2}\pi\pm\theta$의 삼각함수
  $\sin\left(\dfrac{3}{2}\pi\pm\theta\right)=-\cos\theta$
  $\cos\left(\dfrac{3}{2}\pi\pm\theta\right)=\pm\sin\theta$
  (복부호 동순)
  $\tan\left(\dfrac{3}{2}\pi\pm\theta\right)=\mp\dfrac{1}{\tan\theta}$
  (복부호 동순)

---

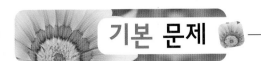

## 기본 문제

### 1 주기함수

**[001-002]** $0 \le x \le 3$에서 $f(x) = -x^2 + 3x$이고 $f(x+3) = f(x)$인 함수의 그래프는 그림과 같다. 다음 물음에 답하시오.

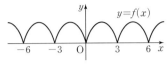

**001** 함수 $y = f(x)$의 주기를 구하시오.

**002** $f(x+3) = f(x)$를 이용하여 $f(15)$의 값을 구하시오.

### 2 $y = \sin x$의 그래프

**[003-006]** 다음은 함수 $y = \sin x$의 그래프와 그 그래프에 대한 설명이다. ☐ 안에 알맞은 것을 써넣으시오.

**003**

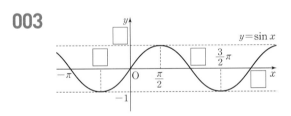

**004** 주기가 ☐인 주기함수이다.

**005** 치역은 $\{y |$ ☐$\}$이다.

**006** $y = \sin x$의 그래프는 ☐에 대하여 대칭이다.

**[007-009]** 다음은 함수 $y = 3\sin x$의 그래프와 그 그래프에 대한 설명이다. ☐ 안에 알맞은 것을 써넣으시오.

**007**

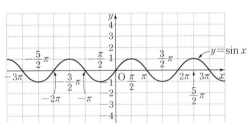

**008** 주기가 ☐인 주기함수이다.

**009** 치역은 $\{y |$ ☐$\}$이다.

### 3 $y = a\sin bx,\ y = a\cos bx$의 그래프

**[010-013]** 두 함수 $y = \sin x$, $y = \cos x$의 그래프를 이용하여 다음 함수의 그래프를 그리시오.

**010** $y = 2\sin x$

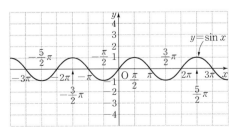

**011** $y = \sin 2x$

**012** $y=\cos\dfrac{x}{2}$

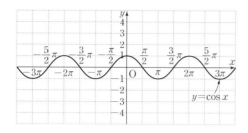

**013** $y=2\cos 2x$

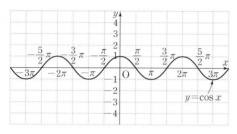

[014-016] 다음 함수의 치역을 구하시오.

**014** $y=4\sin 2x$

**015** $y=\sqrt{2}\sin\dfrac{x}{2}$

**016** $y=-2\cos\dfrac{x}{3}$

[017-020] 다음 함수의 주기를 구하시오.

**017** $y=3\sin 2x$

**018** $y=\cos\dfrac{x}{2}$

**019** $y=\sqrt{2}\sin 3x$

**020** $y=-\cos 4x$

---

**4** $y=a\sin b(x-m)+n,\ y=a\cos b(x-m)+n$의 그래프

[021-024] 다음 함수의 그래프에서 □ 안에 알맞은 것을 써넣으시오.

**021** $y=\sin\left(x-\dfrac{\pi}{3}\right)$

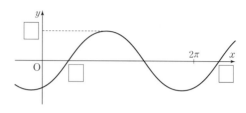

**022** $y=\cos\left(x+\dfrac{\pi}{4}\right)$

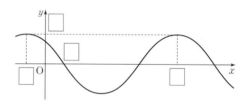

**023** $y=\sin x+1$

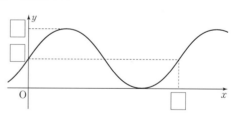

**024** $y=\cos x-1$

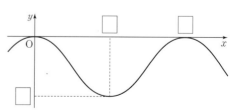

## 5 $y=\tan x$의 그래프

**[025-029]** 다음은 함수 $y=\tan x$의 그래프와 그 그래프에 대한 설명이다. ☐ 안에 알맞은 것을 써넣으시오.

**025**

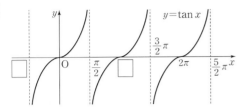

**026** 주기가 ☐ 인 주기함수이다.

**027** 정의역은 $x=n\pi+$ ☐ ($n$은 정수)를 제외한 실수 전체의 집합이다.

**028** $y=\tan x$의 그래프는 ☐ 에 대하여 대칭이다.

**029** 점근선의 방정식은 $x=n\pi+$ ☐ ($n$은 정수)이다.

**[030-033]** 다음은 $y=\tan 2x$의 그래프와 그 그래프에 대한 설명이다. ☐ 안에 알맞은 것을 써넣으시오.

**030**

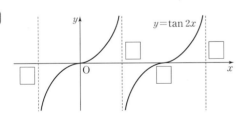

**031** 주기가 ☐ 인 주기함수이다.

**032** 정의역은 $x=\dfrac{n}{2}\pi+$ ☐ ($n$은 정수)를 제외한 실수 전체의 집합이다.

**033** 점근선의 방정식은 $x=\dfrac{n}{2}\pi+$ ☐ ($n$은 정수)이다.

## 6 일반각에 대한 삼각함수의 성질

**[034-040]** 다음 삼각함수를 간단히 하시오.

**034** $\sin(2\pi+\theta)$

**035** $\cos(2\pi-\theta)$

**036** $\tan(2\pi-\theta)$

**037** $\sin(\pi-\theta)$

**038** $\cos(\pi+\theta)$

**039** $\sin\left(\dfrac{\pi}{2}-\theta\right)$

**040** $\cos\left(\dfrac{\pi}{2}+\theta\right)$

**[041-045]** 다음 삼각함수의 값을 구하시오.

**041** $\sin\left(2\pi-\dfrac{\pi}{6}\right)$

**042** $\cos\left(2\pi+\dfrac{\pi}{3}\right)$

**043** $\sin\left(\pi+\dfrac{\pi}{6}\right)$

**044** $\tan\left(\pi-\dfrac{\pi}{3}\right)$

**045** $\cos\left(\dfrac{\pi}{2}-\dfrac{\pi}{4}\right)$

**7** 삼각방정식과 삼각부등식

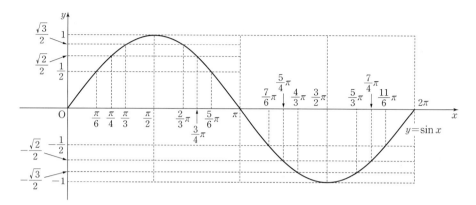

[046-050] $0 \leq x < 2\pi$일 때, 다음 방정식의 해를 구하시오.

**046** $\sin x = \dfrac{1}{2}$

**047** $\sin x = \dfrac{\sqrt{3}}{2}$

**048** $\sin x = -\dfrac{\sqrt{2}}{2}$

**049** $\cos x = -\dfrac{1}{2}$

**050** $\tan x = \sqrt{3}$

[051-055] $0 \leq x < 2\pi$일 때, 다음 부등식의 해를 구하시오.

**051** $\sin x > \dfrac{1}{2}$

**052** $\sin x \leq \dfrac{\sqrt{3}}{2}$

**053** $\sin x < -\dfrac{\sqrt{2}}{2}$

**054** $\cos x \leq -\dfrac{1}{2}$

**055** $\tan x < \sqrt{3}$

## 유형 문제

$y=a\sin bx$, $y=a\cos bx$ 꼴의 그래프

⇨ 최댓값: $|a|$, 최솟값: $-|a|$, 주기: $\dfrac{2\pi}{|b|}$

### 056

함수 $f(x)=2\sin x$에 대한 설명으로 옳은 것만을 〈보기〉에서 있는 대로 고르시오.

┤ 보 기 ├

ㄱ. 정의역은 실수 전체의 집합이다.

ㄴ. 주기는 $\pi$이다.

ㄷ. 최댓값은 2이고, 최솟값은 $-2$이다.

ㄹ. $f(-\pi)=f(3\pi)$이다.

ㅁ. $y=f(x)$의 그래프는 $y$축에 대하여 대칭이다.

### 057

함수 $y=a\cos bx$의 최댓값이 5, 주기가 $\dfrac{\pi}{2}$일 때, 두 양수 $a$, $b$에 대하여 $a+b$의 값을 구하시오.

### 중요
### 058

그림은 삼각함수 $y=2\cos x$의 그래프의 일부이다. 이때, $2a(b+c)$의 값을 구하시오.

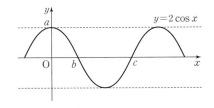

### 059

함수 $y=3\sin 2x$는 $x=\theta_1$일 때 최댓값 3, $x=\theta_2$일 때 최솟값 $-3$을 가진다. 이때, $\theta_1-\theta_2$의 값은? (단, $0\leq x\leq\pi$)

① $-\dfrac{\pi}{2}$      ② $-\dfrac{\pi}{4}$      ③ 0

④ $\dfrac{\pi}{4}$      ⑤ $\dfrac{\pi}{2}$

### 중요
### 060

다음 함수 중 모든 실수 $x$에 대하여 $f(x+\sqrt{2})=f(x)$를 만족하는 것은?

① $f(x)=\cos 2x$      ② $f(x)=\sin \pi x$

③ $f(x)=\cos \sqrt{2}\pi x$      ④ $f(x)=\sin \dfrac{\sqrt{2}}{2}\pi x$

⑤ $f(x)=\sin 2\sqrt{2}x$

### 061

그림과 같이 함수 $y=\cos x$ $\left(0\leq x\leq\dfrac{3}{2}\pi\right)$의 그래프와 두 직선 $y=\dfrac{2}{3}$, $y=-\dfrac{2}{3}$가 만나는 점의 $x$좌표를 $a$, $b$, $c$로 나타낼 때, $\cos(a+b+c)$의 값을 구하시오.

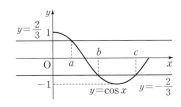

유형 **12** $y=a\sin b(x-c)+d$,
$\quad\quad y=a\cos b(x-c)+d$ 꼴의 그래프

$y=a\sin b(x-c)+d$, $y=a\cos b(x-c)+d$ 꼴의 그래프
⇨ 최댓값: $|a|+d$, 최솟값: $-|a|+d$, 주기: $\dfrac{2\pi}{|b|}$

참고 $y=a\sin b(x-c)+d$의 그래프는 $y=a\sin bx$의 그래프를 $x$축의 방향으로 $c$만큼, $y$축의 방향으로 $d$만큼 평행이동한 것이다.

## 062

함수 $y=\sin x$의 그래프를 $x$축의 방향으로 $k$만큼 평행이동하면 함수 $y=\cos x$의 그래프와 일치한다. 이때, 양수 $k$의 최솟값은?

① $\dfrac{\pi}{4}$ ② $\dfrac{\pi}{2}$ ③ $\dfrac{3}{4}\pi$

④ $\pi$ ⑤ $\dfrac{3}{2}\pi$

## 063

다음 함수의 그래프 중 함수 $y=\cos 2x$의 그래프가 평행이동 또는 대칭이동하여 일치되지 <u>않는</u> 것은?

① $y=\cos(2x-\pi)$ ② $y=\cos\left(2x-\dfrac{\pi}{2}\right)+1$

③ $y=2\cos 2x+3$ ④ $y=-\cos 2x+5$

⑤ $y=-\cos(2x+\pi)-1$

## 중요
## 064

함수 $y=3\sin(\pi x-\pi)-2$의 그래프는 함수 $y=3\sin\pi x$의 그래프를 $x$축의 방향으로 $m$만큼, $y$축의 방향으로 $n$만큼 평행이동한 것이다. 이때, $m+n$의 값을 구하시오.

## 065

함수 $f(x)=2\sin\left(2x+\dfrac{\pi}{3}\right)+2$에 대한 설명으로 옳은 것만을 〈보기〉에서 있는 대로 고르시오.

| 보기 |

ㄱ. $f\left(\dfrac{\pi}{3}\right)=2$

ㄴ. $f\left(-\dfrac{\pi}{6}\right)=f\left(\dfrac{5}{6}\pi\right)$

ㄷ. 주기는 $\pi$이다.

ㄹ. 최댓값은 4이고, 최솟값은 $-2$이다.

ㅁ. $y=f(x)$의 그래프는 $y=2\sin 2x+2$의 그래프를 $x$축의 방향으로 $-\dfrac{\pi}{3}$만큼 평행이동한 것이다.

## 중요
## 066

삼각함수 $y=a\cos bx+c$의 주기가 $\pi$이고 최댓값이 2, 최솟값이 $-4$일 때, $a^2+b^2+c^2$의 값은? (단, $a$, $b$, $c$는 상수이다.)

① 2 ② 3 ③ 9

④ 14 ⑤ 17

## 067

그림은 함수 $y=a\sin(bx-c)$의 그래프이다. $a>0$, $b>0$, $0<c<2\pi$일 때, $\dfrac{abc}{\pi}$의 값을 구하시오. (단, $a$, $b$, $c$는 상수이다.)

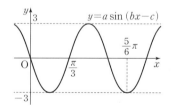

## 유형 3 절댓값 기호를 포함한 삼각함수

(1) $y=|f(x)|$의 그래프 ⇨ $y=f(x)$의 그래프에서 $y \geq 0$인 부분은 그대로 두고 $y<0$인 부분은 $x$축에 대하여 대칭이동한다.

(2) $y=f(|x|)$의 그래프 ⇨ $y=f(x)$의 그래프에서 $x \geq 0$인 부분만 남기고, $x<0$인 부분은 $x \geq 0$인 부분을 $y$축에 대하여 대칭이동한다.

### 068 (중요)

다음은 함수 $y=|\sin x|$에 대한 설명이다. 옳지 <u>않은</u> 것은?

① 최댓값은 1이다.

② 최솟값은 0이다.

③ 주기는 $\pi$이다.

④ 그래프는 원점에 대하여 대칭이다.

⑤ 그래프는 직선 $x=\pi$에 대하여 대칭이다.

### 069

⟨보기⟩에서 주기함수가 <u>아닌</u> 것을 고른 것은?

| 보기 |

ㄱ. $y=|\cos x|$      ㄴ. $y=\sin|x|$

ㄷ. $y=\cos|x|$      ㄹ. $y=\tan|x|$

① ㄱ, ㄴ      ② ㄱ, ㄹ      ③ ㄴ, ㄷ

④ ㄴ, ㄹ      ⑤ ㄷ, ㄹ

### 070

함수 $f(x)=|2\sin 2x|$의 그래프에 대한 설명으로 옳은 것만을 ⟨보기⟩에서 있는 대로 고른 것은?

| 보기 |

ㄱ. $y$축에 대하여 대칭이다.      ㄴ. 치역은 $\{y\,|\,0 \leq y \leq 2\}$이다.

ㄷ. 주기는 $\pi$이다.

① ㄱ      ② ㄴ      ③ ㄱ, ㄴ

④ ㄱ, ㄷ      ⑤ ㄱ, ㄴ, ㄷ

## 유형 4 탄젠트 함수의 그래프

(1) $y=a\tan bx$ 꼴의 그래프

⇨ 최댓값과 최솟값은 없다, 주기: $\dfrac{\pi}{|b|}$

(2) $y=a\tan b(x-c)+d$ 꼴의 그래프

⇨ 최댓값과 최솟값은 없다, 주기: $\dfrac{\pi}{|b|}$

### 071

다음 중 함수 $y=\tan\left(x-\dfrac{\pi}{4}\right)$의 그래프의 점근선의 방정식이 <u>아닌</u> 것은?

① $x=-\dfrac{3}{4}\pi$      ② $x=-\dfrac{\pi}{4}$      ③ $x=\dfrac{3}{4}\pi$

④ $x=\dfrac{11}{4}\pi$      ⑤ $x=\dfrac{19}{4}\pi$

### 072 (중요)

그림은 함수 $y=3\tan 2x$의 그래프이다. 이때, $a-b-2c$의 값을 구하시오.

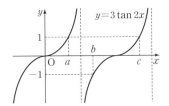

### 073

그림은 함수 $y=a\tan bx+c$의 그래프이다. 이때, 세 상수 $a$, $b$, $c$에 대하여 $a^2+b^2+c^2$의 값은? (단, $a>0$, $b>0$)

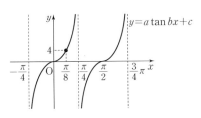

① 14      ② 16      ③ 18

④ 20      ⑤ 22

## 유형 05 일반각에 대한 삼각함수의 성질 – 각의 변형

$\dfrac{\pi}{2} \times n \pm \theta$ 또는 $90° \times n \pm \theta$ ($n$은 정수)를 간단히 하는 방법

① $n$이 홀수일 때

$\sin \Rightarrow \cos,\ \cos \Rightarrow \sin,\ \tan \Rightarrow \dfrac{1}{\tan}$

$n$이 짝수일 때

$\sin \Rightarrow \sin,\ \cos \Rightarrow \cos,\ \tan \Rightarrow \tan$

② $\theta$를 예각으로 생각하고 일반각이 존재하는 사분면에서의 삼각함수의 값의 부호를 조사한다.

### 074

$\sin\left(-\dfrac{\pi}{6}\right) + \cos\dfrac{14}{3}\pi + \tan\dfrac{5}{4}\pi$의 값은?

① $-1$      ② $-\dfrac{1}{2}$      ③ $0$

④ $\dfrac{1}{2}$      ⑤ $1$

### 075

$\dfrac{\cos\theta}{\cos(\pi+\theta)} - \dfrac{\cos\left(\dfrac{3}{2}\pi+\theta\right)}{\sin(\pi-\theta)}$를 간단히 하면?

① $-2$      ② $-1$      ③ $0$

④ $1$      ⑤ $2$

### 076

$\sin\left(\dfrac{\pi}{2}+\theta\right)\cos\theta + \cos\left(\dfrac{\pi}{2}+\theta\right)\sin(\pi+\theta)$를 간단히 하면?

① $\sin\theta$      ② $-1$      ③ $0$

④ $1$      ⑤ $\cos\theta$

### 077

$\cos^2 10° + \cos^2 20° + \cos^2 30° + \cdots + \cos^2 80°$의 값은?

① $1$      ② $2$      ③ $3$

④ $4$      ⑤ $5$

### 078

그림과 같은 직각삼각형 ABC에서 $\angle CAB = \alpha$, $\angle BCA = \beta$라 할 때, $\sin(\alpha+2\beta)$의 값은?

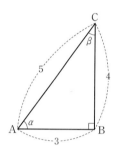

① $\dfrac{1}{5}$      ② $\dfrac{2}{5}$

③ $\dfrac{3}{5}$      ④ $\dfrac{4}{5}$

⑤ $1$

### 079

그림과 같이 반지름의 길이가 1인 부채꼴 AOB에 대하여 $\angle COD = \theta$라 할 때, 다음 중 길이가 $\dfrac{\cos\left(\dfrac{3}{2}\pi-\theta\right)}{\sin\left(\dfrac{3}{2}\pi+\theta\right)}$인 선분은?

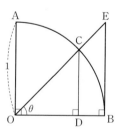

① $\overline{OA}$      ② $\overline{OD}$      ③ $\overline{OE}$

④ $\overline{CD}$      ⑤ $\overline{BE}$

## 유형 06 삼각함수를 포함한 식의 최대 · 최소

(1) 두 종류 이상의 삼각함수를 포함하고 있는 식은 한 종류의 삼각함수로 통일한 후 최댓값과 최솟값을 구한다.

(2) 분수식 또는 이차식의 꼴은 주어진 삼각함수를 $t$로 치환하고 범위를 구한 후 그래프를 이용하여 최댓값과 최솟값을 구한다.

(3) 절댓값 기호가 포함되어 있는 경우
$0 \leq |\sin x| \leq 1$, $0 \leq |\cos x| \leq 1$임을 이용한다.

### 080
함수 $y = -\sin^2 x + 2\cos x + 1$의 최댓값을 $M$, 최솟값을 $m$이라 할 때, $M - m$의 값을 구하시오.

### 081
함수 $y = \sin^2 x - 6\cos x + k$의 최댓값이 5일 때, 상수 $k$의 값을 구하시오.

### 082
함수 $y = \dfrac{-2\sin x + 3}{\sin x + 2}$의 최댓값과 최솟값을 각각 $M$, $m$이라 할 때, $3Mm$의 값을 구하시오.

## 유형 07 삼각방정식

(1) $\sin x = k$ 꼴의 방정식은 $y = \sin x$의 그래프와 직선 $y = k$의 교점의 $x$좌표를 구한다.

(2) 두 종류 이상의 삼각함수를 포함한 방정식은 $\sin^2 x + \cos^2 x = 1$을 이용하여 한 종류의 삼각함수로 고친 후 이차방정식을 풀고 그래프를 이용하여 $x$의 값을 구한다.

### 083
$0 \leq x < 2\pi$일 때, 방정식 $\cos x = \dfrac{1}{2}$을 만족시키는 모든 $x$의 값의 합을 구하시오.

### 084
방정식 $2\sin x = \sqrt{2}$의 두 근을 $\alpha$, $\beta$ $(\alpha < \beta)$라 할 때, $\cos(\alpha + \beta)$의 값은? (단, $0 \leq x \leq 2\pi$)

① $-1$  ② $-\dfrac{1}{2}$  ③ $0$

④ $\dfrac{1}{2}$  ⑤ $1$

### 085
$0 \leq x \leq 2\pi$일 때, 방정식 $\cos x = \sqrt{3}\sin x$를 풀면?

① $x = \dfrac{\pi}{6}$ 또는 $x = \dfrac{7}{6}\pi$  ② $x = \dfrac{\pi}{6}$ 또는 $x = \dfrac{11}{6}\pi$

③ $x = \dfrac{\pi}{3}$ 또는 $x = \dfrac{2}{3}\pi$  ④ $x = \dfrac{\pi}{3}$ 또는 $x = \dfrac{5}{3}\pi$

⑤ $x = \pi$ 또는 $x = 2\pi$

## 086

$0 \le x \le 2\pi$일 때, 방정식 $2\sin^2 x + 3\cos x = 0$의 모든 근의 합은?

① $\dfrac{2}{3}\pi$      ② $\dfrac{4}{3}\pi$      ③ $2\pi$

④ $\dfrac{7}{3}\pi$      ⑤ $\dfrac{8}{3}\pi$

## 087

방정식 $3\sin^2 x + 4\sin x - 4 = 0$을 만족시키는 모든 $x$의 값의 합은? (단, $0 \le x \le 2\pi$)

① $\dfrac{1}{2}\pi$      ② $\dfrac{2}{3}\pi$      ③ $\dfrac{5}{6}\pi$

④ $\pi$      ⑤ $\dfrac{7}{6}\pi$

## 088

삼각형 ABC에 대하여 $2\sin^2 A - 3\cos A - 3 = 0$이 성립할 때, $A$의 크기는?

① $30°$      ② $45°$      ③ $60°$

④ $120°$      ⑤ $150°$

유형 **08** 삼각부등식

(1) $\sin x > k$ (또는 $\sin x < k$) 꼴의 부등식은 $y = \sin x$의 그래프가 직선 $y = k$보다 위쪽(또는 아래쪽)에 있는 $x$의 값의 범위를 구한다.

(2) 두 종류 이상의 삼각함수를 포함한 부등식은 $\sin^2 x + \cos^2 x = 1$을 이용하여 한 종류의 삼각함수로 고친 후 이차부등식을 풀고 그래프를 이용하여 $x$의 값의 범위를 구한다.

## 089

$0 \le x < 2\pi$에서 부등식 $2\sin x + 1 \le 0$의 해가 $\alpha \le x \le \beta$일 때, $\beta - \alpha$의 값은?

① $\dfrac{\pi}{4}$      ② $\dfrac{\pi}{3}$      ③ $\dfrac{\pi}{2}$

④ $\dfrac{2}{3}\pi$      ⑤ $\dfrac{5}{6}\pi$

## 090

부등식 $3\tan x - \sqrt{3} \le 0$을 만족시키는 $x$의 최댓값을 구하시오.

$$\left( \text{단, } 0 \le x < \dfrac{3}{2}\pi \right)$$

## 091

부등식 $-\dfrac{\sqrt{3}}{2} \le \cos\theta < \dfrac{1}{2}$의 해는? (단, $0 \le \theta < \pi$)

① $\dfrac{\pi}{6} < \theta \le \dfrac{2}{3}\pi$      ② $\dfrac{\pi}{6} < \theta \le \dfrac{5}{6}\pi$

③ $\dfrac{\pi}{3} < \theta \le \dfrac{2}{3}\pi$      ④ $\dfrac{\pi}{3} < \theta \le \dfrac{5}{6}\pi$

⑤ $\dfrac{\pi}{3} < \theta \le \pi$

**092**

부등식 $\sin x \leq \cos x$를 만족시키는 $x$의 값의 범위를 구하시오.

(단, $0 \leq x < \pi$)

$\sin(ax+b) \leq k(a, b$는 상수$)$ 꼴의 식은 $ax+b=t$로 치환한 후 $t$의 값의 범위에 주의하여 삼각방정식 또는 삼각부등식을 푼다.

**095**

$0 \leq x < 2\pi$일 때, 방정식 $2\sin 2x = \sqrt{3}$을 만족시키는 모든 $x$의 값의 합은?

① $\pi$         ② $\dfrac{3}{2}\pi$         ③ $2\pi$

④ $\dfrac{5}{2}\pi$         ⑤ $3\pi$

**중요**
**093**

부등식 $2\cos^2 x + 3\cos x - 2 < 0$의 해가 $a < x < b$일 때, $a+b$의 값을 구하시오. (단, $0 \leq x \leq 2\pi$)

**중요**
**096**

$0 \leq x < 2\pi$일 때, 부등식 $2\cos \dfrac{x}{2} + 1 \geq 0$의 해를 $\alpha \leq x \leq \beta$라 할 때, $\alpha + \beta$의 값은?

① $\dfrac{\pi}{3}$         ② $\dfrac{2}{3}\pi$         ③ $\pi$

④ $\dfrac{4}{3}\pi$         ⑤ $\dfrac{5}{3}\pi$

**094**

$0 \leq x \leq 2\pi$에서 부등식 $2\cos^2 x + \sin x - 1 \geq 0$을 만족시키는 $x$의 값의 범위는 $0 \leq x \leq \alpha$ 또는 $\beta \leq x \leq 2\pi$이다. 이때, $\tan(\beta - \alpha)$의 값은?

① $-\sqrt{3}$         ② $-1$         ③ $-\dfrac{\sqrt{3}}{3}$

④ $\dfrac{\sqrt{3}}{3}$         ⑤ $\sqrt{3}$

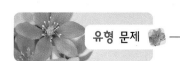

유형 문제

**097**

방정식 $\tan\left(x+\dfrac{\pi}{4}\right)=\sqrt{3}$을 만족시키는 모든 $x$의 값의 합은?

(단, $-\pi \leq x \leq \pi$)

① $-\dfrac{6}{5}\pi$    ② $-\pi$    ③ $-\dfrac{5}{6}\pi$

④ $-\dfrac{\pi}{2}$    ⑤ $0$

**중요**
**098**

부등식 $\cos\left(x-\dfrac{\pi}{6}\right)\leq-\dfrac{\sqrt{3}}{2}$의 해가 $\alpha \leq x \leq \beta$일 때, $\beta-\alpha$의 값은? (단, $0 \leq x \leq 2\pi$)

① $\dfrac{\pi}{3}$    ② $\dfrac{2}{3}\pi$    ③ $\pi$

④ $\dfrac{7}{6}\pi$    ⑤ $\dfrac{4}{3}\pi$

**099**

$0 \leq x \leq \dfrac{3}{2}\pi$에서 방정식 $\sin(\pi \sin x)=1$의 근을 $\alpha$, $\beta$라 할 때, $\beta-\alpha$의 값은? (단, $\alpha<\beta$)

① $\dfrac{1}{6}\pi$    ② $\dfrac{1}{4}\pi$    ③ $\dfrac{1}{3}\pi$

④ $\dfrac{1}{2}\pi$    ⑤ $\dfrac{2}{3}\pi$

**유형 10 삼각방정식과 삼각부등식의 응용**

삼각방정식 $f(x)=k$의 서로 다른 실근의 개수는 함수 $y=f(x)$의 그래프와 직선 $y=k$의 그래프의 서로 다른 교점의 개수와 같다.

**중요**
**100**

방정식 $\sin \pi x=\dfrac{x}{4}$의 실근의 개수는?

① $4$    ② $5$    ③ $6$

④ $7$    ⑤ $8$

**101**

방정식 $-2\sin^2 x+2\cos x+a=0$을 만족시키는 실근 $x$가 존재하기 위한 실수 $a$의 값의 범위를 구하시오.

**102**

부등식 $\cos^2\theta+4\sin\theta \leq 2a$가 모든 실수 $\theta$에 대하여 항상 성립하도록 하는 실수 $a$의 값의 범위는?

① $a \geq -\dfrac{5}{2}$    ② $a \geq 1$    ③ $a \geq 2$

④ $a \leq 3$    ⑤ $a \leq \dfrac{5}{2}$

## 103

함수 $f(x)=3\sin\dfrac{x}{2}$에 대한 설명으로 옳은 것만을 〈보기〉에서 있는 대로 고른 것은?

> ┤ 보기 ├
> ㄱ. 주기는 $3\pi$이다.  ㄴ. 최댓값은 3이다.
> ㄷ. $y=f(x)$의 그래프는 원점에 대하여 대칭이다.

① ㄱ  ② ㄴ  ③ ㄷ
④ ㄱ, ㄴ  ⑤ ㄴ, ㄷ

## 104

함수 $y=2\sin\left(x+\dfrac{\pi}{4}\right)-1$의 주기와 최댓값, 최솟값을 차례대로 나열한 것은?

① $2\pi$, 3, $-1$  ② $2\pi$, 2, $-2$  ③ $2\pi$, 1, $-3$
④ $\pi$, 2, $-2$  ⑤ $\pi$, 1, $-3$

## 105

함수 $y=a\cos\left\{\dfrac{\pi}{3}(2x-1)\right\}+b$의 그래프가 그림과 같을 때, $a+b+c$의 값은? (단, $a$, $b$는 상수이고, $a>0$이다.)

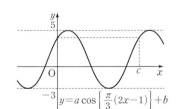

① 5  ② 6  ③ 7
④ 8  ⑤ 9

## 106

함수 $y=\tan bx$의 그래프가 그림과 같을 때, 양수 $b$의 값을 구하시오.

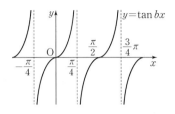

## 107

$\sin\left(\dfrac{\pi}{2}+\theta\right)+\cos(\pi+\theta)-\sin(-\theta)+\cos\left(\dfrac{\pi}{2}+\theta\right)$를 간단히 하면?

① $-2\sin\theta$  ② $-\sin\theta+\cos\theta$  ③ $\sin\theta-\cos\theta$
④ 0  ⑤ $2\cos\theta$

## 108

$\tan2°\tan3°\tan4°\cdots\tan87°\tan88°$의 값은?

① 0  ② $\dfrac{1}{2}$  ③ 1
④ 44  ⑤ $\dfrac{89}{2}$

## 109

$0 \le \theta \le 2\pi$에서 정의된 함수

$$f(\theta) = \cos^2\left(\theta + \frac{\pi}{2}\right) - 3\cos^2\theta + 4\sin(\theta + \pi)$$

의 최댓값은?

① $-5$ ② $-1$ ③ $0$

④ $1$ ⑤ $5$

## 110

$0 \le x < 2\pi$일 때, 다음 방정식의 해를 구하시오.

$$2\cos x + 3\tan x = 0$$

## 111

$0 \le x \le 2\pi$에서 부등식 $2\cos^2 x + 5\cos x + 2 < 0$을 만족시키는 모든 정수 $x$의 값의 합을 구하시오.

## 112

$0 < x < \pi$에서 부등식 $\cos 2x > \frac{1}{2}$을 만족시키는 $x$의 값의 범위가 $\alpha < x < \beta$ 또는 $\gamma < x < \delta$이다. 이때, $\alpha + \beta + \gamma + \delta$의 값은?

① $\frac{5}{2}\pi$ ② $2\pi$ ③ $\frac{3}{2}\pi$

④ $\pi$ ⑤ $\frac{1}{2}\pi$

### 1등급 문제

## 113

$0 \le x \le 15$에서 방정식 $3\cos \pi x - \sin \frac{\pi}{3}x = 0$의 실근의 개수는?

① $3$ ② $5$ ③ $10$

④ $12$ ⑤ $15$

## 114

$0 \le x \le 2\pi$에서 부등식 $2\cos^2\left(x - \frac{\pi}{3}\right) - 5\cos\left(x + \frac{\pi}{6}\right) \ge 4$의 해를 구하시오.

# 09 삼각함수의 활용

# 09 삼각함수의 활용

## ① 사인법칙

$\triangle ABC$에서 세 각의 크기 $A$, $B$, $C$와 세 변의 길이 $a$, $b$, $c$ 및 외접원의 반지름의 길이 $R$ 사이에는 다음 관계가 성립한다.

$$\frac{a}{\sin A} = \frac{b}{\sin B} = \frac{c}{\sin C} = 2R$$

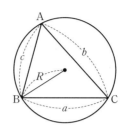

◀ **사인법칙의 변형**

(1) $a = 2R \sin A$, $b = 2R \sin B$,
   $c = 2R \sin C$

(2) $\sin A = \dfrac{a}{2R}$, $\sin B = \dfrac{b}{2R}$,
   $\sin C = \dfrac{c}{2R}$

(3) $a : b : c = \sin A : \sin B : \sin C$

## ② 코사인법칙

$\triangle ABC$에서

(1) 제일 코사인법칙

$$a = b \cos C + c \cos B$$
$$b = c \cos A + a \cos C$$
$$c = a \cos B + b \cos A$$

(2) 제이 코사인법칙

$$a^2 = b^2 + c^2 - 2bc \cos A$$
$$b^2 = c^2 + a^2 - 2ca \cos B$$
$$c^2 = a^2 + b^2 - 2ab \cos C$$

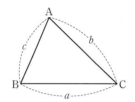

◀ **제이 코사인법칙의 변형**

$$\cos A = \frac{b^2 + c^2 - a^2}{2bc}$$
$$\cos B = \frac{c^2 + a^2 - b^2}{2ca}$$
$$\cos C = \frac{a^2 + b^2 - c^2}{2ab}$$

## ③ 삼각형의 넓이

$\triangle ABC$의 넓이를 $S$라 하면

(1) $S = \dfrac{1}{2} ab \sin C$

   $= \dfrac{1}{2} bc \sin A$

   $= \dfrac{1}{2} ca \sin B$

(2) 세 변의 길이를 알 때 (헤론의 공식)

$$S = \sqrt{s(s-a)(s-b)(s-c)} \ \text{(단, } 2s = a+b+c\text{)}$$

(3) 세 변의 길이와 내접원의 반지름의 길이 $r$를 알 때

$$S = \frac{1}{2} r(a+b+c)$$

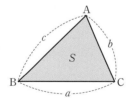

◀ **삼각형의 넓이**

세 변의 길이(또는 세 각의 크기)와 외접원의 반지름의 길이 $R$를 알 때

$$S = \frac{abc}{4R}$$

$$= 2R^2 \sin A \sin B \sin C$$

## ④ 평행사변형의 넓이

평행사변형 $ABCD$에서 이웃하는 두 변의 길이가 $a$, $b$이고, 그 끼인각의 크기가 $\theta$일 때, 평행사변형 $ABCD$의 넓이 $S$는

$$S = ab \sin \theta$$

◀ **사각형의 넓이**

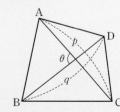

사각형 $ABCD$에서 두 대각선의 길이가 $p$, $q$이고, 두 대각선이 이루는 각의 크기가 $\theta$일 때, 사각형의 넓이 $S$는

$$S = \frac{1}{2} pq \sin \theta$$

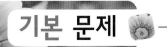

# 기본 문제

**1** 사인법칙

**001** 다음은 사인법칙을 이용하여 $a$의 값을 구하는 과정이다. ☐ 안에 알맞은 것을 써넣으시오.

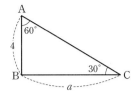

$$\frac{a}{\sin A} = \frac{b}{\boxed{\phantom{x}}} = \frac{\boxed{\phantom{x}}}{\sin C} = \boxed{\phantom{x}} \text{에서}$$

$$\frac{a}{\sin A} = \frac{\boxed{\phantom{x}}}{\sin C} \text{이므로}$$

$c = 4$, $A = 60°$, $C = 30°$를 대입하면

$$\frac{a}{\sin 60°} = \frac{\boxed{\phantom{x}}}{\sin 30°}$$

$$a \times \sin 30° = \boxed{\phantom{x}} \times \sin 60°$$

$$a \times \frac{1}{2} = \boxed{\phantom{x}} \times \frac{\sqrt{3}}{2}$$

$$\therefore a = \boxed{\phantom{x}}$$

**002** 다음 삼각형에서 ☐ 안에 알맞은 것을 써넣으시오.

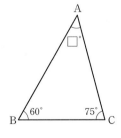

[**003-006**] 사인법칙을 이용하여 다음 삼각형에서  안에 알맞은 것을 써넣으시오.

**003**

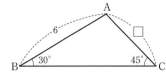

**004**

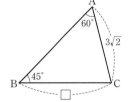

**005**

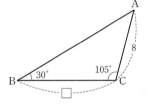

**006**

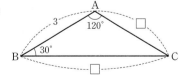

**[007-009]** 다음 조건을 만족시키는 삼각형 ABC의 외접원의 반지름의 길이 $R$를 구하시오.

**007** $\overline{BC}=3$, $A=30°$

**008** $\overline{CA}=4\sqrt{3}$, $B=150°$

**009** $\overline{AB}=2\sqrt{2}$, $A=60°$, $B=75°$

**[010-012]** 삼각형 ABC에 대하여 다음을 구하시오.
(단, $R$는 삼각형 ABC의 외접원의 반지름의 길이이다.)

**010** $\overline{BC}=3$, $R=4$일 때, $\sin A$의 값

**011** $\overline{CA}=4$, $R=6$일 때, $\sin B$의 값

**012** $\overline{AB}=3\sqrt{3}$, $R=3$일 때, $\angle C$의 크기 (단, $0°<\angle C<90°$)

---

**2** 제일 코사인법칙

**013** 삼각형 ABC에 대하여 다음의 □ 안에 알맞은 것을 써넣으시오.

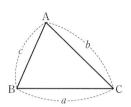

$$a=\square \times \cos C + \square \times \cos B$$

**[014-015]** 제일 코사인법칙을 이용하여 다음 삼각형에서 □ 안에 알맞은 것을 써넣으시오.

**014**

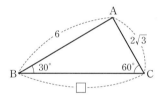

**015**

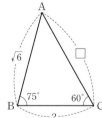

**3** 제이 코사인법칙

**016** 다음은 삼각형 ABC에서
제이 코사인법칙을 이용하여
$a$의 값을 구하는 과정이다.
□ 안에 알맞은 것을 써넣
으시오.

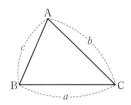

$a^2 = b^2 + c^2 - 2bc \cos A$에
$b=2$, $c=4$, $A=60°$를 대입하면
$a^2 = \boxed{\phantom{x}}^2 + 4^2 - 2 \times \boxed{\phantom{x}} \times 4 \times \cos 60°$
$\therefore a = \boxed{\phantom{x}}$

**[017-019]** 제이 코사인법칙을 이용하여 다음 삼각형에서
□ 안에 알맞은 것을 써넣으시오.

**017**

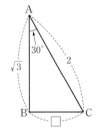

**018**

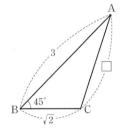

**019**

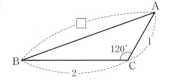

**4** 제이 코사인법칙의 변형

**020** 삼각형 ABC에 대하여 다음
의 □ 안에 알맞은 것을 써
넣으시오.

$$\cos A = \frac{\boxed{\phantom{x}}^2 + c^2 - \boxed{\phantom{x}}^2}{\boxed{\phantom{x}} \times bc}$$

**[021-023]** 삼각형 ABC에서 $\overline{BC}=a$, $\overline{CA}=b$, $\overline{AB}=c$라
할 때, 다음을 구하시오.

**021** $a=3$, $b=4$, $c=3$일 때, $\cos A$의 값

**022** $a=3$, $b=2\sqrt{3}$, $c=1$일 때, $\cos B$의 값

**023** $a=2$, $b=3\sqrt{2}$, $c=\sqrt{10}$일 때, $\angle C$의 크기

기본 문제

**5** 삼각형의 넓이

**024** 삼각형 ABC에 대하여 다음의 ☐ 안에 알맞은 것을 써넣으시오.

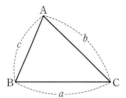

$$S = \frac{1}{2}ab \times \boxed{\phantom{xx}}$$
$$= \frac{1}{2}bc \times \boxed{\phantom{xx}}$$
$$= \frac{1}{2} \times \boxed{\phantom{x}} \times \boxed{\phantom{x}} \times \sin B$$

[025-027] 다음 삼각형의 넓이를 구하시오.

**025**

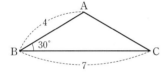

**026**

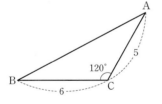

**027**

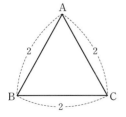

**6** 평행사변형의 넓이

**028** 평행사변형 ABCD에 대하여 다음의 ☐ 안에 알맞은 것을 써넣으시오.

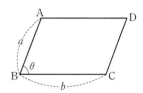

$$S = ab \times \boxed{\phantom{xx}}$$

[029-032] 다음 평행사변형의 넓이를 구하시오.

**029**

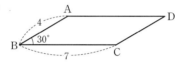

**030**

**031**

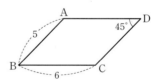

**032**

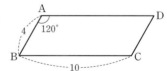

## 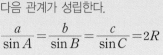 유형 문제

### 유형 01 사인법칙

△ABC에서 세 각의 크기 $A$, $B$, $C$와 세 변의 길이 $a$, $b$, $c$ 및 외접원의 반지름의 길이 $R$ 사이에는 다음 관계가 성립한다.

$$\frac{a}{\sin A}=\frac{b}{\sin B}=\frac{c}{\sin C}=2R$$

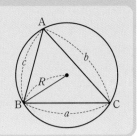

### 033

△ABC에서 $\overline{AB}=6\sqrt{3}$, $\overline{CA}=6$, $\angle C=60°$일 때, $\angle A$의 크기를 구하시오.

###  034

그림과 같이 △ABC에서 $\overline{AB}=8$, $\overline{AC}=4\sqrt{2}$, $\angle C=60°$일 때, $\cos B$의 값은?

① $\dfrac{3}{4}$  　② $\dfrac{\sqrt{10}}{4}$

③ $\dfrac{\sqrt{3}}{4}$  　④ $\dfrac{\sqrt{6}}{2}$

⑤ $\dfrac{\sqrt{10}}{2}$

###  035

△ABC에서 $\overline{BC}=3\sqrt{2}$, $\angle A=45°$일 때, △ABC의 외접원의 반지름의 길이는?

① 1  　② 2  　③ 3

④ 4  　⑤ 5

### 036

반지름의 길이가 1인 원 O와 반지름의 길이가 $R$인 원 O′이 그림과 같이 만난다. $\angle AOB=90°$, $\angle AO′B=60°$일 때, 부채꼴 AO′B의 넓이를 구하시오.

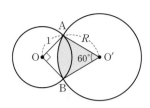

### 037

그림에서 $\overline{AB}=25$, $\angle DAB=45°$, $\angle DBC=75°$, $\angle DCB=90°$일 때, 선분 CD의 길이를 구하시오.

(단, $\sin 75°=0.96$으로 계산한다.)

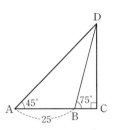

### 038

그림과 같은 △ABC에서 △ABD의 외접원과 △ADC의 외접원의 넓이의 비는?

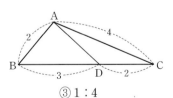

① 1 : 2  　② 1 : 3  　③ 1 : 4

④ 2 : 3  　⑤ 4 : 9

## 유형 **02** 사인법칙의 변형

△ABC에서 외접원의 반지름의 길이를 $R$라 하면

(1) $a=2R\sin A$, $b=2R\sin B$,
  $c=2R\sin C$

(2) $\sin A=\dfrac{a}{2R}$, $\sin B=\dfrac{b}{2R}$,
  $\sin C=\dfrac{c}{2R}$

(3) $a:b:c=\sin A:\sin B:\sin C$

### 039

△ABC에서 $A:B:C=2:1:3$일 때, $\overline{BC}:\overline{CA}:\overline{AB}$는?

① $\sqrt{3}:1:2$
② $\sqrt{3}:\sqrt{6}:\sqrt{2}$
③ $2:1:3$
④ $3:6:2$
⑤ $4:1:9$

### 040

그림과 같이 원에 내접하는 삼각형 ABC가 있다.

$\widehat{AB}:\widehat{BC}:\widehat{CA}=4:3:5$이고 $\overline{AB}=3\sqrt{3}$일 때, 선분 BC의 길이는?

① $2\sqrt{2}$
② $3$
③ $2\sqrt{3}$
④ $3\sqrt{2}$
⑤ $4$

###  041

△ABC에서 $\dfrac{\overline{AB}+\overline{BC}}{7}=\dfrac{\overline{BC}+\overline{CA}}{5}=\dfrac{\overline{CA}+\overline{AB}}{6}$일 때, $\sin A:\sin B:\sin C$를 구하시오.

## 유형 **03** 사인법칙의 활용

삼각형의 한 변의 길이와 그 양 끝각의 크기를 알 때
① 세 내각의 크기의 합이 $180°$임을 이용하여 다른 한 각의 크기를 구한다.
② 사인법칙을 이용하여 나머지 변의 길이를 구한다.

### 042

그림과 같이 $\overline{AB}=50\,\text{m}$인 두 지점 A, B에서 강 건너 C지점을 바라본 각의 크기를 재었더니 $\angle BAC=60°$, $\angle ABC=75°$이었다. 이때, 두 점 B, C 사이의 거리는?

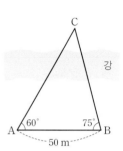

① $25\sqrt{2}\,\text{m}$
② $50\,\text{m}$
③ $25\sqrt{6}\,\text{m}$
④ $50\sqrt{2}\,\text{m}$
⑤ $50\sqrt{6}\,\text{m}$

### 043

그림과 같이 높이가 $30\,\text{m}$인 건물의 밑에서 옆 건물의 끝을 올려다본 각의 크기는 $45°$이고 이 건물의 옥상에서 옆 건물의 끝을 올려다본 각의 크기는 $15°$이다. 이때, 옆 건물의 높이는?

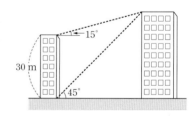

(단, 건물의 폭은 무시하고, $\cos 15°=\dfrac{\sqrt{6}+\sqrt{2}}{4}$로 계산한다.)

① $15\sqrt{5}\,\text{m}$
② $15(\sqrt{2}+1)\,\text{m}$
③ $15\sqrt{6}\,\text{m}$
④ $15(\sqrt{3}+1)\,\text{m}$
⑤ $15(\sqrt{2}+2)\,\text{m}$

유형 **04** 제일 코사인법칙

△ABC에서
$a=b\cos C+c\cos B$
$b=c\cos A+a\cos C$
$c=a\cos B+b\cos A$

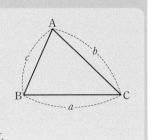

참고 삼각형에서 두 각의 크기와
그 대변의 길이를 알 때 이용한다.

## 044

그림과 같이 △ABC에서
∠B=45°, ∠C=30°,
$\overline{AB}=2\sqrt{2}$, $\overline{AC}=4$일 때,
변 BC의 길이를 구하시오.

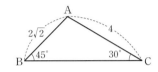

## 045

그림과 같이 △ABC에서
$\overline{AB}=6$, ∠A=45°, ∠B=105°
일 때, 변 AC의 길이는?

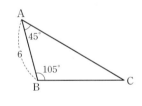

① $\sqrt{2}+\sqrt{6}$    ② $2\sqrt{2}+2\sqrt{6}$
③ $3\sqrt{2}+3\sqrt{6}$    ④ $4\sqrt{2}+4\sqrt{6}$
⑤ $5\sqrt{2}+5\sqrt{6}$

## 046

△ABC에서 $\overline{AB}=2$, $\overline{BC}=4$, $\overline{CA}=3$일 때,
$5\cos A+6\cos B+7\cos C$의 값을 구하시오.

유형 **05** 제이 코사인법칙

△ABC에서
$a^2=b^2+c^2-2bc\cos A$
$b^2=c^2+a^2-2ca\cos B$
$c^2=a^2+b^2-2ab\cos C$

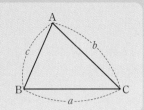

## 047

그림과 같이 △ABC에서
∠A=60°, $\overline{AB}=4$, $\overline{AC}=2$
일 때, 변 BC의 길이를 구하시오.

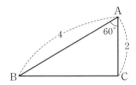

## 048

그림과 같이 ∠A=60°, $\overline{AB}=5$,
$\overline{AC}=4$인 △ABC의 외접원의 반지름
의 길이 $R$를 구하시오.

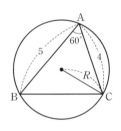

## 049

△ABC에서 $\overline{AB}=2\sqrt{5}$, $\overline{CA}=2\sqrt{2}$, $C=45°$일 때, 변 BC의
길이는?

① $\sqrt{30}$    ② $4\sqrt{2}$    ③ $\sqrt{34}$
④ $6$    ⑤ $\sqrt{38}$

**050**

그림과 같이 △ABC의 변 BC 위의 점 P에 대하여 $\overline{AP}=\overline{BP}$이고 ∠APC=60°, ∠C=30°, $\overline{AC}=2\sqrt{3}$일 때, 선분 AB의 길이를 구하시오.

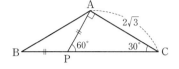

**중요**
**051**

그림과 같이 원 O의 지름 AB의 길이가 4이고, 호 BP의 길이가 $\dfrac{\pi}{3}$일 때, $\overline{AP}^2$의 값을 구하시오.

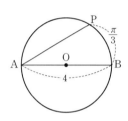

**052**

그림과 같이 원에 내접하는 □ABCD에 대하여 $\overline{AB}=1$, $\overline{BC}=3$, $\overline{CD}=\overline{AD}=2$일 때, 선분 BD의 길이는?

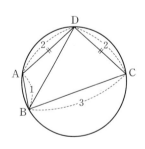

① 2      ② $\sqrt{5}$

③ $\sqrt{6}$      ④ $\sqrt{7}$

⑤ $2\sqrt{2}$

**유형 06 제이 코사인법칙의 변형**

△ABC에서

$$\cos A = \frac{b^2+c^2-a^2}{2bc}$$

$$\cos B = \frac{c^2+a^2-b^2}{2ca}$$

$$\cos C = \frac{a^2+b^2-c^2}{2ab}$$

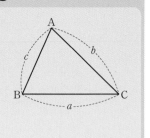

**053**

그림과 같이 △ABC에서 $\overline{AC}=3$, $\overline{BC}=6$, ∠C=60°일 때, cos A의 값을 구하시오.

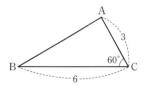

**054**

세 변의 길이가 각각 4, 5, 6인 삼각형의 외접원의 반지름의 길이를 구하시오.

**중요**
**055**

그림과 같이 △ABC에서 $\overline{AB}=3$, $\overline{CA}=7$, ∠B=120°일 때, cos C의 값은?

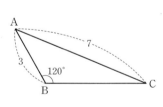

① $\dfrac{13}{14}$      ② $\dfrac{14}{15}$

③ $\dfrac{15}{16}$      ④ $\dfrac{16}{17}$

⑤ $\dfrac{17}{18}$

## 056

△ABC에서 $\sin A : \sin B : \sin C = 3 : 5 : 7$일 때, $A$, $B$, $C$ 중 최대 각의 크기를 구하시오.

## 057

그림과 같이 $\overline{AE}=6$, $\overline{EF}=\overline{FG}=2$인 직육면체에서 두 선분 BE와 BG가 이루는 각의 크기를 $\theta$라 할 때, $\cos\theta$의 값은?

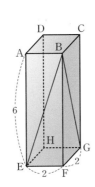

① $\dfrac{5}{6}$    ② $\dfrac{6}{7}$

③ $\dfrac{7}{8}$    ④ $\dfrac{8}{9}$

⑤ $\dfrac{9}{10}$

## 058

그림과 같이 좌표평면 위의 두 직선 $y=x$와 $y=\dfrac{1}{2}x$가 이루는 예각의 크기를 $\theta$라 할 때, $10\cos\theta$의 값을 구하시오.

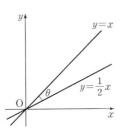

### 유형 07 제이 코사인법칙의 활용

(1) 삼각형에서 두 변의 길이와 그 끼인각의 크기를 알 때, 제이 코사인법칙을 이용하여 나머지 한 변의 길이를 구한다.
(2) 삼각형에서 세 변의 길이를 알 때, 제이 코사인법칙의 변형을 이용하여 원하는 각의 크기를 구한다.

## 059

직접 거리를 측정할 수 없는 두 건물 A, B 사이의 거리를 알아보기 위하여 그림과 같이 C지점에서 측정한 결과 $\overline{AC}=2$km, $\overline{BC}=3$km, $\angle ACB=60°$이었다. 두 건물 A, B 사이의 거리를 구하시오. (단, $\sqrt{7}≒2.646$)

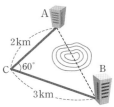

## 060

어떤 사람이 동쪽으로 $x$ km를 가다가 왼쪽으로 $120°$ 회전하여 3 km를 갔다고 할 때, 도착 지점이 출발 지점에서 직선 거리로 $2\sqrt{3}$ km라 하면 $x$의 값은?

① $\dfrac{1+\sqrt{21}}{2}$    ② $\dfrac{3+\sqrt{21}}{2}$    ③ $\dfrac{5+\sqrt{21}}{2}$

④ $\dfrac{7+\sqrt{21}}{2}$    ⑤ $\dfrac{9+\sqrt{21}}{2}$

## 061

어느 고고학자가 원형으로 추정되는 깨진 손거울을 발견하였다. 이 손거울의 세 지점 A, B, C를 그림과 같이 정하여 각 지점 사이의 거리를 재었더니 4, 3, 2이었다. 이때, 손거울의 반지름의 길이를 구하시오.

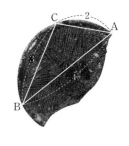

## 유형 **08** 삼각형의 결정

삼각형 ABC의 세 각의 크기 $A$, $B$, $C$ 또는 세 변의 길이 $a$, $b$, $c$에 대한 등식이 주어질 때, 사인법칙과 코사인법칙의 변형을 이용하여 각의 크기 사이의 관계를 변의 길이 사이의 관계로 바꿔주면 삼각형의 모양을 알 수 있다.

### 062

$\triangle ABC$에서 $\sin^2 A = \sin^2 B + \sin^2 C$가 성립할 때, $\triangle ABC$는 어떤 삼각형인가?

① $A = 90°$인 직각삼각형 　　② $B = 90°$인 직각삼각형

③ $C = 90°$인 직각삼각형 　　④ $\overline{BC} = \overline{CA}$인 이등변삼각형

⑤ 정삼각형

### 063

$\triangle ABC$에서 $\sin A = 2\sin B \cos C$가 성립할 때, 이 삼각형의 모양은?

① $\overline{AB} = \overline{CA}$인 이등변삼각형　② $\overline{BC} = \overline{CA}$인 이등변삼각형

③ $\overline{AB}$가 빗변인 직각삼각형　　④ $\overline{CA}$가 빗변인 직각삼각형

⑤ 정삼각형

### 064

$\triangle ABC$에서 $\overline{BC} = a$, $\overline{CA} = b$, $\overline{AB} = c$라 할 때, $a\cos B = b\cos A$가 성립하면 $\triangle ABC$는 어떤 삼각형인가?

① $a = b$인 이등변삼각형　　② $b = c$인 이등변삼각형

③ $A = 90°$인 직각삼각형　　④ $B = 90°$인 직각삼각형

⑤ 정삼각형

## 유형 **09** 삼각형의 넓이 $- S = \dfrac{1}{2}ab\sin C$

$\triangle ABC$의 넓이를 $S$라 하면

$S = \dfrac{1}{2}ab\sin C$

$\quad = \dfrac{1}{2}bc\sin A$

$\quad = \dfrac{1}{2}ca\sin B$

참고　삼각형의 두 변의 길이와 그 끼인각의 크기를 알 때 이용한다.

### 065

$\triangle ABC$에서 $\overline{BC} = 4$, $\angle B = 30°$이고, 넓이가 3일 때, 선분 AB의 길이는?

① 2　　　　　② 3　　　　　③ 4

④ 5　　　　　⑤ 6

### 066

$\triangle ABC$에서 $\overline{AB} = 4$, $\overline{CA} = 3\sqrt{5}$, $\cos A = \dfrac{2}{3}$일 때, 삼각형 ABC의 넓이를 구하시오.

### 067

그림과 같이 $\overline{AB} = 7$, $\overline{BC} = 3$, $\angle C = 120°$인 삼각형 ABC의 넓이를 구하시오.

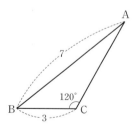

## 068

그림에서 색칠한 부분인 활꼴의 넓이는?

① $12\pi - 6\sqrt{3}$    ② $12\pi - 9\sqrt{3}$

③ $8\pi - 6\sqrt{3}$    ④ $8\pi - 9\sqrt{3}$

⑤ $6\pi + 9\sqrt{3}$

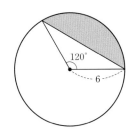

## 069

△ABC에서 ∠A=60°, $\overline{AB}=2$, $\overline{AC}=4$이고 ∠A의 이등분선이 $\overline{BC}$와 만나는 점을 D라 할 때, 선분 AD의 길이는?

① $\dfrac{\sqrt{3}}{3}$    ② $\dfrac{\sqrt{5}}{3}$    ③ $\dfrac{2\sqrt{3}}{3}$

④ $\dfrac{4\sqrt{3}}{3}$    ⑤ $\dfrac{4\sqrt{5}}{3}$

## 070

그림과 같이 넓이가 9인 △ABC에서 $\overline{AB}$를 2 : 1로 내분하는 점을 P, $\overline{AC}$를 1 : 2로 내분하는 점을 Q라 할 때, 삼각형 APQ의 넓이는?

① 1    ② 2

③ 3    ④ 4

⑤ 5

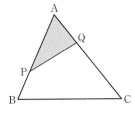

### 유형 10 다각형의 넓이

다각형의 넓이를 구할 때, 주어진 다각형을 여러 개의 삼각형으로 나눈 뒤 삼각형의 넓이를 각각 구하여 더한다.

## 071

그림과 같이 사각형 ABCD에서 $\overline{BC}=3$, $\overline{CD}=4$, ∠BCA=30°, ∠ACD=75°, ∠CDA=60°일 때, 삼각형 ABC의 넓이를 구하시오.

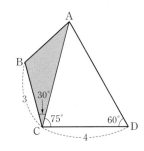

## 072

원에 내접하는 □ABCD에서 $\overline{AB}=5$, $\overline{BC}=3$, $\overline{AD}=2$, ∠B=60°일 때, 사각형 ABCD의 넓이를 구하시오.

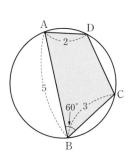

## 073

개발에 의한 산림 훼손을 막기 위해 그림과 같이 사각형 ABCD 모양으로 개발 제한 구역을 설정하였다. 이때, 개발 제한 구역의 땅의 넓이는?

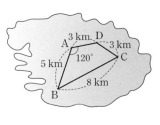

① $9\sqrt{3}$ km²    ② $\dfrac{37\sqrt{3}}{4}$ km²    ③ $\dfrac{19\sqrt{3}}{2}$ km²

④ $\dfrac{39\sqrt{3}}{4}$ km²    ⑤ $10\sqrt{3}$ km²

## 유형 **11** 여러 가지 넓이 공식

$\triangle ABC$의 넓이 $S$는

(1) 세 변의 길이를 알 때 (헤론의 공식)
$$S=\sqrt{s(s-a)(s-b)(s-c)} \text{ (단, } 2s=a+b+c)$$

(2) 세 변의 길이와 내접원의 반지름의 길이 $r$를 알 때
$$S=\frac{1}{2}r(a+b+c)$$

(3) 세 변의 길이(또는 세 각의 크기)와 외접원의 반지름의 길이 $R$를 알 때
$$S=\frac{abc}{4R}=2R^2\sin A\sin B\sin C$$

### 074

그림과 같은 $\triangle ABC$에서 선분 AD의 길이는?

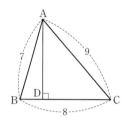

① $2\sqrt{3}$　　② $3\sqrt{3}$

③ $\dfrac{3}{2}\sqrt{5}$　　④ $\dfrac{5}{3}\sqrt{3}$

⑤ $3\sqrt{5}$

### 075

$\triangle ABC$에서 $\overline{BC}=6$, $\overline{CA}=10$, $C=120°$일 때, $\triangle ABC$의 내접원의 반지름의 길이를 구하시오.

### 076

세 변의 길이가 3, 4, 5인 삼각형의 외접원의 반지름의 길이를 $R$, 내접원의 반지름의 길이를 $r$라 할 때, $R+r$의 값은?

① $\dfrac{3}{2}$　　② $2$　　③ $\dfrac{5}{2}$

④ $3$　　⑤ $\dfrac{7}{2}$

## 유형 **12** 사각형의 넓이

(1) 평행사변형의 넓이

평행사변형 ABCD에서 이웃하는 두 변의 길이가 $a$, $b$이고, 그 끼인각의 크기가 $\theta$일 때, 평행사변형 ABCD의 넓이 $S$는
$$S=ab\sin\theta$$

(2) 사각형의 넓이

사각형 ABCD에서 두 대각선의 길이가 $p$, $q$이고, 두 대각선이 이루는 각의 크기가 $\theta$일 때, 사각형의 넓이 $S$는
$$S=\frac{1}{2}pq\sin\theta$$

### 077

그림과 같이 이웃한 두 변의 길이가 각각 4, 6인 평행사변형 ABCD가 있다. 평행사변형 ABCD의 넓이가 12일 때, $\theta$의 크기를 구하시오.

$\left(\text{단, } 0<\theta<\dfrac{\pi}{2}\right)$

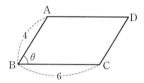

### 078

그림과 같이 두 대각선이 이루는 예각의 크기가 30°인 사각형 ABCD의 넓이가 4이고, $\overline{AC}=a$, $\overline{BD}=b$라 할 때, $a+b=10$이다. 이때, $a^2+b^2$의 값을 구하시오.

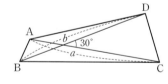

### 079

그림과 같이 $\overline{AC}=4$, $\overline{BD}=6$, $\angle B=60°$인 평행사변형 ABCD의 넓이를 구하시오.

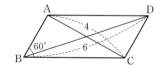

## 080

그림의 △ABC에서 ∠B=70°, ∠C=80°, $\overline{BC}=4$일 때, △ABC의 외접원의 넓이를 구하시오.

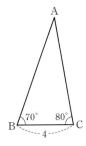

## 081

△ABC에서 $A : B : C=1 : 2 : 3$이고 세 변의 길이의 합이 6일 때, △ABC의 외접원의 반지름의 길이는?

① $2-\sqrt{2}$      ② $3-\sqrt{3}$      ③ 2

④ $5-\sqrt{5}$      ⑤ 4

## 082

그림과 같이 반지름의 길이가 2인 원에 내접하는 △ABC에서 ∠BAC=30°일 때, 선분 BC의 길이는?

① 1      ② $\sqrt{3}$

③ 2      ④ 3

⑤ $2\sqrt{3}$

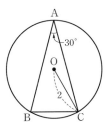

## 083

△ABC에서 $\overline{BC}=a$, $\overline{CA}=b$, $\overline{AB}=c$라 하면 $(a+b) : (b+c) : (c+a)=5 : 4 : 6$일 때, $A$의 크기를 구하시오.

## 084

그림과 같이 $\overline{AB}=5$, $\overline{BC}=6$, $\overline{CA}=3$인 △ABC에서 변 BC를 $2 : 1$로 내분하는 점을 D라 할 때, 선분 AD의 길이는?

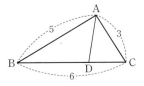

① $\dfrac{\sqrt{19}}{3}$      ② $\dfrac{2\sqrt{6}}{2}$      ③ $\dfrac{\sqrt{57}}{3}$

④ $\dfrac{17}{3}$      ⑤ $\dfrac{19}{3}$

## 085

그림과 같이 원 모양의 호수의 가장 자리에 세 지점 A, B, C가 있다. $\overline{AB}=80\,m$, $\overline{AC}=100\,m$, ∠CAB=60°일 때, 이 호수의 넓이는?

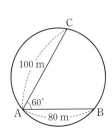

① $2400\pi\,m^2$      ② $2500\pi\,m^2$

③ $2600\pi\,m^2$      ④ $2700\pi\,m^2$

⑤ $2800\pi\,m^2$

## 086

예각삼각형 ABC에서 $\overline{BC}=5$, $\overline{CA}=8$이고 넓이가 12일 때, 삼각형 ABC의 외접원의 반지름의 길이는?

① $\dfrac{11}{6}$  ② $\dfrac{13}{6}$  ③ $\dfrac{25}{6}$

④ $\dfrac{29}{6}$  ⑤ $\dfrac{31}{6}$

## 087

$\overline{BC}=a$, $\overline{CA}=b$, $\overline{AB}=c$인 삼각형 ABC의 넓이 $S$에 대하여 $2S=a^2\sin B\cos B$가 성립할 때, △ABC는 어떤 삼각형인가?

① $A=90°$인 직각삼각형  ② $C=90°$인 직각삼각형
③ $a=c$인 이등변삼각형  ④ $b=c$인 이등변삼각형
⑤ 정삼각형

## 088

그림과 같이 $\overline{AB}=\overline{CD}$이고 넓이가 $12\sqrt{2}$인 등변사다리꼴 ABCD의 두 대각선이 이루는 각의 크기가 45°일 때, 한 대각선의 길이를 구하시오.

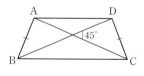

## 089

그림과 같은 사각형 ABCD의 넓이를 구하시오.

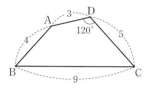

1등급 문제

## 090

△ABC에서 $\overline{AB}=8$, $\overline{CA}=12$일 때, $\cos C$의 최솟값을 구하시오.

## 091

그림과 같이 밑면의 반지름의 길이가 4이고 모선의 길이가 12인 직원뿔이 있다. 이 직원뿔의 밑면의 둘레 위의 한 점 A에서 선분 OB를 1 : 2로 내분하는 점 P까지 옆면을 따라 가는 최단 거리를 구하시오.
(단, 점 A, B는 밑면의 지름의 양 끝점이다.)

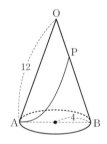

# 10 등차수열

# 10 등차수열

## 1 수열

(1) **수열**: 어떤 규칙에 따라 차례로 나열된 수의 열
(2) **항**: 수열을 이루고 있는 각각의 수
(3) **유한수열**: 유한개의 항으로 이루어진 수열
(4) **무한수열**: 무한히 많은 항으로 이루어진 수열
(5) **일반항**: 제 $n$항 $a_n$을 수열의 일반항이라고 한다. 또 일반항이 $a_n$인 수열을 간단히 $\{a_n\}$과 같이 나타낸다.

**개념 플러스**

◀ 수열은 일반적으로 특별한 언급이 없으면 무한수열을 나타낸다.

◀ 수열 $\{a_n\}$은 자연수 $1, 2, 3, \cdots, n,$ $\cdots$에 각 항 $a_1, a_2, a_3, \cdots, a_n, \cdots$을 차례로 대응시킨 것이므로 자연수 전체의 집합을 정의역으로 하는 함수로 볼 수 있다.

## 2 등차수열

(1) **등차수열**: 첫째항부터 차례로 일정한 수를 더하여 얻어지는 수열
(2) **공차**: 등차수열에서 더하는 일정한 수
(3) **등차수열의 일반항**: 첫째항이 $a$이고, 공차가 $d$인 등차수열의 일반항 $a_n$은
$$a_n = a + (n-1)d$$
(4) **등차중항**: 세 수 $a, b, c$가 이 순서대로 등차수열을 이룰 때, $b$를 $a$와 $c$의 등차중항이라고 한다. 이때, $b-a=c-b$이므로 다음이 성립한다.
$$2b = a+c \Longleftrightarrow b = \frac{a+c}{2}$$

◀ 등차수열을 이루는 수
(1) 등차수열을 이루는 세 수
⇨ $a-d, a, a+d$
(2) 등차수열을 이루는 네 수
⇨ $a-3d, a-d, a+d, a+3d$
(3) 등차수열을 이루는 다섯 수
⇨ $a-2d, a-d, a, a+d,$ $a+2d$

◀ 수열 $a_1, a_2, a_3, \cdots, a_n, a_{n+1}, a_{n+2},$ $\cdots$이 등차수열이면
⇨ $2a_{n+1} = a_n + a_{n+2}$
⇨ $a_{n+1} = a_n + d$

## 3 등차수열의 합

등차수열의 첫째항부터 제 $n$항까지의 합을 $S_n$이라 하면
(1) 첫째항이 $a$, 제 $n$항이 $l$일 때,
$$S_n = \frac{n(a+l)}{2}$$
(2) 첫째항이 $a$, 공차가 $d$일 때,
$$S_n = \frac{n\{2a+(n-1)d\}}{2}$$

◀ 특수한 등차수열의 합
(1) 자연수의 합: $\dfrac{n(n+1)}{2}$
(2) 홀수의 합: $n^2$
(3) 짝수의 합: $n(n+1)$

## 4 수열의 합 $S_n$과 일반항 $a_n$ 사이의 관계

수열 $\{a_n\}$의 첫째항부터 제 $n$항까지의 합을 $S_n$이라 하면
$$a_1 = S_1, \ a_n = S_n - S_{n-1} \ (\text{단}, \ n \geq 2)$$
참고 수열의 합 $S_n$과 일반항 $a_n$ 사이의 관계는 모든 수열에서 성립한다.

◀ $S_n = an^2 + bn + c$ ($a, b, c$는 상수) 에 대하여
(1) $c=0$이면 첫째항부터 등차수열을 이룬다.
(2) $c \neq 0$이면 둘째항부터 등차수열을 이룬다.

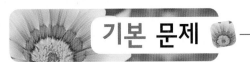

# 기본 문제

## 1 수열

**[001-004]** 수열 $\{a_n\}$의 일반항이 다음과 같을 때, 첫째항부터 제3항까지 구하시오.

**001** $a_n=2n$

**002** $a_n=4n-1$

**003** $a_n=3\times 2^n$

**004** $a_n=(-1)^n\times n$

**[005-008]** 수열 $\{a_n\}$의 일반항이 다음과 같을 때, $a_{10}$을 구하시오.

**005** $a_n=3n+4$

**006** $a_n=2^{n+1}$

**007** $a_n=\dfrac{n-4}{2}$

**008** $a_n=\dfrac{n+8}{3n}$

## 2 등차수열

**[009-011]** 다음 등차수열 $\{a_n\}$의 첫째항과 공차를 구하시오.

**009** $2, 6, 10, 14, 18, \cdots$

**010** $-1, 4, 9, 14, 19, \cdots$

**011** $\dfrac{1}{2}, 1, \dfrac{3}{2}, 2, \dfrac{5}{2}, \cdots$

**[012-015]** 다음 등차수열의 첫째항부터 제4항까지 순서대로 나열하시오.

**012** 첫째항: 9, 공차: $-2$

**013** 첫째항: $-15$, 공차: 3

**014** $\{6n+2\}$

**015** $\{-3n+13\}$

**[016-023]** 다음 등차수열의 일반항 $a_n$을 구하시오.

**016** 첫째항: 5, 공차: 2

**017** 첫째항: 10, 공차: $-4$

**018** 첫째항: $-1$, 공차: 3

**019** 2, 3, 4, 5, 6, …

**020** 1, 3, 5, 7, 9, …

**021** $-4$, $-2$, 0, 2, 4, …

**022** 12, 10, 8, 6, 4, …

**023** 7, 4, 1, $-2$, $-5$, …

**[024-027]** 다음 등차수열 $\{a_n\}$의 공차를 구하시오.

**024** $a_1=4$, $a_4=13$

**025** $a_1=-4$, $a_5=8$

**026** $a_2=7$, $a_6=23$

**027** $a_3=8$, $a_7=28$

**[028-030]** 다음 세 수가 주어진 순서대로 등차수열을 이룰 때, 등차중항을 구하시오.

**028** 1, ☐, 15

**029** $-3$, ☐, 9

**030** $-17$, ☐, $-7$

[031-033] 다음은 등차수열을 나타낸 것이다. 등차중항을 이용하여 □ 안에 알맞은 수를 써넣으시오.

**031** $5, \square, 21, \square, 37, \cdots$

**032** $-6, \square, 2, \square, 10, \cdots$

**033** $15, \square, -3, \square, -21, \cdots$

## 3   등차수열의 합

[034-035] 다음을 구하시오.

**034** 첫째항이 2, 제 10항이 29인 등차수열의 첫째항부터 제 10항까지의 합 $S_{10}$

**035** 첫째항이 5, 제 8항이 $-23$인 등차수열의 첫째항부터 제 8항까지의 합 $S_8$

[036-037] 다음을 만족시키는 등차수열의 합을 구하시오.

**036** 첫째항 : $-2$, 공차 : 2, 항의 개수 : 9

**037** 첫째항 : 11, 공차 : $-2$, 항의 개수 : 14

[038-041] 다음 등차수열의 첫째항부터 제 20항까지의 합을 구하시오.

**038** $1, 6, 11, 16, 21, \cdots$

**039** $-8, -5, -2, 1, 4, \cdots$

**040** $3, 2, 1, 0, -1, \cdots$

**041** $10, 7, 4, 1, -2, \cdots$

[042-044] 다음 합을 구하시오.

**042** $1+2+3+\cdots+100$

**043** $2+4+6+\cdots+30$

**044** $19+17+15+\cdots+1$

**기본 문제**

**4** 수열의 합 $S_n$과 일반항 $a_n$ 사이의 관계

[045-047] 수열 $\{a_n\}$의 첫째항부터 제 $n$항까지의 합 $S_n$에 대하여 다음을 구하시오.

**045** $S_9=25$, $S_{10}=30$일 때, $a_{10}$

**046** $S_{19}=36$, $S_{20}=46$일 때, $a_{20}$

**047** $S_8=25$, $S_{10}=35$일 때, $a_9+a_{10}$의 값

[048-050] 수열 $\{a_n\}$의 첫째항부터 제 $n$항까지의 합 $S_n$이 다음과 같을 때, 제5항을 구하시오.

**048** $S_n=n^2$

**049** $S_n=(n-1)^2$

**050** $S_n=2n^2+n$

[051-053] 수열 $\{a_n\}$의 첫째항부터 제 $n$항까지의 합 $S_n$이 다음과 같을 때, $a_1$과 일반항 $a_n$을 구하시오.

**051** $S_n=3n^2$

**052** $S_n=n(n+1)$

**053** $S_n=3n^2+n$

[054-056] 수열 $\{a_n\}$의 첫째항부터 제 $n$항까지의 합 $S_n$이 다음과 같을 때, $a_1$과 일반항 $a_n$을 구하시오.

**054** $S_n=n^2+3$

**055** $S_n=n^2+2n-1$

**056** $S_n=5-n^2$

## 유형 문제

### 유형 01 수열의 뜻과 일반항

(1) 수열: 어떤 규칙에 따라 차례로 나열된 수의 열

(2) 항: 수열을 이루고 있는 각각의 수

(3) 일반항: 수열의 제$n$항

### 057

수열 $\{a_n\}$의 일반항이 다음과 같을 때, $a_1+a_5$의 값을 구하시오.

$$a_n=3n+5$$

### 058

수열 $1, \dfrac{3}{4}, \dfrac{5}{9}, \dfrac{7}{16}, \cdots$의 일반항 $a_n$을 구하시오.

### 059

다음과 같은 수열 $\{a_n\}$의 일반항 $a_n$은?

$$101, 1001, 10001, \cdots$$

① $a_n=9^{n-1}+2$  ② $a_n=9^n+2$  ③ $a_n=10^{n-1}+1$

④ $a_n=10^n+1$  ⑤ $a_n=10^{n+1}+1$

### 유형 02 등차수열의 뜻과 일반항

(1) 등차수열: 첫째항부터 차례로 일정한 수를 더하여 얻어지는 수열

(2) 공차: 등차수열에서 더하는 일정한 수

(3) 첫째항이 $a$, 공차가 $d$인 등차수열의 일반항 $a_n$은

$$a_n=a+(n-1)d$$

### 060

수열 $2, 7, 12, 17, 22, \cdots$의 일반항 $a_n$을 $a_n=\alpha n+\beta$라 할 때, $\alpha+\beta$의 값은? (단, $\alpha$, $\beta$는 상수이다.)

① $-2$  ② $-1$  ③ $1$

④ $2$  ⑤ $3$

### 061 중요

등차수열 $\{a_n\}$의 첫째항이 $-2$, 공차가 $3$일 때, $19$는 제 몇 항인가?

① 제 8항  ② 제 9항  ③ 제 10항

④ 제 11항  ⑤ 제 12항

### 062

등차수열 $\{a_n\}$에 대하여 $a_1=-4$, $a_5=8$일 때, $a_2a_3a_4$의 값은?

① $-10$  ② $-5$  ③ $1$

④ $4$  ⑤ $9$

**063**

제4항이 10이고, 제7항이 19인 등차수열 $\{a_n\}$의 제10항은?

① 24      ② 26      ③ 28

④ 30      ⑤ 32

**064**

첫째항이 $\log_3 2$, 제7항이 $\log_3 128$인 등차수열의 공차는?

① $\log_3 2$      ② $1$      ③ $\log_2 3$

④ $\log_3 5$      ⑤ $\log_3 6$

**065**

두 집합 $A$, $B$를

$A=\{a_n \mid a_n=2n, \ n \text{은 자연수}\}$,

$B=\{b_n \mid b_n=3n-2, \ n \text{은 자연수}\}$

로 정의하자. 집합 $A \cap B$의 원소를 작은 수부터 순서대로 나열한
수열을 $\{c_n\}$이라 할 때, 일반항 $c_n$을 구하시오.

## 유형 **03** 등차수열 만들기

두 수 $a$, $b$ 사이에 $n$개의 수 $a_1, a_2, a_3, \cdots, a_n$을 넣어
$a$, $a_1, a_2, a_3, \cdots, a_n$, $b$ 가 등차수열을 이루는 경우

(1) 항의 개수: $n+2$

(2) 첫째항: $a$, 제 $(n+2)$항: $b=a+(n+1)d$

(3) 공차: $d=\dfrac{b-a}{n+1}$

**066**

두 수 $10$과 $30$ 사이에 3개의 수 $a_1, a_2, a_3$을 넣어

$10, a_1, a_2, a_3, 30$

이 이 순서대로 등차수열을 이루도록 할 때, 이 수열의 공차는?

① 3      ② 4      ③ 5

④ 6      ⑤ 7

**067**

두 수 $-2$와 $20$ 사이에 10개의 수를 넣어

$-2, a_1, a_2, a_3, \cdots, a_{10}, 20$

이 이 순서대로 등차수열을 이루도록 할 때, $a_{10}$을 구하시오.

**068**

다음 수열이 공차가 2인 등차수열을 이루도록 할 때, $n$의 값은?

$$-30, a_1, a_2, a_3, \cdots, a_n, 30$$

① 25      ② 26      ③ 27

④ 28      ⑤ 29

## 유형 **04** 항 사이의 관계가 주어진 등차수열

① 등차수열 $\{a_n\}$의 첫째항을 $a$, 공차를 $d$라 하고 주어진 조건을 이용하여 방정식을 세운다.
② $a$, $d$의 값을 구하여 일반항 $a_n = a + (n-1)d$를 구한다.

### 069

등차수열 $\{a_n\}$에 대하여 $a_3 + 3a_5 + 2a_9 = 42$일 때, $a_6$은?

① 3
② 5
③ 7
④ 9
⑤ 11

### 070

등차수열 $\{a_n\}$에 대하여 $a_3 = 5$, $a_6 - a_4 = 4$일 때, $a_{10}$을 구하시오.

### 071

공차가 2인 등차수열 $\{a_n\}$에 대하여 $a_4 : a_9 = 3 : 5$일 때, $a_{15}$는?

① 33
② 35
③ 37
④ 39
⑤ 41

### 072

등차수열 $\{a_n\}$에 대하여 $a_3 + a_7 = 18$, $a_4 + a_8 = 24$일 때, $a_{10}$을 구하시오.

### 073

등차수열 $\{a_n\}$에 대하여 $a_1 + a_2 = 14$, $a_3 + a_4 + a_5 = 51$일 때, $a_{11}$은?

① 39
② 41
③ 43
④ 45
⑤ 47

### 074

등차수열 $\{a_n\}$에 대하여 $a_1 a_6 = 0$, $a_2 a_5 = 36$일 때, $a_3 a_4$의 값은?

① 46
② 48
③ 50
④ 52
⑤ 54

## 유형 05 조건을 만족시키는 등차수열의 항

첫째항이 $a$, 공차가 $d$인 등차수열 $\{a_n\}$에서

(1) 처음으로 양수가 되는 항
  $\Rightarrow a+(n-1)d>0$을 만족시키는 자연수 $n$의 최솟값을 구한다.

(2) 처음으로 음수가 되는 항
  $\Rightarrow a+(n-1)d<0$을 만족시키는 자연수 $n$의 최솟값을 구한다.

### 075

등차수열 2, 6, 10, 14, …에서 처음으로 100보다 커지는 항은 제 몇 항인가?

① 제 24항      ② 제 26항      ③ 제 28항
④ 제 30항      ⑤ 제 32항

### 076

등차수열 $\{a_n\}$의 제 3항이 55, 제 10항이 27일 때, 처음으로 음수가 되는 항은 제 몇 항인가?

① 제 13항      ② 제 14항      ③ 제 15항
④ 제 16항      ⑤ 제 17항

### 077

$a_{11}=166$, $a_{51}=-114$인 등차수열 $\{a_n\}$의 양수인 항의 개수를 구하시오.

## 유형 06 등차중항

세 수 $a$, $b$, $c$가 이 순서대로 등차수열을 이룰 때, $b$를 $a$와 $c$의 등차중항이라 하고, 다음이 성립한다.

$$2b=a+c \Longleftrightarrow b=\frac{a+c}{2}$$

참고 등차수열을 이루는 수를 다음과 같이 놓고, 식을 세우면 계산이 편리하다.
① 등차수열을 이루는 세 수
  $\Rightarrow a-d, a, a+d \longrightarrow$ 공차: $d$
② 등차수열을 이루는 네 수
  $\Rightarrow a-3d, a-d, a+d, a+3d \longrightarrow$ 공차: $2d$
③ 등차수열을 이루는 다섯 수
  $\Rightarrow a-2d, a-d, a, a+d, a+2d \longrightarrow$ 공차: $d$

### 078

다섯 개의 수 4, $a$, $b$, $c$, 16이 이 순서대로 등차수열을 이룰 때, $a+b+c$의 값을 구하시오.

### 079

표의 빈칸에 6개의 자연수를 한 칸에 하나씩 써넣어 가로, 세로, 대각선 방향으로 각각 등차수열을 이루도록 할 때, 빈칸에 써넣을 6개의 수의 합을 구하시오.

| 3 | | 7 |
|---|---|---|
| | | |
| | 11 | |

### 080

두 수 $a$, $b$의 등차중항이 10이고, 두 수 $a$, $b$의 곱이 50일 때, $a^2+b^2$의 값은?

① 100      ② 200      ③ 300
④ 400      ⑤ 500

## 081

길이가 1인 선분 AB 위에 한 점 P를 잡아 $\overline{AP}$, $\overline{PB}$, $\overline{AB}$가 이 순서대로 등차수열을 이루도록 할 때, 선분 AP의 길이는?

① $\dfrac{1}{5}$  ② $\dfrac{1}{4}$  ③ $\dfrac{1}{3}$

④ $\dfrac{2}{5}$  ⑤ $\dfrac{1}{2}$

## 082

등차수열을 이루는 세 수의 합이 15, 곱이 45일 때, 이 세 수의 제곱의 합을 구하시오.

## 083

4개의 내각의 크기가 등차수열을 이루는 사각형이 있다. 가장 큰 각의 크기의 2배가 나머지 세 각의 크기의 합과 같을 때, 이 등차수열의 공차를 구하시오.

### 유형 07 등차수열의 합

등차수열의 첫째항부터 제 $n$항까지의 합 $S_n$은

(1) 첫째항이 $a$, 제 $n$항이 $l$일 때
$$\Rightarrow S_n = \frac{n(a+l)}{2}$$

(2) 첫째항이 $a$, 공차가 $d$일 때
$$\Rightarrow S_n = \frac{n\{2a+(n-1)d\}}{2}$$

## 084

다음 등차수열의 합을 구하시오.

$$3,\ 5,\ 7,\ \cdots,\ 41$$

## 085

수열 $\{a_n\}$에 대하여 $a_1=3$, $a_{n+1}=a_n+2$일 때, $a_1+a_2+a_3+\cdots+a_{99}$의 값은?

① 6666  ② 7777  ③ 8888

④ 9999  ⑤ 10000

## 086

첫째항이 3, 공차가 4인 등차수열에서 첫째항부터 제 몇 항까지의 합이 210이 되는지 구하시오.

## 087

첫째항이 8이고, 첫째항부터 제 3항까지의 합이 36인 등차수열의 첫째항부터 제 10항까지의 합은?

① 256      ② 258      ③ 260

④ 262      ⑤ 264

## 088

등차수열 21, 17, 13, 9, …에서 첫째항부터 제 몇 항까지의 합이 처음으로 음수가 되는가?

① 제 10항      ② 제 11항      ③ 제 12항

④ 제 13항      ⑤ 제 14항

## 089

등차수열 $\{a_n\}$의 일반항이 $a_n = 2n - 5$일 때, $a_{11} + a_{12} + a_{13} + \cdots + a_{20}$의 값은?

① 240      ② 260      ③ 280

④ 300      ⑤ 320

---

### 유형 08 부분의 합이 주어진 등차수열의 합

첫째항이 $a$, 공차가 $d$인 등차수열 $\{a_n\}$의 첫째항부터 제 $n$항까지의 합을 $S_n$이라 하면

$$S_n = \frac{n\{2a + (n-1)d\}}{2}, \quad S_{2n} = \frac{2n\{2a + (2n-1)d\}}{2}$$

## 090

등차수열 $\{a_n\}$에서

$$a_1 + a_2 + a_3 + a_4 = 20, \quad a_5 + a_6 + a_7 + a_8 = 68$$

일 때, 첫째항과 공차의 곱은?

① $\dfrac{3}{2}$      ② 2      ③ $\dfrac{5}{2}$

④ 3      ⑤ $\dfrac{7}{2}$

## 091

등차수열 $\{a_n\}$에 대하여 첫째항부터 제 $n$항까지의 합을 $S_n$이라 할 때, $S_{10} = 120$, $S_{20} = 440$이다. $S_{30}$을 구하시오.

## 092

첫째항이 50, 첫째항부터 제 10항까지의 합이 410인 등차수열의 제 11항부터 제 20항까지의 합을 구하시오.

## 유형 09 등차수열의 합의 최대·최소

첫째항이 $a$, 공차가 $d$인 등차수열 $\{a_n\}$의 첫째항부터 제 $n$항
까지의 합을 $S_n$이라 하면
(1) $d>0$일 때, $a_n<0$, $a_{n+1}>0$이면 $S_n$이 최소이다.
(2) $d<0$일 때, $a_n>0$, $a_{n+1}<0$이면 $S_n$이 최대이다.

### 093

첫째항이 100, 공차가 $-3$인 등차수열 $\{a_n\}$에 대하여 첫째항부터
제 $n$항까지의 합 $S_n$의 최댓값을 구하시오.

### 094 (중요)

제 4항이 $-12$, 제 9항이 38인 등차수열에 대하여 첫째항부터
제 몇 항까지의 합이 최소가 되는지 구하시오.

### 095

첫째항이 50, 공차가 정수인 등차수열에 대하여 첫째항부터
제 17항까지의 합이 최대가 될 때, 이 수열의 공차는?

① $-1$  ② $-2$  ③ $-3$
④ $-4$  ⑤ $-5$

## 유형 10 등차수열의 합과 일반항 사이의 관계

수열 $\{a_n\}$의 첫째항부터 제 $n$항까지의 합을 $S_n$이라 하면
$$a_1=S_1,\ a_n=S_n-S_{n-1}\ (\text{단},\ n\geq2)$$

### 096 (중요)

첫째항이 $a$, 공차가 $d$인 등차수열 $\{a_n\}$의 첫째항부터 제 $n$항까지
의 합 $S_n$이 $S_n=n^2+5n$일 때, $a+d$의 값을 구하시오.

### 097

수열 $\{a_n\}$의 첫째항부터 제 $n$항까지의 합 $S_n$이 $S_n=n^2-2n+3$
일 때, $a_1+a_{10}$의 값은?

① 18  ② 19  ③ 20
④ 21  ⑤ 22

### 098

수열 $\{a_n\}$의 첫째항부터 제 $n$항까지의 합 $S_n$이 $S_n=n^2+3n-1$
일 때, $a_k=202$를 만족시키는 $k$의 값은?

① 96  ② 98  ③ 100
④ 102  ⑤ 104

유형 문제

**099**

수열 $\{a_n\}$의 첫째항부터 제 $n$항까지의 합 $S_n$이 $S_n=n^2+n$일 때, $a_{11}+a_{12}+a_{13}+\cdots+a_{20}$의 값을 구하시오.

**100**

수열 $\{a_n\}$의 첫째항부터 제 $n$항까지의 합 $S_n$은 $S_n=2n^2+kn$이고, $a_{10}=22$일 때, $a_1$을 구하시오.

(단, $k$는 상수이다.)

**101**

수열 $\{a_n\}$에 대하여 첫째항부터 제 $n$항까지의 합 $S_n$이 $S_n=n^2+1$일 때, 〈보기〉에서 옳은 것만을 있는 대로 고른 것은?

┌── 보 기 ──────────────────────┐

ㄱ. $a_1=2$

ㄴ. $n\geq2$일 때, $a_n=2n-1$

ㄷ. 수열 $\{a_{2n}\}$은 공차가 4인 등차수열이다.

└────────────────────────────┘

① ㄱ      ② ㄴ      ③ ㄱ, ㄴ

④ ㄴ, ㄷ      ⑤ ㄱ, ㄴ, ㄷ

---

### 유형 **11** 등차수열의 합의 응용

(1) 표, 그림, 도형의 나열 등으로 주어진 수열
  ⇨ 처음 몇 개의 항을 나열하여 규칙성을 파악한다.
(2) 두 수 $a$, $b$ 사이에 $n$개의 수를 넣어 만든 등차수열의 합을 $S_{n+2}$라 하면
  ⇨ $S_{n+2}$는 첫째항이 $a$, 제$(n+2)$항이 $b$, 항의 개수가 $n+2$인 등차수열의 합이다.
  ⇨ $S_{n+2}=\dfrac{(n+2)(a+b)}{2}$

**102**

수직선 위의 두 점 $P(1)$, $Q(9)$에 대하여 선분 $PQ$를 20등분하는 점의 좌표를 순서대로 $x_1$, $x_2$, $x_3$, $\cdots$, $x_{19}$라 할 때, $x_1+x_2+x_3+\cdots+x_{19}$의 값은?

① 80      ② 85      ③ 90

④ 95      ⑤ 105

**103**

그림과 같이 평행사변형 모양의 기울어진 구조물이 평평한 지면 위에 놓여 있다. 이 구조물에 10개의 강철 밧줄 $\overline{A_1B_1}$, $\overline{A_2B_2}$, $\overline{A_3B_3}$, $\cdots$, $\overline{A_{10}B_{10}}$을 일정한 간격으로 서로 평행하도록 묶어 넘어지지 않게 하려고 한다. $\overline{A_1B_1}=60\,\text{m}$, $\overline{A_{10}B_{10}}=6\,\text{m}$라 할 때, 10개의 강철 밧줄의 길이의 합을 구하시오.

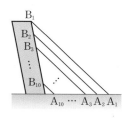

## 104

첫째항이 2, $a_{12} = -31$인 등차수열 $\{a_n\}$의 공차는?

① $-3$       ② $-2$       ③ $-1$

④ 1          ⑤ 2

## 105

등차수열 $\{a_n\}$의 제2항이 10, 제5항이 43일 때, $a_k = 978$을 만족시키는 자연수 $k$의 값을 구하시오.

## 106

등차수열 $\{a_n\}$에 대하여 $a_1 + a_2 = 12$, $a_3 + a_4 = 48$일 때, $a_4 - a_3$의 값은?

① 6          ② 7          ③ 8

④ 9          ⑤ 10

## 107

제6항이 1, 제10항이 9인 등차수열 $\{a_n\}$에 대하여 $a_k \geq 95$를 만족시키는 자연수 $k$의 최솟값을 구하시오.

## 108

세 수 7, $a$, 13이 이 순서대로 등차수열을 이루고, $a$, 6, $b$와 $a$, $b$, $c$도 각각 이 순서대로 등차수열을 이룰 때, $a + b + c$의 값은?

① 2          ② 4          ③ 6

④ 8          ⑤ 10

## 109

세 변의 길이가 등차수열을 이루는 어느 직각삼각형의 빗변의 길이가 5라고 한다. 이 직각삼각형의 넓이는?

① 5          ② 6          ③ 7

④ 8          ⑤ 9

## 110

첫째항이 3, 제 10항이 27인 등차수열의 첫째항부터 제 10항까지의 합을 구하시오.

## 111

수열 12, $a_1$, $a_2$, $a_3$, $\cdots$, $a_n$, $-42$가 등차수열을 이루고, $a_1+a_2+a_3+\cdots+a_n=-150$일 때, $n$의 값은?

① 10　　　　② 11　　　　③ 12

④ 13　　　　⑤ 14

## 112

등차수열 $\{a_n\}$에 대하여 $a_2=17$, $a_3 : a_5=7 : 4$일 때, 첫째항부터 제 $n$항까지의 합 $S_n$의 최댓값을 구하시오.

## 113

수열 $\{a_n\}$의 첫째항부터 제 $n$항까지의 합 $S_n$이 $S_n=-n^2+16n$일 때, 처음으로 음수가 되는 항은 제 몇 항인지 구하시오.

### 🏅 1등급 문제

## 114

첫째항이 19, 공차가 $-2$인 등차수열 $\{a_n\}$에 대하여 $|a_1|+|a_2|+|a_3|+\cdots+|a_{18}|$의 값을 구하시오.

## 115

등차수열 $\{a_n\}$에 대하여

$$a_1+a_2+\cdots+a_{10}=0, \quad a_{11}+a_{12}+\cdots+a_{100}=900$$

이 성립할 때, $a_{101}-a_{91}$의 값은?

① 1　　　　② 2　　　　③ 3

④ 4　　　　⑤ 5

# 11 등비수열

# 11 등비수열

## 1 등비수열

개념 플러스

(1) **등비수열** : 첫째항부터 차례로 일정한 수를 곱하여 얻어지는 수열

(2) **공비** : 등비수열에서 곱하는 일정한 수

(3) **등비수열의 일반항** : 첫째항이 $a$이고, 공비가 $r$인 등비수열의 일반항 $a_n$은

$$a_n = ar^{n-1}$$

(4) **등비중항** : 0이 아닌 세 수 $a$, $b$, $c$가 이 순서대로 등비수열을 이룰 때, $b$를 $a$와 $c$의 등비중항 이라고 한다. 이때, $\dfrac{b}{a} = \dfrac{c}{b}$이므로 다음이 성립한다.

$$b^2 = ac$$

- 등비수열을 이루는 세 수
  $\Rightarrow a, ar, ar^2$
- $r^0 = 1$ (단, $r \neq 0$)
- 특별한 언급이 없으면 수열의 각 항은 실수로 생각한다.

## 2 등비수열의 합

첫째항이 $a$, 공비가 $r$인 등비수열의 첫째항부터 제 $n$항까지의 합 $S_n$은

(1) $r \neq 1$일 때,

$$S_n = \frac{a(1-r^n)}{1-r} = \frac{a(r^n-1)}{r-1}$$

(2) $r = 1$일 때,

$$S_n = na$$

- $r > 1$이면 $S_n = \dfrac{a(r^n-1)}{r-1}$
  $r < 1$이면 $S_n = \dfrac{a(1-r^n)}{1-r}$
  을 이용하는 것이 편리하다.

- $S_n = ar^n + b$ ($a$, $b$는 상수)에 대하여
  (1) $a+b=0$이면 첫째항부터 등비수열
  (2) $a+b \neq 0$이면 둘째항부터 등비수열

## 3 등비수열의 활용

원리합계는 적립한 원금에 이자를 더한 금액을 의미한다.

(1) 원금을 $a$, 이율을 $r$, 기간을 $n$이라 할 때, 원리합계 $S$를 복리법으로 계산하면

$$S = a(1+r)^n$$

(2) 매년 초에 $a$원씩 연이율 $r$의 복리로 $n$년간 적립할 때, 원리합계 $S$는

$$S = a(1+r) + a(1+r)^2 + a(1+r)^3 + \cdots + a(1+r)^n$$
$$= \frac{a(1+r)\{(1+r)^n - 1\}}{r}$$

(3) 매년 말에 $a$원씩 연이율 $r$의 복리로 $n$년간 적립할 때, 원리합계 $S$는

$$S = a + a(1+r) + a(1+r)^2 + \cdots + a(1+r)^{n-1}$$
$$= \frac{a\{(1+r)^n - 1\}}{r}$$

- 일정한 비율로 증가 또는 감소하는 경우 $\Rightarrow$ 등비수열을 이룬다.
  (1) 일정한 비율 $r$씩 증가 (감소)
  $\Rightarrow a, ar, ar^2, ar^3, \cdots$
  (2) 일정한 비율 $p\%$씩 증가
  $\Rightarrow a, a\left(1+\dfrac{p}{100}\right), a\left(1+\dfrac{p}{100}\right)^2, \cdots$
  (3) 일정한 비율 $p\%$씩 감소
  $\Rightarrow a, a\left(1-\dfrac{p}{100}\right), a\left(1-\dfrac{p}{100}\right)^2, \cdots$

## 기본 문제

**1 등비수열**

[001-003] 다음 등비수열의 첫째항과 공비를 구하시오.

**001** $2, 4, 8, 16, 32, \cdots$

**002** $1, -\dfrac{1}{2}, \dfrac{1}{4}, -\dfrac{1}{8}, \dfrac{1}{16}, \cdots$

**003** $1, \sqrt{3}, 3, 3\sqrt{3}, 9, \cdots$

[004-007] 다음 등비수열 $\{a_n\}$의 첫째항과 공비를 구하시오.

**004** $\{3^n\}$

**005** $\left\{\left(\dfrac{1}{5}\right)^n\right\}$

**006** $\{3 \times (-4)^n\}$

**007** $\left\{\dfrac{1}{5} \times 2^n\right\}$

[008-011] 다음 등비수열의 첫째항부터 제 4항까지 순서대로 나열하시오.

**008** 첫째항 : 3, 공비 : 2

**009** 첫째항 : 5, 공비 : $-2$

**010** $\{2^{n+1}\}$

**011** $\{5 \times (-1)^n\}$

[012-014] 다음 등비수열의 일반항 $a_n$과 $a_5$를 구하시오.

**012** 첫째항 : 1, 공비 : 5

**013** 첫째항 : 4, 공비 : $-9$

**014** 첫째항 : 16, 공비 : $\dfrac{1}{2}$

[015-020] 다음 등비수열의 일반항 $a_n$을 구하시오.

**015**  6, 12, 24, 48, 96, ⋯

**016**  3, −6, 12, −24, 48, ⋯

**017**  $\dfrac{1}{3}$, −1, 3, −9, 27, ⋯

**018**  54, 18, 6, 2, $\dfrac{2}{3}$, ⋯

**019**  0.1, 0.01, 0.001, 0.0001, 0.00001, ⋯

**020**  1, $\sqrt{5}$, 5, $5\sqrt{5}$, 25, ⋯

[021-024] 다음 등비수열 $\{a_n\}$의 공비를 구하시오.

(단, 공비는 양수이다.)

**021**  $a_1=1$, $a_4=64$

**022**  $a_1=5$, $a_3=45$

**023**  $a_1=4$, $a_3=\dfrac{1}{4}$

**024**  $a_3=6$, $a_5=12$

[025-027] 다음 등비수열 $\{a_n\}$의 공비를 구하시오.

**025**  $a_1=5$, $a_4=-40$

**026**  $a_1=-2$, $a_5=-32$

**027**  $a_3=\dfrac{1}{9}$, $a_5=9$

[028-030] 다음 세 수가 주어진 순서대로 등비수열을 이룰 때, $x$의 값을 구하시오.

**028** $3, x, 12$

**029** $18, x, 50$

**030** $2, x, 4$

[031-032] 다음은 등비수열을 나타낸 것이다. 등비중항을 이용하여 ☐ 안에 알맞은 수를 써넣으시오.

**031** $4, \boxed{\phantom{x}}, 36, \boxed{\phantom{x}}, 324, \cdots$

**032** $3, \boxed{\phantom{x}}, \dfrac{1}{3}, \boxed{\phantom{x}}, \dfrac{1}{27}, \cdots$

## 2 등비수열의 합

[033-035] 다음을 만족시키는 등비수열의 합을 구하시오.

**033** 첫째항: $2$, 공비: $4$, 항의 개수: $5$

**034** 첫째항: $4$, 공비: $-3$, 항의 개수: $5$

**035** 첫째항: $1$, 공비: $\dfrac{1}{2}$, 항의 개수: $8$

[036-038] 다음 등비수열의 첫째항부터 제10항까지의 합을 구하시오.

**036** $2, 4, 8, 16, \cdots$

**037** $2, 8, 32, 128, \cdots$

**038** $2, 1, \dfrac{1}{2}, \dfrac{1}{4}, \cdots$

[039-041] 다음 합을 구하시오.

**039** $\dfrac{1}{16}+\dfrac{1}{8}+\dfrac{1}{4}+\cdots+4$

**040** $3-6+12-\cdots-384$

**041** $3+\dfrac{3}{2}+\dfrac{3}{4}+\cdots+\dfrac{3}{16}$

## 3 수열의 합 $S_n$과 일반항 $a_n$ 사이의 관계

[042-044] 수열 $\{a_n\}$의 첫째항부터 제 $n$항까지의 합 $S_n$에 대하여 다음을 구하시오.

**042** $S_9=32,\ S_{10}=50$일 때, $a_{10}$

**043** $S_{99}=512,\ S_{100}=1024$일 때, $a_{100}$

**044** $S_5=100,\ S_{10}=150$일 때, $a_6+a_7+a_8+a_9+a_{10}$의 값

[045-046] 수열 $\{a_n\}$의 첫째항부터 제 $n$항까지의 합 $S_n$이 다음과 같을 때, 제 5항을 구하시오.

**045** $S_n=2^n-1$

**046** $S_n=3^n-2$

[047-050] 등비수열 $\{a_n\}$의 첫째항부터 제 $n$항까지의 합 $S_n$이 다음과 같을 때, $a_1$과 일반항 $a_n$을 구하시오.

**047** $S_n=3^n-1$

**048** $S_n=2^{n+1}-2$

**049** $S_n=2^n+5$

**050** $S_n=2\times3^n-1$

## 유형 01 등비수열의 뜻

(1) 등비수열: 첫째항부터 차례로 일정한 수를 곱하여 얻어지는 수열
(2) 공비: 등비수열에서 곱하는 일정한 수

### 051

$a_n = 5 \times 2^{1-2n}$인 등비수열 $\{a_n\}$에서 첫째항과 공비를 순서대로 적은 것은?

① $\dfrac{5}{2}, \dfrac{1}{4}$　　　② $\dfrac{5}{2}, \dfrac{1}{2}$　　　③ $5, \dfrac{1}{2}$

④ $5, 2$　　　⑤ $5, 4$

### 052

네 수 $2, x, y, 11$이 이 순서대로 등비수열을 이룰 때, $xy$의 값을 구하시오.

### 053

등비수열 $\sqrt{2}, a, 2\sqrt{2}, 4, 4\sqrt{2}, b, \cdots$에 대하여 $a+b$의 값을 구하시오.

## 유형 02 등비수열의 일반항

첫째항이 $a$, 공비가 $r$인 등비수열의 일반항 $a_n$은
$$a_n = ar^{n-1}$$

### 054

등비수열 $4, 2, 1, \dfrac{1}{2}, \dfrac{1}{4}, \cdots$의 일반항은?

① $\left(\dfrac{1}{2}\right)^{n-3}$　　　② $\left(\dfrac{1}{2}\right)^{n-2}$　　　③ $\left(\dfrac{1}{2}\right)^{n-1}$

④ $\left(\dfrac{1}{2}\right)^{n+1}$　　　⑤ $\left(\dfrac{1}{2}\right)^{n+2}$

### 055

등비수열 $\{a_n\}$의 첫째항이 4, 공비가 2일 때, 1024는 제 몇 항인가?

① 제 8항　　　② 제 9항　　　③ 제 10항

④ 제 11항　　　⑤ 제 12항

### 056

제 4항이 24이고, 제 8항이 384인 등비수열 $\{a_n\}$의 제 10항은?
(단, 공비는 양수이다.)

① $2^{10}$　　　② $3 \times 2^9$　　　③ $3 \times 2^{10}$

④ $3^9$　　　⑤ $2 \times 3^{10}$

**057**

등비수열 $\{a_n\}$이

$$\log a_2 = \frac{1}{2}, \quad \log a_5 = 2$$

를 만족시킨다. $a_1 a_2 a_3 \cdots a_{10} = k$라 할 때, $\log k^2$의 값을 구하시오.

**058**

첫째항이 1, 공비가 $-\frac{1}{2}$인 등비수열 $\{a_n\}$에 대하여 수열 $\left\{\dfrac{1}{a_n}\right\}$ 의 제8항은?

① $-128$  ② $-\dfrac{1}{128}$  ③ $\dfrac{1}{64}$

④ 64  ⑤ 128

**중요**

**059**

첫째항이 1이고, 공비가 2인 등비수열 $\{a_n\}$에 대하여 처음으로 2000보다 커지는 항은 제 몇 항인가?

① 제11항  ② 제12항  ③ 제13항

④ 제14항  ⑤ 제15항

---

**유형 03 등비수열 만들기**

두 수 $a$, $b$ 사이에 $n$개의 수 $a_1$, $a_2$, $a_3$, $\cdots$, $a_n$을 넣어 $a$, $a_1$, $a_2$, $a_3$, $\cdots$, $a_n$, $b$ 가 등비수열을 이루는 경우

(1) 항의 개수: $(n+2)$

(2) $a$는 첫째항이고, $b$는 제$(n+2)$항이다.

(3) $b = ar^{n+1}$ (단, $r$는 공비)

**중요**

**060**

두 수 $-3$과 24 사이에 두 수 $a$, $b$를 넣어 $-3$, $a$, $b$, 24가 이 순서대로 등비수열을 이루도록 할 때, $a+b$의 값을 구하시오.

**061**

등비수열 3, $x_1$, $x_2$, $\cdots$, $x_8$, 24에 대하여 $x_3$의 값을 구하시오.

**062**

다섯 개의 수 16, $x$, $y$, $z$, 1이 이 순서대로 등비수열을 이루도록 $x$, $y$, $z$의 값을 정할 때, 다음 중 $x$, $y$, $z$ 중 어느 하나의 값이 될 수 있는 것은?

① $-8$  ② $-4$  ③ $-1$

④ 6  ⑤ 12

## 유형 ①4 항 사이의 관계가 주어진 등비수열

① 등비수열 $\{a_n\}$의 첫째항을 $a$, 공비를 $r$라 하고 주어진 조건을 이용하여 방정식을 세운다.

② $a$, $r$의 값을 구하여 일반항 $a_n = ar^{n-1}$을 구한다.

### 063

등비수열 $\{a_n\}$에 대하여 $a_1 a_3 a_8 = 343$일 때, $a_4$는?

① 3        ② 4        ③ 5

④ 6        ⑤ 7

### 064

등비수열 $\{a_n\}$에 대하여 $a_3 + a_5 = 60$, $a_9 = 4a_7$일 때, $a_{11}$을 구하시오.

### 065

첫째항과 제 2항의 합이 $-6$, 제 3항과 제 4항의 합이 $-24$인 등비수열 $\{a_n\}$의 일반항 $a_n$은? (단, 공비는 음수이다.)

① $a_n = 6 \times (-3)^{n-1}$      ② $a_n = 6 \times (-2)^{n-1}$

③ $a_n = 3 \times (-3)^{n-1}$      ④ $a_n = 3 \times (-2)^{n-1}$

⑤ $a_n = 2 \times (-3)^{n-1}$

### 066

모든 항이 양수인 등비수열 $\{a_n\}$에 대하여 $a_2 a_4 = 16$, $a_3 a_5 = 64$일 때, $a_7$을 구하시오.

### 067

첫째항이 32인 등비수열 $\{a_n\}$에 대하여 $a_4 : a_8 = 2 : 3$일 때, $a_{13}$을 구하시오.

### 068

등비수열을 이루는 세 실수의 합이 13이고, 곱이 27일 때, 세 수 중에서 가장 큰 수는?

① 1        ② 3        ③ 5

④ 7        ⑤ 9

유형 문제

## 유형 **05** 등비중항

(1) 0이 아닌 세 수 $a$, $b$, $c$가 이 순서대로 등비수열을 이룰 때, $b$를 $a$와 $c$의 등비중항이라 하고, 다음이 성립한다.
$\Rightarrow b^2=ac$

(2) 세 수가 등비수열을 이룰 때
$\Rightarrow a$, $ar$, $ar^2$으로 놓고 식을 세운다.

## 069
세 수 $a$, $\sqrt{3}$, $b$가 이 순서대로 등비수열을 이룰 때, $ab$의 값을 구하시오.

## 070
세 수 $x-2$, $x+1$, $2x+1$이 이 순서대로 등비수열을 이룰 때, 모든 $x$의 값의 합은?

① 2      ② 3      ③ 4
④ 5      ⑤ 6

## 071
세 수 $\sin\theta$, $\dfrac{\sqrt{2}}{2}$, $\cos\theta$가 이 순서대로 등비수열을 이룰 때, $\tan\theta+\dfrac{1}{\tan\theta}$의 값은?

① 1      ② 2      ③ 3
④ 4      ⑤ 5

## 072
표의 빈칸에 9개의 양의 실수를 써넣어 가로, 세로 방향으로 각각 등비수열을 이루도록 할 때, $a+b+c+d+e$의 값은?

| $a$ | $b$ | $\frac{1}{2}$ |
|-----|-----|---------------|
| 18 | $c$ | $d$ |
| $e$ | 4 | 8 |

① 169      ② 172
③ 175      ④ 178
⑤ 181

## 073
다항식 $f(x)=x^2+2x+a$를 $x+1$, $x-1$, $x-2$로 나누었을 때의 나머지가 이 순서대로 등비수열을 이룬다. $f(x)$를 $x+2$로 나누었을 때의 나머지를 구하시오.

## 074
어느 직육면체의 가로의 길이, 세로의 길이, 높이는 이 순서대로 등비수열을 이룬다고 한다. 이 직육면체의 모든 모서리의 길이의 합이 52이고, 부피가 27일 때, 겉넓이를 구하시오.

## 유형 06 등차중항과 등비중항

세 수 $a$, $b$, $c$가 이 순서대로

(1) 등차수열을 이룬다. ➪ $2b=a+c$

(2) 등비수열을 이룬다. ➪ $b^2=ac$

### 075

세 수 $1$, $x$, $4$가 이 순서대로 등차수열을 이루고, 세 수 $1$, $y$, $4$가 이 순서대로 등비수열을 이룰 때, $x+y$의 값은?

(단, $y$는 양수이다.)

① $3$       ② $\dfrac{7}{2}$       ③ $4$

④ $\dfrac{9}{2}$       ⑤ $5$

### 076

$10$은 두 수 $a$, $b$의 등차중항이고, $8$은 두 수 $a$, $b$의 등비중항일 때, $a-b$의 값을 구하시오. (단, $a>b$)

### 077

이차방정식 $x^2-6x+4=0$의 두 실근 $\alpha$, $\beta$에 대하여 세 수 $\alpha$, $p$, $\beta$는 이 순서대로 등차수열을 이루고, 세 수 $\alpha$, $q$, $\beta$는 이 순서대로 등비수열을 이룰 때, $p+q$의 값을 구하시오. (단, $q>0$)

## 유형 07 등비수열의 활용

(1) 도형의 길이, 넓이, 부피 등이 일정한 비율로 변할 때
➪ 처음 몇 개의 항을 나열하여 규칙성을 파악한다.

(2) 처음의 양을 $a$, 매시간 (또는 매년) 증가율을 $r$라 하면
➪ $n$시간 (또는 $n$년) 후의 양은 $a(1+r)^n$

### 078

어느 세균의 개체 수는 $1$시간마다 $r$배 증가한다. 이 세균 $100$마리를 관찰한 결과 $3$시간 후 $800$마리로 증가하였을 때, 실수 $r$의 값을 구하시오.

### 079

어느 세포 여러 개를 시험관에 넣고 $1$회 배양하면 그중 $20\%$에 해당하는 세포는 죽고, 나머지는 각각 $5$개의 세포로 분열한다고 한다. 처음 $10$개의 세포로 $10$회 배양했을 때, 남아 있는 세포의 개수는?

① $2^{19}$       ② $5\times2^{20}$       ③ $5\times2^{21}$

④ $4\times10^9$       ⑤ $4\times9^{10}$

### 080

어느 시험관에 들어 있는 박테리아 수는 매시간 일정한 비율로 증가하여 $50$시간 전에 비하여 현재 $2$배가 되었다. 이 시험관의 박테리아 수가 $50$시간 전의 개수보다 $3$배가 되는 시점이 앞으로 $t$시간 후라고 할 때, $t$의 값을 구하시오.

(단, $\log 2=0.30$, $\log 3=0.48$로 계산한다.)

## 유형 **18** 등비수열의 합

첫째항이 $a$, 공비가 $r$인 등비수열의 첫째항부터 제 $n$항까지의 합 $S_n$은

(1) $r \neq 1$일 때, $S_n = \dfrac{a(1-r^n)}{1-r} = \dfrac{a(r^n-1)}{r-1}$

(2) $r = 1$일 때, $S_n = na$

## 081

수열 $\{a_n\}$에 대하여 $a_1 = 6$, $a_{n+1} = 2a_n$일 때,
$a_1 + a_2 + a_3 + \cdots + a_6$의 값을 구하시오.

##  082

제 2항이 9, 제 5항이 243인 등비수열의 첫째항부터 제 5항까지의 합을 구하시오.

## 083

첫째항이 2, 공비가 $-3$, 제 $n$항이 $-486$인 등비수열 $\{a_n\}$에 대하여 첫째항부터 제 $n$항까지의 합은?

① $-364$      ② $-122$      ③ $-40$

④ $122$      ⑤ $364$

## 084

등비수열 2, $a_1$, $a_2$, $a_3$, $\cdots$, $a_n$, 512에 대하여
$a_1 + a_2 + a_3 + \cdots + a_n = 508$일 때, $n$의 값을 구하시오.

## 085

등비수열 1, $\dfrac{1}{2}$, $\dfrac{1}{4}$, $\dfrac{1}{8}$, $\cdots$에서 첫째항부터 제 몇 항까지의 합이 처음으로 1.9999보다 커지는가? (단, $\log 2 = 0.3$으로 계산한다.)

① 제 11항      ② 제 12항      ③ 제 13항

④ 제 14항      ⑤ 제 15항

## 086

두 수열 $\{a_n\}$, $\{b_n\}$은 첫째항이 각각 2, 3이고, 공비가 각각 5, $\dfrac{1}{5}$인 등비수열일 때, 수열 $\{a_n b_n\}$의 첫째항부터 제 8항까지의 합을 구하시오.

## 유형 09 부분의 합이 주어진 등비수열의 합

첫째항이 $a$, 공비가 $r$인 등비수열 $\{a_n\}$의 첫째항부터 제 $n$항까지의 합을 $S_n$이라 하면

$$S_n=\frac{a(r^n-1)}{r-1},\ S_{2n}=\frac{a(r^{2n}-1)}{r-1}=\frac{a(r^n-1)(r^n+1)}{r-1}$$

$$\Rightarrow S_{2n}\div S_n=r^n+1\ (\text{단},\ r\neq1)$$

### 087

공비가 양수인 등비수열 $\{a_n\}$에 대하여 첫째항과 제 2항의 합이 3, 첫째항부터 제 4항까지의 합이 15일 때, 첫째항부터 제 6항까지의 합을 구하시오.

### 088

공비가 양수인 등비수열 $\{a_n\}$에 대하여

$a_1+a_2+\cdots+a_8=2,\ a_9+a_{10}+\cdots+a_{16}=512$일 때, 공비는?

① $\dfrac{1}{3}$      ② $\dfrac{1}{2}$      ③ 2

④ 3      ⑤ 4

### 089

등비수열 $\{a_n\}$에 대하여

$a_1+a_2+a_3+a_4=5,\ a_5+a_6+a_7+a_8=10$일 때,

$a_1+a_2+a_3+\cdots+a_{24}$의 값을 구하시오.

## 유형 10 등비수열의 합과 일반항 사이의 관계

수열 $\{a_n\}$의 첫째항부터 제 $n$항까지의 합을 $S_n$이라 하면

$$a_1=S_1,\ a_n=S_n-S_{n-1}\ (\text{단},\ n\geq2)$$

### 090

수열 $\{a_n\}$의 첫째항부터 제 $n$항까지의 합 $S_n$이 $S_n=3^n+2$일 때, $a_{10}$은?

① $2^{10}$      ② $3\times2^9$      ③ $3^9$

④ $2\times3^9$      ⑤ $2\times3^{10}$

### 091

첫째항부터 제 $n$항까지의 합 $S_n$이 $S_n=3^n-1$인 수열 $\{a_n\}$에 대하여 〈보기〉에서 옳은 것만을 있는 대로 고른 것은?

┤ 보기 ├

ㄱ. $a_1=S_1=2$

ㄴ. $a_n=2\times3^{n-1}$

ㄷ. $a_1+a_3+a_5=\dfrac{1}{4}(3^6-1)$

① ㄱ      ② ㄱ, ㄴ      ③ ㄱ, ㄷ

④ ㄴ, ㄷ      ⑤ ㄱ, ㄴ, ㄷ

### 092

수열 $\{a_n\}$의 첫째항부터 제 $n$항까지의 합 $S_n$에 대하여

$\log(S_n+1)=2n$을 만족시키는 수열 $\{a_n\}$의 일반항이

$a_n=p\times q^{n-1}$일 때, $p+q$의 값을 구하시오. (단, $p$, $q$는 실수이다.)

## 유형 **11** 등비수열의 합의 활용

처음의 양을 $a$, 매회 (또는 매년) 증가율을 $r$라 하면

$$a+ar+ar^2+\cdots+ar^{n-1}=k \Rightarrow \frac{a(1-r^n)}{1-r}=k$$

### 093

그림과 같이 한 원의 내부에 서로 같은 4개의 원을 그려 넣는 과정을 10회 실시한 후 나타나는 도형에 그려져 있는 원의 개수를 $n$이라 할 때, $3n$의 값은?

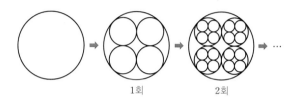

1회        2회

① $4^{10}-1$      ② $4^{10}$      ③ $4^{10}+1$

④ $4^{11}-1$      ⑤ $4^{11}$

### 094

유빈이는 오늘부터 영어 회화 공부를 하기로 하였는데, 항상 다음 날은 전날의 두 배의 시간 동안 공부하기로 했다. 5일간 공부한 전체 시간이 186분이 되도록 할 때, 유빈이가 마지막 날 공부해야 할 시간을 구하시오.

## 유형 **12** 원리합계

(1) 원리합계: 원금에 이자를 더한 금액

(2) 원금을 $a$, 이율을 $r$, 기간을 $n$이라 할 때, 원리합계 $S$를 복리법으로 계산하면

$$S=a(1+r)^n$$

(3) 매년 초에 $a$원씩, 연이율 $r$의 복리로 $n$년간 적립할 때 원리합계 $S$는

$$S=\frac{a(1+r)\{(1+r)^n-1\}}{r}$$

(4) 매년 말에 $a$원씩, 연이율 $r$의 복리로 $n$년간 적립할 때 원리합계 $S$는

$$S=\frac{a\{(1+r)^n-1\}}{r}$$

### 095

월 초에 50만 원을 월이율 1.5 %, 1개월마다 복리로 예금하였을 때, 1년 후의 원리합계를 구하시오. (단, $1.015^{12}=1.2$로 계산한다.)

### 096

매년 초에 3만 원씩 적립할 때, 10년 후의 원리합계를 구하시오. (단, 연이율 6 %, 1년마다 복리로 하고, $1.06^{10}=1.8$로 계산한다.)

### 097

매년 초에 일정한 금액을 적립하여 15년 후의 원리합계가 520만 원이 되도록 연이율 4 %의 복리로 적립한다면 매년 초에 얼마씩 적립해야 하는가? (단, $1.04^{15}=1.8$로 계산한다.)

① 220000원      ② 230000원      ③ 240000원

④ 250000원      ⑤ 260000원

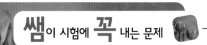

## 098
공비가 $\frac{1}{2}$이고, 제 5항이 9인 등비수열 $\{a_n\}$의 첫째항은?

① 64       ② 81       ③ 100

④ 121      ⑤ 144

## 099
첫째항이 $\frac{1}{2}$, 공비가 $\frac{1}{4}$인 등비수열 $\{a_n\}$에 대하여
$$\log_8 a_1 + \log_8 a_2 + \log_8 a_3 + \cdots + \log_8 a_{10}$$
의 값을 $k$라 할 때, $\log 90k^2$의 값을 구하시오.

## 100
모든 항이 양수인 등비수열 $\{a_n\}$에 대하여
$a_3 + a_5 = 24$, $a_2 a_4 = 64$일 때, $a_9$를 구하시오.

## 101
제4항이 12이고, 제 9항이 384인 등비수열 $\{a_n\}$은 제 몇 항부터 3000보다 커지는가?

① 제11항      ② 제12항      ③ 제13항

④ 제14항      ⑤ 제15항

## 102
4는 두 수 $a$, $b$의 등비중항이고, 두 수 $a$, $b$의 합이 9일 때, $a^2 + b^2$의 값을 구하시오.

## 103
두 정수 $a$, $b$에 대하여 세 수 3, $a$, $b$가 이 순서대로 등차수열을 이루고, 세 수 $a$, $\sqrt{5}$, $b$가 이 순서대로 등비수열을 이룬다고 할 때, $a^2 + b^2$의 값을 구하시오.

## 104

등비수열 $\{a_n\}$에 대하여 $a_1+a_4=18$, $a_4+a_7=144$가 성립할 때, 첫째항부터 제 7항까지의 합 $S_7$을 구하시오.

## 105

등비수열 4, 8, 16, …에서 첫째항부터 제 몇 항까지의 합이 처음으로 800보다 커지는가?

① 제 6항     ② 제 7항     ③ 제 8항
④ 제 9항     ⑤ 제 10항

## 106

등비수열 $\{a_n\}$에 대하여 $a_1+a_2+a_3=1$, $a_4+a_5+a_6=8$일 때, $a_7+a_8+a_9$의 값을 구하시오.

## 107

수열 $\{a_n\}$의 첫째항부터 제 $n$항까지의 합 $S_n$이 $S_n=4^n-2$일 때, $a_1+a_5$의 값은?

① 768     ② 769     ③ 770
④ 771     ⑤ 772

### 🏅 1등급 문제

## 108

두 곡선 $y=x^3-4x^2+14x$와 $y=3x^2+k$가 서로 다른 세 점에서 만나고 그 교점의 $x$좌표가 등비수열을 이룰 때, 상수 $k$의 값은?

① 1     ② 2     ③ 4
④ 8     ⑤ 16

## 109

예원이는 매월 말에 100만 원을 월이율 1%, 복리로 저축하여 5억 원짜리 집을 사려고 한다. 몇 개월 후에 집을 살 수 있는지 구하시오. (단, $\log 2=0.3$, $\log 3=0.48$, $\log 1.01=0.0043$으로 계산한다.)

# 12 수열의 합

# 12 수열의 합

## 1 합의 기호 $\sum$의 뜻

수열 $\{a_n\}$의 첫째항부터 제 $n$항까지의 합

$$a_1+a_2+a_3+\cdots+a_n$$

을 합의 기호 $\sum$를 사용하여 다음과 같이 간단히

$\displaystyle\sum_{k=1}^{n}a_k$로 나타낸다. 즉,

$$a_1+a_2+a_3+\cdots+a_n=\sum_{k=1}^{n}a_k$$

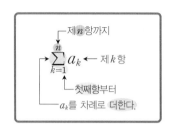

## 2 $\sum$의 기본 성질

(1) $\displaystyle\sum_{k=1}^{n}(a_k+b_k)=\sum_{k=1}^{n}a_k+\sum_{k=1}^{n}b_k$

(2) $\displaystyle\sum_{k=1}^{n}(a_k-b_k)=\sum_{k=1}^{n}a_k-\sum_{k=1}^{n}b_k$

(3) $\displaystyle\sum_{k=1}^{n}ca_k=c\sum_{k=1}^{n}a_k$ (단, $c$는 상수)

(4) $\displaystyle\sum_{k=1}^{n}c=cn$ (단, $c$는 상수)

참고 $\displaystyle\sum_{k=1}^{n}(pa_k+qb_k)=p\sum_{k=1}^{n}a_k+q\sum_{k=1}^{n}b_k$ (단, $p$, $q$는 상수)

## 3 여러 가지 수열의 합

(1) 자연수의 거듭제곱의 합

① $\displaystyle\sum_{k=1}^{n}k=1+2+3+\cdots+n=\frac{n(n+1)}{2}$

② $\displaystyle\sum_{k=1}^{n}k^2=1^2+2^2+3^2+\cdots+n^2=\frac{n(n+1)(2n+1)}{6}$

③ $\displaystyle\sum_{k=1}^{n}k^3=1^3+2^3+3^3+\cdots+n^3=\left\{\frac{n(n+1)}{2}\right\}^2=\left\{\sum_{k=1}^{n}k\right\}^2$

(2) 일반항이 분수식인 수열의 합

① $\displaystyle\sum_{k=1}^{n}\frac{1}{k(k+a)}=\frac{1}{a}\sum_{k=1}^{n}\left(\frac{1}{k}-\frac{1}{k+a}\right)$

② $\displaystyle\sum_{k=1}^{n}\frac{1}{(k+a)(k+b)}=\frac{1}{b-a}\sum_{k=1}^{n}\left(\frac{1}{k+a}-\frac{1}{k+b}\right)$

## 4 군수열 [교육과정 응용]

(1) 수열의 항을 차례로 몇 개씩 묶어 군으로 나눈 수열을 군수열이라고 한다.

(2) 군수열에 대한 문제를 해결할 때에는

　① 수열의 각 항이 갖는 규칙을 파악하여 같은 규칙을 가진 항끼리 군으로 나눈다.

　② 각 군의 항의 개수를 파악한다.

　③ 각 군의 첫째항의 규칙을 파악한다.

## 기본 문제

**1** ∑의 뜻

[001-007] 다음을 합의 기호 ∑를 사용하여 나타내시오.

**001** $a_1 + a_2 + a_3 + \cdots + a_{15}$

**002** $1 + 3 + 5 + \cdots + (2n-1)$

**003** $1 + \dfrac{1}{2} + \dfrac{1}{3} + \cdots + \dfrac{1}{n}$

**004** $1 \times 2 + 2 \times 3 + 3 \times 4 + \cdots + n(n+1)$

**005** $1^2 + 2^2 + 3^2 + \cdots + 10^2$

**006** $3 + 3^2 + 3^3 + \cdots + 3^7$

**007** $\dfrac{1}{1 \times 2} + \dfrac{1}{2 \times 3} + \dfrac{1}{3 \times 4} + \cdots + \dfrac{1}{99 \times 100}$

[008-010] 다음 ☐ 안에 알맞은 것을 써넣으시오.

**008** $\displaystyle\sum_{k=1}^{50} a_k = \sum_{i=\square}^{50} a_i = \sum_{j=1}^{\square} \square$

**009** $\displaystyle\sum_{k=1}^{5}(2k+3) = \sum_{i=1}^{5}(\boxed{\phantom{xxx}}) = \sum_{j=\square}^{\square}(2j+3)$

**010** $\displaystyle\sum_{k=1}^{5} a_k + \sum_{k=6}^{10} a_k = \sum_{k=\square}^{\square} a_k$

[011-014] 다음을 덧셈 기호 +를 사용하여 합의 꼴로 나타내시오.

**011** $\displaystyle\sum_{k=1}^{5} 2k$

**012** $\displaystyle\sum_{k=1}^{5} 5$

**013** $\displaystyle\sum_{i=1}^{5} (-1)^i$

**014** $\displaystyle\sum_{i=1}^{20} 5^i$

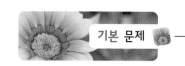 

## 2 ∑의 기본 성질

**[015-018]** 다음 ☐ 안에 알맞은 것을 써넣으시오.

**015** $\displaystyle\sum_{k=1}^{5} k^2 + \sum_{k=1}^{5} 2k = \sum_{k=1}^{5} ($ ☐ $)$

**016** $\displaystyle\sum_{k=1}^{20} (k^2-4k+4) = \sum_{k=1}^{☐} k^2 - \sum_{k=1}^{☐} ☐ + \sum_{k=1}^{20} ☐$

**017** $\displaystyle\sum_{k=1}^{8} 3k^2 = 3\sum_{k=1}^{8} ☐$

**018** $\displaystyle\sum_{k=1}^{6} 7 =$ ☐

**[019-021]** $\displaystyle\sum_{k=1}^{10} a_k = 5$, $\displaystyle\sum_{k=1}^{10} b_k = -3$일 때, 다음 식의 값을 구하시오.

**019** $\displaystyle\sum_{k=1}^{10} (a_k + b_k)$

**020** $\displaystyle\sum_{k=1}^{10} (3a_k - b_k)$

**021** $\displaystyle\sum_{k=1}^{10} (a_k + 2b_k - 1)$

**[022-024]** $\displaystyle\sum_{k=1}^{7} a_k^2 = 6$, $\displaystyle\sum_{k=1}^{7} a_k = 3$일 때, 다음 식의 값을 구하시오.

**022** $\displaystyle\sum_{k=1}^{7} (a_k+1)^2$

**023** $\displaystyle\sum_{k=1}^{7} a_k(a_k-1)$

**024** $\displaystyle\sum_{k=1}^{7} (a_k+1)(a_k-1)$

## 3 자연수의 거듭제곱의 합

**[025-027]** 다음을 자연수의 거듭제곱의 합의 공식을 이용하여 구하시오.

**025** $1+2+3+\cdots+20$

**026** $1^2+2^2+3^2+\cdots+10^2$

**027** $1^3+2^3+3^3+\cdots+10^3$

[028-034] 다음 합을 구하시오.

**028** $\displaystyle\sum_{k=1}^{20} 5$

**029** $\displaystyle\sum_{k=1}^{15} 2k$

**030** $\displaystyle\sum_{k=1}^{12} (k+5)$

**031** $\displaystyle\sum_{k=1}^{9} (3k-10)$

**032** $\displaystyle\sum_{k=1}^{10} (k^2+3)$

**033** $\displaystyle\sum_{k=1}^{6} (k+1)(k+2)$

**034** $\displaystyle\sum_{k=1}^{10} (k^3+1)$

[035-036] 수열 $\{a_n\}$의 일반항이 다음과 같을 때, 첫째항부터 제$n$항까지의 합을 합의 기호 $\sum$를 사용하여 나타내시오.

**035** $a_n=2n-1$

**036** $a_n=3-5n$

[037-040] 다음을 합의 기호 $\sum$를 이용하여 구하시오.

**037** $3+7+11+15+\cdots+39$

**038** $-4-1+2+5+\cdots+14$

**039** $20+18+16+14+\cdots+6$

**040** $-2-7-12-17-\cdots-47$

**4** ∑로 표현된 수열의 합과 일반항 사이의 관계

[041-043] 수열 $\{a_n\}$의 첫째항부터 제 $n$항까지의 합이 다음과 같을 때, $a_n$을 구하시오.

**041** $\displaystyle\sum_{k=1}^{n} a_k = n^2 + 2n$

**042** $\displaystyle\sum_{k=1}^{n} a_k = n^2 + 2n + 1$

**043** $\displaystyle\sum_{k=1}^{n} a_k = 2n^2 - n + 3$

**5** 여러 가지 수열의 합

[044-048] 다음 합을 구하시오.

**044** $\displaystyle\sum_{k=1}^{20} \left( \frac{1}{k} - \frac{1}{k+1} \right)$

**045** $\displaystyle\sum_{k=1}^{5} \left( \frac{1}{2k-1} - \frac{1}{2k+1} \right)$

**046** $\displaystyle\sum_{k=1}^{6} \left( \frac{1}{k} - \frac{1}{k+2} \right)$

**047** $\displaystyle\sum_{k=1}^{8} \left( \sqrt{k} - \sqrt{k+1} \right)$

**048** $\displaystyle\sum_{k=1}^{12} \left( \sqrt{2k-1} - \sqrt{2k+1} \right)$

[049-050] 다음 공식을 이용하여 □ 안에 알맞은 것을 써넣으시오.

$$\frac{1}{AB} = \frac{1}{B-A} \left( \frac{1}{A} - \frac{1}{B} \right)$$

**049** $\displaystyle \frac{1}{x(x+1)} = \frac{1}{x} - \frac{1}{\boxed{\phantom{xx}}}$

**050** $\displaystyle \frac{1}{x(x+3)} = \frac{1}{\boxed{\phantom{x}}} \left( \frac{1}{x} - \frac{1}{\boxed{\phantom{xx}}} \right)$

[051-052] 다음 합을 구하시오.

**051** $\displaystyle\sum_{k=1}^{4} \frac{1}{k(k+1)}$

**052** $\displaystyle\sum_{k=1}^{5} \frac{2}{k(k+2)}$

## 유형 01 합의 기호 $\sum$의 뜻

수열 $\{a_n\}$의 첫째항부터 제$n$항까지의 합을 합의 기호 $\sum$와 일반항 $a_k$를 써서 나타낼 수 있다. 즉,

$$a_1+a_2+a_3+\cdots+a_{n-1}+a_n=\sum_{k=1}^{n} a_k$$

### 053

$3+5+7+\cdots+21=\sum_{k=1}^{a} (bk+c)$로 나타낼 때, 세 상수 $a, b, c$에 대하여 $a+b+c$의 값을 구하시오.

### 054

$\sum_{k=1}^{8} a_k - \sum_{k=1}^{7} a_k=5$일 때, $a_8$을 구하시오.

### 055

$\sum_{k=2}^{10} a_k=2$, $\sum_{k=1}^{9} a_k=3$일 때, $a_{10}-a_1$의 값은?

① $-5$
② $-1$
③ $0$
④ $1$
⑤ $5$

### 056

수열 $\{a_n\}$에 대하여 $a_1=2$, $a_{10}=45$일 때, $\sum_{k=1}^{9} a_{k+1}-\sum_{k=2}^{10} a_{k-1}$의 값은?

① $41$
② $43$
③ $45$
④ $47$
⑤ $49$

### 057

공차가 3인 등차수열 $\{a_n\}$에 대하여 $\sum_{k=5}^{8} a_k-\sum_{k=1}^{4} a_k$의 값은?

① $42$
② $44$
③ $46$
④ $48$
⑤ $50$

### 058

$f(n)=(3^n$의 일의 자리의 수)라 할 때, $\sum_{k=1}^{50} f(k)$의 값은?

① $240$
② $243$
③ $247$
④ $252$
⑤ $259$

## 유형 **02** ∑의 기본 성질

(1) $\sum\limits_{k=1}^{n} (a_k+b_k)=\sum\limits_{k=1}^{n} a_k+\sum\limits_{k=1}^{n} b_k$

(2) $\sum\limits_{k=1}^{n} (a_k-b_k)=\sum\limits_{k=1}^{n} a_k-\sum\limits_{k=1}^{n} b_k$

(3) $\sum\limits_{k=1}^{n} ca_k=c\sum\limits_{k=1}^{n} a_k$ (단, $c$는 상수)

(4) $\sum\limits_{k=1}^{n} c=cn$ (단, $c$는 상수)

### 059

$\sum\limits_{k=1}^{10} a_k=30$, $\sum\limits_{k=1}^{10} b_k=12$일 때, $\sum\limits_{k=1}^{10} (a_k-2b_k)$의 값을 구하시오.

### 060

$\sum\limits_{k=1}^{n} (a_k+b_k)^2=25$, $\sum\limits_{k=1}^{n} a_k b_k=5$일 때, $\sum\limits_{k=1}^{n} (a_k^2+b_k^2)$의 값은?

① 5      ② 10      ③ 15

④ 20      ⑤ 25

### 061

수열 $\{a_n\}$에 대하여

$$\sum\limits_{k=1}^{100} (a_k+1)^2=500, \quad \sum\limits_{k=1}^{100} (a_k+2)^2=1000$$

일 때, $\sum\limits_{k=1}^{100} a_k$의 값은?

① 40      ② 60      ③ 80

④ 100      ⑤ 120

## 유형 **03** 자연수의 거듭제곱의 합

(1) $\sum\limits_{k=1}^{n} k=\dfrac{n(n+1)}{2}$

(2) $\sum\limits_{k=1}^{n} k^2=\dfrac{n(n+1)(2n+1)}{6}$

(3) $\sum\limits_{k=1}^{n} k^3=\left\{\dfrac{n(n+1)}{2}\right\}^2$

### 062

$\sum\limits_{k=1}^{10} (3k-4)$의 값은?

① 120      ② 125      ③ 130

④ 135      ⑤ 140

### 063

$\sum\limits_{k=1}^{10} (k+3)(k-3)$의 값을 구하시오.

### 064

$\sum\limits_{k=1}^{10} (k^2-2k+3)+\sum\limits_{i=1}^{10} (i^2+i-3)$의 값은?

① 700      ② 705      ③ 710

④ 715      ⑤ 720

## 065

$\sum\limits_{k=1}^{10}(k^3+3k)$의 값은?

① 2560     ② 2730     ③ 2890

④ 3020     ⑤ 3190

## 066

$\sum\limits_{k=1}^{n}(4k^2+2k)=406$을 만족시키는 자연수 $n$의 값을 구하시오.

## 067

$\sum\limits_{k=1}^{20}\dfrac{1+2+3+\cdots+k}{k}$의 값은?

① 105     ② 110     ③ 115

④ 120     ⑤ 125

## 068

다음과 같이 정의된 수열 $\{a_n\}$에 대하여 $\sum\limits_{n=1}^{20}\log a_n$의 값은?

$$\begin{cases} a_{2k-1}=5^k \\ a_{2k}=2^k \end{cases}$$

① 49     ② 52     ③ 55

④ 58     ⑤ 61

## 069

$\sum\limits_{k=1}^{7}(k-a)^2$의 값이 최소가 되도록 하는 상수 $a$의 값은?

① 3     ② 4     ③ 5

④ 6     ⑤ 7

## 070

자연수 $n$에 대하여 $x$에 대한 이차방정식 $x^2-(n+1)x-(n+2)=0$의 두 근을 $\alpha_n$, $\beta_n$이라 할 때, $\sum\limits_{n=1}^{10}(\alpha_n^2+\beta_n^2)$의 값을 구하시오.

## 유형 04 Σ의 계산

Σ의 기본 성질을 이용하여 식을 정리한 후, 자연수의 거듭제곱의 합의 공식을 이용한다.

참고 $f(k) = (k$에 대한 다항식)이라 하면

① $\sum_{k=0}^{n} f(k) = f(0) + \{f(1) + f(2) + \cdots + f(n)\}$

② $\sum_{k=0}^{n-1} f(k) = \sum_{k=1}^{n} f(k) + \{f(0) - f(n)\}$

③ $\sum_{k=n+1}^{2n} f(k) = \sum_{k=1}^{2n} f(k) - \sum_{k=1}^{n} f(k)$

### 071

$\sum_{k=0}^{9} (2k+1)^2 + \sum_{k=1}^{10} (2k)^2$의 값은?

① 2850   ② 2860   ③ 2870

④ 2880   ⑤ 2890

### 072

$\sum_{k=1}^{n} (k^2+1) = \sum_{k=0}^{n-1} (k^2-1) + 195$를 만족시키는 자연수 $n$의 값을 구하시오.

### 073
중요

$\sum_{k=1}^{10} 2k + \sum_{k=2}^{10} 2k + \sum_{k=3}^{10} 2k + \cdots + \sum_{k=10}^{10} 2k$의 값은?

① 770   ② 810   ③ 880

④ 930   ⑤ 990

## 유형 05 Σ를 이용하는 수열의 합

등차수열이나 등비수열이 아닌 수열의 합을 구할 때에는 다음과 같은 방법으로 구한다.

① 주어진 수열의 제 $k$항인 $a_k$를 구한다.

② 수열의 합을 Σ를 써서 나타낸 후, Σ의 기본 성질을 이용하여 계산한다.

### 074
중요

수열 $1+1^2$, $2+2^2$, $3+3^2$, $\cdots$의 첫째항부터 제10항까지의 합은?

① 420   ② 425   ③ 430

④ 435   ⑤ 440

### 075

$1\times10+2\times9+3\times8+\cdots+9\times2+10\times1$의 값은?

① 210   ② 220   ③ 230

④ 240   ⑤ 250

### 076

$1+(1+2)+(1+2+3)+\cdots+(1+2+3+\cdots+10)$의 값은?

① 190   ② 200   ③ 210

④ 220   ⑤ 230

## 유형 06 ∑로 표현된 수열의 합과 일반항 사이의 관계

수열 $\{a_n\}$에 대하여 $S_n = \sum\limits_{k=1}^{n} a_k$가 주어질 때,

$$a_1 = S_1,\ a_n = S_n - S_{n-1}\ (\text{단},\ n \geq 2)$$

### 077

수열 $\{a_n\}$에 대하여 $\sum\limits_{k=1}^{n} a_k = n^2 - 2n$일 때, $a_{35}$를 구하시오.

### 078

수열 $\{a_n\}$에 대하여 $\sum\limits_{k=1}^{n} a_k = n^2$일 때, $\sum\limits_{k=1}^{10} a_k{}^2$의 값은?

① 1290     ② 1310     ③ 1330

④ 1350     ⑤ 1370

### 079

수열 $\{a_n\}$에 대하여 $\sum\limits_{k=1}^{n} a_k = n^2 - n$일 때, $\sum\limits_{k=1}^{10} a_{2k}$의 값은?

① 120     ② 140     ③ 160

④ 180     ⑤ 200

## 유형 07 ∑가 여러 개 있는 식의 계산

∑가 중복되어 있을 때에는 상수인 것과 상수가 아닌 것을 구별한 후, 괄호 안부터 순서대로 ∑의 기본 성질을 이용하여 계산한다.

### 080

$\sum\limits_{i=1}^{6} \left( \sum\limits_{k=1}^{i} 2k \right)$의 값을 구하시오.

### 081

$\sum\limits_{i=1}^{5} \left( \sum\limits_{j=1}^{10} 2ij \right)$의 값을 구하시오.

### 082

$\sum\limits_{i=1}^{n} \left( \sum\limits_{k=1}^{i} k \right) = 35$일 때, $n$의 값은?

① 4     ② 5     ③ 6

④ 7     ⑤ 8

유형 **08** 일반항이 지수로 표현된 수열의 합

$\displaystyle\sum_{k=1}^{n} a_k$에서 $a_k$가 지수에 $k$가 포함된 등비수열일 때, 첫째항 $a$, 공비 $r$를 구하여 등비수열의 합을 구하는 공식을 이용한다.

$$S_n = \frac{a(r^n-1)}{r-1} = \frac{a(1-r^n)}{1-r}$$

**083**

$\displaystyle\sum_{k=1}^{5} (2^k + k)$의 값을 구하시오.

**084**

$\displaystyle\sum_{k=1}^{5} \left(\frac{1}{5}k^2 - 3^{k+1}\right)$의 값은?

① $-1080$      ② $-1078$      ③ $-1074$

④ $-1072$      ⑤ $-1064$

**085**

$\displaystyle\sum_{k=1}^{50} \frac{6^k + 2^k}{3^k} = p \times 2^{50} + q \times \left(\frac{2}{3}\right)^{50}$을 만족시키는 두 정수 $p$, $q$에 대하여 $p-q$의 값은?

① $-4$      ② $-2$      ③ $0$

④ $2$      ⑤ $4$

---

유형 **09** 일반항이 분수식인 수열의 합

일반항이 분수식인 수열의 합은 부분분수로 분리한 후, 항을 연쇄적으로 소거하여 구한다.

$$\frac{1}{AB} = \frac{1}{B-A}\left(\frac{1}{A} - \frac{1}{B}\right)$$

**086**

$\displaystyle\sum_{k=2}^{n} \frac{1}{k(k-1)}$의 값은?

① $\dfrac{n}{n-1}$      ② $\dfrac{n-1}{n}$      ③ $\dfrac{n+1}{n}$

④ $\dfrac{n}{n+1}$      ⑤ $\dfrac{n+1}{n+2}$

**087**

$f(n) = \log\left(1 - \dfrac{1}{n^2}\right)$이라 할 때,

$\displaystyle\sum_{k=2}^{15} f(k) = t$를 만족시키는 $t$에 대하여 $10^t$의 값은?

① $\dfrac{1}{3}$      ② $\dfrac{2}{5}$      ③ $\dfrac{7}{15}$

④ $\dfrac{8}{15}$      ⑤ $\dfrac{3}{5}$

**088**

부등식 $1 - \displaystyle\sum_{k=1}^{n} \frac{1}{k(k+1)} \leq \frac{1}{200}$을 만족시키는 자연수 $n$의 최솟값을 구하시오.

**089**

수열 $1$, $\dfrac{1}{1+2}$, $\dfrac{1}{1+2+3}$, $\cdots$, $\dfrac{1}{1+2+3+\cdots+n}$, $\cdots$

의 첫째항부터 제 20항까지의 합은?

① $\dfrac{39}{19}$      ② $\dfrac{40}{21}$      ③ $\dfrac{41}{23}$

④ $\dfrac{42}{25}$      ⑤ $\dfrac{43}{27}$

**090**

수열 $\{a_n\}$에 대하여 일반항 $a_n$이 $a_n=\dfrac{4}{n(n+2)}$ 이고

$\sum\limits_{k=1}^{10} a_k=\dfrac{b}{a}$라 할 때, $a+b$의 값을 구하시오.

(단, $a$, $b$는 서로소인 자연수이다.)

**091**

자연수 전체의 집합을 정의역으로 하는 두 함수

$$f(n)=(n-1)(n+1),\ g(n)=2n+1$$

에 대하여 $h(n)=(f \circ g)(n)$일 때, $\sum\limits_{n=1}^{10} \dfrac{1}{h(n)}$의 값을 구하시오.

**유형 10 근호가 있는 수열의 합**

(1) $k=1, 2, 3, \cdots, n$을 순서대로 대입하여 항을 연쇄적으로 소거한 후, 주어진 식을 간단히 한다.

(2) 분모에 근호가 있을 경우, 분모를 유리화한다.

**092**

$\sum\limits_{k=1}^{8} (\sqrt{k+1}-\sqrt{k})$의 값을 구하시오.

**093**

$\sum\limits_{k=1}^{13} \dfrac{1}{\sqrt{k+3}+\sqrt{k+2}}$의 값은?

① $\sqrt{2}$      ② $\sqrt{3}$      ③ $4-\sqrt{3}$

④ $4$      ⑤ $4+\sqrt{3}$

**094**

$\sum\limits_{k=1}^{n} \log_3 \dfrac{\sqrt{k+1}}{\sqrt{k}}=2$를 만족시키는 자연수 $n$의 값을 구하시오.

## 유형 11 군수열 [교육과정 응용]

수열의 각 항이 갖는 규칙성을 파악하여 군으로 나누고 문제를 해결한다.

참고  분수가 나열되는 경우

① 분모 또는 분자가 같은 것끼리 군으로 묶는다.

② (분자)＋(분모)의 값이 같은 것끼리 군으로 묶는다.

## 095

수열 $\dfrac{1}{1}, \dfrac{1}{2}, \dfrac{2}{1}, \dfrac{1}{3}, \dfrac{2}{2}, \dfrac{3}{1}, \dfrac{1}{4}, \dfrac{2}{3}, \dfrac{3}{2}, \dfrac{4}{1}, \cdots$에서 제50항은?

① $\dfrac{2}{9}$　　　② $\dfrac{5}{13}$　　　③ $\dfrac{5}{6}$

④ $\dfrac{13}{5}$　　　⑤ $\dfrac{9}{2}$

## 096

다음과 같은 수열 $\{a_n\}$에서 $a_k=\dfrac{5}{128}$를 만족시키는 $k$의 값을 구하시오.

$$\dfrac{1}{2}, \dfrac{1}{4}, \dfrac{3}{4}, \dfrac{1}{8}, \dfrac{3}{8}, \dfrac{5}{8}, \dfrac{7}{8}, \cdots$$

## 097

수열 $1, 2, 2, 2, 3, 3, 3, 3, 3, 4, 4, \cdots$에서 첫째항부터 제81항까지의 합을 구하시오.

## 유형 12 여러 가지 수열의 합의 응용

문제에 주어진 규칙을 찾아 수열의 합으로 나타낸 후, 자연수의 거듭제곱의 합, $\sum$의 기본 성질 등을 이용하여 문제를 해결한다.

## 098

그림과 같이 정삼각형 모양으로 성냥개비를 배열해 나간다. 정삼각형의 한 변에 놓인 성냥개비가 $n$개일 때, 사용한 성냥개비의 총 개수를 $a_n$이라 하자. 예를 들어 $a_1=3$, $a_2=9$일 때, $a_{10}$은?

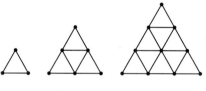

① 150　　　② 155　　　③ 160

④ 165　　　⑤ 170

## 099

그림과 같이 정육각형 모양이 되도록 배열한 바둑알의 개수를 육각형정수라고 한다.

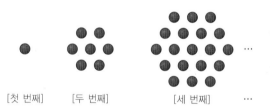

[첫 번째]　　[두 번째]　　　[세 번째]　　　…

예를 들어 첫 번째 육각형정수는 1이고, 두 번째 육각형정수는 7이다. 10번째 육각형정수를 구하시오.

## 100

등차수열 $\{a_n\}$에 대하여 $\sum\limits_{k=2}^{7} a_k - \sum\limits_{k=1}^{6} a_k = 48$일 때, 이 수열의 공차는?

① 5      ② 6      ③ 7

④ 8      ⑤ 9

## 101

$\sum\limits_{k=1}^{10} a_k = -10$, $\sum\limits_{k=1}^{10} (a_k+1)^2 = 35$일 때, $\sum\limits_{k=1}^{10} a_k^2$의 값은?

① 35      ② 40      ③ 45

④ 50      ⑤ 55

## 102

$\sum\limits_{k=1}^{5} (k+2)^2 - \sum\limits_{k=1}^{5} (k^2+1)$의 값은?

① 35      ② 45      ③ 55

④ 65      ⑤ 75

## 103

첫째항이 2이고 공비가 4인 등비수열 $\{a_n\}$에 대하여 $\sum\limits_{k=1}^{50} \log_2 a_k$의 값은?

① 2400      ② 2450      ③ 2500

④ 2550      ⑤ 2600

## 104

다음 수열의 첫째항부터 제 $n$항까지의 합을 구하시오.

$$1\times 1, \ 2\times 3, \ 3\times 5, \ 4\times 7, \ \cdots$$

## 105

$\sum\limits_{k=1}^{5} \left\{ \sum\limits_{i=1}^{k} (i-1) \right\}$의 값은?

① 16      ② 17      ③ 18

④ 19      ⑤ 20

정답 및 해설 102쪽

## 106

$\sum\limits_{k=2}^{10} \dfrac{1}{k^2-1}$ 의 값은?

① $\dfrac{9}{55}$　　　　② $\dfrac{18}{55}$　　　　③ $\dfrac{36}{55}$

④ $\dfrac{41}{55}$　　　　⑤ $\dfrac{9}{11}$

## 107

다음 합이 $\dfrac{b}{a}$ 일 때, $a+b$의 값은?

(단, $a$, $b$는 서로소인 자연수이다.)

$$\dfrac{1}{1\times 2}+\dfrac{1}{2\times 3}+\dfrac{1}{3\times 4}+\cdots+\dfrac{1}{10\times 11}$$

① 17　　　　② 18　　　　③ 19

④ 20　　　　⑤ 21

## 108

그림과 같이 두 곡선 $y=\sqrt{x+1}$, $y=-\sqrt{x}$ 와 두 직선 $x=k$, $x=k+1$에 의하여 만들어지는 직사각형을 $A_k$ ($k=1, 2, 3, \cdots$)라 하자.

직사각형 $A_k$의 넓이를 $S_k$라 할 때, $\sum\limits_{k=1}^{24} \dfrac{1}{S_k}$의 값은?

① $2\sqrt{2}$　　　　② $2\sqrt{3}$　　　　③ 4

④ 5　　　　⑤ 6

## 109

수열 $1, 2, 2^2, 3, 3^2, 3^3, 4, 4^2, 4^3, 4^4, 5, \cdots$의 제 50항은?

① $9^5$　　　　② $9^6$　　　　③ $10^4$

④ $10^5$　　　　⑤ $10^6$

**1등급 문제**

## 110

수열 $\{a_n\}$의 일반항이 $a_n=(2n-1)\times 3^{n-1}$일 때, $\sum\limits_{k=1}^{n} a_k$의 값을 구하시오.

## 111

수열 $\{a_n\}$에 대하여 $a_1+a_2+\cdots+a_n=10n-n^2$이 성립할 때, $\sum\limits_{k=1}^{25} |a_k|$의 값을 구하시오.

# 13 수학적 귀납법

# 13 수학적 귀납법

## 1 수열의 귀납적 정의

(1) 수열의 귀납적 정의

수열 $\{a_n\}$을

① 처음 몇 개 항의 값

② 이웃하는 항들 사이의 관계식

으로 정의하는 것을 수열 $\{a_n\}$의 귀납적 정의라고 한다.

(2) 등차수열, 등비수열의 귀납적 정의

수열 $\{a_n\}$에 대하여

① $a_{n+1}-a_n=d$ (일정) ➡ 공차가 $d$인 등차수열

② $\dfrac{a_{n+1}}{a_n}=r$ (일정) ➡ 공비가 $r$인 등비수열

③ $2a_{n+1}=a_n+a_{n+2}$ ➡ 등차수열

④ $a_{n+1}{}^2=a_n a_{n+2}$ ➡ 등비수열

(3) 여러 가지 수열의 귀납적 정의

① $a_{n+1}=a_n+f(n)$의 꼴

주어진 관계식의 $n$에 $1, 2, 3, \cdots, n-1$을 차례로 대입한 식들을 변끼리 더하면

$$a_n=a_1+f(1)+f(2)+\cdots+f(n-1)$$
$$=a_1+\sum_{k=1}^{n-1}f(k)$$

② $a_{n+1}=f(n)\times a_n$의 꼴

주어진 관계식의 $n$에 $1, 2, 3, \cdots, n-1$을 차례로 대입한 식들을 변끼리 곱하면

$$a_n=a_1\times f(1)\times f(2)\times\cdots\times f(n-1)$$

### 개념 플러스

◀ 수열의 이웃하는 항들 사이의 관계식을 점화식이라고 한다.

◀ $2a_{n+1}=a_n+a_{n+2}$
$\iff a_{n+1}$이 $a_n$과 $a_{n+2}$의 등차중항
$\iff$ 수열 $\{a_n\}$은 등차수열

◀ $a_{n+1}{}^2=a_n a_{n+2}$
$\iff a_{n+1}$이 $a_n$과 $a_{n+2}$의 등비중항
$\iff$ 수열 $\{a_n\}$은 등비수열

◀ $a_{n+1}=a_n+f(n)$의 꼴
$\cancel{a_2}=a_1+f(1)$
$\cancel{a_3}=\cancel{a_2}+f(2)$
$\cancel{a_4}=\cancel{a_3}+f(3)$
$\vdots$
$+)\ a_n=a_{\cancel{n-1}}+f(n-1)$
$\overline{a_n=a_1+\{f(1)+f(2)+f(3)}$
$\qquad\qquad +\cdots+f(n-1)\}$
$\qquad =a_1+\sum_{k=1}^{n-1}f(k)$

◀ $a_{n+1}=f(n)\times a_n$의 꼴
$\cancel{a_2}=f(1)\times a_1$
$\cancel{a_3}=f(2)\times\cancel{a_2}$
$\cancel{a_4}=f(3)\times\cancel{a_3}$
$\vdots$
$\times)\ a_n=f(n-1)\times a_{\cancel{n-1}}$
$\overline{a_n=a_1\times f(1)\times f(2)\times f(3)}$
$\qquad\qquad \times\cdots\times f(n-1)$

## 2 수학적 귀납법

자연수 $n$에 대한 명제 $p(n)$이 모든 자연수 $n$에 대하여 성립함을 증명하려면 다음 (i), (ii)를 보이면 된다.

(i) $n=1$일 때, 명제 $p(n)$이 성립한다.

(ii) $n=k$일 때, 명제 $p(n)$이 성립한다고 가정하면

$n=k+1$일 때에도 명제 $p(n)$이 성립한다.

이와 같은 증명 방법을 수학적 귀납법이라고 한다.

참고 $n\geq a$ ($a$는 자연수)인 모든 자연수 $n$에 대하여 부등식이 성립함을 증명할 때에는

(i) $n=a$일 때, 부등식이 성립함을 보인다.

(ii) $n=k$ ($k\geq a$)일 때, 부등식이 성립한다고 가정한다.

(iii) $n=k+1$일 때에도 부등식이 성립함을 보인다.

◀ (i)에 의하여 $p(1)$이 참이다.
(ii)에 의하여 $p(1+1)$, 즉 $p(2)$가 참이다.
(ii)에 의하여 $p(2+1)$, 즉 $p(3)$이 참이다.
$\vdots$
따라서 모든 자연수 $n$에 대하여 명제 $p(n)$이 참임을 알 수 있다.

## 기본 문제

### 1  수열의 귀납적 정의

[001-007] 다음과 같이 정의된 수열 $\{a_n\}$에 대하여 $a_2$, $a_3$, $a_4$를 구하시오. (단, $n=1, 2, 3, \cdots$)

**001**  $a_1=4$, $a_{n+1}-a_n=2$

**002**  $a_1=15$, $a_{n+1}-a_n=-3$

**003**  $a_1=1$, $a_{n+1}=a_n+2$

**004**  $a_1=-3$, $\dfrac{a_{n+1}}{a_n}=-1$

**005**  $a_1=24$, $\dfrac{a_{n+1}}{a_n}=\dfrac{1}{2}$

**006**  $a_1=4$, $a_{n+1}=3a_n$

**007**  $a_1=-4$, $a_{n+1}=-2a_n$

[008-013] 다음과 같이 정의된 수열 $\{a_n\}$에 대하여 $a_2$, $a_3$, $a_4$를 구하시오. (단, $n=1, 2, 3, \cdots$)

**008**  $a_1=1$, $a_{n+1}=a_n+n$

**009**  $a_1=3$, $a_{n+1}-a_n=2n+1$

**010**  $a_1=2$, $a_{n+1}=a_n+2^n$

**011**  $a_1=1$, $a_{n+1}=(n+1)a_n$

**012**  $a_1=1$, $a_{n+1}=2a_n+1$

**013**  $a_1=2$, $a_{n+1}=3a_n-1$

**[014-016]** 다음과 같이 정의된 수열 $\{a_n\}$에 대하여 $a_2,\ a_3,\ a_4$를 구하시오. (단, $n=1,\ 2,\ 3,\ \cdots$)

**014** $a_1=1,\ a_{n+1}=\dfrac{a_n}{a_n+1}$

**015** $a_1=2,\ a_{n+1}=\dfrac{2a_n}{1+a_n}$

**016** $a_1=1,\ a_{n+1}=\dfrac{a_n}{a_n+2}$

**[017-023]** 다음과 같이 정의된 수열 $\{a_n\}$에 대하여 제4항을 구하시오. (단, $n=1,\ 2,\ 3,\ \cdots$)

**017** $a_1=1,\ a_2=4,\ a_{n+1}-a_n=a_{n+2}-a_{n+1}$

**018** $a_1=3,\ a_2=5,\ 2a_{n+1}=a_n+a_{n+2}$

**019** $a_1=1,\ a_2=3,\ \dfrac{a_{n+1}}{a_n}=\dfrac{a_{n+2}}{a_{n+1}}$

**020** $a_1=4,\ a_2=2,\ a_{n+1}{}^2=a_na_{n+2}$

**021** $a_1=1,\ a_2=2,\ a_{n+2}=a_{n+1}+a_n$

**022** $a_1=1,\ a_2=2,\ a_{n+2}-3a_{n+1}+2a_n=0$

**023** $a_1=0,\ a_2=1,\ 3a_{n+2}-2a_{n+1}-a_n=0$

**[024-025]** 〈보기〉는 수열 $\{a_n\}$의 연속하는 두 항 또는 세 항 사이의 관계를 나타낸 것이다. 다음 물음에 답하시오.

(단, $n=1, 2, 3, \cdots$)

┤ 보 기 ├

ㄱ. $2a_{n+1}=a_n+a_{n+2}$      ㄴ. $a_{n+1}-a_n=d$ (일정)

ㄷ. $\dfrac{a_{n+1}}{a_n}=r$ (일정)      ㄹ. $\dfrac{a_{n+1}}{a_n}=\dfrac{a_{n+2}}{a_{n+1}}$

ㅁ. $a_{n+1}{}^2=a_n a_{n+2}$      ㅂ. $a_{n+1}=a_n+a_{n+2}$

ㅅ. $a_{n+1}-a_n=a_{n+2}-a_{n+1}$      ㅇ. $a_{n+2}-2a_{n+1}+a_n=0$

**024** 등차수열을 나타낸 것만을 있는 대로 고르시오.

**025** 등비수열을 나타낸 것만을 있는 대로 고르시오.

**[026-029]** 다음 수열을 $\{a_n\}$이라 할 때, 수열 $\{a_n\}$을 귀납적으로 정의하시오.

**026**   $1, 4, 7, 10, 13, \cdots$

**027**   $5, 7, 9, 11, 13, \cdots$

**028**   $6, 2, -2, -6, -10, \cdots$

**029**   $-1, -6, -11, -16, -21, \cdots$

**[030-032]** 다음 수열을 $\{a_n\}$이라 할 때, 수열 $\{a_n\}$을 귀납적으로 정의하시오.

**030**   $1, 2, 4, 8, 16, \cdots$

**031**   $3, -3, 3, -3, 3, \cdots$

**032**   $-5, 10, -20, 40, -80, \cdots$

**2 수학적 귀납법**

**033** 다음은 수학적 귀납법에 대한 설명이다. ☐ 안에 알맞은 것을 순서대로 써넣으시오.

> 명제 $p(n)$이 모든 자연수 $n$에 대하여 성립함을 증명하려면 다음 (i), (ii)를 보이면 된다.
>
> (i) ☐ 일 때, 명제 $p(n)$이 성립한다.
>
> (ii) $n=k$일 때, 명제 $p(n)$이 성립한다고 가정하면 $n=$ ☐ 일 때에도 명제 $p(n)$이 성립한다.
>
> 이와 같은 증명 방법을 ☐ 이라고 한다.

**034** 자연수 $n$에 대한 명제 $P(n)$이 다음 두 조건을 만족시킨다.

> (개) $P(2)$가 참이다.
>
> (내) $P(n)$이 참이면 $P(n+3)$이 참이다.

명제 $P(1)$, $P(2)$, $P(3)$, $\cdots$, $P(80)$ 중에서 참인 명제의 개수를 구하시오.

**035** 명제 $P(n)$이 모든 짝수 $n$에 대하여 참임을 수학적 귀납법으로 증명하려고 한다. 〈보기〉에서 반드시 증명해야 할 것만을 있는 대로 고르시오. (단, $k$는 자연수이다.)

> ┤ 보기 ├
>
> ㄱ. $P(1)$이 참이다.
>
> ㄴ. $P(2)$가 참이다.
>
> ㄷ. $P(2k)$가 참이라 가정할 때, $P(2k+1)$이 참이다.
>
> ㄹ. $P(2k)$가 참이라 가정할 때, $P(2k+2)$가 참이다.

**036** 모든 자연수 $n$에 대하여 등식
$$2+4+6+\cdots+2n=n(n+1)$$
이 성립함을 수학적 귀납법으로 증명한 것이다. (개)~(래)에 알맞은 것을 순서대로 써넣으시오.

> ┤ 증명 ├
>
> (i) (개) ☐ 일 때,
>
>    (좌변)$=2$, (우변)$=1\times2=2$
>
>    따라서 주어진 등식이 성립한다.
>
> (ii) $n=k$일 때, 주어진 등식이 성립한다고 가정하면
>
>    $2+4+6+\cdots+2k=k(k+1)$
>
>    이 식의 양변에 (내) ☐ 을 더하면
>
>    $2+4+6+\cdots+2k+$ (내) ☐
>
>    $=k(k+1)+$ (내) ☐
>
>    $=(k+1)($ (다) ☐ $)$
>
>    따라서 $n=$ (래) ☐ 일 때에도 주어진 등식이 성립한다.
>
> (i), (ii)에 의하여 모든 자연수 $n$에 대하여 주어진 등식이 성립한다.

## 유형 문제

### 유형 01 등차수열의 관계식

수열 $\{a_n\}$에 대하여
(1) $a_{n+1}-a_n=d$ (일정) ⇨ 공차가 $d$인 등차수열
(2) $2a_{n+1}=a_n+a_{n+2}$ ⇨ 등차수열

**037**

수열 $\{a_n\}$이
$$a_1=99,\ a_{n+1}=a_n+4\ (n=1,\ 2,\ 3,\ \cdots)$$
로 정의될 때, $a_{20}$은?

① 155    ② 165    ③ 175
④ 185    ⑤ 195

**038**

수열 $\{a_n\}$에 대하여
$$a_1=2,\ a_{n+1}=a_n+d\ (n=1,\ 2,\ 3,\ \cdots)$$
가 성립하고 $a_3=8$일 때, $a_{20}$은? (단, $d$는 상수이다.)

① 55    ② 57    ③ 59
④ 61    ⑤ 63

**039**

수열 $\{a_n\}$이
$$a_1=1,\ a_2=4,\ 2a_{n+1}=a_n+a_{n+2}\ (n=1,\ 2,\ 3,\ \cdots)$$
로 정의될 때, $\sum\limits_{k=1}^{10} a_k$의 값을 구하시오.

### 유형 02 등비수열의 관계식

수열 $\{a_n\}$에 대하여
(1) $\dfrac{a_{n+1}}{a_n}=r$ (일정) ⇨ 공비가 $r$인 등비수열
(2) $a_{n+1}^{\,2}=a_n a_{n+2}$ ⇨ 등비수열

**040**

수열 $\{a_n\}$이
$$a_1=1,\ a_{n+1}=2a_n\ (n=1,\ 2,\ 3,\ \cdots)$$
으로 정의될 때, $a_5$를 구하시오.

**041**

수열 $\{a_n\}$이
$$a_1=2,\ \frac{a_{n+1}}{a_n}=\frac{1}{2}\ (n=1,\ 2,\ 3,\ \cdots)$$
로 정의될 때, 일반항 $a_n$은?

① $a_n=\left(\dfrac{1}{2}\right)^{n-2}$    ② $a_n=\left(\dfrac{1}{2}\right)^{n-1}$    ③ $a_n=\left(\dfrac{1}{2}\right)^{n}$
④ $a_n=2^{n-1}$    ⑤ $a_n=2^{n}$

**042**

수열 $\{a_n\}$에 대하여 $a_3=8$, $a_6=1$이고
$$a_{n+1}=ka_n\ (n=1,\ 2,\ 3,\ \cdots)$$
이 성립할 때, $ka_{14}$의 값은? (단, $k\neq0$인 실수이다.)

① $\dfrac{1}{2^{11}}$    ② $\dfrac{1}{2^{10}}$    ③ $\dfrac{1}{2^{9}}$
④ $\dfrac{1}{2^{8}}$    ⑤ $\dfrac{1}{2^{7}}$

**043**

수열 $\{a_n\}$에 대하여 $a_2 = \dfrac{3}{2}$, $a_5 = 12$이고

$$a_{n+1}{}^2 = a_n a_{n+2} \ (n=1, 2, 3, \cdots)$$

가 성립할 때, $a_{10}$을 구하시오.

**044** 중요

모든 항이 양수인 수열 $\{a_n\}$에 대하여

$$\dfrac{a_{n+2}}{a_{n+1}} = \dfrac{a_{n+1}}{a_n} \ (n=1, 2, 3, \cdots)$$

이 성립하고 $a_1 = 3$, $a_3 = 147$이다. $\dfrac{a_{13}}{a_6} = p^p$을 만족시키는 양의

정수 $p$의 값은?

① 3        ② 4        ③ 5
④ 6        ⑤ 7

**045**

수열 $\{a_n\}$이

$a_1 = 2$, $a_4 = 16$, $2\log a_{n+1} = \log a_n + \log a_{n+2} \ (n=1, 2, 3, \cdots)$

로 정의될 때, $\displaystyle\sum_{k=1}^{25} a_{2k-1}$의 값은?

① $\dfrac{1}{3}(2^{25}-1)$    ② $\dfrac{1}{2}(2^{25}-1)$    ③ $\dfrac{2}{3}(2^{25}-1)$

④ $\dfrac{1}{3}(2^{50}-1)$    ⑤ $\dfrac{2}{3}(2^{50}-1)$

**유형 03** $a_{n+1} = a_n + f(n)$의 꼴

$a_{n+1} = a_n + f(n)$ 또는 $a_{n+1} - a_n = f(n)$의 $n$에 1, 2, 3, $\cdots$, $n-1$을 차례로 대입하여 변끼리 더한다.

**046**

수열 $\{a_n\}$이 $a_1 = 3$, $a_{n+1} = a_n + 3n \ (n=1, 2, 3, \cdots)$으로 정의될 때, $a_5$는?

① 21        ② 27        ③ 33
④ 39        ⑤ 45

**047** 중요

수열 $\{a_n\}$이 $a_1 = 2$, $a_{n+1} = a_n + 2^n \ (n=1, 2, 3, \cdots)$으로 정의될 때, $\displaystyle\sum_{k=1}^{4} a_k$의 값을 구하시오.

**048**

다음과 같이 정의된 수열 $\{a_n\}$에 대하여 $a_{10}$을 구하시오.

$$\begin{cases} a_1 = 1 \\ a_{n+1} = a_n + n^2 \ (n=1, 2, 3, \cdots) \end{cases}$$

**049**

수열 $\{a_n\}$이 $a_1=1$, $a_{n+1}=a_n+3^n$ $(n=1, 2, 3, \cdots)$으로 정의될 때, $a_{10}$은?

① $\dfrac{3^9-1}{2}$  　　② $\dfrac{3^{10}-1}{2}$  　　③ $3^9-1$

④ $3^{10}-1$  　　⑤ $3^{11}-1$

**050**

수열 $\{a_n\}$이 $a_1=-2$, $a_{n+1}=a_n+\dfrac{1}{n(n+1)}$ $(n=1, 2, 3, \cdots)$로 정의될 때, $a_{10}$은?

① $-\dfrac{10}{9}$  　　② $-\dfrac{11}{10}$  　　③ $0$

④ $\dfrac{11}{10}$  　　⑤ $\dfrac{10}{9}$

**051**

수열 $\{a_n\}$이 $a_1=1$, $a_{n+1}=a_n+2n$ $(n=1, 2, 3, \cdots)$으로 정의될 때, $a_k=31$을 만족시키는 자연수 $k$의 값을 구하시오.

## 유형 **04** $a_{n+1}=f(n)\times a_n$의 꼴

$a_{n+1}=f(n)\times a_n$의 $n$에 $1, 2, 3, \cdots, n-1$을 차례로 대입하여 변끼리 곱한다.

**052**

수열 $\{a_n\}$이 $a_1=32$, $a_{n+1}=2^n a_n$ $(n=1, 2, 3, \cdots)$으로 정의될 때, $a_5$는?

① $2^{13}$  　　② $2^{14}$  　　③ $2^{15}$

④ $2^{16}$  　　⑤ $2^{17}$

**053**

수열 $\{a_n\}$이 $a_1=2$, $a_{n+1}=\dfrac{2n-1}{2n+1}a_n$ $(n=1, 2, 3, \cdots)$으로 정의될 때, $a_{10}$은?

① $\dfrac{1}{11}$  　　② $\dfrac{2}{21}$  　　③ $\dfrac{1}{10}$

④ $\dfrac{2}{19}$  　　⑤ $\dfrac{1}{9}$

**054**

수열 $\{a_n\}$이 $a_1=3$, $\sqrt{n}\,a_{n+1}=\sqrt{n+1}\,a_n$ $(n=1, 2, 3, \cdots)$으로 정의될 때, $a_{100}$을 구하시오.

## 유형 05 항이 순환하는 관계식

주어진 관계식의 $n$에 1, 2, 3, $\cdots$을 차례로 대입하여 수열의 항이 반복되는 규칙을 찾는다.

### 055

수열 $\{a_n\}$이 $a_1=2$, $a_n a_{n+1}=10$ $(n=1, 2, 3, \cdots)$으로 정의될 때, $a_{20}$을 구하시오.

### 056

수열 $\{a_n\}$이 $a_1=-1$, $a_{n+1}=\dfrac{1}{1-a_n}$ $(n=1, 2, 3, \cdots)$로 정의될 때, $a_{46}$은?

① $-2$      ② $-1$      ③ $-\dfrac{1}{2}$

④ $\dfrac{1}{2}$      ⑤ $2$

### 057

$a_1=1$, $a_2=3$, $a_{n+2}=a_{n+1}+a_n$ $(n=1, 2, 3, \cdots)$으로 정의된 수열 $\{a_n\}$에 대하여 $a_n$을 5로 나눈 나머지를 수열 $\{b_n\}$이라 할 때, $b_{50}+b_{51}$의 값을 구하시오.

### 058

다음과 같이 정의된 수열 $\{a_n\}$에 대하여 $a_{100}$을 구하시오.

$$\begin{cases} a_1=1 \\ a_{n+1}=((a_n+1)^2 \text{을 10으로 나눈 나머지}) \ (n=1, 2, 3, \cdots) \end{cases}$$

### 059

수열 $\{a_n\}$이 $a_1=-2$, $a_2=1$, $a_{n+2}=a_{n+1}-a_n$ $(n=1, 2, 3, \cdots)$으로 정의될 때, 〈보기〉에서 옳은 것만을 있는 대로 고른 것은?

┤ 보 기 ├

ㄱ. $a_{n+6}=a_n$      ㄴ. $a_{101}=-1$      ㄷ. $\displaystyle\sum_{k=1}^{100} a_k=0$

① ㄱ      ② ㄴ      ③ ㄱ, ㄴ

④ ㄴ, ㄷ      ⑤ ㄱ, ㄴ, ㄷ

### 060

다음과 같이 정의된 수열 $\{a_n\}$에 대하여 $\displaystyle\sum_{k=1}^{12} a_k$의 값을 구하시오.

$$\begin{cases} a_1=1, \ a_2=2, \ a_3=4 \\ a_{n-1}a_{n+1}=a_n a_{n+2} \ (n=2, 3, 4, \cdots) \end{cases}$$

## 유형 06 $a_{n+1}=pa_n+q$의 꼴

주어진 관계식의 $n$에 1, 2, 3, …을 차례로 대입하여 항을 직접 구하거나 규칙성을 찾는다.

### 061

$a_1=1$, $a_{n+1}=3a_n+1$ $(n=1, 2, 3, \cdots)$로 정의된 수열 $\{a_n\}$의 첫째항부터 제4항까지의 합을 구하시오.

### 062

수열 $\{a_n\}$에 대하여

$$a_1=3, \quad a_{n+1}+a_n=p \ (n=1, 2, 3, \cdots)$$

가 성립할 때, $\displaystyle\sum_{k=1}^{10} a_k=30$을 만족시키는 상수 $p$의 값을 구하시오.

### 063

수열 $\{a_n\}$이 $a_1=1$, $a_{n+1}=2a_n+1$ $(n=1, 2, 3, \cdots)$로 정의될 때, $a_{10}$을 구하시오.

## 유형 07 규칙성을 추론하는 관계식

주어진 관계식의 $n$에 1, 2, 3, …을 차례로 대입하여 규칙성을 찾는다.

### 064

수열 $\{a_n\}$이 $a_1=100$, $a_{n+1}=a_n^2$ $(n=1, 2, 3, \cdots)$으로 정의될 때, $a_8$은?

① $10^{64}$   ② $10^{128}$   ③ $10^{256}$
④ $10^{512}$   ⑤ $10^{1024}$

### 065

$a_1=1$, $a_2=3$, $a_{n+2}-4a_{n+1}+3a_n=0$ $(n=1, 2, 3, \cdots)$으로 정의되는 수열 $\{a_n\}$의 일반항 $a_n$을 구하시오.

### 066

모든 자연수 $n$에 대하여 수열 $\{a_n\}$은 다음 조건을 만족시키고, $a_1=1$이다.

> (가) $a_{2n}=2a_n-1$
> (나) $a_{2n+1}=2a_n+1$

$a_{127}+a_{128}$의 값을 구하시오.

## 유형 08 치환을 이용하는 관계식

(1) $a_{n+1}=\dfrac{ra_n}{pa_n+q}$ 의 꼴

　① 양변에 역수를 취하여 $\dfrac{1}{a_{n+1}}=\dfrac{q}{r}\times\dfrac{1}{a_n}+\dfrac{p}{r}$ 의 꼴로 변형한다.

　② $\dfrac{1}{a_n}=b_n$ 으로 놓고, 수열 $\{b_n\}$의 일반항 $b_n$을 구한다.

　③ $b_n$의 양변에 역수를 취하여 $a_n$을 구한다.

(2) $a_{n+1}-\alpha=p(a_n-\alpha)$ 의 꼴

　수열 $\{a_n-\alpha\}$는 첫째항이 $a_1-\alpha$, 공비가 $p$인 등비수열이므로

　$a_n-\alpha=(a_1-\alpha)\times p^{n-1}\implies a_n=(a_1-\alpha)\times p^{n-1}+\alpha$

## 067

수열 $\{a_n\}$이 $a_1=2$, $\dfrac{1}{a_{n+1}}=\dfrac{1}{a_n}+3$ $(n=1, 2, 3, \cdots)$으로 정의될 때, $a_5$를 구하시오.

## 068

수열 $\{a_n\}$이 $a_1=1$, $a_{n+1}=\dfrac{a_n}{2a_n+1}$ $(n=1, 2, 3, \cdots)$으로 정의될 때, $a_{10}$은?

① $\dfrac{1}{9}$  ② $\dfrac{1}{11}$  ③ $\dfrac{1}{19}$

④ $\dfrac{1}{21}$  ⑤ $\dfrac{1}{29}$

## 069

수열 $\{a_n\}$이 $a_1=1$, $(a_{n+1}-3)=2(a_n-3)$ $(n=1, 2, 3, \cdots)$으로 정의될 때, $a_{10}$을 구하시오.

## 유형 09 귀납적 정의의 활용

① 문제의 조건을 파악하여 제$n$항과 제$(n+1)$항 사이의 관계를 식으로 나타낸다.

② $n=1, 2, 3, \cdots$을 차례로 대입하여 항을 직접 구하거나 일반항을 구한다.

## 070

시험관 속의 어느 배양균의 개체는 1분마다 3마리가 죽고 남은 배양균은 각각 2배로 증식한다고 한다. 처음 시험관 속에 10마리의 배양균이 들어 있었다면 5분 후 이 배양균의 개체 수는?

① 128  ② 130  ③ 132

④ 134  ⑤ 136

## 071

어느 공장에 100 L의 물이 들어 있는 물탱크가 있다. 오늘부터 매일 이 물탱크에 들어 있는 물의 양의 $\dfrac{1}{2}$을 사용하고, 다시 10 L의 물을 채우려고 한다. 4일째 되는 날, 사용하고 다시 채운 물탱크의 물에서 20 L를 추가로 더 사용한다면 물탱크에 남아 있게 되는 물의 양은 몇 L인지 구하시오.

## 072

임의의 두 원은 항상 두 점에서 만나고 3개 이상의 원이 동시에 지나는 점은 없도록 $n$개의 원을 평면 위에 그리려고 한다. $n$개의 원의 교점의 개수를 $a_n$이라 할 때, $a_{20}$을 구하시오.

## 유형 10 수학적 귀납법으로 등식 증명

모든 자연수 $n$에 대하여 등식이 성립함을 증명할 때에는
① $n=1$일 때, 등식이 성립함을 확인한다.
② $n=k$일 때, 등식이 성립한다고 가정한다.
③ $n=k$일 때의 등식의 양변에 적당한 식을 더하여 $n=k+1$일 때에도 등식이 성립함을 보인다.

## 073

다음은 모든 자연수 $n$에 대하여 등식

$$1+2+3+\cdots+n=\frac{n(n+1)}{2}$$

이 성립함을 수학적 귀납법으로 증명한 것이다.

┤ 증명 ├

(i) $n=1$일 때,

$$(\text{좌변})=1, \ (\text{우변})=\frac{1\times2}{2}=1$$

따라서 주어진 등식이 성립한다.

(ii) $n=k$일 때, 주어진 등식이 성립한다고 가정하면

$$1+2+3+\cdots+k=\frac{k(k+1)}{2}$$

이 식의 양변에 $\boxed{(가)}$ 을(를) 더하면

$$1+2+3+\cdots+k+\boxed{(가)}=\frac{k(k+1)}{2}+\boxed{(가)}$$
$$=\frac{\boxed{(나)}}{2}$$

따라서 $n=k+1$일 때에도 주어진 등식이 성립한다.

(i), (ii)에 의하여 주어진 등식은 모든 자연수 $n$에 대하여 성립한다.

위의 (가), (나)에 알맞은 것을 순서대로 적은 것은?

① $k, \ k(k+1)$
② $k, \ (k+1)(k+2)$
③ $k+1, \ k(k+1)$
④ $k+1, \ (k+1)(k+2)$
⑤ $k+1, \ (k+2)(k+3)$

## 074

모든 자연수 $n$에 대하여 등식

$$1+4+7+\cdots+(3n-2)=\frac{n(3n-1)}{2}$$

이 성립함을 수학적 귀납법으로 증명하시오.

## 075 중요

다음은 모든 자연수 $n$에 대하여 등식

$$1^3+2^3+3^3+\cdots+n^3=\left\{\frac{n(n+1)}{2}\right\}^2$$

이 성립함을 수학적 귀납법으로 증명한 것이다.

┤ 증명 ├

(i) $n=1$일 때,

$$(\text{좌변})=1^3=1, \ (\text{우변})=\left(\frac{1\times2}{2}\right)^2=1$$

따라서 주어진 등식이 성립한다.

(ii) $n=k$일 때, 주어진 등식이 성립한다고 가정하면

$$1^3+2^3+3^3+\cdots+k^3=\left\{\frac{k(k+1)}{2}\right\}^2$$

이 식의 양변에 $\boxed{(가)}$ 을 더하면

$$1^3+2^3+3^3+\cdots+k^3+\boxed{(가)}$$
$$=\left\{\frac{k(k+1)}{2}\right\}^2+\boxed{(가)}$$
$$=\left(\frac{k+1}{2}\right)^2\times\boxed{(나)}$$
$$=\left[\frac{(k+1)\{(k+1)+1\}}{2}\right]^2$$

따라서 $n=k+1$일 때에도 주어진 등식이 성립한다.

(i), (ii)에 의하여 주어진 등식은 모든 자연수 $n$에 대하여 성립한다.

위의 (가), (나)에 알맞은 식을 각각 $f(k)$, $g(k)$라 할 때, $f(2)+g(2)$의 값은?

① 41
② 43
③ 45
④ 47
⑤ 49

## 유형 11 수학적 귀납법으로 부등식 증명

$n \geq a$ ($a$는 자연수)인 모든 자연수 $n$에 대하여 부등식이 성립함을 증명할 때에는
① $n=a$일 때, 부등식이 성립함을 확인한다.
② $n=k$ ($k \geq a$)일 때, 부등식이 성립한다고 가정한다.
③ $A > B > C$이면 $A > C$임을 이용하여 $n=k+1$일 때에도 부등식이 성립함을 보인다.

## 076

다음은 모든 자연수 $n$에 대하여 부등식

$$1+\frac{1}{2}+\cdots+\frac{1}{n} \geq 2\left\{\frac{1}{1 \times 2}+\frac{1}{2 \times 3}+\cdots+\frac{1}{n(n+1)}\right\}$$

이 성립함을 수학적 귀납법으로 증명한 것이다.

┤ 증명 ├

(ⅰ) $n=1$일 때,

$$(좌변)=1, \ (우변)=2 \times \frac{1}{1 \times 2}=1$$

따라서 주어진 부등식이 성립한다.

(ⅱ) $n=k$ ($k \geq 1$)일 때, 주어진 부등식이 성립한다고 가정하면

$$1+\frac{1}{2}+\cdots+\frac{1}{k} \geq 2\left\{\frac{1}{1 \times 2}+\frac{1}{2 \times 3}+\cdots+\frac{1}{k(k+1)}\right\}$$

이 식의 양변에 $\frac{1}{k+1}$을 더하면

$$1+\frac{1}{2}+\cdots+\frac{1}{k}+\frac{1}{k+1}$$

$$\geq 2\left\{\frac{1}{1 \times 2}+\frac{1}{2 \times 3}+\cdots+\frac{1}{k(k+1)}\right\}+\frac{1}{k+1}$$

$$> 2\left\{\frac{1}{1 \times 2}+\frac{1}{2 \times 3}+\cdots+\frac{1}{k(k+1)}\right\}+\frac{1}{k+2}$$

$$= 2\left\{\frac{1}{1 \times 2}+\frac{1}{2 \times 3}+\cdots+\frac{1}{k(k+1)}\right\}+\frac{1}{k+1} \times \boxed{(가)}$$

$$\geq 2\left\{\frac{1}{1 \times 2}+\frac{1}{2 \times 3}+\cdots+\frac{1}{k(k+1)}\right\}+\frac{\boxed{(나)}}{(k+1)(k+2)}$$

$$= 2\left\{\frac{1}{1 \times 2}+\frac{1}{2 \times 3}+\cdots+\frac{1}{(k+1)(k+2)}\right\}$$

$$\therefore 1+\frac{1}{2}+\cdots+\frac{1}{k+1}$$

$$> 2\left\{\frac{1}{1 \times 2}+\frac{1}{2 \times 3}+\cdots+\frac{1}{(k+1)(k+2)}\right\}$$

따라서 $n=k+1$일 때에도 주어진 부등식이 성립한다.

(ⅰ), (ⅱ)에 의하여 주어진 부등식은 모든 자연수 $n$에 대하여 성립한다.

위의 (가), (나)에 알맞은 것을 순서대로 적은 것은?

① $\dfrac{k-1}{k+2}$, 1    ② $\dfrac{k-1}{k+2}$, 2    ③ $\dfrac{k+1}{k+2}$, 1

④ $\dfrac{k+1}{k+2}$, 2    ⑤ $\dfrac{k+1}{k+2}$, $k$

## ★중요

## 077

다음은 $n \geq 4$인 모든 자연수 $n$에 대하여 부등식 $2^n \geq n^2$이 성립함을 수학적 귀납법으로 증명한 것이다.

┤ 증명 ├

(ⅰ) $n=4$일 때, (좌변)$=16$, (우변)$=16$이므로 주어진 부등식이 성립한다.

(ⅱ) $n=k$ ($k \geq 4$)일 때, 주어진 부등식이 성립한다고 가정하면

$$2^k \geq k^2$$

이 식의 양변에 2를 곱하면 $2^{k+1} \geq 2k^2$이고,

$$2k^2 - \boxed{(가)} = (k-1)^2 - \boxed{(나)} > 0$$

$$\therefore 2^{k+1} > \boxed{(가)}$$

따라서 $n=k+1$일 때에도 주어진 부등식이 성립한다.

(ⅰ), (ⅱ)에 의하여 주어진 부등식은 $n \geq 4$인 모든 자연수 $n$에 대하여 성립한다.

위의 (가), (나)에 알맞은 것을 순서대로 적은 것은?

① $(k-1)^2$, 1    ② $(k-1)^2$, 2    ③ $(k+1)^2$, 1

④ $(k+1)^2$, 2    ⑤ $(k+1)^2$, 3

## 078

다음은 $h > 0$이고, $n$이 $\boxed{(가)}$ 이상의 자연수일 때, 부등식 $(1+h)^n > 1+nh$가 성립함을 수학적 귀납법으로 증명한 것이다.

┤ 증명 ├

(ⅰ) $n = \boxed{(가)}$일 때, (좌변)$-$(우변)$>0$이므로 주어진 부등식이 성립한다.

(ⅱ) $n=k$일 때, 주어진 부등식이 성립한다고 가정하면

$$(1+h)^k > 1+kh$$

이 식의 양변에 $1+h$를 곱하면

$$(1+h)^k(1+h) > (1+kh)(1+h)$$

$$> 1+(\boxed{(나)})h$$

$$\therefore (1+h)^{k+1} > 1+(\boxed{(나)})h$$

따라서 $n=\boxed{(나)}$일 때에도 주어진 부등식이 성립한다.

(ⅰ), (ⅱ)에 의하여 주어진 부등식은 $\boxed{(가)}$ 이상인 모든 자연수 $n$에 대하여 성립한다.

위의 (가), (나)에 알맞은 것을 순서대로 적은 것은?

① 1, $k$    ② 1, $k+1$    ③ 1, $k+2$

④ 2, $k+1$    ⑤ 2, $k+2$

## 079

수열 $\{a_n\}$이 $a_1=20$, $a_{n+1}=a_n-5$ $(n=1, 2, 3, \cdots)$로 정의될 때, $a_4$를 구하시오.

## 080

수열 $\{a_n\}$이 $a_1=1$, $a_2=6$, $2a_{n+1}=a_n+a_{n+2}$ $(n=1, 2, 3, \cdots)$로 정의될 때, $a_{30}$은?

① 144      ② 146      ③ 148

④ 150      ⑤ 152

## 081

수열 $\{a_n\}$에 대하여 $2a_1=a_2$, $a_5=48$이고
$$a_{n+1}^{\,2}=a_n a_{n+2} \ (n=1, 2, 3, \cdots)$$
가 성립할 때, $\sum_{n=1}^{8} a_n$의 값을 구하시오.

## 082

수열 $\{a_n\}$이
$$a_2=3a_1, \ a_4=54, \ \log a_n-2\log a_{n+1}+\log a_{n+2}=0$$
$$(n=1, 2, 3, \cdots)$$
을 만족시킬 때, $a_{10}$은?

① $3^9$      ② $3^{10}$      ③ $3^{11}$

④ $2\times3^9$      ⑤ $2\times3^{10}$

## 083

수열 $\{a_n\}$이 $a_1=1$, $a_{n+1}=\dfrac{n+2}{n}a_n$ $(n=1, 2, 3, \cdots)$으로 정의될 때, $a_{10}$을 구하시오.

## 084

수열 $\{a_n\}$이
$$a_1=1, \ a_2=4, \ a_{n+2}-4a_{n+1}-3a_n=0 \ (n=1, 2, 3, \cdots)$$
으로 정의될 때, $a_3+a_4+a_5$의 값은?

① 508      ② 510      ③ 512

④ 514      ⑤ 516

## 085

수열 $\{a_n\}$이 $a_1=2$, $a_n+a_{n+1}=n$ $(n=1, 2, 3, \cdots)$으로 정의될 때, $a_{30}$을 구하시오.

## 086

다음은 모든 자연수 $n$에 대하여 등식

$$\frac{1}{1\times 2}+\frac{1}{2\times 3}+\frac{1}{3\times 4}+\cdots+\frac{1}{n(n+1)}=\frac{n}{n+1}$$

이 성립함을 수학적 귀납법으로 증명한 것이다.

┤ 증명 ├

(ⅰ) $n=1$일 때,

$$(\text{좌변})=\frac{1}{1\times 2}=\frac{1}{2}, (\text{우변})=\frac{1}{1+1}=\frac{1}{2}$$

따라서 주어진 등식이 성립한다.

(ⅱ) $n=k$일 때, 주어진 등식이 성립한다고 가정하면

$$\frac{1}{1\times 2}+\frac{1}{2\times 3}+\frac{1}{3\times 4}+\cdots+\frac{1}{k(k+1)}=\boxed{(가)}$$

이 식의 양변에 $\boxed{(나)}$ 을 더하면

$$\frac{1}{1\times 2}+\frac{1}{2\times 3}+\frac{1}{3\times 4}+\cdots+\frac{1}{k(k+1)}+\boxed{(나)}$$

$$=\boxed{(가)}+\boxed{(나)}=\frac{k+1}{k+2}$$

따라서 $n=k+1$일 때에도 주어진 등식이 성립한다.

(ⅰ), (ⅱ)에 의하여 주어진 등식은 모든 자연수 $n$에 대하여 성립한다.

위의 (가), (나)에 알맞은 식을 각각 $f(k)$, $g(k)$라 할 때, $f(5)+g(1)$의 값은?

① $\frac{1}{6}$ 　　② $\frac{1}{3}$ 　　③ $\frac{1}{2}$

④ $1$ 　　⑤ $2$

## 087

두 직선 $y=x$, $y=3x+2$에 대하여 그림과 같이 직선 $y=3x+2$ 위에 점 $(a_1, a_2)$, $(a_2, a_3)$, $(a_3, a_4)$, $\cdots$을 차례로 나타내려고 한다. $a_1=2$일 때, 수열 $\{a_n\}$의 일반항 $a_n$은?

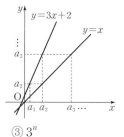

① $3^n-2$ 　　② $3^n-1$ 　　③ $3^n$

④ $3^n+1$ 　　⑤ $3^n+2$

## 088

수열 $\{a_n\}$의 첫째항부터 제$n$항까지의 합을 $S_n$이라 할 때,

$$S_n=2a_n-8n \ (n=1, 2, 3, \cdots)$$

을 만족시키는 $a_8$을 구하시오.

## 089

수열 $\{a_n\}$이 $a_1=1$, $n^2a_n=(n^2-1)a_{n-1}$ $(n=2, 3, 4, \cdots)$로 정의될 때, $a_{100}=\dfrac{q}{p}$라고 한다. $p+q$의 값을 구하시오.

(단, $p$, $q$는 서로소인 자연수이다.)

# 상용로그표 ①

| 수 | 0 | 1 | 2 | 3 | 4 | 5 | 6 | 7 | 8 | 9 |
|---|---|---|---|---|---|---|---|---|---|---|
| 1.0 | .0000 | .0043 | .0086 | .0128 | .0170 | .0212 | .0253 | .0294 | .0334 | .0374 |
| 1.1 | .0414 | .0453 | .0492 | .0531 | .0569 | .0607 | .0645 | .0682 | .0719 | .0755 |
| 1.2 | .0792 | .0828 | .0864 | .0899 | .0934 | .0969 | .1004 | .1038 | .1072 | .1106 |
| 1.3 | .1139 | .1173 | .1206 | .1239 | .1271 | .1303 | .1335 | .1367 | .1399 | .1430 |
| 1.4 | .1461 | .1492 | .1523 | .1553 | .1584 | .1614 | .1644 | .1673 | .1703 | .1732 |
| 1.5 | .1761 | .1790 | .1818 | .1847 | .1875 | .1903 | .1931 | .1959 | .1987 | .2014 |
| 1.6 | .2041 | .2068 | .2095 | .2122 | .2148 | .2175 | .2201 | .2227 | .2253 | .2279 |
| 1.7 | .2304 | .2330 | .2355 | .2380 | .2405 | .2430 | .2455 | .2480 | .2504 | .2529 |
| 1.8 | .2553 | .2577 | .2601 | .2625 | .2648 | .2672 | .2695 | .2718 | .2742 | .2765 |
| 1.9 | .2788 | .2810 | .2833 | .2856 | .2878 | .2900 | .2923 | .2945 | .2967 | .2989 |
| 2.0 | .3010 | .3032 | .3054 | .3075 | .3096 | .3118 | .3139 | .3160 | .3181 | .3201 |
| 2.1 | .3222 | .3243 | .3263 | .3284 | .3304 | .3324 | .3345 | .3365 | .3385 | .3404 |
| 2.2 | .3424 | .3444 | .3464 | .3483 | .3502 | .3522 | .3541 | .3560 | .3579 | .3598 |
| 2.3 | .3617 | .3636 | .3655 | .3674 | .3692 | .3711 | .3729 | .3747 | .3766 | .3784 |
| 2.4 | .3802 | .3820 | .3838 | .3856 | .3874 | .3892 | .3909 | .3927 | .3945 | .3962 |
| 2.5 | .3979 | .3997 | .4014 | .4031 | .4048 | .4065 | .4082 | .4099 | .4116 | .4133 |
| 2.6 | .4150 | .4166 | .4183 | .4200 | .4216 | .4232 | .4249 | .4265 | .4281 | .4298 |
| 2.7 | .4314 | .4330 | .4346 | .4362 | .4378 | .4393 | .4409 | .4425 | .4440 | .4456 |
| 2.8 | .4472 | .4487 | .4502 | .4518 | .4533 | .4548 | .4564 | .4579 | .4594 | .4609 |
| 2.9 | .4624 | .4639 | .4654 | .4669 | .4683 | .4698 | .4713 | .4728 | .4742 | .4757 |
| 3.0 | .4771 | .4786 | .4800 | .4814 | .4829 | .4843 | .4857 | .4871 | .4886 | .4900 |
| 3.1 | .4914 | .4928 | .4942 | .4955 | .4969 | .4983 | .4997 | .5011 | .5024 | .5038 |
| 3.2 | .5051 | .5065 | .5079 | .5092 | .5105 | .5119 | .5132 | .5145 | .5159 | .5172 |
| 3.3 | .5185 | .5198 | .5211 | .5224 | .5237 | .5250 | .5263 | .5276 | .5289 | .5302 |
| 3.4 | .5315 | .5328 | .5340 | .5353 | .5366 | .5378 | .5391 | .5403 | .5416 | .5428 |
| 3.5 | .5441 | .5453 | .5465 | .5478 | .5490 | .5502 | .5514 | .5527 | .5539 | .5551 |
| 3.6 | .5563 | .5575 | .5587 | .5599 | .5611 | .5623 | .5635 | .5647 | .5658 | .5670 |
| 3.7 | .5682 | .5694 | .5705 | .5717 | .5729 | .5740 | .5752 | .5763 | .5775 | .5786 |
| 3.8 | .5798 | .5809 | .5821 | .5832 | .5843 | .5855 | .5866 | .5877 | .5888 | .5899 |
| 3.9 | .5911 | .5922 | .5933 | .5944 | .5955 | .5966 | .5977 | .5988 | .5999 | .6010 |
| 4.0 | .6021 | .6031 | .6042 | .6053 | .6064 | .6075 | .6085 | .6096 | .6107 | .6117 |
| 4.1 | .6128 | .6138 | .6149 | .6160 | .6170 | .6180 | .6191 | .6201 | .6212 | .6222 |
| 4.2 | .6232 | .6243 | .6253 | .6263 | .6274 | .6284 | .6294 | .6304 | .6314 | .6325 |
| 4.3 | .6335 | .6345 | .6355 | .6365 | .6375 | .6385 | .6395 | .6405 | .6415 | .6425 |
| 4.4 | .6435 | .6444 | .6454 | .6464 | .6474 | .6484 | .6493 | .6503 | .6513 | .6522 |
| 4.5 | .6532 | .6542 | .6551 | .6561 | .6571 | .6580 | .6590 | .6599 | .6609 | .6618 |
| 4.6 | .6628 | .6637 | .6646 | .6656 | .6665 | .6675 | .6684 | .6693 | .6702 | .6712 |
| 4.7 | .6721 | .6730 | .6739 | .6749 | .6758 | .6767 | .6776 | .6785 | .6794 | .6803 |
| 4.8 | .6812 | .6821 | .6830 | .6839 | .6848 | .6857 | .6866 | .6875 | .6884 | .6893 |
| 4.9 | .6902 | .6911 | .6920 | .6928 | .6937 | .6946 | .6955 | .6964 | .6972 | .6981 |
| 5.0 | .6990 | .6998 | .7007 | .7016 | .7024 | .7033 | .7042 | .7050 | .7059 | .7067 |
| 5.1 | .7076 | .7084 | .7093 | .7101 | .7110 | .7118 | .7126 | .7135 | .7143 | .7152 |
| 5.2 | .7160 | .7168 | .7177 | .7185 | .7193 | .7202 | .7210 | .7218 | .7226 | .7235 |
| 5.3 | .7243 | .7251 | .7259 | .7267 | .7275 | .7284 | .7292 | .7300 | .7308 | .7316 |
| 5.4 | .7324 | .7332 | .7340 | .7348 | .7356 | .7364 | .7372 | .7380 | .7388 | .7396 |

# 상용로그표 ❷

| 수 | 0 | 1 | 2 | 3 | 4 | 5 | 6 | 7 | 8 | 9 |
|---|---|---|---|---|---|---|---|---|---|---|
| 5.5 | .7404 | .7412 | .7419 | .7427 | .7435 | .7443 | .7451 | .7459 | .7466 | .7474 |
| 5.6 | .7482 | .7490 | .7497 | .7505 | .7513 | .7520 | .7528 | .7536 | .7543 | .7551 |
| 5.7 | .7559 | .7566 | .7574 | .7582 | .7589 | .7597 | .7604 | .7612 | .7619 | .7627 |
| 5.8 | .7634 | .7642 | .7649 | .7657 | .7664 | .7672 | .7679 | .7686 | .7694 | .7701 |
| 5.9 | .7709 | .7716 | .7723 | .7731 | .7738 | .7745 | .7752 | .7760 | .7767 | .7774 |
| 6.0 | .7782 | .7789 | .7796 | .7803 | .7810 | .7818 | .7825 | .7832 | .7839 | .7846 |
| 6.1 | .7853 | .7860 | .7868 | .7875 | .7882 | .7889 | .7896 | .7903 | .7910 | .7917 |
| 6.2 | .7924 | .7931 | .7938 | .7945 | .7952 | .7959 | .7966 | .7973 | .7980 | .7987 |
| 6.3 | .7993 | .8000 | .8007 | .8014 | .8021 | .8028 | .8035 | .8041 | .8048 | .8055 |
| 6.4 | .8062 | .8069 | .8075 | .8082 | .8089 | .8096 | .8102 | .8109 | .8116 | .8122 |
| 6.5 | .8129 | .8136 | .8142 | .8149 | .8156 | .8162 | .8169 | .8176 | .8182 | .8189 |
| 6.6 | .8195 | .8202 | .8209 | .8215 | .8222 | .8228 | .8235 | .8241 | .8248 | .8254 |
| 6.7 | .8261 | .8267 | .8274 | .8280 | .8287 | .8293 | .8299 | .8306 | .8312 | .8319 |
| 6.8 | .8325 | .8331 | .8338 | .8344 | .8351 | .8357 | .8363 | .8370 | .8376 | .8382 |
| 6.9 | .8388 | .8395 | .8401 | .8407 | .8414 | .8420 | .8426 | .8432 | .8439 | .8445 |
| 7.0 | .8451 | .8457 | .8463 | .8470 | .8476 | .8482 | .8488 | .8494 | .8500 | .8506 |
| 7.1 | .8513 | .8519 | .8525 | .8531 | .8537 | .8543 | .8549 | .8555 | .8561 | .8567 |
| 7.2 | .8573 | .8579 | .8585 | .8591 | .8597 | .8603 | .8609 | .8615 | .8621 | .8627 |
| 7.3 | .8633 | .8639 | .8645 | .8651 | .8657 | .8663 | .8669 | .8675 | .8681 | .8686 |
| 7.4 | .8692 | .8698 | .8704 | .8710 | .8716 | .8722 | .8727 | .8733 | .8739 | .8745 |
| 7.5 | .8751 | .8756 | .8762 | .8768 | .8774 | .8779 | .8785 | .8791 | .8797 | .8802 |
| 7.6 | .8808 | .8814 | .8820 | .8825 | .8831 | .8837 | .8842 | .8848 | .8854 | .8859 |
| 7.7 | .8865 | .8871 | .8876 | .8882 | .8887 | .8893 | .8899 | .8904 | .8910 | .8915 |
| 7.8 | .8921 | .8927 | .8932 | .8938 | .8943 | .8949 | .8954 | .8960 | .8965 | .8971 |
| 7.9 | .8976 | .8982 | .8987 | .8993 | .8998 | .9004 | .9009 | .9015 | .9020 | .9025 |
| 8.0 | .9031 | .9036 | .9042 | .9047 | .9053 | .9058 | .9063 | .9069 | .9074 | .9079 |
| 8.1 | .9085 | .9090 | .9096 | .9101 | .9106 | .9112 | .9117 | .9122 | .9128 | .9133 |
| 8.2 | .9138 | .9143 | .9149 | .9154 | .9159 | .9165 | .9170 | .9175 | .9180 | .9186 |
| 8.3 | .9191 | .9196 | .9201 | .9206 | .9212 | .9217 | .9222 | .9227 | .9232 | .9238 |
| 8.4 | .9243 | .9248 | .9253 | .9258 | .9263 | .9269 | .9274 | .9279 | .9284 | .9289 |
| 8.5 | .9294 | .9299 | .9304 | .9309 | .9315 | .9320 | .9325 | .9330 | .9335 | .9340 |
| 8.6 | .9345 | .9350 | .9355 | .9360 | .9365 | .9370 | .9375 | .9380 | .9385 | .9390 |
| 8.7 | .9395 | .9400 | .9405 | .9410 | .9415 | .9420 | .9425 | .9430 | .9435 | .9440 |
| 8.8 | .9445 | .9450 | .9455 | .9460 | .9465 | .9469 | .9474 | .9479 | .9484 | .9489 |
| 8.9 | .9494 | .9499 | .9504 | .9509 | .9513 | .9518 | .9523 | .9528 | .9533 | .9538 |
| 9.0 | .9542 | .9547 | .9552 | .9557 | .9562 | .9566 | .9571 | .9576 | .9581 | .9586 |
| 9.1 | .9590 | .9595 | .9600 | .9605 | .9609 | .9614 | .9619 | .9624 | .9628 | .9633 |
| 9.2 | .9638 | .9643 | .9647 | .9652 | .9657 | .9661 | .9666 | .9671 | .9675 | .9680 |
| 9.3 | .9685 | .9689 | .9694 | .9699 | .9703 | .9708 | .9713 | .9717 | .9722 | .9727 |
| 9.4 | .9731 | .9736 | .9741 | .9745 | .9750 | .9754 | .9759 | .9763 | .9768 | .9773 |
| 9.5 | .9777 | .9782 | .9786 | .9791 | .9795 | .9800 | .9805 | .9809 | .9814 | .9818 |
| 9.6 | .9823 | .9827 | .9832 | .9836 | .9841 | .9845 | .9850 | .9854 | .9859 | .9863 |
| 9.7 | .9868 | .9872 | .9877 | .9881 | .9886 | .9890 | .9894 | .9899 | .9903 | .9908 |
| 9.8 | .9912 | .9917 | .9921 | .9926 | .9930 | .9934 | .9939 | .9943 | .9948 | .9952 |
| 9.9 | .9956 | .9961 | .9965 | .9969 | .9974 | .9978 | .9983 | .9987 | .9991 | .9996 |

# 삼각함수표

| $\theta$ | $\sin\theta$ | $\cos\theta$ | $\tan\theta$ | $\theta$ | $\sin\theta$ | $\cos\theta$ | $\tan\theta$ |
|---|---|---|---|---|---|---|---|
| 0° | 0.0000 | 1.0000 | 0.0000 | 45° | 0.7071 | 0.7071 | 1.0000 |
| 1° | 0.0175 | 0.9998 | 0.0175 | 46° | 0.7193 | 0.6947 | 1.0355 |
| 2° | 0.0349 | 0.9994 | 0.0349 | 47° | 0.7314 | 0.6820 | 1.0724 |
| 3° | 0.0523 | 0.9986 | 0.0524 | 48° | 0.7431 | 0.6691 | 1.1106 |
| 4° | 0.0698 | 0.9976 | 0.0699 | 49° | 0.7547 | 0.6561 | 1.1504 |
| 5° | 0.0872 | 0.9962 | 0.0875 | 50° | 0.7660 | 0.6428 | 1.1918 |
| 6° | 0.1045 | 0.9945 | 0.1051 | 51° | 0.7771 | 0.6293 | 1.2349 |
| 7° | 0.1219 | 0.9925 | 0.1228 | 52° | 0.7880 | 0.6157 | 1.2799 |
| 8° | 0.1392 | 0.9903 | 0.1405 | 53° | 0.7986 | 0.6018 | 1.3270 |
| 9° | 0.1564 | 0.9877 | 0.1584 | 54° | 0.8090 | 0.5878 | 1.3764 |
| 10° | 0.1736 | 0.9848 | 0.1763 | 55° | 0.8192 | 0.5736 | 1.4281 |
| 11° | 0.1908 | 0.9816 | 0.1944 | 56° | 0.8290 | 0.5592 | 1.4826 |
| 12° | 0.2079 | 0.9781 | 0.2126 | 57° | 0.8387 | 0.5446 | 1.5399 |
| 13° | 0.2250 | 0.9744 | 0.2309 | 58° | 0.8480 | 0.5299 | 1.6003 |
| 14° | 0.2419 | 0.9703 | 0.2493 | 59° | 0.8572 | 0.5150 | 1.6643 |
| 15° | 0.2588 | 0.9659 | 0.2679 | 60° | 0.8660 | 0.5000 | 1.7321 |
| 16° | 0.2756 | 0.9613 | 0.2867 | 61° | 0.8746 | 0.4848 | 1.8040 |
| 17° | 0.2924 | 0.9563 | 0.3057 | 62° | 0.8829 | 0.4695 | 1.8807 |
| 18° | 0.3090 | 0.9511 | 0.3249 | 63° | 0.8910 | 0.4540 | 1.9626 |
| 19° | 0.3256 | 0.9455 | 0.3443 | 64° | 0.8988 | 0.4384 | 2.0503 |
| 20° | 0.3420 | 0.9397 | 0.3640 | 65° | 0.9063 | 0.4226 | 2.1445 |
| 21° | 0.3584 | 0.9336 | 0.3839 | 66° | 0.9135 | 0.4067 | 2.2460 |
| 22° | 0.3746 | 0.9272 | 0.4040 | 67° | 0.9205 | 0.3907 | 2.3559 |
| 23° | 0.3907 | 0.9205 | 0.4245 | 68° | 0.9272 | 0.3746 | 2.4751 |
| 24° | 0.4067 | 0.9135 | 0.4452 | 69° | 0.9336 | 0.3584 | 2.6051 |
| 25° | 0.4226 | 0.9063 | 0.4663 | 70° | 0.9397 | 0.3420 | 2.7475 |
| 26° | 0.4384 | 0.8988 | 0.4877 | 71° | 0.9455 | 0.3256 | 2.9042 |
| 27° | 0.4540 | 0.8910 | 0.5095 | 72° | 0.9511 | 0.3090 | 3.0777 |
| 28° | 0.4695 | 0.8829 | 0.5317 | 73° | 0.9563 | 0.2924 | 3.2709 |
| 29° | 0.4848 | 0.8746 | 0.5543 | 74° | 0.9613 | 0.2756 | 3.4874 |
| 30° | 0.5000 | 0.8660 | 0.5774 | 75° | 0.9659 | 0.2588 | 3.7321 |
| 31° | 0.5150 | 0.8572 | 0.6009 | 76° | 0.9703 | 0.2419 | 4.0108 |
| 32° | 0.5299 | 0.8480 | 0.6249 | 77° | 0.9744 | 0.2250 | 4.3315 |
| 33° | 0.5446 | 0.8387 | 0.6494 | 78° | 0.9781 | 0.2079 | 4.7046 |
| 34° | 0.5592 | 0.8290 | 0.6745 | 79° | 0.9816 | 0.1908 | 5.1446 |
| 35° | 0.5736 | 0.8192 | 0.7002 | 80° | 0.9848 | 0.1736 | 5.6713 |
| 36° | 0.5878 | 0.8090 | 0.7265 | 81° | 0.9877 | 0.1564 | 6.3138 |
| 37° | 0.6018 | 0.7986 | 0.7536 | 82° | 0.9903 | 0.1392 | 7.1154 |
| 38° | 0.6157 | 0.7880 | 0.7813 | 83° | 0.9925 | 0.1219 | 8.1443 |
| 39° | 0.6293 | 0.7771 | 0.8098 | 84° | 0.9945 | 0.1045 | 9.5144 |
| 40° | 0.6428 | 0.7660 | 0.8391 | 85° | 0.9962 | 0.0872 | 11.4301 |
| 41° | 0.6561 | 0.7547 | 0.8693 | 86° | 0.9976 | 0.0698 | 14.3007 |
| 42° | 0.6691 | 0.7431 | 0.9004 | 87° | 0.9986 | 0.0523 | 19.0811 |
| 43° | 0.6820 | 0.7314 | 0.9325 | 88° | 0.9994 | 0.0349 | 28.6363 |
| 44° | 0.6947 | 0.7193 | 0.9657 | 89° | 0.9998 | 0.0175 | 57.2900 |
| 45° | 0.7071 | 0.7071 | 1.0000 | 90° | 1.0000 | 0.0000 | |

# 빠른 정답 확인

001 $a^5$　　　002 $x^{30}$　　　003 $x^8 y^{12}$

004 $\dfrac{y^6}{x^{15}}$　　　005 $a^2 b^3$　　　006 $a^2 b^3$

007 $a^4$　　　008 $1$　　　009 $-2, 2$

010 $-\sqrt{3}, \sqrt{3}$　　　011 없다.　　　012 $2$

013 $5$　　　014 $-1$　　　015 $-4$

016 $\sqrt[3]{5}$　　　017 $\sqrt[3]{-12}$　　　018 $-2, 2$

019 $-\dfrac{1}{3}, \dfrac{1}{3}$　　　020 $\sqrt[4]{3}, -\sqrt[4]{3}$　　　021 없다.

022 $\sqrt[3]{10}$　　　023 $4$　　　024 $\sqrt[3]{4}$

025 $3$　　　026 $2$　　　027 $\sqrt[3]{5}$

028 $1$　　　029 $1$　　　030 $\dfrac{1}{27}$

031 $16$　　　032 $a^{\frac{1}{3}}$　　　033 $a^{\frac{1}{2}}$

034 $a^{\frac{3}{7}}$　　　035 $a^{-\frac{2}{5}}$　　　036 $2^{\frac{7}{2}}$

037 $\dfrac{1}{5}$　　　038 $4$　　　039 $8$

040 $2$　　　041 $3^{\frac{7}{6}}$　　　042 $a^4 b^{10}$

043 $a^{\frac{1}{2}}$　　　044 $7^{2\sqrt{2}}$　　　045 $8$

046 $5^{5\sqrt{2}}$　　　047 $a^{3\sqrt{2}}$　　　048 $c^6 < a^6 < b^6$

049 $b^{12} < c^{12} < a^{12}$　　　050 $7$　　　051 $\sqrt{5}$

052 $18$　　　053 $\dfrac{a^{2x}-1}{a^{2x}+1}$　　　054 $\dfrac{a^{6x}+1}{a^{3x}-1}$

055 $9$　　　056 ④　　　057 $54$

058 ⑤　　　059 $-2$　　　060 $3$

061 $36$　　　062 ①　　　063 ③

064 $3$　　　065 ③　　　066 $16$

067 $9$　　　068 ④　　　069 ②

070 ④　　　071 $-110$　　　072 ④

073 ③　　　074 $11$　　　075 $45$

076 ④　　　077 $550$　　　078 $5$

079 ③　　　080 ②　　　081 ⑤

082 ②　　　083 $174$　　　084 ④

085 ①　　　086 ④　　　087 $26$

088 ②　　　089 $\dfrac{11}{27}$　　　090 ④

091 ④　　　092 ⑤　　　093 $1$

094 ①　　　095 ③　　　096 ④

097 2030년　　　098 ②　　　099 ②

100 ①　　　101 ⑤　　　102 $-6$

103 ⑤　　　104 ③　　　105 ①

106 $3$　　　107 $2$　　　108 ⑤

109 ③

110 ③　　　111 125배

001 $4 = \log_2 16$　　　002 $\dfrac{1}{2} = \log_9 3$　　　003 $2^5 = 32$

004 $4^{\frac{3}{2}} = 8$　　　005 $3^{\frac{1}{2}} = \sqrt{3}$　　　006 $3$

007 $\dfrac{1}{3}$　　　008 $-1$　　　009 $81$

010 $2$　　　011 $\sqrt{3}$　　　012 $\dfrac{1}{5}$

013 $\log_3 10$　　　014 $\log_{10} 15$　　　015 $-\log_7 2$

016 $x > 5$　　　017 $x < -2$ 또는 $x > 2$

018 $5 < x < 6$ 또는 $x > 6$

019 $0 < x < 1$ 또는 $1 < x < 5$　　　020 $0$

021 $1$　　　022 $1$　　　023 $1$

024 $1$　　　025 $3$　　　026 $\dfrac{1}{2}$

027 $2$　　　028 $2$　　　029 $4$

030 $4$　　　031 $5$　　　032 $2$

033 $\dfrac{\log_{\boxed{2}} 5}{\log_2 \boxed{3}}$　　　034 $\dfrac{1}{\log_2 \boxed{5}}$　　　035 $\log_5 \boxed{7}$

036 $\log_{\boxed{6}} 4$　　　037 $2$　　　038 $5$

039 $3$　　　040 $2$　　　041 $2$

042 $3$　　　043 $\boxed{\dfrac{n}{m}} \log_a b$　　　044 $\boxed{b}^{\log_c \boxed{a}}$

045 $b$　　　046 $\boxed{\dfrac{3}{2}} \log_3 2$　　　047 $\boxed{6}^{\log_5 \boxed{5}}$

048 $7$　　　049 $\dfrac{7}{3}$　　　050 $6$

051 $-\dfrac{1}{3}$　　　052 $\log_2 15$　　　053 $5$

054 $5$　　　055 $22$　　　056 $10$

057 $2a+b$　　　058 $b-a$　　　059 $-2b$

060 $b+1$　　　061 $2a+2$　　　062 $1-a$

063 $\dfrac{b}{a}$　　　064 $\dfrac{2b}{3a}$　　　065 $\dfrac{2a}{3b}$

066 $\dfrac{2a+b}{a+b}$　　　067 $\dfrac{a+1}{a}$

068 $2$　　　069 ③　　　070 $3$

071 ③　　　072 ④　　　073 ①

074 ②　　　075 $4$　　　076 ④

077 $21$　　　078 $-2$　　　079 ②

080 $2$　　　081 ③　　　082 $2$

083 $24$　　　084 ④　　　085 $1$

086 ①　　　087 ③　　　088 ②

089 $5$　　　090 $4$　　　091 $2$

092 $4$　　　093 ①　　　094 ⑤

095 ⑤　　　096 ⑤　　　097 ⑤

098 $251$　　　099 $\dfrac{33}{119}$　　　100 $4$

101 ③　　　102 $30$　　　103 ①

104 $2$　　　105 $2$　　　106 ⑤

107 ①

108 ③　　　109 $3$　　　110 $1$

111 ④　　　112 ②　　　113 $12$

**114** ⑤   **115** 12   **116** 18
**117** ②
**118** 20   **119** ③

**001** 2   **002** $-1$   **003** $-3$
**004** $\frac{1}{3}$   **005** $\frac{3}{2}$   **006** $2a$
**007** $1-a$   **008** $a+b$   **009** $3a$
**010** $2b$   **011** $3b$   **012** $4a-2b$
**013** $n=3, \alpha=0.3692$   **014** $n=2, \alpha=0.3674$   **015** $n=0, \alpha=0.3502$
**016** $n=-2, \alpha=0.3483$   **017** 3.3522
**018** $-0.6289$   **019** 4.5340   **020** 2.5340
**021** $-0.4660$   **022** $-1.4660$   **023** $n=2, \alpha=0.6042$
**024** $n=-1, \alpha=0.6646$
**025** $n=-3, \alpha=0.5855$   **026** 5
**027** $-1$   **028** $-3$   **029** $2+\log 2.54$
**030** $-2+\log 2.54$   **031** $1+\log 4.56$   **032** $-3+\log 4.56$
**033** 3   **034** 1   **035** $-1$
**036** $-4$   **037** 0.3892   **038** 0.8854
**039** 2.6739   **040** 0   **041** 2
**042** $-1$   **043** 0.9217   **044** 3.7738
**045** $-0.2262$   **046** $-2.2262$   **047** 59400
**048** 59.4   **049** 0.000594
**050** $\frac{16}{3}$   **051** ②   **052** ②
**053** ⑤   **054** ③   **055** $-4542$
**056** 11.2608   **057** ③   **058** 1.3801
**059** ①   **060** 2.1742   **061** ①
**062** 9.4768   **063** 138
**064** (가): 0.3617, (나): 3.2553, (다): 1.8, (라): 1800   **065** 1
**066** ①   **067** 9000   **068** 9899
**069** ④   **070** ①   **071** 0.44
**072** $\frac{65}{6}$   **073** ④   **074** ③
**075** 16   **076** 2   **077** ③
**078** ②   **079** 2   **080** ⑤
**081** 100   **082** 7   **083** ③
**084** 8시간   **085** 54
**086** ⑤   **087** 7.91   **088** ③
**089** ④   **090** ③   **091** 4893
**092** 25   **093** ①   **094** ②
**095** ④
**096** ④   **097** 1

**001** $x$축   **002** 0   **003** 모든 실수
**004** $y>0$   **005** $<$   **006** $>$

**007** 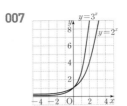   **008**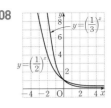

**[009-012]**

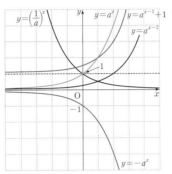

**013** $y=5^{x-3}$   **014** $y=5^x-2$   **015** $y=5^{x+1}+4$
**016** $y=-5^x$   **017** $y=\left(\frac{1}{5}\right)^x$   **018** $y=-\left(\frac{1}{5}\right)^x$
**019** 1, 2, 2   **020** $y=0$   **021** $y=5$
**022** $y=1$   **023** 최댓값: 81, 최솟값: 3
**024** 최댓값: 4, 최솟값: $\frac{1}{8}$
**025** 최댓값: 3, 최솟값: $\frac{1}{9}$   **026** $\{x|x>0\}$
**027** $\{x|x>5\}$   **028** $\{x|x<3\}$
**029** $\{x|x\neq0$인 모든 실수$\}$   **030** $y$축
**031** 1   **032** $x>0$   **033** 모든 실수

**034**    **035**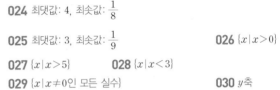

**[036-039]**

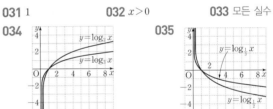

**040** $y=\log_5(x-1)$   **041** $y=\log_5 x-2$
**042** $y=\log_5(x+3)+4$   **043** $y=-\log_5 x$
**044** $y=\log_5(-x)$   **045** $y=-\log_5(-x)$   **046** 2, $-1$, 2
**047** $x=5$   **048** $x=0$   **049** $x=-3$
**050** 최댓값: 4, 최솟값: 0   **051** 최댓값: 1, 최솟값: $-2$
**052** 최댓값: 4, 최솟값: $-2$   **053** $y=\log_2 x$ (단, $x>0$)
**054** $y=-\log_3 x$ (단, $x>0$)   **055** $y=\log_2 x-3$ (단, $x>0$)
**056** $y=5^x+2$
**057** ③   **058** 2   **059** 8
**060** 3   **061** 20   **062** ④
**063** ②   **064** ⑤   **065** ④

| | | |
|---|---|---|
| 066 9 | 067 4 | 068 ⑤ |
| 069 $-3$ | 070 3 | 071 3 |
| 072 8 | 073 14 | 074 ⑤ |
| 075 3 | 076 3 | 077 ② |
| 078 ③ | 079 $\frac{15}{2}$ | 080 3 |
| 081 ④ | 082 ④ | 083 ⑤ |
| 084 19 | 085 9 | 086 512 |
| 087 ④ | 088 ③ | 089 ⑤ |
| 090 ③ | 091 ⑤ | 092 $-3$ |
| 093 ⑤ | 094 10 | 095 $-8$ |
| 096 3 | 097 ③ | 098 $-1$ |
| 099 2 | 100 ④ | 101 8 |
| 102 ③ | 103 ④ | 104 64 |
| 105 ② | 106 31 | 107 ⑤ |
| 108 ③ | 109 ② | 110 ⑤ |
| 111 10 | 112 ② | 113 580 |
| 114 ③ | 115 ② | 116 $-2$ |
| 117 3 | 118 ④ | 119 ③ |
| 120 ④ | 121 5 | 122 ④ |
| 123 5 | | |
| 124 $\frac{1}{2}$ | 125 ④ | |

## 05 지수함수의 활용
본문 071~082쪽

| | | |
|---|---|---|
| 001 $x=6$ | 002 $x=5$ | 003 $x=3$ |
| 004 $x=-7$ | 005 $x=\frac{1}{2}$ | 006 $x=-\frac{1}{4}$ |
| 007 $x=1$ 또는 $x=2$ | 008 $x=\frac{\log 2}{\log 3-\log 2}$ | 009 $x=\frac{\log 5}{\log 5-\log 2}$ |
| 010 $x=2$ 또는 $x=5$ | 011 $t^2-5t+4=0$ | 012 $t=1$ 또는 $t=4$ |
| 013 $x=0$ 또는 $x=2$ | 014 $x=2$ | 015 $x=2$ |
| 016 $<$ | 017 $>$ | 018 $x>1$ |
| 019 $x>4$ | 020 $x\leq-1$ | 021 $x>2$ |
| 022 $x>-\frac{4}{3}$ | 023 $x\leq-\frac{1}{3}$ | 024 $x\geq\frac{\log 3}{\log 2}$ |
| 025 $x>\frac{\log 5}{\log 3-\log 5}$ | 026 $t^2-6t+8<0$ | 027 $2<t<4$ |
| 028 $1<x<2$ | 029 $x>2$ | 030 $x\leq 2$ |
| 031 ④ | 032 7 | 033 ② |
| 034 ① | 035 3 | 036 64 |
| 037 ④ | 038 $x=2$ | 039 ④ |
| 040 52 | 041 ③ | 042 ② |
| 043 7 | 044 ② | 045 1 |
| 046 3 | 047 ④ | 048 ② |
| 049 ② | 050 5 | 051 ⑤ |
| 052 ⑤ | 053 ⑤ | 054 ③ |
| 055 ③ | 056 4 | 057 $x=3$ |
| 058 ① | 059 ③ | 060 81 |
| 061 7 | 062 ③ | 063 {2, 3} |
| 064 11 | 065 ② | 066 13 |
| 067 ⑤ | 068 ⑤ | 069 ④ |

| | | |
|---|---|---|
| 070 ③ | | |
| 071 $x=2$ | 072 5 | 073 ③ |
| 074 34 | 075 ① | 076 ③ |
| 077 ③ | 078 18 | 079 5 |
| 080 ④ | | |
| 081 $x=2, y=0$ | 082 ② | |

## 06 로그함수의 활용
본문 085~096쪽

| | | |
|---|---|---|
| 001 4, 16 | 002 3, 9 | 003 2 |
| 004 1 | 005 $\frac{1}{9}$ | 006 $\frac{1}{8}$ |
| 007 2 | 008 3 | 009 $x=3$ |
| 010 $x=9$ | 011 $x=1$ | 012 $x=8$ |
| 013 4, $\frac{1}{2}$, 2, 2, 2, 4, 8 | | 014 $x=3$ |
| 015 $x=4$ | 016 $x=4$ | |
| 017 $t^2-4t+4$, 2, 2, 2, 9, 9 | | 018 $x=2$ 또는 $x=4$ |
| 019 $x=\frac{1}{4}$ 또는 $x=2$ | 020 $x=\frac{1}{2}$ 또는 $x=8$ | 021 $x>4$ |
| 022 $x\geq 2$ | 023 $0<x<3$ | 024 $x>8$ |
| 025 $2<x<5$ | 026 $\frac{2}{3}<x\leq 3$ | 027 $2<x<6$ |
| 028 $\frac{3}{2}<x\leq 6$ | 029 $1<x\leq\frac{9}{8}$ | 030 $1<x<4$ |
| 031 $4<x\leq 8$ | 032 $6\leq x<15$ | 033 $2\leq x\leq 8$ |
| 034 $\frac{1}{3}<x<9$ | 035 $\frac{1}{4}\leq x\leq 16$ | |
| 036 ④ | 037 ③ | 038 ③ |
| 039 7 | 040 125 | 041 ② |
| 042 ④ | 043 $\frac{7}{4}$ | 044 ③ |
| 045 $\frac{1}{27}$ 또는 27 | 046 ① | 047 ⑤ |
| 048 ④ | 049 32 | 050 ③ |
| 051 $\frac{1}{2}<x<\frac{3}{2}$ | 052 ⑤ | 053 ③ |
| 054 3 | 055 ③ | 056 18 |
| 057 ③ | 058 ③ | 059 $\frac{1}{9}<x<1$ |
| 060 ④ | 061 ⑤ | 062 15 |
| 063 ④ | 064 ⑤ | |
| 065 $0<a\leq\frac{1}{8}$ 또는 $a\geq\frac{1}{2}$ | | 066 ⑤ |
| 067 ③ | 068 ① | 069 $-12$ |
| 070 24 | 071 ④ | 072 ④ |
| 073 ① | 074 12 | 075 7.2 |
| 076 ③ | | |
| 077 ② | 078 $\frac{1}{10}$ | 079 32 또는 $\frac{1}{4}$ |
| 080 ② | 081 ④ | 082 ① |
| 083 ④ | 084 ③ | 085 ① |
| 086 ② | | |
| 087 ⑤ | 088 44 | |

001 ㉠  002 ㉣  003 ㉡

004 ㉢  005 45  006 135

007 240  008 $360°×n+100°$ ($n$은 정수)

009 $360°×n+30°$ ($n$은 정수)

010 $360°×n+60°$ ($n$은 정수)  011 제2사분면

012 제3사분면  013 제4사분면  014 제1사분면

015 제3사분면  016 $\frac{\pi}{6}$  017 $\frac{\pi}{4}$

018 $\frac{\pi}{3}$  019 $\frac{\pi}{2}$  020 $\frac{2}{3}\pi$

021 $\frac{3}{4}\pi$  022 $\pi$  023 $\frac{4}{3}\pi$

024 $\frac{11}{6}\pi$  025 $2\pi$  026 $30°$

027 $45°$  028 $60°$  029 $90°$

030 $150°$  031 $210°$  032 $240°$

033 $315°$  034 $360°$  035 $\pi$

036 $6\pi$  037 $\frac{4}{3}\pi$  038 12

039 $6\pi$  040 $8\pi$  041 $\frac{3}{5}$

042 $\frac{4}{5}$  043 $\frac{3}{4}$  044 $\frac{2\sqrt{5}}{5}$

045 $-\frac{\sqrt{5}}{5}$  046 $-2$  047 $\sin\theta>0$

048 $\cos\theta<0$  049 $\tan\theta<0$  050 $\sin\theta<0$

051 $\cos\theta<0$  052 $\tan\theta>0$  053 $\frac{1}{2}$

054 $\frac{\sqrt{3}}{2}$  055 $\frac{\sqrt{3}}{3}$  056 $\frac{\sqrt{2}}{2}$

057 $\frac{\sqrt{2}}{2}$  058 1  059 $\frac{\sqrt{3}}{2}$

060 $\frac{1}{2}$  061 $\sqrt{3}$  062 $-\sqrt{3}$

063 1  064 $\cos\theta=\frac{4}{5},\ \tan\theta=\frac{3}{4}$

065 $\cos\theta=-\frac{3}{5},\ \tan\theta=-\frac{4}{3}$

066 $\sin\theta=-\frac{\sqrt{5}}{5},\ \cos\theta=-\frac{2\sqrt{5}}{5}$

067 $\sin\theta=-\frac{\sqrt{2}}{2},\ \tan\theta=-1$

068 $-\frac{3}{8}$  069 $-\frac{4}{9}$  070 $\frac{4}{9}$

071 ②  072 ④  073 $\frac{5}{6}\pi$

074 ⑤  075 ④

076 제2사분면 또는 제4사분면  077 $72°$

078 $\frac{1}{2}$  079 ④  080 $\frac{\sqrt{3}}{2}$

081 ①  082 $8+7\pi$  083 $8+2\pi$

084 4  085 ⑤  086 $\frac{1}{5}$

087 $\frac{\sqrt{34}}{3}$  088 $-\frac{12}{25}$  089 $\frac{\sqrt{3}}{4}$

090 2  091 ⑤  092 ⑤

093 ⑤  094 $2\cos\theta$  095 $\cos\theta$

096 ②  097 $\frac{3}{10}$  098 $\frac{5}{3}$

099 ⑤  100 ④  101 $\frac{\sqrt{6}}{2}$

102 4  103 ③  104 $-\frac{3}{4}$

105 ②  106 $-192$

107 ②  108 ③  109 ⑤

110 ④  111 ⑤  112 $\frac{4}{3}$

113 $\sqrt{3}$  114 ②  115 ④

116 8

117 2  118 ②

001 3  002 0  003 $-\frac{\pi}{2},\ 1,\ \pi,\ 2\pi$

004 $2\pi$  005 $-1\leq y\leq 1$  006 원점

007 $3,\ -3,\ 2\pi$  008 $2\pi$  009 $-3\leq y\leq 3$

010

011
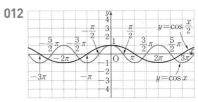

012
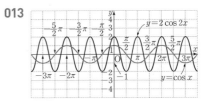

013
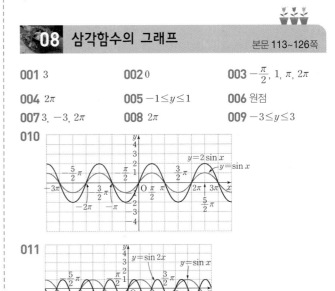

014 $\{y\,|-4\leq y\leq 4\}$  015 $\{y\,|-\sqrt{2}\leq y\leq\sqrt{2}\}$

016 $\{y\,|-2\leq y\leq 2\}$  017 $\pi$  018 $4\pi$

019 $\frac{2}{3}\pi$  020 $\frac{\pi}{2}$  021 $1,\ \frac{\pi}{3},\ \frac{7}{3}\pi$

022 $-\frac{\pi}{4},\ 1,\ \frac{\pi}{4},\ \frac{7}{4}\pi$  023 $2,\ 1,\ 2\pi$  024 $-2,\ \pi,\ 2\pi$

025 $-\frac{\pi}{2},\ \pi$  026 $\pi$  027 $\frac{\pi}{2}$

028 원점  029 $\frac{\pi}{2}$  030 $-\frac{\pi}{4},\ \frac{\pi}{4},\ \frac{\pi}{2},\ \frac{3}{4}\pi$

031 $\frac{\pi}{2}$  032 $\frac{\pi}{4}$  033 $\frac{\pi}{6}$

034 $\sin\theta$  035 $\cos\theta$  036 $-\tan\theta$

037 $\sin\theta$  038 $-\cos\theta$  039 $\cos\theta$

**040** $-\sin\theta$   **041** $-\dfrac{1}{2}$   **042** $\dfrac{1}{2}$

**043** $-\dfrac{1}{2}$   **044** $-\sqrt{3}$   **045** $\dfrac{\sqrt{2}}{2}$

**046** $\dfrac{\pi}{6}$ 또는 $\dfrac{5}{6}\pi$   **047** $\dfrac{\pi}{3}$ 또는 $\dfrac{2}{3}\pi$   **048** $\dfrac{5}{4}\pi$ 또는 $\dfrac{7}{4}\pi$

**049** $\dfrac{2}{3}\pi$ 또는 $\dfrac{4}{3}\pi$   **050** $\dfrac{\pi}{3}$ 또는 $\dfrac{4}{3}\pi$   **051** $\dfrac{\pi}{6}<x<\dfrac{5}{6}\pi$

**052** $0\le x\le\dfrac{\pi}{3}$ 또는 $\dfrac{2}{3}\pi\le x<2\pi$

**053** $\dfrac{5}{4}\pi<x<\dfrac{7}{4}\pi$   **054** $\dfrac{2}{3}\pi\le x\le\dfrac{4}{3}\pi$

**055** $0\le x<\dfrac{\pi}{3}$ 또는 $\dfrac{\pi}{2}<x<\dfrac{4}{3}\pi$ 또는 $\dfrac{3}{2}\pi<x<2\pi$

**056** ㄱ, ㄷ, ㄹ   **057** 9   **058** $8\pi$

**059** ①   **060** ③   **061** $\dfrac{2}{3}$

**062** ⑤   **063** ③   **064** $-1$

**065** ㄱ, ㄴ, ㄷ   **066** ④   **067** 9

**068** ④   **069** ④   **070** ③

**071** ①   **072** $-\dfrac{3}{2}\pi$   **073** ④

**074** ③   **075** ①   **076** ④

**077** ④   **078** ④   **079** ⑤

**080** 4   **081** $-1$   **082** 5

**083** $2\pi$   **084** ①   **085** ①

**086** ③   **087** ④   **088** ④

**089** ④   **090** $\dfrac{7}{6}\pi$   **091** ④

**092** $0\le x\le\dfrac{\pi}{4}$   **093** $2\pi$   **094** ①

**095** ⑤   **096** ④   **097** ③

**098** ①   **099** ⑤   **100** ④

**101** $-2\le a\le\dfrac{5}{2}$   **102** ③

**103** ⑤   **104** ③   **105** ④

**106** 2   **107** ④   **108** ③

**109** ⑤   **110** $\dfrac{7}{6}\pi$ 또는 $\dfrac{11}{6}\pi$

**111** 7   **112** ②

**113** ⑤   **114** $\dfrac{\pi}{2}\le x\le\dfrac{7}{6}\pi$

## 09 삼각함수의 활용
본문 129~142쪽

**001** 풀이 참조   **002** 45   **003** $3\sqrt{2}$
**004** $3\sqrt{3}$   **005** $8\sqrt{2}$
**006** $(\overline{AC}=)3,\ (\overline{BC}=)3\sqrt{3}$   **007** 3
**008** $4\sqrt{3}$   **009** 2   **010** $\dfrac{3}{8}$
**011** $\dfrac{1}{3}$   **012** $60°$   **013** $b,\ c$
**014** $4\sqrt{3}$   **015** $\sqrt{3}+1$   **016** $2,\ 2,\ 2\sqrt{3}$
**017** 1   **018** $\sqrt{5}$   **019** $\sqrt{7}$
**020** $b,\ a,\ 2$   **021** $\dfrac{2}{3}$   **022** $-\dfrac{1}{3}$
**023** $45°\left(\text{또는 }\dfrac{\pi}{4}\right)$   **024** $\sin C,\ \sin A,\ c,\ a$

**025** 7   **026** $\dfrac{15\sqrt{3}}{2}$   **027** $\sqrt{3}$

**028** $\sin\theta$   **029** 14   **030** $12\sqrt{3}$
**031** $15\sqrt{2}$   **032** $20\sqrt{3}$
**033** $90°$   **034** ②   **035** ③
**036** $\dfrac{\pi}{3}$   **037** $24\sqrt{2}$   **038** ③
**039** ①   **040** ④   **041** $3:2:4$
**042** ③   **043** ④   **044** $2\sqrt{3}+2$
**045** ③   **046** 9   **047** $2\sqrt{3}$
**048** $\sqrt{7}$   **049** ④   **050** $2\sqrt{3}$
**051** $8+4\sqrt{3}$   **052** ④   **053** 0
**054** $\dfrac{8\sqrt{7}}{7}$   **055** ①   **056** $120°\left(\text{또는 }\dfrac{2}{3}\pi\right)$
**057** ⑤   **058** $3\sqrt{10}$   **059** 2.646 km
**060** ②   **061** $\dfrac{8\sqrt{15}}{15}$   **062** ①
**063** ①   **064** ①   **065** ②
**066** 10   **067** $\dfrac{15}{4}\sqrt{3}$   **068** ②
**069** ④   **070** ②   **071** $\dfrac{3\sqrt{6}}{2}$
**072** $\dfrac{21\sqrt{3}}{4}$   **073** ④   **074** ⑤
**075** $\sqrt{3}$   **076** ⑤   **077** $\dfrac{\pi}{6}$
**078** 68   **079** $5\sqrt{3}$
**080** $16\pi$   **081** ②   **082** ③
**083** $120°\left(\text{또는 }\dfrac{2}{3}\pi\right)$   **084** ③   **085** ⑤
**086** ③   **087** ①   **088** $4\sqrt{3}$
**089** $\dfrac{15\sqrt{3}}{4}+6\sqrt{5}$
**090** $\dfrac{\sqrt{5}}{3}$   **091** $4\sqrt{7}$

## 10 등차수열
본문 145~158쪽

**001** $a_1=2,\ a_2=4,\ a_3=6$   **002** $a_1=3,\ a_2=7,\ a_3=11$
**003** $a_1=6,\ a_2=12,\ a_3=24$   **004** $a_1=-1,\ a_2=2,\ a_3=-3$
**005** 34   **006** $2^{11}(=2048)$   **007** 3
**008** $\dfrac{3}{5}$   **009** 첫째항: 2, 공차: 4
**010** 첫째항: $-1$, 공차: 5   **011** 첫째항: $\dfrac{1}{2}$, 공차: $\dfrac{1}{2}$
**012** 9, 7, 5, 3   **013** $-15, -12, -9, -6$
**014** 8, 14, 20, 26   **015** 10, 7, 4, 1   **016** $a_n=2n+3$
**017** $a_n=-4n+14$   **018** $a_n=3n-4$   **019** $a_n=n+1$
**020** $a_n=2n-1$   **021** $a_n=2n-6$   **022** $a_n=-2n+14$
**023** $a_n=-3n+10$   **024** 3   **025** 3
**026** 4   **027** 5   **028** 8
**029** 3   **030** $-12$   **031** 13, 29
**032** $-2,\ 6$   **033** $6,\ -12$   **034** 155
**035** $-72$   **036** 54   **037** $-28$
**038** 970   **039** 410   **040** $-130$
**041** $-370$   **042** 5050   **043** 240

044 100    045 5    046 10
047 10    048 9    049 7
050 19    051 $a_1=3,\ a_n=6n-3$    052 $a_1=2,\ a_n=2n$
053 $a_1=4,\ a_n=6n-2$    054 $a_1=4,\ a_n=2n-1$ (단, $n\geq2$)
055 $a_1=2,\ a_n=2n+1$ (단, $n\geq2$)
056 $a_1=4,\ a_n=-2n+1$ (단, $n\geq2$)
057 28    058 $a_n=\dfrac{2n-1}{n^2}$    059 ⑤
060 ④    061 ①    062 ①
063 ③    064 ①    065 $c_n=6n-2$
066 ③    067 18    068 ⑤
069 ③    070 19    071 ③
072 24    073 ④    074 ⑤
075 ②    076 ⑤    077 34
078 30    079 51    080 ③
081 ③    082 107    083 $20°$
084 440    085 ④    086 제10항
087 ③    088 ③    089 ②
090 ①    091 960    092 210
093 1717    094 제5항    095 ③
096 8    097 ②    098 ③
099 310    100 $-14$    101 ⑤
102 ④    103 330 m
104 ①    105 90    106 ④
107 53    108 ③    109 ②
110 150    111 ①    112 77
113 제9항
114 164    115 ②

## 11 등비수열
본문 161~174쪽

001 첫째항: 2, 공비: 2    002 첫째항: 1, 공비: $-\dfrac{1}{2}$
003 첫째항: 1, 공비: $\sqrt{3}$    004 첫째항: 3, 공비: 3
005 첫째항: $\dfrac{1}{5}$, 공비: $\dfrac{1}{5}$    006 첫째항: $-12$, 공비: $-4$
007 첫째항: $\dfrac{2}{5}$, 공비: 2    008 3, 6, 12, 24
009 5, $-10$, 20, $-40$    010 4, 8, 16, 32
011 $-5$, 5, $-5$, 5    012 $a_n=5^{n-1},\ a_5=5^4(=625)$
013 $a_n=4\times(-9)^{n-1},\ a_5=4\times(-9)^4(=26244)$
014 $a_n=16\times\left(\dfrac{1}{2}\right)^{n-1},\ a_5=1$    015 $a_n=6\times2^{n-1}$
016 $a_n=3\times(-2)^{n-1}$    017 $a_n=\dfrac{1}{3}\times(-3)^{n-1}$
018 $a_n=54\times\left(\dfrac{1}{3}\right)^{n-1}$    019 $a_n=(0.1)^n$
020 $a_n=(\sqrt{5})^{n-1}$    021 4    022 3
023 $\dfrac{1}{4}$    024 $\sqrt{2}$    025 $-2$
026 $-2$ 또는 2    027 $-9$ 또는 9    028 $-6$ 또는 6
029 $-30$ 또는 30    030 $-2\sqrt{2}$ 또는 $2\sqrt{2}$
031 $-12$, $-108$ 또는 12, 108

032 $-1,\ -\dfrac{1}{9}$ 또는 $1,\ \dfrac{1}{9}$    033 682
034 244    035 $2-\left(\dfrac{1}{2}\right)^{7}$    036 2046
037 $\dfrac{2}{3}(4^{10}-1)$    038 $4\left\{1-\left(\dfrac{1}{2}\right)^{10}\right\}$    039 $\dfrac{1}{16}(2^7-1)$
040 $-255$    041 $6\left\{1-\left(\dfrac{1}{2}\right)^{5}\right\}$    042 18
043 512    044 50    045 16
046 162    047 $a_1=2,\ a_n=2\times3^{n-1}$
048 $a_1=2,\ a_n=2^n$    049 $a_1=7,\ a_n=2^{n-1}$ (단, $n\geq2$)
050 $a_1=5,\ a_n=4\times3^{n-1}$ (단, $n\geq2$)
051 ①    052 22    053 10
054 ①    055 ②    056 ②
057 45    058 ①    059 ②
060 $-6$    061 6    062 ①
063 ⑤    064 3072    065 ②
066 64    067 108    068 ⑤
069 3    070 ④    071 ②
072 ⑤    073 17    074 78
075 ④    076 12    077 5
078 2    079 ③    080 30
081 378    082 363    083 ①
084 7    085 ⑤    086 48
087 63    088 ③    089 315
090 ④    091 ⑤    092 199
093 ④    094 96분    095 60만 원
096 424000원    097 ④
098 ⑤    099 5    100 64
101 ②    102 49    103 26
104 254    105 ③    106 64
107 ③
108 ④    109 182개월

## 12 수열의 합
본문 177~190쪽

001 $\displaystyle\sum_{k=1}^{15} a_k$    002 $\displaystyle\sum_{k=1}^{n}(2k-1)$    003 $\displaystyle\sum_{k=1}^{n}\dfrac{1}{k}$
004 $\displaystyle\sum_{k=1}^{n}k(k+1)$    005 $\displaystyle\sum_{k=1}^{10}k^2$    006 $\displaystyle\sum_{k=1}^{7}3^k$
007 $\displaystyle\sum_{k=1}^{99}\dfrac{1}{k(k+1)}$    008 $\displaystyle\sum_{k=1}^{50}a_k=\sum_{i=1}^{\boxed{50}}a_i=\sum_{j=1}^{\boxed{50}}\boxed{a_j}$
009 $\displaystyle\sum_{k=1}^{5}(2k+3)=\sum_{i=1}^{5}(\boxed{2i+3})=\sum_{j=1}^{\boxed{5}}(2j+3)$
010 $\displaystyle\sum_{k=1}^{5}a_k+\sum_{k=6}^{10}a_k=\sum_{k=1}^{\boxed{10}}a_k$
011 $2+4+6+8+10$
012 $5+5+5+5+5$
013 $-1+1-1+1-1$
014 $5^1+5^2+5^3+\cdots+5^{20}$
015 $k^2+2k$    016 20, 20, $4k$, 4    017 $k^2$
018 42    019 2    020 18
021 $-11$    022 19    023 3
024 $-1$    025 210    026 385

**027** 3025　　　　　**028** 100　　　　　**029** 240

**030** 138　　　　　**031** 45　　　　　**032** 415

**033** 166　　　　　**034** 3035　　　　　**035** $\sum\limits_{k=1}^{n}(2k-1)$

**036** $\sum\limits_{k=1}^{n}(3-5k)$　　　**037** 210　　　　　**038** 35

**039** 104　　　　　**040** $-245$　　　　**041** $a_n=2n+1$

**042** $a_1=4$, $a_n=2n+1$ (단, $n\geq2$)

**043** $a_1=4$, $a_n=4n-3$ (단, $n\geq2$)

**044** $\dfrac{20}{21}$　　　　**045** $\dfrac{10}{11}$　　　　**046** $\dfrac{69}{56}$

**047** $-2$　　　　**048** $-4$　　　　**049** $x+1$

**050** 3, $x+3$　　　**051** $\dfrac{4}{5}$　　　**052** $\dfrac{25}{21}$

**053** 13　　　　　**054** 5　　　　　**055** ②

**056** ②　　　　　**057** ④　　　　　**058** ④

**059** 6　　　　　**060** ③　　　　　**061** ④

**062** ②　　　　　**063** 295　　　　　**064** ④

**065** ⑤　　　　　**066** 6　　　　　**067** ③

**068** ③　　　　　**069** ②　　　　　**070** 655

**071** ③　　　　　**072** 13　　　　　**073** ①

**074** ⑤　　　　　**075** ②　　　　　**076** ④

**077** 67　　　　　**078** ③　　　　　**079** ⑤

**080** 112　　　　**081** 1650　　　　**082** ②

**083** 77　　　　　**084** ②　　　　　**085** ⑤

**086** ②　　　　　**087** ④　　　　　**088** 199

**089** ②　　　　　**090** 241　　　　　**091** $\dfrac{5}{22}$

**092** 2　　　　　**093** ③　　　　　**094** 80

**095** ③　　　　　**096** 66　　　　　**097** 525

**098** ④　　　　　**099** 271

**100** ④　　　　　**101** ③　　　　　**102** ⑤

**103** ③　　　　　**104** $\dfrac{1}{6}n(n+1)(4n-1)$

**105** ⑤　　　　　**106** ③　　　　　**107** ⑤

**108** ③　　　　　**109** ④

**110** $(n-1)\times3^n+1$　　**111** 425

**026** $a_1=1$, $a_{n+1}=a_n+3$ (단, $n=1, 2, 3, \cdots$)

**027** $a_1=5$, $a_{n+1}=a_n+2$ (단, $n=1, 2, 3, \cdots$)

**028** $a_1=6$, $a_{n+1}=a_n-4$ (단, $n=1, 2, 3, \cdots$)

**029** $a_1=-1$, $a_{n+1}=a_n-5$ (단, $n=1, 2, 3, \cdots$)

**030** $a_1=1$, $a_{n+1}=2a_n$ (단, $n=1, 2, 3, \cdots$)

**031** $a_1=3$, $a_{n+1}=-a_n$ (단, $n=1, 2, 3, \cdots$)

**032** $a_1=-5$, $a_{n+1}=-2a_n$ (단, $n=1, 2, 3, \cdots$)

**033** $n=1$, $k+1$, 수학적 귀납법　　　　　**034** 27

**035** ㄴ, ㄹ　　　**036** (개): $n=1$, (내): $2(k+1)$, (대): $k+2$, (래): $k+1$

**037** ③　　　　　**038** ③　　　　　**039** 145

**040** 16　　　　　**041** ①　　　　　**042** ③

**043** 384　　　　　**044** ⑤　　　　　**045** ⑤

**046** ③　　　　　**047** 30　　　　　**048** 286

**049** ②　　　　　**050** ②　　　　　**051** 6

**052** ③　　　　　**053** ④　　　　　**054** 30

**055** 5　　　　　**056** ②　　　　　**057** 7

**058** 6　　　　　**059** ③　　　　　**060** 27

**061** 58　　　　　**062** 6　　　　　**063** 1023

**064** ③　　　　　**065** $a_n=3^{n-1}$　　　**066** 128

**067** $\dfrac{2}{25}$　　　　**068** ③　　　　　**069** $-1021$

**070** ④　　　　　**071** 5 ㄴ　　　　　**072** 380

**073** ④　　　　　**074** 풀이 참조　　　**075** ②

**076** ④　　　　　**077** ④　　　　　**078** ④

**079** 5　　　　　**080** ②　　　　　**081** 765

**082** ④　　　　　**083** 55　　　　　**084** ⑤

**085** 13　　　　　**086** ④　　　　　**087** ②

**088** 2040　　　　**089** 301

---

## 13 수학적 귀납법

본문 193~206쪽

**001** $a_2=6$, $a_3=8$, $a_4=10$　　　**002** $a_2=12$, $a_3=9$, $a_4=6$

**003** $a_2=3$, $a_3=5$, $a_4=7$　　　**004** $a_2=3$, $a_3=-3$, $a_4=3$

**005** $a_2=12$, $a_3=6$, $a_4=3$　　　**006** $a_2=12$, $a_3=36$, $a_4=108$

**007** $a_2=8$, $a_3=-16$, $a_4=32$　　　**008** $a_2=2$, $a_3=4$, $a_4=7$

**009** $a_2=6$, $a_3=11$, $a_4=18$　　　**010** $a_2=4$, $a_3=8$, $a_4=16$

**011** $a_2=2$, $a_3=6$, $a_4=24$　　　**012** $a_2=3$, $a_3=7$, $a_4=15$

**013** $a_2=5$, $a_3=14$, $a_4=41$　　　**014** $a_2=\dfrac{1}{2}$, $a_3=\dfrac{1}{3}$, $a_4=\dfrac{1}{4}$

**015** $a_2=\dfrac{4}{3}$, $a_3=\dfrac{8}{7}$, $a_4=\dfrac{16}{15}$　　　**016** $a_2=\dfrac{1}{3}$, $a_3=\dfrac{1}{7}$, $a_4=\dfrac{1}{15}$

**017** 10　　　　　**018** 9　　　　　**019** 27

**020** $\dfrac{1}{2}$　　　　**021** 5　　　　　**022** 8

**023** $\dfrac{7}{9}$　　　**024** ㄱ, ㄴ, ㅅ, ㅇ　　　**025** ㄷ, ㄹ, ㅁ

아름다운샘 A~ssam

기본기를 다지는
문제기본서 하이 매쓰

# Hi Math

## 수학 I

### 정답 및 해설

아름다운샘

# 아름다운 샘과 함께

## 수학의 자신감과 최고 실력을 완성!!!

아름다운 샘과 함께

수학의 자신감과 최고 실력을 완성!!!

# Hi Math
## 수학 I

정답 및 해설

# 정답 및 해설

## 01 지수

본책 007~020쪽

**001** $a^2a^3=a^{2+3}=a^5$

답 $a^5$

**002** $(x^6)^5=x^{6\times5}=x^{30}$

답 $x^{30}$

**003** $(x^2y^3)^4=x^8y^{12}$

답 $x^8y^{12}$

**004** $\left(\dfrac{y^2}{x^5}\right)^3=\dfrac{y^6}{x^{15}}$

답 $\dfrac{y^6}{x^{15}}$

**005** $\dfrac{(ab)^5}{a^3b^2}=\dfrac{a^5b^5}{a^3b^2}=a^2b^3$

답 $a^2b^3$

**006** $a^5\left(\dfrac{b}{a}\right)^3=a^5\times\dfrac{b^3}{a^3}=a^2b^3$

답 $a^2b^3$

**007** $a^8\div a^4=a^{8-4}=a^4$

답 $a^4$

**008** $x^5\div x^5=1$

답 1

**009** 4의 제곱근을 $x$라 하면 $x^2=4$에서
$x=-2$ 또는 $x=2$
따라서 4의 제곱근 중에서 실수인 것은 $-2$, 2이다.

답 $-2$, 2

**010** 3의 제곱근을 $x$라 하면 $x^2=3$에서
$x=-\sqrt{3}$ 또는 $x=\sqrt{3}$
따라서 3의 제곱근 중에서 실수인 것은 $-\sqrt{3}$, $\sqrt{3}$이다.

답 $-\sqrt{3}$, $\sqrt{3}$

**011** $-9$의 제곱근을 $x$라 하면
$x^2=-9$에서 $x^2+9=0$
$(x+3i)(x-3i)=0$
$\therefore x=-3i$ 또는 $x=3i$
따라서 $-9$의 제곱근 중에서 실수인 것은 없다.

답 없다.

**012** 8의 세제곱근을 $x$라 하면
$x^3=8$에서 $x^3-8=0$
$(x-2)(x^2+2x+4)=0$
$\therefore x=2$ 또는 $x=-1\pm\sqrt{3}i$
따라서 8의 세제곱근 중에서 실수인 것은 2이다.

답 2

**013** 125의 세제곱근을 $x$라 하면
$x^3=125$에서 $x^3-125=0$
$(x-5)(x^2+5x+25)=0$
$\therefore x=5$ 또는 $x=\dfrac{-5\pm5\sqrt{3}i}{2}$
따라서 125의 세제곱근 중에서 실수인 것은 5이다.

답 5

**014** $-1$의 세제곱근을 $x$라 하면 $x^3=-1$에서
$x^3+1=0$, $(x+1)(x^2-x+1)=0$
$\therefore x=-1$ 또는 $x=\dfrac{1\pm\sqrt{3}i}{2}$
따라서 $-1$의 세제곱근 중에서 실수인 것은 $-1$이다.

답 $-1$

**015** $-64$의 세제곱근을 $x$라 하면 $x^3=-64$에서
$x^3+64=0$, $(x+4)(x^2-4x+16)=0$
$\therefore x=-4$ 또는 $x=2\pm2\sqrt{3}i$
따라서 $-64$의 세제곱근 중에서 실수인 것은 $-4$이다.

답 $-4$

**016** 5의 세제곱근을 $x$라 하면 $x^3=5$를 만족시키는 실수 $x$는 $\sqrt[3]{5}$이므로 5의 세제곱근 중에서 실수인 것은 $\sqrt[3]{5}$이다.

답 $\sqrt[3]{5}$

참고
실수 $a$에 대하여 $a$의 $n$제곱근 중에서 실수인 것은 다음과 같다.

|  | $a>0$ | $a=0$ | $a<0$ |
|---|---|---|---|
| $n$이 홀수 | $\sqrt[n]{a}$ | 0 | $\sqrt[n]{a}$ |
| $n$이 짝수 | $\sqrt[n]{a}$, $-\sqrt[n]{a}$ | 0 | 없다. |

**017** $-12$의 세제곱근을 $x$라 하면 $x^3=-12$를 만족시키는 실수 $x$는 $\sqrt[3]{-12}$이므로 $-12$의 세제곱근 중에서 실수인 것은 $\sqrt[3]{-12}$이다.

답 $\sqrt[3]{-12}$

**018** 16의 네제곱근을 $x$라 하면 $x^4=16$에서
$x^4-16=0$, $(x^2-4)(x^2+4)=0$
$(x+2)(x-2)(x^2+4)=0$
$\therefore x=-2$ 또는 $x=2$ 또는 $x=-2i$ 또는 $x=2i$
따라서 16의 네제곱근 중에서 실수인 것은 $-2$, 2이다.

답 $-2$, 2

**019** $\dfrac{1}{81}$의 네제곱근을 $x$라 하면 $x^4=\dfrac{1}{81}$에서
$x^4-\dfrac{1}{81}=0$, $\left(x^2-\dfrac{1}{9}\right)\left(x^2+\dfrac{1}{9}\right)=0$
$\left(x+\dfrac{1}{3}\right)\left(x-\dfrac{1}{3}\right)\left(x^2+\dfrac{1}{9}\right)=0$
$\therefore x=-\dfrac{1}{3}$ 또는 $x=\dfrac{1}{3}$ 또는 $x=-\dfrac{1}{3}i$ 또는 $x=\dfrac{1}{3}i$
따라서 $\dfrac{1}{81}$의 네제곱근 중에서 실수인 것은 $-\dfrac{1}{3}$, $\dfrac{1}{3}$이다.

답 $-\dfrac{1}{3}$, $\dfrac{1}{3}$

**020** 3의 네제곱근을 $x$라 하면 $x^4=3$을 만족시키는 실수 $x$는 $\sqrt[4]{3}$, $-\sqrt[4]{3}$이므로 3의 네제곱근 중에서 실수인 것은 $\sqrt[4]{3}$, $-\sqrt[4]{3}$이다.

답 $\sqrt[4]{3}$, $-\sqrt[4]{3}$

**021** $-16$의 네제곱근을 $x$라 하면 $x^4=-16$을 만족시키는 실수 $x$는 없으므로 $-16$의 네제곱근 중에서 실수인 것은 없다.

답 없다.

**022** $\sqrt[3]{2}\sqrt[3]{5}=\sqrt[3]{2\times5}=\sqrt[3]{10}$

답 $\sqrt[3]{10}$

**023** $\sqrt[4]{32}\sqrt[4]{8}=\sqrt[4]{32\times8}=\sqrt[4]{4^4}=4$

답 $4$

**024** $\dfrac{\sqrt[3]{8}}{\sqrt[3]{2}}=\sqrt[3]{\dfrac{8}{2}}=\sqrt[3]{4}$

답 $\sqrt[3]{4}$

**025** $\dfrac{\sqrt[3]{54}}{\sqrt[3]{2}}=\sqrt[3]{\dfrac{54}{2}}=\sqrt[3]{27}$
$\qquad\qquad =\sqrt[3]{3^3}=3$

답 $3$

**026** $\sqrt{\sqrt[3]{64}}=\sqrt[6]{2^6}=2$

답 $2$

**027** $\sqrt[6]{25}=\sqrt[3\times2]{5^2}=\sqrt[3]{5}$

답 $\sqrt[3]{5}$

**028** $7^0=1$

답 $1$

**029** $\left(-\dfrac{1}{4}\right)^0=1$

답 $1$

**030** $3^{-3}=\dfrac{1}{3^3}=\dfrac{1}{27}$

답 $\dfrac{1}{27}$

**031** $\left(-\dfrac{1}{2}\right)^{-4}=\dfrac{1}{\left(-\dfrac{1}{2}\right)^4}=\dfrac{1}{\dfrac{1}{16}}=16$

답 $16$

다른 풀이

$\left(-\dfrac{1}{2}\right)^{-4}=(-2)^4=16$

**032** $\sqrt[3]{a}=a^{\frac{1}{3}}$

답 $a^{\frac{1}{3}}$

**033** $\sqrt[4]{a^2}=(a^2)^{\frac{1}{4}}=a^{\frac{1}{2}}$

답 $a^{\frac{1}{2}}$

**034** $\sqrt[7]{a^3}=(a^3)^{\frac{1}{7}}=a^{\frac{3}{7}}$

답 $a^{\frac{3}{7}}$

**035** $\dfrac{1}{\sqrt[5]{a^2}}=\dfrac{1}{a^{\frac{2}{5}}}=a^{-\frac{2}{5}}$

답 $a^{-\frac{2}{5}}$

**036** $(2^{\frac{3}{4}})^2\times2^2=2^{\frac{3}{2}}\times2^2=2^{\frac{3}{2}+2}=2^{\frac{7}{2}}$

답 $2^{\frac{7}{2}}$

**037** $5^{\frac{2}{3}}\times25^{-\frac{5}{6}}=5^{\frac{2}{3}}\times(5^2)^{-\frac{5}{6}}=5^{\frac{2}{3}}\times5^{-\frac{5}{3}}$
$\qquad\qquad =5^{\frac{2}{3}+\left(-\frac{5}{3}\right)}=5^{-1}$
$\qquad\qquad =\dfrac{1}{5}$

답 $\dfrac{1}{5}$

**038** $(2^{\frac{6}{5}})^2\times2^{\frac{3}{5}}\div(2^2)^{\frac{1}{2}}=2^{\frac{12}{5}}\times2^{\frac{3}{5}}\div2$
$\qquad\qquad =2^{\frac{12}{5}+\frac{3}{5}-1}=2^2=4$

답 $4$

**039** $8^{\frac{1}{3}}\times8^{-\frac{2}{3}}\times8^{\frac{4}{3}}=(2^3)^{\frac{1}{3}}\times(2^3)^{-\frac{2}{3}}\times(2^3)^{\frac{4}{3}}=2\times2^{-2}\times2^4$
$\qquad\qquad =2^{1-2+4}=2^3=8$

답 $8$

**040** $\sqrt{8}\div\sqrt[3]{4}\times\sqrt[6]{2}=2^{\frac{3}{2}}\div2^{\frac{2}{3}}\times2^{\frac{1}{6}}$
$\qquad\qquad =2^{\frac{3}{2}-\frac{2}{3}+\frac{1}{6}}=2$

답 $2$

**041** $\sqrt[3]{9}\times\sqrt[6]{27}=3^{\frac{2}{3}}\times3^{\frac{1}{2}}=3^{\frac{2}{3}+\frac{1}{2}}=3^{\frac{7}{6}}$

답 $3^{\frac{7}{6}}$

**042** $(a^{\frac{1}{3}}b^{\frac{5}{6}})^{12}=a^{\frac{1}{3}\times12}b^{\frac{5}{6}\times12}=a^4b^{10}$

답 $a^4b^{10}$

**043** $\sqrt[3]{a^2}\div\sqrt[4]{a}\times\sqrt[12]{a}=a^{\frac{2}{3}}\div a^{\frac{1}{4}}\times a^{\frac{1}{12}}$
$\qquad\qquad =a^{\frac{2}{3}-\frac{1}{4}+\frac{1}{12}}=a^{\frac{1}{2}}$

답 $a^{\frac{1}{2}}$

**044** $7^{\sqrt{2}}\times7^{\sqrt{2}}=7^{\sqrt{2}+\sqrt{2}}=7^{2\sqrt{2}}$

답 $7^{2\sqrt{2}}$

**045** $(2^{\sqrt{3}})^{\sqrt{3}}=2^{\sqrt{3}\times\sqrt{3}}=2^3=8$

답 $8$

**046** $5^{\sqrt{32}}\times5^{\sqrt{8}}\div5^{\sqrt{2}}=5^{\sqrt{32}+\sqrt{8}-\sqrt{2}}$
$\qquad\qquad =5^{4\sqrt{2}+2\sqrt{2}-\sqrt{2}}=5^{5\sqrt{2}}$

답 $5^{5\sqrt{2}}$

**047** $a^{\sqrt{2}}a^{2\sqrt{2}}=a^{\sqrt{2}+2\sqrt{2}}=a^{3\sqrt{2}}$

답 $a^{3\sqrt{2}}$

**048** $a=2^{\frac{1}{2}}$, $b=3^{\frac{1}{3}}$, $c=6^{\frac{1}{6}}$이므로
$a^6=(2^{\frac{1}{2}})^6=2^3=8$
$b^6=(3^{\frac{1}{3}})^6=3^2=9$
$c^6=(6^{\frac{1}{6}})^6=6$
$\therefore c^6<a^6<b^6$

답 $c^6<a^6<b^6$

**049** $a=3^{\frac{1}{2}}$, $b=4^{\frac{1}{3}}$, $c=7^{\frac{1}{4}}$이므로
$a^{12}=(3^{\frac{1}{2}})^{12}=3^6=729$
$b^{12}=(4^{\frac{1}{3}})^{12}=4^4=256$
$c^{12}=(7^{\frac{1}{4}})^{12}=7^3=343$
$\therefore b^{12}<c^{12}<a^{12}$

답 $b^{12}<c^{12}<a^{12}$

**050** $x^2+x^{-2}=(x+x^{-1})^2-2=3^2-2=7$

답 $7$

**051** $(x-x^{-1})^2=(x+x^{-1})^2-4=3^2-4=5$
$\therefore x-x^{-1}=\sqrt{5}\ (\because x>1)$

답 $\sqrt{5}$

**052** $x^3+x^{-3}=(x+x^{-1})^3-3(x+x^{-1})$
$\qquad\qquad =3^3-3\times3=18$

답 $18$

**053** $\dfrac{a^x-a^{-x}}{a^x+a^{-x}}$의 분모, 분자에 각각 $a^x$을 곱하면

$\dfrac{a^x(a^x-a^{-x})}{a^x(a^x+a^{-x})}=\dfrac{a^{2x}-a^x\times a^{-x}}{a^{2x}+a^x\times a^{-x}}=\dfrac{a^{2x}-1}{a^{2x}+1}$

답 $\dfrac{a^{2x}-1}{a^{2x}+1}$

**054**
$\dfrac{a^{5x}+a^{-x}}{a^{2x}-a^{-x}}$ 의 분모, 분자에 각각 $a^x$을 곱하면

$$\dfrac{a^x(a^{5x}+a^{-x})}{a^x(a^{2x}-a^{-x})}=\dfrac{a^{6x}+a^x\times a^{-x}}{a^{3x}-a^x\times a^{-x}}=\dfrac{a^{6x}+1}{a^{3x}-1}$$

답 $\dfrac{a^{6x}+1}{a^{3x}-1}$

**055**
$$\{(-3)^3\times 27^2\}^4=\{(-3)^3\times(3^3)^2\}^4=\{(-3)^3\times 3^6\}^4$$
$$=(-3)^{12}\times 3^{24}=3^{12}\times 3^{24}=3^{36}$$
즉, $3^{36}=(3^4)^n=3^{4n}$이므로 $36=4n$
$$\therefore n=9$$

답 9

**056**
$x=a^2,\ y=a^3$
$$\therefore xy=a^2a^3=a^{2+3}=a^5$$

답 ④

**057**
$P(4)=4^3$
$P(4^3)=(4^3)^3=4^9$
$P(4^9)=(4^9)^3=4^{27}$
$$\therefore P(P(P(4)))=4^{27}=(2^2)^{27}=2^{54}=2^a$$
$$\therefore a=54$$

답 54

**058**
① 49의 제곱근을 $x$라 하면 $x^2=49$에서
$x^2-49=0,\ (x+7)(x-7)=0$
$\therefore x=-7$ 또는 $x=7$
즉, 49의 제곱근은 $-7,\ 7$이다.
② 제곱근 9는 $\sqrt{9}=3$이다.
③ $(-1)^2=1\neq -1$이므로 $-1$은 $-1$의 제곱근이 아니다.
④ 81의 네제곱근을 $x$라 하면 $x^4=81$에서
$x^4-81=0,\ (x^2-9)(x^2+9)=0$
$(x+3)(x-3)(x^2+9)=0$
$\therefore x=-3$ 또는 $x=3$ 또는 $x=-3i$ 또는 $x=3i$
즉, 81의 네제곱근 중에서 실수인 것은 $-3,\ 3$이다.
⑤ $-27$의 세제곱근을 $x$라 하면 $x^3=-27$에서
$x^3+27=0,\ (x+3)(x^2-3x+9)=0$
$\therefore x=-3$ 또는 $x=\dfrac{3\pm 3\sqrt{3}i}{2}$
즉, $-27$의 세제곱근 중에서 실수인 것은 $-3$이다.
따라서 옳은 것은 ⑤이다.

답 ⑤

다른 풀이
실수 $a$의 $n$제곱근 중에서 실수인 것은 다음과 같으므로

| $n$ ＼ $a$ | $a>0$ | $a=0$ | $a<0$ |
|---|---|---|---|
| $n$이 홀수 | $\sqrt[n]{a}$ | 0 | $\sqrt[n]{a}$ |
| $n$이 짝수 | $\sqrt[n]{a},\ -\sqrt[n]{a}$ | 0 | 없다. |

④ 81의 네제곱근 중에서 실수인 것은
$\sqrt[4]{81}=\sqrt[4]{3^4}=3,\ -\sqrt[4]{81}=-\sqrt[4]{3^4}=-3$
⑤ $-27$의 세제곱근 중에서 실수인 것은
$\sqrt[3]{-27}=\sqrt[3]{(-3)^3}=-3$

**059**
$-125$의 세제곱근 중에서 실수인 것은
$a=\sqrt[3]{-125}=\sqrt[3]{(-5)^3}=-5$
또 네제곱근 81은
$b=\sqrt[4]{81}=\sqrt[4]{3^4}=3$

$$\therefore a+b=(-5)+3=-2$$

답 $-2$

**060**
$-8$의 세제곱근 중에서 실수인 것은
$\sqrt[3]{-8}=\sqrt[3]{(-2)^3}=-2$
$$\therefore m=1$$
2의 네제곱근 중에서 실수인 것은
$\sqrt[4]{2},\ -\sqrt[4]{2}$
$$\therefore n=2$$
$$\therefore m+n=3$$

답 3

**061**
2의 네제곱근 중에서 양수인 것은
$x=\sqrt[4]{2}=2^{\frac{1}{4}}$이므로
$x^n=2^{\frac{n}{4}}$이 세 자리의 자연수가 되려면
$2^{\frac{n}{4}}=2^7=128$ 또는 $2^{\frac{n}{4}}=2^8=256$ 또는 $2^{\frac{n}{4}}=2^9=512$
이어야 한다.
따라서 $n=4\times 7=28$ 또는 $n=4\times 8=32$ 또는
$n=4\times 9=36$
이므로 구하는 자연수 $n$의 최댓값은 36이다.

답 36

**062**
한 변의 길이가 $x$인 정삼각형의 넓이는 $\dfrac{\sqrt{3}}{4}x^2$이므로

$$\dfrac{\sqrt{3}}{4}(a^3)^2=\dfrac{\sqrt{3}}{4}a^6=\dfrac{\sqrt{3}}{2}$$ 에서
$a^6=2$　$\therefore a=\sqrt[6]{2}\ (\because a>0)$

답 ①

**063**
ㄱ. $\sqrt[n]{a}\ \sqrt[n]{b}=\sqrt[n]{ab}$ (참)
ㄴ. $(\sqrt[n]{a})^m=\sqrt[n]{a^m}$ (거짓)
ㄷ. $a^n=b^m$이면 $a=b^{\frac{m}{n}}=\sqrt[n]{b^m}$ (참)
따라서 옳은 것은 ㄱ, ㄷ이다.

답 ③

**064**
$$\sqrt[4]{\dfrac{\sqrt{2}}{\sqrt[8]{2}}}=\dfrac{\sqrt[8]{2}}{\sqrt[32]{2}}=\dfrac{\sqrt[32]{2^4}}{\sqrt[32]{2}}=\sqrt[32]{\dfrac{2^4}{2}}=\sqrt[32]{2^3}$$

즉, $\sqrt[32]{2^3}=\sqrt[32]{2^k}$이므로 $k=3$

답 3

**065**
$$\sqrt[4]{\dfrac{\sqrt{b}}{\sqrt[3]{a}}}\times\sqrt{\dfrac{\sqrt[6]{a}}{\sqrt[4]{b}}}=\dfrac{\sqrt[4]{\sqrt{b}}}{\sqrt[4]{\sqrt[3]{a}}}\times\dfrac{\sqrt{\sqrt[6]{a}}}{\sqrt{\sqrt[4]{b}}}$$
$$=\dfrac{\sqrt[8]{b}}{\sqrt[12]{a}}\times\dfrac{\sqrt[12]{a}}{\sqrt[8]{b}}=1$$

답 ③

**066**
$$\sqrt{\dfrac{8^{10}+4^{10}}{8^4+4^{11}}}=\sqrt{\dfrac{(2^3)^{10}+(2^2)^{10}}{(2^3)^4+(2^2)^{11}}}$$
$$=\sqrt{\dfrac{2^{30}+2^{20}}{2^{12}+2^{22}}}$$
$$=\sqrt{\dfrac{2^{20}(2^{10}+1)}{2^{12}(1+2^{10})}}$$
$$=\sqrt{2^8}=2^4=16$$

답 16

**067**
$\sqrt[3]{6}=a,\ \sqrt[3]{3}=b$라 하면
$\sqrt[3]{36}=\sqrt[3]{6^2}=(\sqrt[3]{6})^2=a^2$
$\sqrt[3]{18}=\sqrt[3]{6\times 3}=\sqrt[3]{6}\times\sqrt[3]{3}=ab$
$\sqrt[3]{9}=\sqrt[3]{3^2}=(\sqrt[3]{3})^2=b^2$

$$\therefore (\sqrt[3]{6}+\sqrt[3]{3})(\sqrt[3]{36}-\sqrt[3]{18}+\sqrt[3]{9})=(a+b)(a^2-ab+b^2)$$
$$=a^3+b^3$$
$$=(\sqrt[3]{6})^3+(\sqrt[3]{3})^3$$
$$=6+3=9 \qquad \text{답} 9$$

**068** 겉넓이를 $S$라 하면
$$S=6a^2=162, \ a^2=27$$
$$\therefore a=\sqrt{27} \ (\because a>0)$$
$$\therefore l=\sqrt{a^2+a^2+a^2}=\sqrt{3}\,a=\sqrt{3}\times\sqrt{3^3}$$
$$=\sqrt{3\times 3^3}=\sqrt{3^4}=9 \qquad \text{답} ④$$

**069** $5^0+\left(\dfrac{1}{3}\right)^{-2}=5^0+3^2=1+9=10 \qquad \text{답} ②$

**070** ① $2^{-2}=\dfrac{1}{2^2}=\dfrac{1}{4}$  ② $\left(\dfrac{1}{2}\right)^{-2}=2^2=4$

③ $-(3^0)=-1$  ④ $(-5)^{-3}=\dfrac{1}{(-5)^3}=-\dfrac{1}{125}$

⑤ $\left(-\dfrac{1}{5}\right)^{-3}=(-5)^3=-125$

따라서 ⑤ $-125<$ ③ $-1<$ ④ $-\dfrac{1}{125}<$ ① $\dfrac{1}{4}<$ ② $4$이므로
세 번째로 큰 것은 ④이다. $\qquad \text{답} ④$

**071**
$$\frac{7^{-10}+7^{-100}}{7^{10}+7^{100}}=\frac{\dfrac{1}{7^{10}}+\dfrac{1}{7^{100}}}{7^{10}+7^{100}}$$
$$=\frac{\dfrac{7^{10}+7^{100}}{7^{10}\times 7^{100}}}{7^{10}+7^{100}}$$
$$=\frac{1}{7^{10}\times 7^{100}}$$
$$=7^{-110}$$
$$\therefore k=-110 \qquad \text{답} -110$$

**072** $\dfrac{2\sqrt{2}}{3\sqrt{3}}=\dfrac{2^{\frac{3}{2}}}{3^{\frac{3}{2}}}=\left(\dfrac{2}{3}\right)^{\frac{3}{2}}$이므로
$$\left\{\left(\dfrac{2\sqrt{2}}{3\sqrt{3}}\right)^{-\frac{3}{2}}\right\}^{\frac{4}{9}}=\left[\left\{\left(\dfrac{2}{3}\right)^{\frac{3}{2}}\right\}^{-\frac{3}{2}}\right]^{\frac{4}{9}}$$
$$=\left(\dfrac{2}{3}\right)^{\frac{3}{2}\times\left(-\frac{3}{2}\right)\times\frac{4}{9}}$$
$$=\left(\dfrac{2}{3}\right)^{-1}=\dfrac{3}{2} \qquad \text{답} ④$$

**073** 지수가 정수가 아닌 유리수인 경우에 밑이 음수이면 지수법칙이
성립하지 않는다.
따라서 ③이 처음으로 잘못되었다. $\qquad \text{답} ③$

**074** $\sqrt[4]{a^3\sqrt{a\sqrt{a}}}=\sqrt[4]{a}\times\sqrt[4]{\sqrt[3]{a}}\times\sqrt[4]{\sqrt[3]{\sqrt{a}}}$
$$=\sqrt[4]{a}\times\sqrt[12]{a}\times\sqrt[24]{a}$$
$$=a^{\frac{1}{4}}\times a^{\frac{1}{12}}\times a^{\frac{1}{24}}$$
$$=a^{\frac{1}{4}+\frac{1}{12}+\frac{1}{24}}=a^{\frac{3}{8}}$$
$$\therefore m+n=8+3=11 \qquad \text{답} 11$$

**075**
$$a^{\frac{3}{2}}\times\sqrt[3]{a^4}\times\sqrt[3]{\sqrt{a}}\div a^{-\frac{3}{2}}=a^{\frac{3}{2}}\times a^{\frac{4}{3}}\times(a^{\frac{1}{2}})^{\frac{1}{3}}\div a^{-\frac{3}{2}}$$
$$=a^{\frac{3}{2}+\frac{4}{3}+\frac{1}{6}-\left(-\frac{3}{2}\right)}$$
$$=a^{\frac{9}{2}}$$
따라서 $k=\dfrac{9}{2}$이므로
$$10k=10\times\dfrac{9}{2}=45 \qquad \text{답} 45$$

**076** $\sqrt{ab^3}\div\sqrt[3]{a^2b^4}\times(ab^5)^{\frac{1}{6}}=(ab^3)^{\frac{1}{2}}\div(a^2b^4)^{\frac{1}{3}}\times(ab^5)^{\frac{1}{6}}$
$$=a^{\frac{1}{2}}b^{\frac{3}{2}}\div a^{\frac{2}{3}}b^{\frac{4}{3}}\times a^{\frac{1}{6}}b^{\frac{5}{6}}$$
$$=a^{\frac{1}{2}-\frac{2}{3}+\frac{1}{6}}b^{\frac{3}{2}-\frac{4}{3}+\frac{5}{6}}$$
$$=a^0b^1=b \qquad \text{답} ④$$

**077** $a=3^{\frac{1}{5}}, \ b=9^{\frac{1}{12}}=3^{\frac{1}{6}}$이므로
$$(\sqrt[7]{ab^3})^n=(ab^3)^{\frac{n}{7}}=\{3^{\frac{1}{5}}\times(3^{\frac{1}{6}})^3\}^{\frac{n}{7}}=(3^{\frac{1}{5}}\times 3^{\frac{1}{2}})^{\frac{n}{7}}=3^{\frac{n}{10}}$$
$3^{\frac{n}{10}}$이 자연수가 되려면 $n$은 $10$의 배수이어야 하므로
$100$ 이하의 모든 자연수 $n$의 값의 합은
$$10+20+30+\cdots+100=550 \qquad \text{답} 550$$

**078** $(a^{\sqrt{3}})^{2\sqrt{3}}\div a^3\times(\sqrt[3]{a})^6=a^6\div a^3\times a^2$
$$=a^5=a^k$$
$$\therefore k=5 \qquad \text{답} 5$$

**079** $3*\sqrt[3]{2}=(\sqrt[3]{2})^3=2 \ (\because 3>\sqrt[3]{2})$
$$\therefore (3*\sqrt[3]{2})*2\sqrt{2}=2*2\sqrt{2}$$
$$=2^{2\sqrt{2}} \ (\because 2<2\sqrt{2}) \qquad \text{답} ③$$

**080** $\left(\dfrac{1}{5}\right)^{a-2b}=\left(\dfrac{1}{5}\right)^a\times\left(\dfrac{1}{5}\right)^{-2b}$이고,
$5^a=c$에서 $\left(\dfrac{1}{5}\right)^a=\dfrac{1}{c}$
$5^b=d$에서 $\left(\dfrac{1}{5}\right)^{-b}=d$이므로
$$\left(\dfrac{1}{5}\right)^{-2b}=d^2$$
$$\therefore \left(\dfrac{1}{5}\right)^{a-2b}=\dfrac{1}{c}\times d^2=\dfrac{d^2}{c} \qquad \text{답} ②$$

**081** $A=3^{\frac{1}{2}}, \ B=4^{\frac{1}{3}}, \ C=5^{\frac{1}{4}}$이고
세 수 $A, B, C$의 지수의 분모 $2, 3, 4$의 최소공배수가 $12$이므로
$$A=3^{\frac{1}{2}}=3^{\frac{6}{12}}=(3^6)^{\frac{1}{12}}=729^{\frac{1}{12}}$$
$$B=4^{\frac{1}{3}}=4^{\frac{4}{12}}=(4^4)^{\frac{1}{12}}=256^{\frac{1}{12}}$$
$$C=5^{\frac{1}{4}}=5^{\frac{3}{12}}=(5^3)^{\frac{1}{12}}=125^{\frac{1}{12}}$$
세 수의 밑의 크기를 비교하면 $125<256<729$이므로
$$125^{\frac{1}{12}}<256^{\frac{1}{12}}<729^{\frac{1}{12}}$$
$$\therefore C<B<A \qquad \text{답} ⑤$$

다른 풀이1

$2, 3, 4$의 최소공배수가 $12$이므로
$$A=\sqrt{3}=\sqrt[12]{3^6}=\sqrt[12]{729}$$
$$B=\sqrt[3]{4}=\sqrt[12]{4^4}=\sqrt[12]{256}$$
$$C=\sqrt[4]{5}=\sqrt[12]{5^3}=\sqrt[12]{125}$$

$125<256<729$이므로

$\sqrt[12]{125}<\sqrt[12]{256}<\sqrt[12]{729}$

$\therefore C<B<A$

**다른 풀이2**

2, 3, 4의 최소공배수가 12이므로

$A^{12}=(\sqrt{3})^{12}=3^6=729$

$B^{12}=(\sqrt[3]{4})^{12}=4^4=256$

$C^{12}=(\sqrt[4]{5})^{12}=5^3=125$

$\therefore C<B<A$

**082** $A=10^{\frac{1}{6}}$, $B=5^{\frac{1}{2}}$, $C=28^{\frac{1}{6}}$이고

세 수 $A$, $B$, $C$의 지수의 분모 6, 2, 6의 최소공배수가 6이므로

$A=10^{\frac{1}{6}}$

$B=5^{\frac{1}{2}}=5^{\frac{3}{6}}=(5^3)^{\frac{1}{6}}=125^{\frac{1}{6}}$

$C=28^{\frac{1}{6}}$

세 수의 밑의 크기를 비교하면 $10<28<125$이므로

$10^{\frac{1}{6}}<28^{\frac{1}{6}}<125^{\frac{1}{6}}$

$\therefore A<C<B$ **답** ②

**083** $A=\sqrt[3]{3}$, $B=\sqrt[4]{5}$, $C=\sqrt[3]{\sqrt{7}}$ 이라 하면

$A=3^{\frac{1}{3}}$, $B=5^{\frac{1}{4}}$, $C=7^{\frac{1}{6}}$이고 세 수 $A$, $B$, $C$의 지수의 분모 3, 4, 6의 최소공배수가 12이므로

$A=3^{\frac{1}{3}}=3^{\frac{4}{12}}=(3^4)^{\frac{1}{12}}=81^{\frac{1}{12}}$

$B=5^{\frac{1}{4}}=5^{\frac{3}{12}}=(5^3)^{\frac{1}{12}}=125^{\frac{1}{12}}$

$C=7^{\frac{1}{6}}=7^{\frac{2}{12}}=(7^2)^{\frac{1}{12}}=49^{\frac{1}{12}}$

세 수의 밑의 크기를 비교하면 $49<81<125$이므로

$49^{\frac{1}{12}}<81^{\frac{1}{12}}<125^{\frac{1}{12}}$

$\therefore C<A<B$

따라서 $a=\sqrt[4]{5}$, $b=\sqrt[3]{\sqrt{7}}=\sqrt[6]{7}$이므로

$a^{12}+b^{12}=(\sqrt[4]{5})^{12}+(\sqrt[6]{7})^{12}$

$\quad\quad\quad\quad=\sqrt[4]{5^{12}}+\sqrt[6]{7^{12}}$

$\quad\quad\quad\quad=5^3+7^2=125+49$

$\quad\quad\quad\quad=174$ **답** 174

**084** $(a^x-a^{-x})^2=a^{2x}-2\times a^x\times a^{-x}+a^{-2x}$

$\quad\quad\quad\quad\quad\quad=a^{2x}-2+\dfrac{1}{a^{2x}}$

$\quad\quad\quad\quad\quad\quad=4-2+\dfrac{1}{4}$

$\quad\quad\quad\quad\quad\quad=\dfrac{9}{4}$ **답** ④

**085** $(a^{\frac{1}{4}}-b^{\frac{1}{4}})(a^{\frac{1}{4}}+b^{\frac{1}{4}})(a^{\frac{1}{2}}+b^{\frac{1}{2}})$

$=\{(a^{\frac{1}{4}})^2-(b^{\frac{1}{4}})^2\}(a^{\frac{1}{2}}+b^{\frac{1}{2}})$

$=(a^{\frac{1}{2}}-b^{\frac{1}{2}})(a^{\frac{1}{2}}+b^{\frac{1}{2}})$

$=a-b$ **답** ①

**086** $(x^{\frac{1}{2}}+x^{-\frac{1}{2}})^2=x+x^{-1}+2=12$

$x>0$이므로 $x^{\frac{1}{2}}+x^{-\frac{1}{2}}>0$

$\therefore x^{\frac{1}{2}}+x^{-\frac{1}{2}}=\sqrt{12}=2\sqrt{3}$ **답** ④

**087** $a^{3x}+a^{-3x}=(a^x+a^{-x})^3-3\times a^x\times a^{-x}(a^x+a^{-x})$

$\quad\quad\quad\quad\quad=4^3-3\times 1\times 4=52$

$\therefore \dfrac{a^{3x}+a^{-3x}}{2}=\dfrac{52}{2}=26$ **답** 26

**088** $(2^x-2^{-x})^3=2^{3x}-2^{-3x}-3\times 2^x\times 2^{-x}(2^x-2^{-x})$

$\quad\quad\quad\quad\quad\quad=8^x-8^{-x}-6\ (\because 2^x-2^{-x}=2)$

$\quad\quad\quad\quad\quad\quad=8$

$\therefore 8^x-8^{-x}=14$ **답** ②

**089** $x^{\frac{1}{2}}+x^{-\frac{1}{2}}=3$의 양변을 세제곱하면

$x^{\frac{3}{2}}+3x\times x^{-\frac{1}{2}}+3x^{\frac{1}{2}}\times x^{-1}+x^{-\frac{3}{2}}=27$

$x^{\frac{3}{2}}+3(x^{\frac{1}{2}}+x^{-\frac{1}{2}})+x^{-\frac{3}{2}}=27$

$x^{\frac{3}{2}}+3\times 3+x^{-\frac{3}{2}}=27$

$\therefore x^{\frac{3}{2}}+x^{-\frac{3}{2}}=18$

$x^{\frac{1}{2}}+x^{-\frac{1}{2}}=3$의 양변을 제곱하면

$x+2+x^{-1}=9$ $\quad\therefore x+x^{-1}=7$

$x+x^{-1}=7$의 양변을 제곱하면

$x^2+2+x^{-2}=49$ $\quad\therefore x^2+x^{-2}=47$

$\therefore \dfrac{x^{\frac{3}{2}}+x^{-\frac{3}{2}}+4}{x^2+x^{-2}+7}=\dfrac{18+4}{47+7}=\dfrac{11}{27}$ **답** $\dfrac{11}{27}$

**090** 주어진 식의 분모, 분자에 각각 $a^x$을 곱하면

$\dfrac{a^x-a^{-x}}{a^x+a^{-x}}=\dfrac{a^x(a^x-a^{-x})}{a^x(a^x+a^{-x})}$

$\quad\quad\quad\quad=\dfrac{a^{2x}-1}{a^{2x}+1}=\dfrac{9-1}{9+1}$

$\quad\quad\quad\quad=\dfrac{8}{10}=\dfrac{4}{5}$ **답** ④

**091** $2^{8x}=9$에서 $(2^{4x})^2=9$

$\therefore 2^{4x}=3\ (\because 2^{4x}=(2^{2x})^2>0)$

주어진 식의 분모, 분자에 각각 $2^{2x}$을 곱하면

$\dfrac{2^{6x}-2^{-6x}}{2^{2x}+2^{-2x}}=\dfrac{2^{2x}(2^{6x}-2^{-6x})}{2^{2x}(2^{2x}+2^{-2x})}=\dfrac{2^{8x}-2^{-4x}}{2^{4x}+1}$

$\quad\quad\quad\quad=\dfrac{9-\dfrac{1}{3}}{3+1}=\dfrac{13}{6}$ **답** ④

**092** 주어진 식의 좌변의 분모, 분자에 각각 $2^x$을 곱하면

$\dfrac{2^x-2^{-x}}{2^x+2^{-x}}=\dfrac{2^x(2^x-2^{-x})}{2^x(2^x+2^{-x})}=\dfrac{2^{2x}-1}{2^{2x}+1}$

$\quad\quad\quad\quad=\dfrac{4^x-1}{4^x+1}=\dfrac{1}{2}$

$2\times 4^x-2=4^x+1$ $\quad\therefore 4^x=3$

$4^{-x}=(4^x)^{-1}=3^{-1}=\dfrac{1}{3}$이므로

$4^x-4^{-x}=3-\dfrac{1}{3}=\dfrac{8}{3}$ **답** ⑤

**093** $2^x=6$에서 $2=6^{\frac{1}{x}}$ ……㉠

$3^y=6$에서 $3=6^{\frac{1}{y}}$ ……㉡

$\bigcirc\times\bigcirc$을 하면

$$2\times3=6^{\frac{1}{x}}\times6^{\frac{1}{y}}=6^{\frac{1}{x}+\frac{1}{y}}$$

$$6=6^{\frac{1}{x}+\frac{1}{y}}$$

$$\therefore\ \frac{1}{x}+\frac{1}{y}=1 \qquad\qquad\qquad \text{답}\ 1$$

**094**  $15^x=25$에서 $15^x=5^2$

$$\therefore\ 15=5^{\frac{2}{x}} \qquad\cdots\cdots\bigcirc$$

$375^y=125$에서 $375^y=5^3$

$$\therefore\ 375=5^{\frac{3}{y}} \qquad\cdots\cdots\bigcirc$$

$\bigcirc\div\bigcirc$을 하면

$$\frac{15}{375}=\frac{5^{\frac{2}{x}}}{5^{\frac{3}{y}}},\ 5^{-2}=5^{\frac{2}{x}-\frac{3}{y}}$$

$$\therefore\ \frac{2}{x}-\frac{3}{y}=-2 \qquad\qquad\qquad \text{답}\ ①$$

**095**  $2^x=9^y=18^z=k\ (k>0)$로 놓으면 $xyz\neq0$에서 $k\neq1$

$2^x=k$에서 $2=k^{\frac{1}{x}} \qquad\cdots\cdots\bigcirc$

$9^y=k$에서 $9=k^{\frac{1}{y}} \qquad\cdots\cdots\bigcirc$

$18^z=k$에서 $18=k^{\frac{1}{z}} \qquad\cdots\cdots\bigcirc$

$\bigcirc\times\bigcirc\div\bigcirc$을 하면

$$2\times9\div18=k^{\frac{1}{x}}\times k^{\frac{1}{y}}\div k^{\frac{1}{z}}$$

$$\therefore\ k^{\frac{1}{x}+\frac{1}{y}-\frac{1}{z}}=1$$

그런데 $k\neq1$이므로 $\dfrac{1}{x}+\dfrac{1}{y}-\dfrac{1}{z}=0 \qquad \text{답}\ ③$

**096**

위와 같은 순서대로 키를 누르면, 계산기는 $\sqrt{\sqrt{2}}\times4$를 계산하게 된다.

따라서 화면에 나타나는 수의 값은

$$\sqrt{\sqrt{2}}\times4=(2^{\frac{1}{2}})^{\frac{1}{2}}\times2^2=2^{\frac{1}{4}}\times2^2$$

$$=2^{\frac{1}{4}+2}=2^{\frac{9}{4}} \qquad\qquad \text{답}\ ④$$

**097**  컴퓨터 중앙처리장치의 속도 $1\,\text{MHz}$가

$1\,\text{THz}=10^6\,\text{MHz}=(10^3)^2\,\text{MHz}$가 되려면 지금보다 $(2^{10})^2=2^{20}\ (\because 2^{10}\fallingdotseq10^3)$

배가 빨라져야 한다.

컴퓨터 중앙처리장치의 속도는 3년마다 4배, 즉 $2^2$배의 비율로 빨라지고 있고 $2^{20}=(2^2)^{10}$이므로 $3\times10\ (년)$ 후에 $1\,\text{THz}$의 속도에 도달할 것으로 예상된다.

따라서 컴퓨터 중앙처리장치의 속도가 $1\,\text{THz}$에 도달할 것으로 예상되는 해는

$$2000+30=2030(년) \qquad\qquad \text{답}\ 2030년$$

**098**  수심이 $8\,\text{m}$인 곳의 빛의 세기 $I_8$은

$$I_8=I_0\times2^{-0.25\times8}=I_0\times2^{-2}=\frac{1}{4}I_0$$

따라서 수심이 $8\,\text{m}$인 곳의 빛의 세기는 수면에서의 빛의 세기의 $25\,\%$이다. $\qquad\qquad \text{답}\ ②$

**099**  반감기가 100시간이고 현재 원자 수가 $N_0$인 이 핵종의 500시간 후의 원자 수는

$$N_0\left(\frac{1}{2}\right)^{\frac{500}{100}}=N_0\left(\frac{1}{2}\right)^5$$

200시간 후의 원자 수는

$$N_0\left(\frac{1}{2}\right)^{\frac{200}{100}}=N_0\left(\frac{1}{2}\right)^2$$

$$\frac{N_0\left(\frac{1}{2}\right)^5}{N_0\left(\frac{1}{2}\right)^2}=\left(\frac{1}{2}\right)^3$$이므로 이 핵종의 500시간 후의 원자 수는

200시간 후의 원자 수의 $\dfrac{1}{8}$배이다. $\qquad \text{답}\ ②$

**100**  $a=2^4=16,\ b=\sqrt[3]{-8}=\sqrt[3]{(-2)^3}=-2$

$$\therefore\ ab=-32 \qquad\qquad\qquad \text{답}\ ①$$

**101**  ㄱ. $(\sqrt[8]{a})^5=\sqrt[8]{a^5}$

ㄴ. $\sqrt{\sqrt[4]{a^5}}=\sqrt[8]{a^5}$

ㄷ. $\sqrt[4]{a^2\sqrt{a}}=\sqrt[4]{\sqrt{(\sqrt{a})^4\sqrt{a}}}=\sqrt[4]{\sqrt{a^5}}=\sqrt[8]{a^5}$

따라서 ㄱ, ㄴ, ㄷ 모두 $\sqrt[8]{a^5}$과 같다. $\qquad \text{답}\ ⑤$

**102**
$$4^{-6}\div(2^{-8}\div4^{-5})^{-3}=2^{-12}\div(2^{-8}\div2^{-10})^{-3}$$
$$=2^{-12}\div(2^{-8+10})^{-3}$$
$$=2^{-12}\div(2^2)^{-3}$$
$$=2^{-12}\div2^{-6}$$
$$=2^{-12+6}=2^{-6}$$

$$\therefore\ k=-6 \qquad\qquad\qquad \text{답}\ -6$$

**103**
$$\sqrt[4]{ab^3}\div\sqrt[3]{a^2b^2}\times\sqrt{a^3b}=(ab^3)^{\frac{1}{4}}\div(a^2b^2)^{\frac{1}{3}}\times(a^3b)^{\frac{1}{2}}$$
$$=a^{\frac{1}{4}}b^{\frac{3}{4}}\div a^{\frac{2}{3}}b^{\frac{2}{3}}\times a^{\frac{3}{2}}b^{\frac{1}{2}}$$
$$=a^{\frac{1}{4}-\frac{2}{3}+\frac{3}{2}}b^{\frac{3}{4}-\frac{2}{3}+\frac{1}{2}}$$
$$=a^{\frac{13}{12}}b^{\frac{7}{12}}$$

따라서 $p=\dfrac{13}{12},\ q=\dfrac{7}{12}$이므로

$$p+q=\frac{13}{12}+\frac{7}{12}=\frac{20}{12}=\frac{5}{3} \qquad \text{답}\ ⑤$$

**104**  $A=3^{\frac{1}{3}},\ B=6^{\frac{1}{5}},\ C=2^{\frac{8}{15}}$이고 세 수 $A,\ B,\ C$의 지수의 분모 3, 5, 15의 최소공배수가 15이므로

$$A=3^{\frac{1}{3}}=3^{\frac{5}{15}}=(3^5)^{\frac{1}{15}}=243^{\frac{1}{15}}$$
$$B=6^{\frac{1}{5}}=6^{\frac{3}{15}}=(6^3)^{\frac{1}{15}}=216^{\frac{1}{15}}$$
$$C=2^{\frac{8}{15}}=(2^8)^{\frac{1}{15}}=256^{\frac{1}{15}}$$

세 수의 밑의 크기를 비교하면 $216<243<256$이므로

$$216^{\frac{1}{15}}<243^{\frac{1}{15}}<256^{\frac{1}{15}}$$

$$\therefore\ B<A<C \qquad\qquad\qquad \text{답}\ ③$$

**105**
$$\{3^{\sqrt{2}}+(\sqrt{3})^{\sqrt{2}}\}\{3^{\sqrt{2}}-(\sqrt{3})^{\sqrt{2}}\}=(3^{\sqrt{2}})^2-\{(\sqrt{3})^{\sqrt{2}}\}^2$$
$$=3^{2\sqrt{2}}-(\sqrt{3^2})^{\sqrt{2}}$$
$$=3^{\sqrt{2}+\sqrt{2}}-3^{\sqrt{2}}$$
$$=3^{\sqrt{2}}\times3^{\sqrt{2}}-3^{\sqrt{2}}$$
$$=3^{\sqrt{2}}(3^{\sqrt{2}}-1) \qquad\qquad \text{답}\ ①$$

**106** $a^{\frac{1}{2}}+a^{-\frac{1}{2}}=\sqrt{5}$ 의 양변을 제곱하면

$(a^{\frac{1}{2}})^2+2a^{\frac{1}{2}}a^{-\frac{1}{2}}+(a^{-\frac{1}{2}})^2=(\sqrt{5})^2$

$a+2+a^{-1}=5$

$\therefore a+a^{-1}=3$ **답** 3

**107** $x^3=(\sqrt[3]{4}-\sqrt[3]{2})^3$

$=4-2-3\sqrt[3]{8}\,(\sqrt[3]{4}-\sqrt[3]{2})$

$=2-3\times2x$

$=2-6x$

$\therefore x^3+6x=2$ **답** 2

**108** 주어진 식의 분모, 분자에 각각 $a^x$을 곱하면

$\dfrac{a^{3x}+a^{-3x}}{a^x+a^{-x}}=\dfrac{a^x(a^{3x}+a^{-3x})}{a^x(a^x+a^{-x})}$

$=\dfrac{a^{4x}+a^{-2x}}{a^{2x}+1}=\dfrac{(a^{2x})^2+(a^{2x})^{-1}}{a^{2x}+1}$

$=\dfrac{4^2+\dfrac{1}{4}}{4+1}=\dfrac{\dfrac{65}{4}}{5}$

$=\dfrac{13}{4}$ **답** ⑤

**109** $4^x=9^y=24^z=k\ (k>0)$, 즉 $2^{2x}=3^{2y}=(2^3\times3)^z=k$라 하면

$2^{2x}=k$에서 $2^2=k^{\frac{1}{x}}$

$3^{2y}=k$에서 $3^2=k^{\frac{1}{y}}$

$(2^3\times3)^z=k$에서

$2^3\times3=k^{\frac{1}{z}}$

$\dfrac{a}{x}+\dfrac{1}{y}=\dfrac{2}{z}$이므로

$k^{\frac{a}{x}}\times k^{\frac{1}{y}}=k^{\frac{2}{z}},\ (k^{\frac{1}{x}})^a\times k^{\frac{1}{y}}=(k^{\frac{1}{z}})^2$

$(2^2)^a\times3^2=(2^3\times3)^2$

$2^{2a}\times3^2=2^6\times3^2$

$2a=6\quad\therefore a=3$ **답** ③

**110** $(a^2b)^3\times(a^4b^3)^2\div(a^2b)^6=a^6b^3\times a^8b^6\div a^{12}b^6$

$=a^{14}b^9\div a^{12}b^6$

$=a^2b^3$

2의 세제곱이 $a$, 3의 세제곱이 $b$이므로

$a=2^3,\ b=3^3$

$\therefore a^2b^3=(2^3)^2\times(3^3)^3=2^6\times3^6=6^6$

따라서 $6^6$의 $n$제곱근이 정수가 되려면 $n$은 $n\geq2$인 6의 약수이어야 하므로 $n$의 값은 2, 3, 6의 3개이다. **답** ③

**111** 배양한 지 2시간 후의 박테리아의 개체 수가 $5n$이므로

$5n=n\times2^{2k}\quad\therefore2^{2k}=5$

배양한 지 6시간 후의 박테리아 개체 수는

$n\times2^{6k}=n\times(2^{2k})^3=n\times5^3$

$=125n$

따라서 배양한 지 6시간 후의 개체 수는 처음 개체 수의 125배이다. **답** 125배

---

**001** $2^4=16\Longleftrightarrow4=\log_2 16$ **답** $4=\log_2 16$

**002** $9^{\frac{1}{2}}=3\Longleftrightarrow\dfrac{1}{2}=\log_9 3$ **답** $\dfrac{1}{2}=\log_9 3$

**003** $\log_2 32=5\Longleftrightarrow2^5=32$ **답** $2^5=32$

**004** $\log_4 8=\dfrac{3}{2}\Longleftrightarrow4^{\frac{3}{2}}=8$ **답** $4^{\frac{3}{2}}=8$

**005** $\log_3\sqrt{3}=\dfrac{1}{2}\Longleftrightarrow3^{\frac{1}{2}}=\sqrt{3}$ **답** $3^{\frac{1}{2}}=\sqrt{3}$

**006** $\log_2 8=x$라 하면 로그의 정의에 의하여

$2^x=8,\ 2^x=2^3$

$\therefore x=3$ **답** 3

**007** $\log_{27}3=x$라 하면 로그의 정의에 의하여

$27^x=3,\ 3^{3x}=3$이므로

$3x=1\quad\therefore x=\dfrac{1}{3}$ **답** $\dfrac{1}{3}$

**008** $\log_{\frac{1}{3}}3=x$라 하면 로그의 정의에 의하여

$\left(\dfrac{1}{3}\right)^x=3,\ 3^{-x}=3$이므로

$-x=1\quad\therefore x=-1$ **답** $-1$

**009** $\log_3 x=4\Longleftrightarrow x=3^4$

$\therefore x=81$ **답** 81

**010** $\log_x 8=3\Longleftrightarrow8=x^3$

$\therefore x=2$ **답** 2

**011** $\log_3 x=\dfrac{1}{2}\Longleftrightarrow x=3^{\frac{1}{2}}$

$\therefore x=\sqrt{3}$ **답** $\sqrt{3}$

**012** $\log_5 x=-1\Longleftrightarrow x=5^{-1}$

$\therefore x=\dfrac{1}{5}$ **답** $\dfrac{1}{5}$

**013** $3^x=10\Longleftrightarrow x=\log_3 10$ **답** $\log_3 10$

**014** $10^x=15\Longleftrightarrow x=\log_{10}15$ **답** $\log_{10}15$

**015** $7^x=\dfrac{1}{2}\Longleftrightarrow x=\log_7\dfrac{1}{2}=-\log_7 2$ **답** $-\log_7 2$

**016** 진수의 조건에서 $x-5>0\quad\therefore x>5$ **답** $x>5$

**017** 진수의 조건에서 $x^2-4>0$

$(x+2)(x-2)>0$

---

$$\therefore x<-2 \text{ 또는 } x>2 \qquad \text{답 } x<-2 \text{ 또는 } x>2$$

**018** 밑의 조건에서 $x-5>0$, $x-5\neq1$
$x>5$, $x\neq6$
$$\therefore 5<x<6 \text{ 또는 } x>6 \qquad \text{답 } 5<x<6 \text{ 또는 } x>6$$

**019** 밑의 조건에서 $x>0$, $x\neq1$ $\qquad\cdots\cdots\,\bigcirc$
진수의 조건에서 $5-x>0$
$$\therefore x<5 \qquad\cdots\cdots\,\bigcirc$$
$\bigcirc$, $\bigcirc$의 공통 범위를 구하면
$$0<x<1 \text{ 또는 } 1<x<5 \qquad \text{답 } 0<x<1 \text{ 또는 } 1<x<5$$

**020** $\log_3 1=0$ $\qquad\qquad$ 답 $0$

**021** $\log_3 3=1$ $\qquad\qquad$ 답 $1$

**022** $\log_2 2=1$, $\log_2 1=0$이므로
$$\log_2 2-\log_2 1=1 \qquad\qquad \text{답 } 1$$

**023** $\log_2 \dfrac{2}{3}+\log_2 3=\log_2\left(\dfrac{2}{3}\times3\right)$
$$=\log_2 2=1 \qquad\qquad \text{답 } 1$$

**024** $\log_3 12-\log_3 4=\log_3 \dfrac{12}{4}$
$$=\log_3 3=1 \qquad\qquad \text{답 } 1$$

**025** $\log_5 125=\log_5 5^3$
$$=3\log_5 5=3 \qquad\qquad \text{답 } 3$$

**026** $\log_3 \sqrt{3}=\log_3 3^{\frac{1}{2}}=\dfrac{1}{2}\log_3 3=\dfrac{1}{2}$ $\qquad$ 답 $\dfrac{1}{2}$

**027** $\log_6 3+\log_6 12=\log_6(3\times12)=\log_6 36$
$$=\log_6 6^2=2\log_6 6=2 \qquad \text{답 } 2$$

**028** $\log_5 10-\log_5 \dfrac{2}{5}=\log_5\left(10\times\dfrac{5}{2}\right)=\log_5 25$
$$=\log_5 5^2=2\log_5 5=2 \qquad \text{답 } 2$$

**029** $\log_2 \dfrac{4}{3}+2\log_2 \sqrt{12}=\log_2 \dfrac{4}{3}+\log_2(\sqrt{12})^2$
$$=\log_2\left(\dfrac{4}{3}\times12\right)=\log_2 16$$
$$=\log_2 2^4=4\log_2 2=4 \qquad \text{답 } 4$$

**030** $\log_2 8+\log_2 2\sqrt{2}-\log_2 \sqrt{2}=\log_2 \dfrac{8\times2\sqrt{2}}{\sqrt{2}}$
$$=\log_2 16=\log_2 2^4$$
$$=4\log_2 2=4 \qquad \text{답 } 4$$

**031** $\log_3 18-\log_3 \dfrac{4}{9}+\log_3 6=\log_3\left(18\times\dfrac{9}{4}\times6\right)$
$$=\log_3 243=\log_3 3^5$$
$$=5\log_3 3=5 \qquad \text{답 } 5$$

**032** $\log_4 3+5\log_4 2-\log_4 6=\log_4 3+\log_4 2^5-\log_4 6$
$$=\log_4 \dfrac{3\times32}{6}=\log_4 16$$
$$=\log_4 4^2=2\log_4 4=2$$
$$\text{답 } 2$$

**033** 로그의 밑의 변환 공식에 의하여
$$\log_3 5=\dfrac{\log_2 5}{\log_2 \boxed{3}} \qquad \text{답 } \dfrac{\log_2 5}{\log_2 \boxed{3}}$$

**034** 로그의 밑의 변환 공식에 의하여
$$\log_5 2=\dfrac{\log_2 2}{\log_2 5}=\dfrac{1}{\log_2 \boxed{5}} \qquad \text{답 } \dfrac{1}{\log_2 \boxed{5}}$$

**035** 로그의 밑의 변환 공식에 의하여
$$\dfrac{\log_3 7}{\log_3 5}=\log_5 \boxed{7} \qquad \text{답 } \log_5 \boxed{7}$$

**036** 로그의 밑의 변환 공식에 의하여
$$\dfrac{1}{\log_4 6}=\dfrac{\log_4 4}{\log_4 6}=\log_{\boxed{6}} 4 \qquad \text{답 } \log_{\boxed{6}} 4$$

**037** $\dfrac{\log_7 9}{\log_7 3}=\log_3 9=\log_3 3^2=2\log_3 3=2$ $\qquad$ 답 $2$

**038** $\dfrac{1}{\log_{32} 2}=\log_2 32=\log_2 2^5=5\log_2 2=5$ $\qquad$ 답 $5$

**039** $\log_2 3\times\log_3 8=\dfrac{\log_{10} 3}{\log_{10} 2}\times\dfrac{\log_{10} 8}{\log_{10} 3}$
$$=\dfrac{\log_{10} 8}{\log_{10} 2}=\dfrac{3\log_{10} 2}{\log_{10} 2}=3 \qquad \text{답 } 3$$

**040** $\log_2 5\times\log_5 4=\dfrac{\log_{10} 5}{\log_{10} 2}\times\dfrac{\log_{10} 4}{\log_{10} 5}$
$$=\dfrac{\log_{10} 4}{\log_{10} 2}=\dfrac{2\log_{10} 2}{\log_{10} 2}=2 \qquad \text{답 } 2$$

**041** $\log_3 2\times\log_2 5\times\log_5 9=\dfrac{\log_{10} 2}{\log_{10} 3}\times\dfrac{\log_{10} 5}{\log_{10} 2}\times\dfrac{\log_{10} 9}{\log_{10} 5}$
$$=\dfrac{\log_{10} 9}{\log_{10} 3}=\dfrac{2\log_{10} 3}{\log_{10} 3}=2 \qquad \text{답 } 2$$

**042** $\log_3 5\times\log_5 7\times\log_7 27=\dfrac{\log_{10} 5}{\log_{10} 3}\times\dfrac{\log_{10} 7}{\log_{10} 5}\times\dfrac{\log_{10} 27}{\log_{10} 7}$
$$=\dfrac{\log_{10} 27}{\log_{10} 3}=\dfrac{3\log_{10} 3}{\log_{10} 3}=3 \qquad \text{답 } 3$$

**043** $\log_{a^m} b^n=\boxed{\dfrac{n}{m}}\log_a b$ $\qquad$ 답 $\boxed{\dfrac{n}{m}}\log_a b$

**044** $a^{\log_c b}=\boxed{b}^{\log_c \boxed{a}}$ $\qquad$ 답 $\boxed{b}^{\log_c \boxed{a}}$

**045** $a^{\log_a b}=\boxed{b}$ $\qquad$ 답 $b$

**046** $\log_9 8 = \log_{3^2} 2^3 = \boxed{\dfrac{3}{2}}\log_3 2$    답 $\boxed{\dfrac{3}{2}}\log_3 2$

**047** $5^{\log_5 6} = \boxed{6}^{\log_5 \boxed{5}}$    답 $\boxed{6}^{\log_5 \boxed{5}}$

**048** $3^{\log_3 7} = \boxed{7}$    답 $7$

**049** $\log_8 128 = \log_{2^3} 2^7$
$= \dfrac{7}{3}\log_2 2 = \dfrac{7}{3}$    답 $\dfrac{7}{3}$

**050** $\log_{\sqrt 3} 27 = \log_{3^{\frac{1}{2}}} 3^3$
$= 6\log_3 3 = 6$    답 $6$

**051** $\log_{\frac{1}{10}} \sqrt[3]{10} = \log_{10^{-1}} 10^{\frac{1}{3}}$
$= -\dfrac{1}{3}\log_{10} 10$
$= -\dfrac{1}{3}$    답 $-\dfrac{1}{3}$

**052** $\log_2 5 + \log_4 9 = \log_2 5 + \log_{2^2} 3^2$
$= \log_2 5 + \log_2 3$
$= \log_2 15$    답 $\log_2 15$

**053** $2^{\log_3 5} = 5^{\log_3 2} = 5$    답 $5$

**054** $9^{\log_3 \sqrt 5} = (\sqrt 5)^{\log_3 3^2} = (\sqrt 5)^{2\log_3 3}$
$= (\sqrt 5)^2 = 5$    답 $5$

**055** $8^{\log_2 3} - 10^{\log_{10} 5} = 3^{\log_2 2^3} - 5^{\log_{10} 10}$
$= 3^{3\log_2 2} - 5$
$= 27 - 5 = 22$    답 $22$

**056** $3^{\log_3 2 + \log_3 5} = 3^{\log_3 10} = 10^{\log_3 3} = 10$    답 $10$

**057** $\log_{10} 12 = \log_{10}(2^2 \times 3)$
$= 2\log_{10} 2 + \log_{10} 3$
$= 2a + b$    답 $2a+b$

**058** $\log_{10} \dfrac{3}{2} = \log_{10} 3 - \log_{10} 2$
$= b - a$    답 $b-a$

**059** $\log_{10} \dfrac{1}{9} = \log_{10} 1 - \log_{10} 9$
$= -\log_{10} 3^2$
$= -2\log_{10} 3$
$= -2b$    답 $-2b$

**060** $\log_{10} 30 = \log_{10}(3 \times 10)$
$= \log_{10} 3 + \log_{10} 10$
$= b + 1$    답 $b+1$

**061** $\log_{10} 400 = \log_{10}(4 \times 100)$
$= \log_{10} 2^2 + \log_{10} 10^2$
$= 2\log_{10} 2 + 2\log_{10} 10$
$= 2a + 2$    답 $2a+2$

**062** $\log_{10} 5 = \log_{10} \dfrac{10}{2} = \log_{10} 10 - \log_{10} 2$
$= 1 - a$    답 $1-a$

**063** $\log_2 5 = \dfrac{\log_3 5}{\log_3 2} = \dfrac{b}{a}$    답 $\dfrac{b}{a}$

**064** $\log_8 25 = \dfrac{\log_3 25}{\log_3 8} = \dfrac{\log_3 5^2}{\log_3 2^3}$
$= \dfrac{2\log_3 5}{3\log_3 2} = \dfrac{2b}{3a}$    답 $\dfrac{2b}{3a}$

**065** $\log_{125} 4 = \dfrac{\log_3 4}{\log_3 125} = \dfrac{\log_3 2^2}{\log_3 5^3}$
$= \dfrac{2\log_3 2}{3\log_3 5} = \dfrac{2a}{3b}$    답 $\dfrac{2a}{3b}$

**066** $\log_{10} 20 = \dfrac{\log_3 20}{\log_3 10} = \dfrac{\log_3 (2^2 \times 5)}{\log_3 (2 \times 5)}$
$= \dfrac{2\log_3 2 + \log_3 5}{\log_3 2 + \log_3 5} = \dfrac{2a+b}{a+b}$    답 $\dfrac{2a+b}{a+b}$

**067** $\log_2 6 = \dfrac{\log_3 6}{\log_3 2} = \dfrac{\log_3 (2 \times 3)}{\log_3 2}$
$= \dfrac{\log_3 2 + \log_3 3}{\log_3 2} = \dfrac{a+1}{a}$    답 $\dfrac{a+1}{a}$

**068** $\log_2 x = 2$ 에서 $x = 2^2$    ∴ $x = 4$
$\log_y \dfrac{1}{8} = 3$ 에서 $y^3 = \dfrac{1}{8}$    ∴ $y = \dfrac{1}{2}$
∴ $xy = 4 \times \dfrac{1}{2} = 2$    답 $2$

**069** $x = \log_2 3$ 에서 $2^x = 3$
∴ $2^x + 2^{-x} = 2^x + \dfrac{1}{2^x}$
$= 3 + \dfrac{1}{3} = \dfrac{10}{3}$    답 ③

**070** $\log_2 (\log_x 9) = 1$ 에서 $\log_x 9 = 2^1 = 2$
∴ $x^2 = 9$
∴ $x = 3$ $(\because x > 0)$    답 $3$

**071** 진수의 조건에서 $x - 2 > 0$, $x - 3 > 0$
∴ $x > 3$
∴ $|x-2| + |x-3| = (x-2) + (x-3)$
$= 2x - 5$    답 ③

**072** 진수의 조건에서 $x^2 - 2ax + 3a > 0$
이차방정식 $x^2 - 2ax + 3a = 0$의 판별식을 $D$라 하면

$$\frac{D}{4}=a^2-3a<0, \ a(a-3)<0$$
$$\therefore 0<a<3 \hspace{4cm} \text{답} ④$$

**073** 밑의 조건에서 $x-3>0, \ x-3\neq1$
$$\therefore x>3, \ x\neq4 \hspace{2cm} \cdots\cdots ㉠$$
진수의 조건에서 $-x^2+6x-8>0$
$$x^2-6x+8<0, \ (x-2)(x-4)<0$$
$$\therefore 2<x<4 \hspace{2cm} \cdots\cdots ㉡$$
㉠, ㉡의 공통 범위를 구하면
$$3<x<4 \hspace{4cm} \text{답} ①$$

**074** $\log_2 8=\log_2 2^3=3$
$$\therefore \log_3(\log_2 8)\times 8^{\frac{1}{3}}=\log_3 3\times 2=2 \hspace{1cm} \text{답} ②$$

**075** $\log_3 6+\log_3 27-\log_3 2=\log_3\dfrac{6\times27}{2}$
$$\hspace{3cm}=\log_3 3^4=4 \hspace{1.5cm} \text{답} 4$$

**076** $\dfrac{1}{3}\log_2\dfrac{5}{4}-\log_2\dfrac{\sqrt[3]{10}}{8}-\dfrac{1}{3}\log_2 4$
$$=\frac{1}{3}(\log_2 5-2)-\left(\frac{1}{3}\log_2 10-3\right)-\frac{2}{3}$$
$$=\frac{1}{3}\log_2 5-\frac{2}{3}-\frac{1}{3}(\log_2 5+\log_2 2)+3-\frac{2}{3}$$
$$=-\frac{2}{3}-\frac{1}{3}+3-\frac{2}{3}=\frac{4}{3} \hspace{2cm} \text{답} ④$$

**077** $\log_2 a+\log_2 b=5$에서
$$\log_2 ab=5 \quad \therefore ab=2^5=32$$
$$\log_2(a-b)=3$에서 $a-b=2^3=8$$
$$a^2+b^2=(a-b)^2+2ab$$
$$\hspace{1.5cm}=8^2+2\times32=128$$
이므로
$$\log_2(a^2+b^2)^3=3\log_2(a^2+b^2)$$
$$\hspace{2.5cm}=3\log_2 128=3\log_2 2^7$$
$$\hspace{2.5cm}=3\times7=21 \hspace{1.5cm} \text{답} 21$$

**078** $\log_7\left(1-\dfrac{1}{2}\right)+\log_7\left(1-\dfrac{1}{3}\right)+\log_7\left(1-\dfrac{1}{4}\right)+\cdots$
$$\hspace{5cm}+\log_7\left(1-\frac{1}{49}\right)$$
$$=\log_7\frac{1}{2}+\log_7\frac{2}{3}+\log_7\frac{3}{4}+\cdots+\log_7\frac{48}{49}$$
$$=\log_7\left(\frac{1}{2}\times\frac{2}{3}\times\frac{3}{4}\times\cdots\times\frac{48}{49}\right)$$
$$=\log_7\frac{1}{49}=\log_7 7^{-2}$$
$$=-2 \hspace{4cm} \text{답} -2$$

**079** $3A+2B=3\log_a\dfrac{x^2}{y^3}+2\log_a\dfrac{y^2}{x^3}$
$$=\log_a\left(\frac{x^2}{y^3}\right)^3+\log_a\left(\frac{y^2}{x^3}\right)^2$$
$$=\log_a\left(\frac{x^6}{y^9}\times\frac{y^4}{x^6}\right)=\log_a\frac{1}{y^5} \hspace{0.5cm} \text{답} ②$$

**080** $\log_4 5\times\log_5 7\times\log_7 16$
$$=\frac{\log_2 5}{\log_2 4}\times\frac{\log_2 7}{\log_2 5}\times\frac{\log_2 16}{\log_2 7}$$
$$=\frac{\log_2 16}{\log_2 4}=\log_4 16$$
$$=\log_4 4^2=2 \hspace{3cm} \text{답} 2$$

**081** $\log_a c=3$에서 $\log_c a=\dfrac{1}{3}$
$$\log_b c=1$에서 $\log_c b=1$$
$$\therefore \log_{ab} c=\frac{\log_c c}{\log_c ab}=\frac{1}{\log_c a+\log_c b}$$
$$=\frac{1}{\frac{1}{3}+1}=\frac{3}{4} \hspace{2cm} \text{답} ③$$

**082** $\log_5 35-\dfrac{\log_7 14}{\log_7 5}+\dfrac{1}{\log_{10} 5}$
$$=\log_5 35-\log_5 14+\log_5 10$$
$$=\log_5\frac{35\times10}{14}=\log_5 25$$
$$=\log_5 5^2=2 \hspace{3cm} \text{답} 2$$

**083** $\dfrac{1}{\log_2 x}+\dfrac{1}{\log_3 x}+\dfrac{1}{\log_4 x}$
$$=\log_x 2+\log_x 3+\log_x 4$$
$$=\log_x(2\times3\times4)=\log_x 24$$
$$=\frac{1}{\log_{24} x}=\frac{1}{\log_k x}$$
$$\therefore k=24 \hspace{4cm} \text{답} 24$$

**084** $\log_a c:\log_b c=3:1$에서 $3\log_b c=\log_a c$
$$\frac{3\log_{10} c}{\log_{10} b}=\frac{\log_{10} c}{\log_{10} a}$$
$$3\log_{10} a=\log_{10} b$$
$$\therefore b=a^3$$
$$\therefore \log_a b+\log_b a=\log_a a^3+\log_{a^3} a$$
$$=3+\frac{1}{3}=\frac{10}{3} \hspace{2cm} \text{답} ④$$

**085** $\log_a b=t$로 놓으면 $\log_b a=\dfrac{1}{\log_a b}=\dfrac{1}{t}$이므로
$$\log_a b+\log_b a=\frac{10}{3}$에서$$
$$t+\frac{1}{t}=\frac{10}{3}, \ 3t^2-10t+3=0$$
$$(3t-1)(t-3)=0$$
$$\therefore t=\frac{1}{3} \ 또는 \ t=3$$
그런데 $1<a<b$에서 $t>1$이므로
$$t=\log_a b=3$$
$$\therefore b=a^3$$
$$\therefore \frac{a^3 b^2+ab}{a^4+b^3}=\frac{a^3(a^3)^2+a\times a^3}{a^4+(a^3)^3}$$
$$=\frac{a^9+a^4}{a^4+a^9}$$
$$=1 \hspace{4cm} \text{답} 1$$

**086** $\log_a M = m$, $\log_a N = n$ $(a > 0,\ a \neq 1,\ M > 0,\ N > 0)$이라 하면

$a^m = \boxed{M}$, $a^n = \boxed{N}$

$\therefore \boxed{MN} = a^{m+n}$

로그의 정의에 의하여

$\log_a \boxed{MN} = m + n$

즉, $\log_a \boxed{MN} = \log_a \boxed{M} + \log_a \boxed{N}$

$\therefore$ (개): $M$, (내): $N$, (대): $MN$　　　　　**답 ①**

**087** $x = \log_{a^m} b^n$으로 놓으면 로그의 정의에 의하여

$b^n = \boxed{(a^m)^x} = (a^x)^{\boxed{m}}$

위의 식의 양변을 $\dfrac{1}{m}$제곱하면 $\boxed{b^{\frac{n}{m}}} = a^x$

따라서 $x = \log_a \boxed{b^{\frac{n}{m}}} = \dfrac{n}{m}\log_a b$가 성립한다.

$\therefore$ (개): $(a^m)^x$, (내): $m$, (대): $b^{\frac{n}{m}}$　　　　　**답 ③**

**088**
$$\log_{\sqrt{3}} 3 + \log_4 \frac{1}{2} = \log_{3^{\frac{1}{2}}} 3 + \log_{2^2} 2^{-1}$$
$$= \frac{1}{\frac{1}{2}}\log_3 3 + \left(-\frac{1}{2}\right)\log_2 2$$
$$= 2 - \frac{1}{2} = \frac{3}{2}$$
　　　　　**답 ②**

**089**
$$(\log_2 3 + \log_4 9)(\log_3 4 + \log_9 2)$$
$$= (\log_2 3 + \log_{2^2} 3^2)(\log_3 2^2 + \log_{3^2} 2)$$
$$= \left(\log_2 3 + \log_2 3\right)\left(2\log_3 2 + \frac{1}{2}\log_3 2\right)$$
$$= 2\log_2 3 \times \frac{5}{2}\log_3 2$$
$$= 2 \times \frac{5}{2}\log_2 3 \times \frac{1}{\log_2 3}$$
$$= 5$$
　　　　　**답 5**

**090** $9^{2\log_3 2 + \log_3 6 - \log_3 12}$에서 지수 부분을 간단히 하면
$$2\log_3 2 + \log_3 6 - \log_3 12 = \log_3 2^2 + \log_3 6 - \log_3 12$$
$$= \log_3 \frac{2^2 \times 6}{12}$$
$$= \log_3 2$$
$$\therefore 9^{2\log_3 2 + \log_3 6 - \log_3 12} = 9^{\log_3 2} = 2^{\log_3 9} = 2^{\log_3 3^2}$$
$$= 2^2 = 4$$
　　　　　**답 4**

**091** $x = 2\log_3 \dfrac{2\sqrt{2}}{3} + \log_3 \sqrt{162} - \dfrac{1}{2}\log_3 32$
$$= \log_3 \left(\frac{2\sqrt{2}}{3}\right)^2 + \log_3 \sqrt{162} - \log_3 \sqrt{32}$$
$$= \log_3 \frac{8}{9} + \log_3 9\sqrt{2} - \log_3 4\sqrt{2}$$
$$= \log_3 \left(\frac{8}{9} \times 9\sqrt{2} \times \frac{1}{4\sqrt{2}}\right)$$
$$= \log_3 2$$
$$\therefore 3^x = 3^{\log_3 2} = 2$$
　　　　　**답 2**

**092**
$$(\log_3 a + 3\log_{27} b)\log_{\sqrt{ab}} 9 = (\log_3 a + 3\log_{3^3} b)\log_{(ab)^{\frac{1}{2}}} 3^2$$
$$= (\log_3 a + \log_3 b) \times 4\log_{ab} 3$$
$$= 4\log_3 ab \times \log_{ab} 3 = 4$$
　　　　　**답 4**

**093** $A = \log_3 2 < \log_3 3 = 1$

$B = \log_4 8 = \log_{2^2} 2^3 = \dfrac{3}{2}\log_2 2 = \dfrac{3}{2}$

$\therefore B > A$

$C = \log_2 3 > \log_2 2 = 1$이고

$B = \log_4 8 = \dfrac{1}{2}\log_2 8 = \log_2 2\sqrt{2}$이므로

$C = \log_2 3 > \log_2 2\sqrt{2} = B$　　$\therefore C > B$

$\therefore A < B < C$　　　　　**답 ①**

**094** $\log_{10} 24 = \log_{10}(2^3 \times 3)$
$$= 3\log_{10} 2 + \log_{10} 3$$
$$= 3a + b$$
　　　　　**답 ⑤**

**095** $\log_{a^2} \sqrt[3]{ab^2} = \dfrac{\log_2 \sqrt[3]{ab^2}}{\log_2 a^2} = \dfrac{\frac{1}{3}\log_2 ab^2}{2\log_2 a}$
$$= \frac{\log_2 a + 2\log_2 b}{6\log_2 a}$$
$$= \frac{x + 2y}{6x}$$
　　　　　**답 ⑤**

**096** $5^a = 2$에서 $a = \log_5 2$

$5^b = 3$에서 $b = \log_5 3$

로그의 밑의 변환 공식에 의하여
$$\log_6 72 = \frac{\log_5 72}{\log_5 6} = \frac{\log_5 (2^3 \times 3^2)}{\log_5 (2 \times 3)}$$
$$= \frac{\log_5 2^3 + \log_5 3^2}{\log_5 2 + \log_5 3} = \frac{3\log_5 2 + 2\log_5 3}{\log_5 2 + \log_5 3}$$
$$= \frac{3a + 2b}{a + b}$$
　　　　　**답 ⑤**

**097** $\log_3 9 < \log_3 12 < \log_3 27$, 즉 $\log_3 3^2 < \log_3 12 < \log_3 3^3$에서

$2 < \log_3 12 < 3$이므로 $\log_3 12 = 2.\times\times\times$

$\therefore a = \log_3 12 - 2 = \log_3 12 - \log_3 9$
$$= \log_3 \frac{12}{9} = \log_3 \frac{4}{3}$$
$\therefore 27^a = (3^3)^{\log_3 \frac{4}{3}} = 3^{\log_3 \left(\frac{4}{3}\right)^3}$
$$= \left(\frac{4}{3}\right)^3 = \frac{64}{27}$$
　　　　　**답 ⑤**

**098** $\log_3 5 + \dfrac{1}{\log_7 3} = \log_3 5 + \log_3 7 = \log_3 35$이고

$\log_3 27 < \log_3 35 < \log_3 81$, 즉 $\log_3 3^3 < \log_3 35 < \log_3 3^4$에서

$3 < \log_3 35 < 4$이므로 $\log_3 35 = 3.\times\times\times$

$\therefore a = 3$, $b = \log_3 35 - 3 = \log_3 35 - \log_3 3^3 = \log_3 \dfrac{35}{27}$

$\therefore 27(2^a + 3^b) = 27\left(2^3 + 3^{\log_3 \frac{35}{27}}\right)$
$$= 27\left(8 + \frac{35}{27}\right) = 216 + 35 = 251$$
　　　　　**답 251**

**099** $\log_2 4 < \log_2 7 < \log_2 8$, 즉 $\log_2 2^2 < \log_2 7 < \log_2 2^3$에서
$2 < \log_2 7 < 3$이므로 $\log_2 7 = 2.\times\times\times$

$\therefore x = 2, \ y = \log_2 7 - 2 = \log_2 7 - \log_2 4 = \log_2 \dfrac{7}{4}$

$$\therefore \frac{2^y - 2^{-y}}{2^x + 2^{-x}} = \frac{2^{\log_2 \frac{7}{4}} - 2^{-\log_2 \frac{7}{4}}}{2^2 + 2^{-2}}$$

$$= \frac{\dfrac{7}{4} - \dfrac{4}{7}}{4 + \dfrac{1}{4}}$$

$$= \frac{\dfrac{33}{28}}{\dfrac{17}{4}} = \frac{33}{119}$$

답 $\dfrac{33}{119}$

**100** 이차방정식 $x^2 - 12x + 16 = 0$의 두 근이 $\alpha$, $\beta$이므로
근과 계수의 관계에 의하여
$\alpha\beta = 16$

$\therefore \log_2 \alpha + \log_2 \beta = \log_2 \alpha\beta = \log_2 16$
$= \log_2 2^4 = 4$

답 4

**101** 이차방정식 $x^2 - ax + b = 0$의 두 근이 $2$, $\log_2 3$이므로
근과 계수의 관계에 의하여
$2 + \log_2 3 = a, \ 2 \times \log_2 3 = b$

$\therefore \dfrac{b}{a} = \dfrac{2 \times \log_2 3}{2 + \log_2 3} = \dfrac{\log_2 9}{\log_2 12}$
$= \log_{12} 9 = 2\log_{12} 3$

답 ③

**102** 이차방정식 $x^2 - 8x + 2 = 0$의 두 근이 $\log_{10} a$, $\log_{10} b$이므로
근과 계수의 관계에 의하여
$\log_{10} a + \log_{10} b = 8, \ \log_{10} a \times \log_{10} b = 2$

$\therefore \log_a b + \log_b a$

$= \dfrac{\log_{10} b}{\log_{10} a} + \dfrac{\log_{10} a}{\log_{10} b}$

$= \dfrac{(\log_{10} a)^2 + (\log_{10} b)^2}{\log_{10} a \times \log_{10} b}$

$= \dfrac{(\log_{10} a + \log_{10} b)^2 - 2\log_{10} a \times \log_{10} b}{\log_{10} a \times \log_{10} b}$

$= \dfrac{8^2 - 2 \times 2}{2}$

$= 30$

답 30

**103** $x^3 = y^2$의 양변에 밑이 $x$인 로그를 취하면
$\log_x x^3 = \log_x y^2, \ 3 = 2\log_x y$

$\therefore \log_x y = \dfrac{3}{2}$

$\therefore \log_x \dfrac{x^2}{y^3} = \log_x x^2 - \log_x y^3 = 2 - 3\log_x y$

$= 2 - 3 \times \dfrac{3}{2} = -\dfrac{5}{2}$

답 ①

**104** $150^x = 25$의 양변에 밑이 $5$인 로그를 취하면
$\log_5 150^x = \log_5 25, \ x\log_5 150 = \log_5 5^2$
$x\log_5 150 = 2$

$\therefore \log_5 150 = \dfrac{2}{x}$

$6^y = 125$의 양변에 밑이 $5$인 로그를 취하면
$\log_5 6^y = \log_5 125, \ y\log_5 6 = \log_5 5^3$
$y\log_5 6 = 3$

$\therefore \log_5 6 = \dfrac{3}{y}$

$\therefore \dfrac{2}{x} - \dfrac{3}{y} = \log_5 150 - \log_5 6 = \log_5 \dfrac{150}{6}$
$= \log_5 25 = \log_5 5^2 = 2$

답 2

**105** $a^x = b^y = c^z = 64 = 2^6$에서
$x = \log_a 2^6 = 6\log_a 2$
$y = \log_b 2^6 = 6\log_b 2$
$z = \log_c 2^6 = 6\log_c 2$

$\therefore \dfrac{1}{x} = \dfrac{1}{6}\log_2 a, \ \dfrac{1}{y} = \dfrac{1}{6}\log_2 b, \ \dfrac{1}{z} = \dfrac{1}{6}\log_2 c$

$\therefore \dfrac{1}{x} + \dfrac{1}{y} + \dfrac{1}{z} = \dfrac{1}{6}(\log_2 a + \log_2 b + \log_2 c)$

$= \dfrac{1}{6}\log_2 abc = \dfrac{1}{6} \times 12 = 2$

답 2

**106** 투과 길이가 $l_0$이고 용액의 농도가 $3d_0$일 때의 투과도가 $T_1$이므로
$\log_{10} T_1 = -k \times l_0 \times 3d_0 = -3kl_0 d_0$
또 투과 길이가 $2l_0$이고 용액의 농도가 $4d_0$일 때의 투과도가 $T_2$이므로
$\log_{10} T_2 = -k \times 2l_0 \times 4d_0 = -8kl_0 d_0$

$\therefore \log_{10} T_2 = \dfrac{8}{3}\log_{10} T_1$

$\therefore T_2 = T_1^{\frac{8}{3}}$

$\therefore n = \dfrac{8}{3}$

답 ⑤

**107** $\log_a \dfrac{D_2}{D_1} = \log_a D_2 - \log_a D_1$

$= \log_a c - \dfrac{1}{3}\log_a 4P_1 - \left(\log_a c - \dfrac{1}{3}\log_a P_1\right)$

$= \dfrac{1}{3}\log_a P_1 - \dfrac{1}{3}\log_a 4P_1$

$= \dfrac{1}{3}\log_a \dfrac{P_1}{4P_1}$

$= \log_a \left(\dfrac{1}{4}\right)^{\frac{1}{3}}$

$\therefore \dfrac{D_2}{D_1} = \left(\dfrac{1}{4}\right)^{\frac{1}{3}} = (2^{-2})^{\frac{1}{3}} = 2^{-\frac{2}{3}}$

답 ①

**108** 진수의 조건에서 $-x^2 + 4x + 12 > 0$
$x^2 - 4x - 12 < 0, \ (x+2)(x-6) < 0$
$\therefore -2 < x < 6$
따라서 구하는 정수 $x$는 $-1, 0, 1, 2, 3, 4, 5$의 $7$개이다.

답 ③

**109** $\log_2 \dfrac{4}{3} + 2\log_2 \sqrt{6} = \log_2 \dfrac{4}{3} + \log_2 (\sqrt{6})^2$

$= \log_2 \left(\dfrac{4}{3} \times 6\right)$

$= \log_2 8 = \log_2 2^3$

$= 3$

답 3

**110** $\log_3(\log_2 5)+\log_3(\log_5 7)+\log_3(\log_7 8)$
$=\log_3(\log_2 5 \times \log_5 7 \times \log_7 8)$
이고
$\log_2 5 \times \log_5 7 \times \log_7 8 = \dfrac{\log_{10} 5}{\log_{10} 2} \times \dfrac{\log_{10} 7}{\log_{10} 5} \times \dfrac{\log_{10} 8}{\log_{10} 7}$
$\qquad\qquad\qquad\qquad\qquad = \dfrac{\log_{10} 8}{\log_{10} 2} = \log_2 8$
$\qquad\qquad\qquad\qquad\qquad = \log_2 2^3 = 3$
이므로
$\log_3(\log_2 5)+\log_3(\log_5 7)+\log_3(\log_7 8)$
$=\log_3(\log_2 5 \times \log_5 7 \times \log_7 8)$
$=\log_3 3 = 1$　　　　　　　　　　　　답 1

**111** $\log_a x = \dfrac{1}{3}$, $\log_b x = \dfrac{1}{4}$, $\log_c x = \dfrac{1}{5}$ 에서
$\log_x a = 3$, $\log_x b = 4$, $\log_x c = 5$
$\therefore \dfrac{1}{\log_{abc} x} = \log_x abc$
$\qquad\qquad\quad = \log_x a + \log_x b + \log_x c$
$\qquad\qquad\quad = 3+4+5 = 12$　　　　　답 ④

**112** $T=\log_5\left(1+\dfrac{1}{1}\right)+\log_5\left(1+\dfrac{1}{2}\right)+\log_5\left(1+\dfrac{1}{3}\right)+\cdots$
$\qquad\qquad\qquad\qquad\qquad\qquad\qquad +\log_5\left(1+\dfrac{1}{25}\right)$
$\quad = \log_5 2 + \log_5 \dfrac{3}{2} + \log_5 \dfrac{4}{3} + \cdots + \log_5 \dfrac{26}{25}$
$\quad = \log_5\left(2 \times \dfrac{3}{2} \times \dfrac{4}{3} \times \cdots \times \dfrac{26}{25}\right)$
$\quad = \log_5 26$
$\therefore 25^T = 5^{2T} = 5^{2\log_5 26} = 5^{\log_5 26^2} = 26^2$　　答 ②

**113** $\log_3 x + \log_3 y = 2$ 에서 $\log_3 xy = 2$
$\therefore xy = 3^2 = 9$
진수의 조건에 의하여 $x>0$, $y>0$ 이므로
산술평균과 기하평균의 관계에 의하여
$x+4y \ge 2\sqrt{x \times 4y}$
$\qquad\quad = 2\sqrt{4xy} = 2\sqrt{36} = 12$
따라서 구하는 최솟값은 12이다.　　　답 12

**114** $\log_5 2 = b$ 에서 $\log_2 5 = \dfrac{1}{b}$ 이므로
$\log_{15} 27 = \dfrac{\log_2 27}{\log_2 15} = \dfrac{\log_2 3^3}{\log_2(3 \times 5)}$
$\qquad\qquad = \dfrac{3\log_2 3}{\log_2 3 + \log_2 5} = \dfrac{3a}{a+\dfrac{1}{b}}$
$\qquad\qquad = \dfrac{3ab}{ab+1}$　　　　　　　답 ⑤

**115** $\log_2 4 < \log_2 6 < \log_2 8$, 즉 $2 < \log_2 6 < 3$ 이므로
$x=2$, $y=\log_2 6 - 2 = \log_2 6 - \log_2 4 = \log_2 \dfrac{3}{2}$
$\therefore 3^x + 2^{y+1} = 3^x + 2 \times 2^y = 3^2 + 2 \times 2^{\log_2 \frac{3}{2}}$
$\qquad\qquad\qquad = 9 + 2 \times \dfrac{3}{2} = 12$　　　답 12

**116** 이차방정식 $x^2 - 2x\log_2 3 + 1 = 0$ 의 두 근이 $\alpha$, $\beta$ 이므로
근과 계수의 관계에 의하여
$\alpha+\beta = 2\log_2 3$, $\alpha\beta = 1$
$\therefore \alpha+\beta+\alpha\beta = 2\log_2 3 + 1 = \log_2 3^2 + \log_2 2$
$\qquad\qquad\qquad\quad = \log_2 18$
$\therefore 2^{\alpha+\beta+\alpha\beta} = 2^{\log_2 18} = 18$　　　答 18

**117** $9^x = 4^y = 6$ 에서 $x=\log_9 6$, $y=\log_4 6$
로그의 밑의 변환 공식에 의하여
$\dfrac{1}{x} = \log_6 9$, $\dfrac{1}{y} = \log_6 4$
$\therefore \dfrac{1}{x} + \dfrac{1}{y} = \log_6 9 + \log_6 4 = \log_6 36$
$\qquad\qquad\quad = \log_6 6^2 = 2$　　　　答 ②

**118** $\dfrac{3a}{\log_a b} = \dfrac{b}{2\log_b a} = \dfrac{3a+b}{3} = k$ $(k \ne 0)$ 로 놓으면
$3a = k\log_a b$, $b=2k\log_b a$, $3a+b = 3k$ 이므로
$k\log_a b + 2k\log_b a = 3k$
$\log_a b + 2\log_b a = 3$ ($\because k \ne 0$)
$\log_a b = t$ 로 놓으면 $\log_b a = \dfrac{1}{t}$ 이므로
$t + \dfrac{2}{t} = 3$, $t^2 - 3t + 2 = 0$, $(t-1)(t-2) = 0$
$\therefore t=1$ 또는 $t=2$
그런데 $1<a<b$ 에서 $t=\log_a b > 1$ 이므로 $t=2$
$\therefore 10\log_a b = 10 \times 2 = 20$　　　답 20

**119** 주어진 식의 양변에 2를 곱하면
(좌변)$= 2\log_7 2 = \log_7 2^2 = \log_7 4$
(우변)$= b_1 + \dfrac{b_2}{2} + \dfrac{b_3}{2^2} + \dfrac{b_4}{2^3} + \cdots$
$\therefore \log_7 4 = b_1 + \dfrac{b_2}{2} + \dfrac{b_3}{2^2} + \dfrac{b_4}{2^3} + \cdots$　　……㉠
$\log_7 4 < 1$ 이므로 $b_1 = 0$
㉠ $\times 2$ 를 하면
(좌변)$= 2\log_7 4 = \log_7 4^2 = \log_7 16$
(우변)$= b_2 + \dfrac{b_3}{2} + \dfrac{b_4}{2^2} + \cdots$
$\therefore \log_7 16 = b_2 + \dfrac{b_3}{2} + \dfrac{b_4}{2^2} + \cdots$　　……㉡
$1 < \log_7 16 < 2$ 이므로 $b_2 = 1$
㉡ $\times 2$ 를 하면
(좌변)$= 2\log_7 16 = \log_7 16^2 = \log_7 256$
(우변)$= 2 + b_3 + \dfrac{b_4}{2} + \cdots$
$\therefore \log_7 256 = 2 + b_3 + \dfrac{b_4}{2} + \cdots$
$2 < \log_7 256 < 3$ 이므로 $b_3 = 0$
$\therefore b_1 = 0$, $b_2 = 1$, $b_3 = 0$
따라서 $b_1$, $b_2$, $b_3$ 의 값을 순서대로 적은 것은 ③ 0, 1, 0이다.
　　　　　　　　　　　　　　　　답 ③

**001**  $\log 100 = \log 10^2 = 2$  **답** $2$

**002**  $\log 0.1 = \log \dfrac{1}{10} = \log 10^{-1} = -1$  **답** $-1$

**003**  $\log \dfrac{1}{1000} = \log 10^{-3} = -3$  **답** $-3$

**004**  $\log \sqrt[3]{10} = \log 10^{\frac{1}{3}} = \dfrac{1}{3}$  **답** $\dfrac{1}{3}$

**005**  $\log \sqrt{1000} = \log (10^3)^{\frac{1}{2}}$

$= \log 10^{\frac{3}{2}} = \dfrac{3}{2}$  **답** $\dfrac{3}{2}$

**006**  $\log 4 = \log 2^2 = 2\log 2 = 2a$  **답** $2a$

**007**  $\log 5 = \log \dfrac{10}{2} = \log 10 - \log 2 = 1 - a$  **답** $1-a$

**008**  $\log 6 = \log (2 \times 3) = \log 2 + \log 3$
$= a + b$  **답** $a+b$

**009**  $\log 8 = \log 2^3 = 3\log 2 = 3a$  **답** $3a$

**010**  $\log 9 = \log 3^2 = 2\log 3 = 2b$  **답** $2b$

**011**  $\log 27 = \log 3^3 = 3\log 3 = 3b$  **답** $3b$

**012**  $\log \dfrac{16}{9} = \log 2^4 - \log 3^2$

$= 4\log 2 - 2\log 3$

$= 4a - 2b$  **답** $4a-2b$

**013**  $\log 2340 = \log (2.34 \times 10^3)$
$= \log 10^3 + \log 2.34$
$= 3 + 0.3692$
$\therefore n = 3,\ \alpha = 0.3692$  **답** $n=3,\ \alpha=0.3692$

**014**  $\log 233 = \log (2.33 \times 10^2)$
$= \log 10^2 + \log 2.33$
$= 2 + 0.3674$
$\therefore n = 2,\ \alpha = 0.3674$  **답** $n=2,\ \alpha=0.3674$

**015**  $\log 2.24 = 0.3502$
$\therefore n = 0,\ \alpha = 0.3502$  **답** $n=0,\ \alpha=0.3502$

**016**  $\log 0.0223 = \log (2.23 \times 10^{-2})$
$= \log 10^{-2} + \log 2.23$
$= -2 + 0.3483$
$\therefore n = -2,\ \alpha = 0.3483$  **답** $n=-2,\ \alpha=0.3483$

**017**  $\log 2250 = \log (2.25 \times 10^3)$
$= \log 10^3 + \log 2.25$
$= 3 + 0.3522$
$= 3.3522$  **답** $3.3522$

**018**  $\log 0.235 = \log (2.35 \times 10^{-1})$
$= \log 10^{-1} + \log 2.35$
$= -1 + 0.3711$
$= -0.6289$  **답** $-0.6289$

**019**  $\log 34200 = \log (3.42 \times 10^4)$
$= \log 10^4 + \log 3.42$
$= 4 + 0.5340$
$= 4.5340$  **답** $4.5340$

**020**  $\log 342 = \log (3.42 \times 10^2)$
$= \log 10^2 + \log 3.42$
$= 2 + 0.5340$
$= 2.5340$  **답** $2.5340$

**021**  $\log 0.342 = \log (3.42 \times 10^{-1})$
$= \log 10^{-1} + \log 3.42$
$= -1 + 0.5340$
$= -0.4660$  **답** $-0.4660$

**022**  $\log 0.0342 = \log (3.42 \times 10^{-2})$
$= \log 10^{-2} + \log 3.42$
$= -2 + 0.5340$
$= -1.4660$  **답** $-1.4660$

**023**  $\log N = 2.6042 = 2 + 0.6042$이므로
$n = 2,\ \alpha = 0.6042$  **답** $n=2,\ \alpha=0.6042$

**024**  $\log N = -0.3354 = -1 + 0.6646$이므로
$n = -1,\ \alpha = 0.6646$  **답** $n=-1,\ \alpha=0.6646$

**025**  $\log N = -2.4145 = -3 + 0.5855$이므로
$n = -3,\ \alpha = 0.5855$  **답** $n=-3,\ \alpha=0.5855$

**026**  425000은 정수 부분이 여섯 자리이므로
$n = 6 - 1 = 5$  **답** $5$

**027**  0.425는 소수점 아래 첫째 자리에서 처음으로 0이 아닌 숫자가 나타나므로
$n = -1$  **답** $-1$

**028**  0.00425는 소수점 아래 셋째 자리에서 처음으로 0이 아닌 숫자가 나타나므로 $n = -3$  **답** $-3$

**029**  $\log 254 = \log (2.54 \times 10^2)$
$= \log 10^2 + \log 2.54$
$= 2 + \log 2.54$  **답** $2 + \log 2.54$

**030** $\log 0.0254 = \log(2.54 \times 10^{-2})$
$\qquad = \log 10^{-2} + \log 2.54$
$\qquad = -2 + \log 2.54$     달 $-2 + \log 2.54$

**031** $\log 45.6 = \log(4.56 \times 10)$
$\qquad = \log 10 + \log 4.56$
$\qquad = 1 + \log 4.56$     달 $1 + \log 4.56$

**032** $\log 0.00456 = \log(4.56 \times 10^{-3})$
$\qquad = \log 10^{-3} + \log 4.56$
$\qquad = -3 + \log 4.56$     달 $-3 + \log 4.56$

**[033-039]** $f(N)$은 $\log N$의 정수 부분, $g(N)$은 $\log N$의 소수 부분을 나타낸다.

**033** 1500은 정수 부분이 네 자리이므로
$\qquad f(1500) = 3$     달 3

**034** 13.6은 정수 부분이 두 자리이므로
$\qquad f(13.6) = 1$     달 1

**035** 0.604는 소수점 아래 첫째 자리에서 처음으로 0이 아닌 숫자가 나타나므로
$\qquad f(0.604) = -1$     달 $-1$

**036** 0.000385는 소수점 아래 넷째 자리에서 처음으로 0이 아닌 숫자가 나타나므로
$\qquad f(0.000385) = -4$     달 $-4$

**037** $\log 2.45 = 0.3892$이므로
$\qquad g(24500) = g(2.45) = 0.3892$     달 0.3892

**038** $\log 7.68 = 0.8854$이므로
$\qquad g(0.768) = g(7.68) = 0.8854$     달 0.8854

**039** 472는 정수 부분이 세 자리이므로 $f(472) = 2$
$\qquad \log 4.72 = 0.6739$이므로
$\qquad g(472) = g(4.72) = 0.6739$
$\qquad \therefore f(472) + g(472) = 2.6739$     달 2.6739

**[040-043]** $[\log N]$은 $\log N$의 정수 부분을 나타낸다.

**040** $\log 8.35 = 0.9217$이므로 $[\log 8.35] = 0$     달 0

**041** $\log 835 = \log(8.35 \times 10^2)$
$\qquad = \log 10^2 + \log 8.35$
$\qquad = 2 + 0.9217$
$\qquad \therefore [\log 835] = 2$     달 2

**042** $\log 0.835 = \log(8.35 \times 10^{-1})$
$\qquad = \log 10^{-1} + \log 8.35$
$\qquad = -1 + 0.9217$
$\qquad \therefore [\log 0.835] = -1$     달 $-1$

**043** $\log 8350 = \log(8.35 \times 10^3)$
$\qquad = \log 10^3 + \log 8.35$
$\qquad = 3 + 0.9217$
$\qquad \therefore [\log 8350] = 3$
$\qquad \therefore \log 8350 - [\log 8350] = 0.9217$     달 0.9217

**044** $\log 5940 = \log(5.94 \times 10^3)$
$\qquad = \log 10^3 + \log 5.94$
$\qquad = 3 + 0.7738$
$\qquad = 3.7738$
$\qquad \therefore x = 3.7738$     달 3.7738

**045** $\log 0.594 = \log(5.94 \times 10^{-1})$
$\qquad = \log 10^{-1} + \log 5.94$
$\qquad = -1 + 0.7738$
$\qquad = -0.2262$
$\qquad \therefore x = -0.2262$     달 $-0.2262$

**046** $\log 0.00594 = \log(5.94 \times 10^{-3})$
$\qquad = \log 10^{-3} + \log 5.94$
$\qquad = -3 + 0.7738$
$\qquad = -2.2262$
$\qquad \therefore x = -2.2262$     달 $-2.2262$

**047** 상용로그의 정수 부분이 4이고, 소수 부분이 0.7738이므로 $x$는 정수 부분이 5자리이고, 숫자의 배열은 5, 9, 4이다.
$\qquad \therefore x = 59400$     달 59400

**048** 상용로그의 정수 부분이 1이고, 소수 부분이 0.7738이므로 $x$는 정수 부분이 2자리이고, 숫자의 배열은 5, 9, 4이다.
$\qquad \therefore x = 59.4$     달 59.4

**049** $\log x = -3.2262 = -4 + 0.7738$이므로 $x$는 소수점 아래 넷째 자리에서 처음으로 0이 아닌 숫자가 나타나고, 숫자의 배열은 5, 9, 4이다.
$\qquad \therefore x = 0.000594$     달 0.000594

**050** $\log 100 - \log \dfrac{1}{1000} + \log \sqrt[3]{10}$
$\qquad = \log 10^2 - \log 10^{-3} + \log 10^{\frac{1}{3}}$
$\qquad = 2 \log 10 + 3 \log 10 + \dfrac{1}{3} \log 10$
$\qquad = 2 + 3 + \dfrac{1}{3}$
$\qquad = \dfrac{16}{3}$     달 $\dfrac{16}{3}$

**051** $\log 10^2 = 2 \log 10 = 2$이므로 ㈎에 알맞은 수는 2이다.
    달 ②

**052** $\log 0.00238 = \log(2.38 \times 10^{-3})$
$\qquad = \log 2.38 + \log 10^{-3}$
$\qquad = 0.3766 - 3$
$\qquad = -2.6234$     달 ②

**053**
$$2a-b=2\log 845-\log 0.845$$
$$=2\{\log(8.45\times 10^2)\}-\log(8.45\times 10^{-1})$$
$$=2(\log 8.45+2)-(\log 8.45-1)$$
$$=\log 8.45+5$$
$$=0.9269+5=5.9269$$
답 ⑤

**054**
$$\log x=-2+0.1303$$
$$=-3+1.1303$$
$$=\log 10^{-3}+\log 13.5$$
$$=\log(13.5\times 10^{-3})$$
$$=\log 0.0135$$
$$\therefore x=0.0135$$
답 ③

**055**
$$a=\log 0.326=\log(3.26\times 10^{-1})$$
$$=\log 10^{-1}+\log 3.26$$
$$=-1+0.5132$$
$$=-0.4868$$
$$\log b=-1.4868$$
$$=-2+0.5132$$
$$=\log 10^{-2}+\log 3.26$$
$$=\log(3.26\times 10^{-2})$$
$$=\log 0.0326$$
$$\therefore b=0.0326$$
$$\therefore 10000(a+b)=10000(-0.4868+0.0326)$$
$$=-4542$$
답 $-4542$

**056**
$$\log 318^4+\log\sqrt{318}=4\log 318+\frac{1}{2}\log 318$$
$$=\frac{9}{2}\log 318=\frac{9}{2}(2+\log 3.18)$$
$$=\frac{9}{2}\times 2.5024$$
$$=11.2608$$
답 11.2608

**057**
$$\log\frac{5}{2}=\log\frac{10}{4}=1-2\log 2$$
$$=1-2\times 0.3010=0.3980$$
답 ③

**058**
$$\log 24=\log(2^3\times 3)=3\log 2+\log 3$$
$$=3\times 0.3010+0.4771$$
$$=0.9030+0.4771$$
$$=1.3801$$
답 1.3801

**059**
$$\log_5\frac{27}{16}=\frac{\log\frac{27}{16}}{\log 5}=\frac{\log\frac{3^3}{2^4}}{\log\frac{10}{2}}$$
$$=\frac{3\log 3-4\log 2}{1-\log 2}=\frac{3b-4a}{1-a}$$
답 ①

**060**
$$\log a^2=1.2424$$이므로
$$2\log a=1.2424 \quad \therefore \log a=0.6212$$
$$\therefore \log a^3+\log\sqrt{a}=3\log a+\frac{1}{2}\log a=\frac{7}{2}\log a$$
$$=\frac{7}{2}\times 0.6212=2.1742$$
답 2.1742

**061**
$$\log 75=\log(5^2\times 3)$$
$$=2\log 5+\log 3$$
$$=2\log\frac{10}{2}+\log 3$$
$$=2(1-\log 2)+\log 3$$
$$=2(1-a)+b$$
$$=-2a+b+2$$
답 ①

**062**
$$\log 234^4=4\log(2.34\times 10^2)=4(\log 2.34+2)$$
$$=4\times(0.3692+2)=9.4768$$
답 9.4768

**063**
상용로그표에서 $\log 1.38=0.1399$이므로
$$\log x=2.1399=2+\log 1.38$$
$$=\log(10^2\times 1.38)=\log 138$$
$$\therefore x=138$$
답 138

**064**
$\log 2.3=0.3617$이므로
$$\log 2.3^9=9\log 2.3=9\times \boxed{0.3617}$$
$$=\boxed{3.2553}$$
상용로그표에서 $\log\boxed{1.8}=0.2553$이므로
$$\log 2.3^9=3+0.2553=3+\log\boxed{1.8}$$
$$=\log 10^3+\log 1.8=\log\boxed{1800}$$
따라서 $2.3^9=\boxed{1800}$ 이다.
답 (가): 0.3617, (나): 3.2553, (다): 1.8, (라): 1800

**065**
$x$가 $n$자리의 수이면 $\log x$의 정수 부분은 $(n-1)$이다.
$$\therefore \frac{f(101)+f(202)+f(303)}{f(1001)+f(2002)}=\frac{2+2+2}{3+3}=1$$
답 1

**066**
7230은 네 자리의 수이므로
$$f(7230)=3$$
0.235는 소수점 아래 첫째 자리에서 처음으로 0이 아닌 숫자가 나타나므로
$$f(0.235)=-1$$
$$\therefore f(7230)+f(0.235)=3+(-1)=2$$
답 ①

**067**
$\log a$의 정수 부분이 3이므로
$$3\leq\log a<4$$
$$\log 10^3\leq\log a<\log 10^4 \quad \therefore 10^3\leq a<10^4$$
따라서 자연수 $a$의 개수는
$$10^4-10^3=9000$$
답 9000

**068**
상용로그의 정수 부분이 3인 수를 $A$라 하면
$$3\leq\log A<4,\ \log 10^3\leq\log A<\log 10^4$$
$$1000\leq A<10000$$
$$\therefore a=9999$$
상용로그의 정수 부분이 2인 수를 $B$라 하면
$$2\leq\log B<3,\ \log 10^2\leq\log B<\log 10^3$$
$$100\leq B<1000$$
$$\therefore b=100$$
$$\therefore a-b=9999-100=9899$$
답 9899

**069** (i) $1 \le n < 10$일 때,

$0 \le \log n < 1$이므로 $[\log n] = 0$

(ii) $10 \le n < 100$일 때,

$1 \le \log n < 2$이므로 $[\log n] = 1$

(iii) $100 \le n < 1000$일 때,

$2 \le \log n < 3$이므로 $[\log n] = 2$

(iv) $n = 1000$일 때,

$\log n = 3$이므로 $[\log n] = 3$

(i)~(iv)에서

$[\log 1] + [\log 2] + [\log 3] + \cdots + [\log 1000]$

$= 0 \times 9 + 1 \times 90 + 2 \times 900 + 3 = 1893$    답 ④

**070** $\log A = n + \alpha \left( n\text{은 정수}, \dfrac{1}{3} < \alpha < \dfrac{2}{3} \right)$이므로

$\log \dfrac{1}{A^3} = -3 \log A$

$= -3n - 3\alpha$

조건에서 $-2 < -3\alpha < -1$이므로

$\log \dfrac{1}{A^3} = (-3n - 2) + (2 - 3\alpha)$

따라서 $\log \dfrac{1}{A^3}$의 정수 부분은 $-3n - 2$이다.    답 ①

**071** $\log_2 x = 5.2$에서 $\dfrac{\log x}{\log 2} = 5.2$이므로

$\log x = 5.2 \log 2$

$= 5.2 \times 0.3 = 1.56$

$\log \dfrac{1}{x} = -\log x = -1.56$

$= -2 + 0.44$

$\therefore \alpha = 0.44$    답 0.44

**072** $\log 10 < \log 12 < \log 100$에서 $1 < \log 12 < 2$이므로

$x = 1,\ y = \log 12 - 1 = \log \dfrac{12}{10} = \log \dfrac{6}{5}$

$\therefore 10^x + 10^{-y} = 10^1 + 10^{-\log \frac{6}{5}}$

$= 10 + 10^{\log \frac{5}{6}}$

$= 10 + \dfrac{5}{6} = \dfrac{65}{6}$    답 $\dfrac{65}{6}$

**073** $x$는 네 자리의 자연수이고, $\log x$의 소수 부분이 $0.6022$이므로

$\log x = 3.6022$

$\therefore \log x^2 + \log \sqrt{x} = 2 \log x + \dfrac{1}{2} \log x$

$= \dfrac{5}{2} \log x$

$= \dfrac{5}{2} \times 3.6022$

$= 9.0055$    답 ④

**074** ㄱ. $1 \le \log x < 2,\ 2 \le \log y < 3$이므로

$3 \le \log x + \log y < 5$, 즉 $3 \le \log xy < 5$

따라서 $xy$는 네 자리 또는 다섯 자리의 자연수이다. (참)

ㄴ. $y = 10x$이면 $\log y = 1 + \log x$이므로 $\log x$와 $\log y$의 소수 부분은 같다. (참)

ㄷ. $\log \dfrac{1}{x} = -\log x$이므로 $-2 < \log \dfrac{1}{x} \le -1$

따라서 $\log \dfrac{1}{x}$의 정수 부분은 $-1$ 또는 $-2$이므로 $\dfrac{1}{x}$은 소수점 아래 첫째 또는 둘째 자리에서 처음으로 0이 아닌 숫자가 나온다. (거짓)

따라서 옳은 것은 ㄱ, ㄴ이다.    답 ③

**075** 이차방정식 $2x^2 - 33x + k = 0$의 두 근이 $n, \alpha$이므로 근과 계수의 관계에 의하여

$n + \alpha = \dfrac{33}{2}$    ······ ㉠

$n\alpha = \dfrac{k}{2}$    ······ ㉡

㉠에서 $n + \alpha = 16 + \dfrac{1}{2}$   $\therefore n = 16,\ \alpha = \dfrac{1}{2}$

㉡에서 $k = 2n\alpha = 2 \times 16 \times \dfrac{1}{2} = 16$    답 16

**076** $\log \dfrac{1}{A} = -\log A = -f(A) - g(A)$

$= -\{1 + f(A)\} + 1 - g(A)$

이므로

$f\left( \dfrac{1}{A} \right) = -\{1 + f(A)\},\ g\left( \dfrac{1}{A} \right) = 1 - g(A)$

$\therefore a = f(A) + f\left( \dfrac{1}{A} \right) = -1,\ b = g(A) + g\left( \dfrac{1}{A} \right) = 1$

$\therefore a^2 + b^2 = 2$    답 2

**077** $\log 3^{20} = 20 \log 3 = 20 \times 0.4771 = 9.542$

따라서 $\log 3^{20}$의 정수 부분이 9이므로 $3^{20}$은 10자리의 정수이다.    답 ③

**078** $A^{100}$은 173자리의 정수이므로

$172 \le \log A^{100} < 173$

$172 \le 100 \log A < 173$   $\therefore 1.72 \le \log A < 1.73$

$1.72 \times 50 \le 50 \log A < 1.73 \times 50$

$\therefore 86 \le \log A^{50} < 86.5$

따라서 $A^{50}$은 87자리의 정수이다.    답 ②

**079** $\log \left( \dfrac{1}{\sqrt{2}} \right)^{20} = \log 2^{-10}$

$= -10 \times 0.3010$

$= -3.01$

$= -4 + 0.99$

따라서 $n = 4$이므로 $\log_2 n = \log_2 4 = 2$    답 2

**080** $\log x$와 $\log \sqrt{x}$의 소수 부분의 합이 1이므로

$\log x + \log \sqrt{x} = \dfrac{3}{2} \log x = (\text{정수})$

$\log x$의 정수 부분이 5이므로

$5 \le \log x < 6,\ \dfrac{15}{2} \le \dfrac{3}{2} \log x < 9$

$\dfrac{3}{2} \log x$가 정수이므로

$\dfrac{3}{2} \log x = 8$

$$\therefore \log x = \frac{16}{3}$$

따라서 $\log \sqrt{x} = \frac{1}{2}\log x = \frac{8}{3} = 2 + \frac{2}{3}$이므로 $\log\sqrt{x}$의 소수

부분은 $\frac{2}{3}$이다. 　　　　　　　　　　　　답 ⑤

**다른 풀이**

$\log x$의 정수 부분이 5이므로

$\log x = 5 + \alpha \ (0 \le \alpha < 1)$라 하면

$$\log\sqrt{x} = \frac{1}{2}\log x = \frac{5+\alpha}{2}$$

$$= 2 + \frac{1+\alpha}{2} \ \left(\frac{1}{2} \le \frac{1+\alpha}{2} < 1\right)$$

$\alpha + \frac{1+\alpha}{2} = 1$이므로 $\alpha = \frac{1}{3}$

$$\therefore \frac{1+\alpha}{2} = \frac{2}{3}$$

따라서 $\log\sqrt{x}$의 소수 부분은 $\frac{2}{3}$이다.

**081** $1 < x < 1000$이므로

$0 < \log x < 3 \quad \cdots\cdots \ \bigcirc$

$\log x$의 소수 부분과 $\log\sqrt{x}$의 소수 부분이 같으므로

$\log x - \log\sqrt{x} = (정수)$

$\frac{1}{2}\log x = (정수)$

$\bigcirc$에 의하여 $0 < \frac{1}{2}\log x < \frac{3}{2}$이므로

$\frac{1}{2}\log x = 1 \qquad \therefore \log x = 2$

$\therefore x = 100$ 　　　　　　　　　　　　답 100

**082** $10^3 < x < 10^4$이므로

$3 < \log x < 4 \quad \cdots\cdots \ \bigcirc$

$\log x$의 소수 부분과 $\log x^3$의 소수 부분이 같으므로

$\log x^3 - \log x = (정수)$

$2\log x = (정수)$

$\bigcirc$에 의하여 $6 < 2\log x < 8$이므로

$2\log x = 7$

$\therefore \log x^2 = 2\log x = 7$ 　　　　　　　　답 7

**083** 현재의 인구수를 $a$라 하면 $n$개월 후의 인구수는 $a \times 1.01^n$이다.

$a \times 1.01^n \ge 2a$에서 $1.01^n \ge 2$

$n\log 1.01 \ge \log 2$

$$\therefore n \ge \frac{0.3010}{0.0043} = 70$$

따라서 현재 인구의 2배 이상이 되는 것은 70개월 후부터이다.

답 ③

**084** $n$시간 후의 박테리아의 수는 $2 \times 3^n$이므로

$2 \times 3^n \ge 18000$

$3^n \ge 9000$

$n\log 3 \ge \log(3^2 \times 10^3) = 2\log 3 + 3$

$0.5n \ge 4 \qquad \therefore n \ge 8$

따라서 18000마리 이상이 되기까지 걸리는 시간은 8시간이다.

답 8시간

**085** 규모 4 이상인 지진이 1년에 평균 64번 발생하므로

$\log 64 = a - 0.9 \times 4$

$\therefore a = 3.6 + 6\log 2$

$\qquad = 3.6 + 1.8 = 5.4$

규모 $x$ 이상인 지진은 1년에 평균 한 번 발생하므로

$\log 1 = 5.4 - 0.9x$

$0.9x = 5.4$

$\therefore 9x = 54$ 　　　　　　　　　　　　답 54

**086** $\log 425 + \log 0.0425$

$= \log(4.25 \times 10^2) + \log(4.25 \times 10^{-2})$

$= (2 + \log 4.25) + (-2 + \log 4.25)$

$= 2\log 4.25 = 2 \times 0.6284$

$= 1.2568$ 　　　　　　　　　　　　　　答 ⑤

**087** $\log\dfrac{6}{5} = \log\dfrac{12}{10} = \log 12 - \log 10$

$\qquad = \log(2^2 \times 3) - 1 = 2\log 2 + \log 3 - 1$

$\qquad = 2 \times 0.3010 + 0.4771 - 1 = 0.0791$

$\therefore \log\left(\dfrac{6}{5}\right)^{100} = 100\log\dfrac{6}{5} = 7.91$ 　　답 7.91

**088** $\log_{18} 24 = \dfrac{\log 24}{\log 18}$

$\qquad = \dfrac{\log(2^3 \times 3)}{\log(2 \times 3^2)}$

$\qquad = \dfrac{3\log 2 + \log 3}{\log 2 + 2\log 3}$

$\qquad = \dfrac{3a+b}{a+2b}$ 　　　　　　　　　答 ③

**089** $\log 41.9^6 = 6\log(4.19 \times 10)$

$\qquad = 6(\log 4.19 + 1)$

$\qquad = 6(0.6222 + 1)$

$\qquad = 9.7332$

상용로그표에서 $\log 5.41 = 0.7332$이므로

$\log 41.9^6 = 9 + 0.7332$

$\qquad = 9 + \log 5.41$

$\qquad = \log(10^9 \times 5.41)$

$\therefore 41.9^6 = 5.41 \times 10^9$ 　　　　　　답 ④

**090** $A$는 정수 부분이 다섯 자리인 수이므로 $\log A$의 정수 부분은 4이다.

$\therefore 4 \le \log A < 5$ 　　　　　　　　　答 ③

**091** (i) $1 \le x < 10$일 때, $f(x) = 0$

(ii) $10 \le x < 100$일 때, $f(x) = 1$

(iii) $100 \le x < 1000$일 때, $f(x) = 2$

(iv) $1000 \le x \le 2000$일 때, $f(x) = 3$

(i)~(iv)에서

$f(1) + f(2) + f(3) + \cdots + f(2000)$

$= 0 \times 9 + 1 \times 90 + 2 \times 900 + 3 \times 1001$

$= 4893$ 　　　　　　　　　　　　　答 4893

**092** $\log 100 < \log 500 < \log 1000$, 즉 $2 < \log 500 < 3$이므로
$\log 500$의 정수 부분은 $2$이다.
따라서 소수 부분은
$\log 500 - 2 = \log 500 - \log 100 = \log 5$
$\therefore a = \log 5$
$\therefore 100^a = 100^{\log 5} = 5^{\log 100}$
$\qquad\qquad = 5^2 = 25$      답 25

**093** $\log 300 = \log(10^2 \times 3) = 2 + \log 3$이므로
$\log 300$의 정수 부분은 $2$, 소수 부분은 $\log 3$이다.
따라서 이차방정식 $x^2 + ax + b = 0$의 두 근이 $2$, $\log 3$이므로
근과 계수의 관계에 의하여
$2 + \log 3 = -a$, $2\log 3 = b$
$\therefore a = -2 - \log 3$, $b = 2\log 3$
$\therefore a + b = -2 - \log 3 + 2\log 3$
$\qquad\qquad = -2 + \log 3$
$\qquad\qquad = \log 10^{-2} + \log 3$
$\qquad\qquad = \log(10^{-2} \times 3)$
$\qquad\qquad = \log 0.03$      답 ①

**094** $\log 6^{20} = 20 \log 6$
$\qquad\qquad = 20(\log 2 + \log 3)$
$\qquad\qquad = 20(0.3010 + 0.4771)$
$\qquad\qquad = 20 \times 0.7781$
$\qquad\qquad = 15.562$
따라서 $\log 6^{20}$의 정수 부분이 $15$이므로 $6^{20}$은 $16$자리의 정수이다.
     답 ②

**095** $\log x$와 $\log x\sqrt{x}$의 소수 부분의 합이 $1$이므로
$\log x + \log x\sqrt{x} = \dfrac{5}{2}\log x = (\text{정수})$
실수 $x$는 정수 부분이 네 자리인 수이므로
$3 \le \log x < 4$, $\dfrac{15}{2} \le \dfrac{5}{2}\log x < 10$
$\dfrac{5}{2}\log x$는 정수이므로
$\dfrac{5}{2}\log x = 8$ 또는 $\dfrac{5}{2}\log x = 9$
$\therefore \log x = \dfrac{16}{5}$ 또는 $\log x = \dfrac{18}{5}$
따라서 $\log x$의 모든 소수 부분의 합은
$\dfrac{1}{5} + \dfrac{3}{5} = \dfrac{4}{5}$      답 ④

다른 풀이
실수 $x$는 정수 부분이 $4$자리인 수이므로
$\log x = 3 + \alpha$ $(0 \le \alpha < 1)$라 하면
$\log x\sqrt{x} = \log x^{\frac{3}{2}} = \dfrac{3}{2}\log x$
$\qquad\qquad = \dfrac{3}{2}(3 + \alpha)$
$\qquad\qquad = 4 + \left(\dfrac{1 + 3\alpha}{2}\right)$
$\dfrac{1}{2} \le \dfrac{1 + 3\alpha}{2} < 2$이므로

(i) $\dfrac{1}{2} \le \dfrac{1 + 3\alpha}{2} < 1$, 즉 $0 \le \alpha < \dfrac{1}{3}$일 때,
$\alpha + \dfrac{1 + 3\alpha}{2} = 1$    $\therefore \alpha = \dfrac{1}{5}$

(ii) $1 \le \dfrac{1 + 3\alpha}{2} < 2$, 즉 $\dfrac{1}{3} \le \alpha < 1$일 때,
$\alpha + \left(\dfrac{1 + 3\alpha}{2} - 1\right) = 1$    $\therefore \alpha = \dfrac{3}{5}$

따라서 모든 $\log x$의 소수 부분의 합은
$\dfrac{1}{5} + \dfrac{3}{5} = \dfrac{4}{5}$

**096** $a^5 \times b^5$이 $24$자리의 수이므로
$23 \le \log a^5 b^5 < 24$, $23 \le 5\log ab < 24$
$\therefore \dfrac{23}{5} \le \log a + \log b < \dfrac{24}{5}$     ······ ㉠

$\dfrac{a^5}{b^5}$은 정수 부분이 $16$자리인 수이므로
$15 \le \log\dfrac{a^5}{b^5} < 16$, $15 \le 5\log\dfrac{a}{b} < 16$
$\therefore 3 \le \log a - \log b < \dfrac{16}{5}$     ······ ㉡
㉠ + ㉡을 하면
$\dfrac{38}{5} \le 2\log a < 8$, $\dfrac{19}{5} \le \log a < 4$
$\therefore 3.8 \le \log a < 4$
따라서 $a$는 $4$자리의 자연수이다.      답 ④

**097** 두 양수 $x$, $y$에 대하여
$\log x = f(x) + g(x)$, $\log y = f(y) + g(y)$
$\log\dfrac{1}{y} = -\log y = -f(y) - g(y)$
$\qquad\qquad = \{-1 - f(y)\} + \{1 - g(y)\}$ $(\because g(y) \ne 0)$
이므로
$g\left(\dfrac{1}{y}\right) = 1 - g(y)$     ······ ㉠
조건 ㈎에서
$g(x) = g\left(\dfrac{1}{y}\right) = 1 - g(y)$ $(\because ㉠)$
$\therefore g(x) + g(y) = 1$     ······ ㉡
조건 ㈎에서
$\log x^2 y^3 = 2\log x + 3\log y$
$\qquad\qquad = 2\{f(x) + g(x)\} + 3\{f(y) + g(y)\}$
$\qquad\qquad = \{2f(x) + 3f(y)\} + 2\{g(x) + g(y)\} + g(y)$
$\qquad\qquad = 5f(x) + 2 + g(y)$ $(\because \text{조건 ㈏}, ㉡)$
$\qquad\qquad = 12.5$
즉, $5f(x) + g(y) = 10.5$이므로
$f(x) = 2$, $g(y) = \dfrac{1}{2}$
$\therefore f(y) = 2$, $g(x) = \dfrac{1}{2}$ $(\because \text{조건 ㈏}, ㉡)$
$\log x = f(x) + g(x) = \dfrac{5}{2}$, $\log y = f(y) + g(y) = \dfrac{5}{2}$
이므로 $x = 10^{\frac{5}{2}}$, $y = 10^{\frac{5}{2}}$
$\therefore \dfrac{x}{y} = 1$      답 1

# 04 지수함수와 로그함수

본책 053~068쪽

**001** 그래프의 점근선은 $\boxed{x축}$ 이다. **답** $x$축

**002** 그래프는 반드시 점 ( $\boxed{0}$ , 1)을 지난다. **답** 0

**003** 정의역은 $\{x \,|\, x$는 $\boxed{모든 실수}\}$이다. **답** 모든 실수

**004** 치역은 $\{y \,|\, \boxed{y>0}\}$이다. **답** $y>0$

**005** $a>1$일 때, $f(x_1)<f(x_2)$이면 $x_1 \boxed{<} x_2$이다. **답** $<$

**006** $0<a<1$일 때, $f(x_1)<f(x_2)$이면 $x_1 \boxed{>} x_2$이다. **답** $>$

**007**

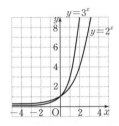

**답** 풀이 참조

**008**

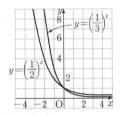

**답** 풀이 참조

**[009~012]** 지수함수 $y=a^x$의 그래프에 대하여 네 함수 $y=a^{x-2}$, $y=a^{x-1}+1$, $y=\left(\dfrac{1}{a}\right)^x$, $y=-a^x$의 그래프는 그림과 같다.

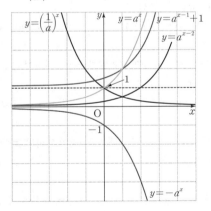

**답** 풀이 참조

**013** 지수함수 $y=5^x$의 그래프를 $x$축의 방향으로 3만큼 평행이동하면
$$y=5^{x-3}$$ **답** $y=5^{x-3}$

**014** 지수함수 $y=5^x$의 그래프를 $y$축의 방향으로 $-2$만큼 평행이동하면 $y+2=5^x$
$$\therefore y=5^x-2$$ **답** $y=5^x-2$

**015** 지수함수 $y=5^x$의 그래프를 $x$축의 방향으로 $-1$만큼, $y$축의 방향으로 4만큼 평행이동하면
$$y-4=5^{x+1}$$
$$\therefore y=5^{x+1}+4$$ **답** $y=5^{x+1}+4$

**016** 지수함수 $y=5^x$의 그래프를 $x$축에 대하여 대칭이동하면
$$-y=5^x$$
$$\therefore y=-5^x$$ **답** $y=-5^x$

**017** 지수함수 $y=5^x$의 그래프를 $y$축에 대하여 대칭이동하면
$$y=5^{-x}=\left(\dfrac{1}{5}\right)^x$$ **답** $y=\left(\dfrac{1}{5}\right)^x$

**018** 지수함수 $y=5^x$의 그래프를 원점에 대하여 대칭이동하면
$$-y=5^{-x}$$
$$\therefore y=-\left(\dfrac{1}{5}\right)^x$$ **답** $y=-\left(\dfrac{1}{5}\right)^x$

**019** 함수 $y=3^{x-1}+2$의 그래프는 지수함수 $y=3^x$의 그래프를 $x$축의 방향으로 $\boxed{1}$만큼, $y$축의 방향으로 $\boxed{2}$만큼 평행이동한 것이다. 이때, 점근선의 방정식은 $y=\boxed{2}$이다. **답** 1, 2, 2

참고
두 함수 $y=3^x$, $y=3^{x-1}+2$의 그래프는 그림과 같다.

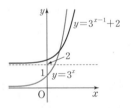

**020** 함수 $y=2^{x-3}$의 그래프는 지수함수 $y=2^x$의 그래프를 $x$축의 방향으로 3만큼 평행이동한 것이므로 점근선의 방정식은
$$y=0$$ **답** $y=0$

**021** 함수 $y=\left(\dfrac{1}{2}\right)^x+5$의 그래프는 지수함수 $y=\left(\dfrac{1}{2}\right)^x$의 그래프를 $y$축의 방향으로 5만큼 평행이동한 것이므로 점근선의 방정식은
$$y=5$$ **답** $y=5$

**022** 함수 $y=2^{x+2}+1$의 그래프는 지수함수 $y=2^x$의 그래프를 $x$축의 방향으로 $-2$만큼, $y$축의 방향으로 1만큼 평행이동한 것이므로 점근선의 방정식은
$$y=1$$ **답** $y=1$

**023** 그림과 같이 지수함수 $y=3^x$은 $1 \leq x \leq 4$에서 증가하므로 $x=1$일 때 최소이고, 최솟값은
$$y=3$$
$x=4$일 때 최대이고, 최댓값은
$$y=3^4=81$$

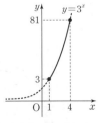

**답** 최댓값: 81, 최솟값: 3

**024** 그림과 같이 함수 $y=2^{x-1}$은 $-2 \le x \le 3$에서 증가하므로 $x=-2$일 때 최소이고, 최솟값은 $y=2^{-3}=\dfrac{1}{8}$

$x=3$일 때 최대이고, 최댓값은 $y=2^{2}=4$

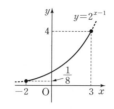

🅐 최댓값 : 4, 최솟값 : $\dfrac{1}{8}$

**025** 그림과 같이 함수 $y=\left(\dfrac{1}{3}\right)^{x+1}$은 $-2 \le x \le 1$에서 감소하므로 $x=-2$일 때 최대이고, 최댓값은 $y=\left(\dfrac{1}{3}\right)^{-1}=3$

$x=1$일 때 최소이고, 최솟값은 $y=\left(\dfrac{1}{3}\right)^{2}=\dfrac{1}{9}$

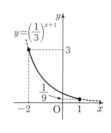

🅐 최댓값 : 3, 최솟값 : $\dfrac{1}{9}$

**026** 로그의 진수의 조건에서 $x>0$이므로 로그함수 $y=\log_{4} x$의 정의역은 $\{x \mid x>0\}$ 　　🅐 $\{x \mid x>0\}$

**027** 로그의 진수의 조건에서 $x-5>0$, 즉 $x>5$이므로 함수 $y=\log_{3}(x-5)$의 정의역은 $\{x \mid x>5\}$ 　　🅐 $\{x \mid x>5\}$

**028** 로그의 진수의 조건에서 $3-x>0$, 즉 $x<3$이므로 함수 $y=\log_{2}(3-x)$의 정의역은 $\{x \mid x<3\}$ 　　🅐 $\{x \mid x<3\}$

**029** 로그의 진수의 조건에서 $x^{2}>0$, 즉 $x \ne 0$인 모든 실수이므로 함수 $y=\log_{5} x^{2}$의 정의역은 $\{x \mid x \ne 0$인 모든 실수$\}$ 　　🅐 $\{x \mid x \ne 0$인 모든 실수$\}$

**030** 그래프의 점근선은 $\boxed{y축}$이다. 　　🅐 $y$축

**031** 그래프는 반드시 점 $(\boxed{1}, 0)$을 지난다. 　　🅐 1

**032** 정의역은 $\{x \mid \boxed{x>0}\}$이다. 　　🅐 $x>0$

**033** 치역은 $\{y \mid y$는 $\boxed{모든 실수}\}$이다. 　　🅐 모든 실수

**034**

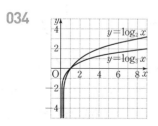

🅐 풀이 참조

**035**

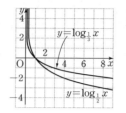

🅐 풀이 참조

**[036-039]** 로그함수 $y=\log_{a} x$의 그래프에 대하여 네 함수 $y=\log_{a}(x-1)$, $y=\log_{a} x+1$, $y=\log_{a}(-x)$, $y=\log_{a} \dfrac{1}{x}$의 그래프는 그림과 같다.

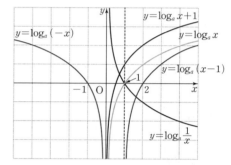

🅐 풀이 참조

**040** 로그함수 $y=\log_{5} x$의 그래프를 $x$축의 방향으로 1만큼 평행이동 하면 $y=\log_{5}(x-1)$ 　　🅐 $y=\log_{5}(x-1)$

**041** 로그함수 $y=\log_{5} x$의 그래프를 $y$축의 방향으로 $-2$만큼 평행 이동하면 $y+2=\log_{5} x$ $\therefore y=\log_{5} x-2$ 　　🅐 $y=\log_{5} x-2$

**042** 로그함수 $y=\log_{5} x$의 그래프를 $x$축의 방향으로 $-3$만큼, $y$축 의 방향으로 4만큼 평행이동하면 $y-4=\log_{5}(x+3)$ $\therefore y=\log_{5}(x+3)+4$ 　　🅐 $y=\log_{5}(x+3)+4$

**043** 로그함수 $y=\log_{5} x$의 그래프를 $x$축에 대하여 대칭이동하면 $-y=\log_{5} x$ $\therefore y=-\log_{5} x$ 　　🅐 $y=-\log_{5} x$

**044** 로그함수 $y=\log_{5} x$의 그래프를 $y$축에 대하여 대칭이동하면 $y=\log_{5}(-x)$ 　　🅐 $y=\log_{5}(-x)$

**045** 로그함수 $y=\log_{5} x$의 그래프를 원점에 대하여 대칭이동하면 $-y=\log_{5}(-x)$ $\therefore y=-\log_{5}(-x)$ 　　🅐 $y=-\log_{5}(-x)$

**046** 함수 $y=\log_{3}(x-2)-1$의 그래프는 로그함수 $y=\log_{3} x$의 그래프를 $x$축의 방향으로 $\boxed{2}$만큼, $y$축의 방향으로 $\boxed{-1}$만큼 평행이동한 것이다. 이때, 점근선의 방정식은 $x=\boxed{2}$이다.

🅐 $2, -1, 2$

참고

두 함수 $y=\log_3 x$, $y=\log_3(x-2)-1$의 그래프는 그림과 같다.

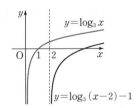

**047** 함수 $y=\log_3(x-5)$의 그래프는 로그함수 $y=\log_3 x$의 그래프를 $x$축의 방향으로 5만큼 평행이동한 것이므로 점근선의 방정식은 $x=5$

📝 $x=5$

**048** 함수 $y=\log_2 x+2$의 그래프는 로그함수 $y=\log_2 x$의 그래프를 $y$축의 방향으로 2만큼 평행이동한 것이므로 점근선의 방정식은 $x=0$

📝 $x=0$

**049** 함수 $y=\log_5(x+3)+1$의 그래프는 로그함수 $y=\log_5 x$의 그래프를 $x$축의 방향으로 $-3$만큼, $y$축의 방향으로 1만큼 평행이동한 것이므로 점근선의 방정식은 $x=-3$

📝 $x=-3$

**050** 그림과 같이 로그함수 $y=\log_2 x$는 $1 \le x \le 16$에서 증가한다.

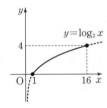

따라서 $x=1$일 때 최소이고, 최솟값은
$y=\log_2 1=0$
$x=16$일 때 최대이고, 최댓값은
$y=\log_2 16=4$

📝 최댓값 : 4, 최솟값 : 0

**051** 그림과 같이 함수 $y=\log_{\frac{1}{2}}(x+1)$은 $-\frac{1}{2} \le x \le 3$에서 감소한다.

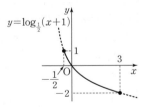

따라서 $x=-\frac{1}{2}$일 때 최대이고, 최댓값은
$y=\log_{\frac{1}{2}} \frac{1}{2}=1$
$x=3$일 때 최소이고, 최솟값은
$y=\log_{\frac{1}{2}} 4=-2$

📝 최댓값 : 1, 최솟값 : $-2$

**052** 그림과 같이 로그함수 $y=\log x$는 $\frac{1}{100} \le x \le 10000$에서 증가한다.

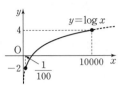

$x=\frac{1}{100}$일 때 최소이고, 최솟값은
$y=\log \frac{1}{100}=-2$
$x=10000$일 때 최대이고, 최댓값은
$y=\log 10000=4$

📝 최댓값 : 4, 최솟값 : $-2$

**053** 주어진 함수는 $\{x \mid x는 모든 실수\}$에서 $\{y \mid y>0\}$으로의 일대일대응이다.
$y=2^x$에서 $x=\log_2 y$
$x$와 $y$를 서로 바꾸면 구하는 역함수는
$y=\log_2 x$ (단, $x>0$)

📝 $y=\log_2 x$ (단, $x>0$)

**054** 주어진 함수는 $\{x \mid x는 모든 실수\}$에서 $\{y \mid y>0\}$으로의 일대일대응이다.
$y=3^{-x}$에서 $-x=\log_3 y$
$x=-\log_3 y$
$x$와 $y$를 서로 바꾸면 구하는 역함수는
$y=-\log_3 x$ (단, $x>0$)

📝 $y=-\log_3 x$ (단, $x>0$)

**055** 주어진 함수는 $\{x \mid x는 모든 실수\}$에서 $\{y \mid y>0\}$으로의 일대일대응이다.
$y=2^{x+3}$에서 $x+3=\log_2 y$
$x=\log_2 y-3$
$x$와 $y$를 서로 바꾸면 구하는 역함수는
$y=\log_2 x-3$ (단, $x>0$)

📝 $y=\log_2 x-3$ (단, $x>0$)

**056** 주어진 함수는 $\{x \mid x>2\}$에서 $\{y \mid y는 모든 실수\}$로의 일대일대응이다.
$y=\log_5(x-2)$에서 $x-2=5^y$
$x=5^y+2$
$x$와 $y$를 서로 바꾸면 구하는 역함수는
$y=5^x+2$

📝 $y=5^x+2$

**057** 지수함수 $f(x)=\left(\frac{1}{3}\right)^x$의 그래프는 그림과 같다.

ㄱ. $f(0)=\left(\frac{1}{3}\right)^0=1$이므로 그래프는 점 $(0, 1)$을 지난다. (참)

ㄴ. 그래프의 점근선의 방정식은 $y=0$이다. (참)

ㄷ. $x$의 값이 증가할 때, $y$의 값은 감소하므로 두 실수 $a$, $b$에 대하여 $a<b$이면 $f(a)>f(b)$이다. (거짓)

따라서 옳은 것은 ㄱ, ㄴ이다.

📝 ③

**058** 지수함수 $y=a^x$의 그래프가 두 점 $(-1, 4)$, $(0, k)$를 지나므로

$4=a^{-1}=\dfrac{1}{a}$   $\therefore a=\dfrac{1}{4}$

$k=a^0=1$

$\therefore 4a+k=4\times\dfrac{1}{4}+1$

$\qquad\qquad =2$ **답** 2

**059** $y=2^x$에서 $a=2^0=1$

$y=x$에서 $b=a=1$

$\therefore c=2^1=2,\ d=2^2=4$

$\therefore a+b+c+d=1+1+2+4$

$\qquad\qquad\qquad\quad =8$ **답** 8

**060** $f(1)=3$이므로

$a+b=3$   $\cdots\cdots\bigcirc$

$f^{-1}(1)=0$에서 $f(0)=1$이므로

$1+b=1$   $\therefore b=0$

$b=0$을 $\bigcirc$에 대입하면

$a=3$ **답** 3

**061** $f(x+2)+3f(x)=4f(x+1)$에서

$a^{x+2}+3a^x=4a^{x+1}$

양변을 $a^x$으로 나누면

$a^2+3=4a$

$a^2-4a+3=0,\ (a-1)(a-3)=0$

$\therefore a=3\ (\because a>0,\ a\neq1)$

따라서 $f(x)=3^x$이므로

$\log_3 f(20)=\log_3 3^{20}=20$ **답** 20

**062** $f(x)=3^x$이므로

① $f(0)=3^0=1$ (참)

② $f(-2)=3^{-2}=\dfrac{1}{3^2}=\dfrac{1}{f(2)}$ (참)

③ $f(m+n)=3^{m+n}=3^m\times3^n=f(m)f(n)$ (참)

④ $f(2m)=3^{2m}$, $2f(m)=2\times3^m$이므로

$\quad f(2m)\neq2f(m)$ (거짓)

⑤ $f(m-n)=3^{m-n}=3^m\div3^n=\dfrac{3^m}{3^n}=\dfrac{f(m)}{f(n)}$ (참)

따라서 옳지 않은 것은 ④이다. **답** ④

**063** $A=\sqrt{2}=2^{\frac{1}{2}}$

$B=\sqrt[3]{4}=\sqrt[3]{2^2}=2^{\frac{2}{3}}$

$C=\left(\dfrac{1}{2}\right)^{-0.6}=(2^{-1})^{-0.6}=2^{0.6}=2^{\frac{3}{5}}$

지수함수 $y=2^x$의 밑 2는 1보다 크므로
$x$의 값이 증가하면 $y$의 값도 증가한다.

세 수 $A, B, C$의 지수의 크기를 비교하면

$\dfrac{1}{2}<\dfrac{3}{5}<\dfrac{2}{3}$이므로

$2^{\frac{1}{2}}<2^{\frac{3}{5}}<2^{\frac{2}{3}}$

$\therefore A<C<B$ **답** ②

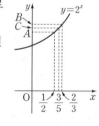

**064** 먼저 $a, a^a, a^{a^2}$의 지수 $1, a, a^2$의 크기를 비교하자.

$0<a<1$의 각 변에 $a$를 곱하면 $0<a^2<a$이므로

$a^2<a<1$

세 수 $a, a^a, a^{a^2}$의 밑 $a$는 $0<a<1$이므로

$a<a^a<a^{a^2}$

따라서 ㄱ, ㄴ, ㄷ 모두 옳다. **답** ⑤

**065** 주어진 [그림 2]에서 $a^a<a^b$임을 알 수 있다.

(i) $a>1$일 때,

$\quad a^a<a^b$이려면 $1<a<b$

$\quad a<a^a$이므로 $\bigcirc: a^a$, $\bigcirc: a^b$

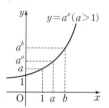

(ii) $0<a<1$일 때,

$\quad a^a<a^b$이려면 $0<b<a<1$

$\quad a<a^a$이므로 $\bigcirc: a^a$, $\bigcirc: a^b$

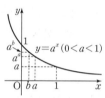

(i), (ii)에 의하여

$\bigcirc: a^a$, $\bigcirc: a^b$ **답** ④

**066** 지수함수 $y=\left(\dfrac{1}{3}\right)^x$의 그래프를 $x$축의 방향으로 1만큼 평행이동

하면

$y=\left(\dfrac{1}{3}\right)^{x-1}$   $\cdots\cdots\bigcirc$

$\bigcirc$의 그래프를 $y$축에 대하여 대칭이동하면

$y=\left(\dfrac{1}{3}\right)^{-x-1}$   $\cdots\cdots\bigcirc$

$\bigcirc$의 그래프가 점 $(1, k)$를 지나므로

$k=\left(\dfrac{1}{3}\right)^{-1-1}=3^2=9$ **답** 9

**067** 함수 $y=a^{x-1}+3$의 그래프는 지수함수 $y=a^x$의 그래프를 $x$축
의 방향으로 1만큼, $y$축의 방향으로 3만큼 평행이동한 것이다.
그런데 지수함수 $y=a^x$의 그래프는 $a$의 값에 관계없이 점 $(0, 1)$
을 지나므로 함수 $y=a^{x-1}+3$의 그래프는 $a$의 값에 관계없이 점
$(1, 4)$를 지난다.

$\therefore p=1,\ q=4$

$\therefore pq=4$ **답** 4

**068** ㄱ. 함수 $y=3^{x+1}$의 그래프를 $x$축의 방향으로 1만큼 평행이동
하면 지수함수 $y=3^x$의 그래프와 일치한다.

ㄴ. 함수 $y=3^{2x-2}=3^{2(x-1)}$이므로 평행이동 또는 대칭이동하여
지수함수 $y=3^x$의 그래프와 일치할 수 없다.

ㄷ. 함수 $y=-3^{-x}$의 그래프를 원점에 대하여 대칭이동하면 지
수함수 $y=3^x$의 그래프와 일치한다.

ㄹ. 함수 $y=9\times3^x=3^2\times3^x=3^{x+2}$의 그래프를 $x$축의 방향으로
    2만큼 평행이동하면 지수함수 $y=3^x$의 그래프와 일치한다.
따라서 평행이동 또는 대칭이동하여 지수함수 $y=3^x$의 그래프
와 일치하는 것은 ㄱ, ㄷ, ㄹ이다. **답** ⑤

**069** $y=4\times2^{2x}-2$
$\quad=2^2\times2^{2x}-2$
$\quad=2^{2(x+1)}-2$
이므로 함수 $y=2^{2x}$의 그래프를 $x$축의 방향으로 $-1$만큼, $y$축
의 방향으로 $-2$만큼 평행이동한 것이다.
$\therefore m=-1, n=-2$
$\therefore m+n=-3$ **답** $-3$

**070** 지수함수 $y=2^x$의 그래프를 $y$축에 대하여 대칭이동하면 $y=2^{-x}$
이고, $x$축의 방향으로 $a$만큼, $y$축의 방향으로 $b$만큼 평행이동
하면
$y=2^{-(x-a)}+b$
점근선이 $y=-2$이므로
$b=-2$
그래프가 원점을 지나므로
$2^a-2=0$ $\therefore a=1$
$\therefore a-b=1-(-2)=3$ **답** 3

**071** 함수 $y=2^{x-a}$의 그래프는 지수함수 $y=2^x$의 그래프를 $x$축의
방향으로 $a$만큼 평행이동한 것이다.
점 A의 좌표가 $(a, 0)$이므로 점 D의 좌표는 $(a, 2^a)$
점 C의 좌표는 $(2a, 2^a)$
$\overline{AD}=2^a$, $\overline{CD}=a$이고, 직사각형 ABCD의 넓이가 24이므로
$a\times2^a=24=3\times2^3$
$\therefore a=3$ **답** 3

**072** $-1\leq x\leq3$에서 지수함수 $y=f(x)$는 증가하므로 $x=3$일 때
최대이고 최댓값은
$M=4^3=64$
$-1\leq x\leq3$에서 지수함수 $y=g(x)$는 감소하므로 $x=3$일 때
최소이고 최솟값은
$m=\left(\dfrac{1}{2}\right)^3=\dfrac{1}{8}$
$\therefore Mm=64\times\dfrac{1}{8}=8$ **답** 8

**073** $y=2^x\times5^{-x}+1=2^x\times\left(\dfrac{1}{5}\right)^x+1=\left(\dfrac{2}{5}\right)^x+1$이고, $y=\left(\dfrac{2}{5}\right)^x$은
밑이 0보다 크고 1보다 작으므로 $x$의 값이 증가할 때 $y$의 값은
감소하는 함수이다.
즉, 함수 $y=2^x\times5^{-x}+1=\left(\dfrac{2}{5}\right)^x+1$은 $x=-1$일 때 최댓값
$b$를, $x=1$일 때 최솟값 $a$를 가지므로
$b=\left(\dfrac{2}{5}\right)^{-1}+1=\dfrac{5}{2}+1=\dfrac{7}{2}$
$a=\dfrac{2}{5}+1=\dfrac{7}{5}$
$\therefore 5a+2b=5\times\dfrac{7}{5}+2\times\dfrac{7}{2}$
$\qquad\qquad\quad=14$ **답** 14

**074** $y=4^x-2^{x+2}+5$
$\quad=(2^x)^2-4\times2^x+5$
에서 $2^x=t$ $(t>0)$로 놓으면
$y=t^2-4t+5$
$\quad=(t-2)^2+1$
$-1\leq x\leq3$이므로
$2^{-1}\leq2^x\leq2^3$ $\therefore \dfrac{1}{2}\leq t\leq8$
따라서 $t=2$일 때 최솟값은 1이고, $t=8$일 때 최댓값은 37이다.
$\therefore M=37, m=1$
$\therefore M-m=36$ **답** ⑤

**075** $y=4^x-4\times2^x+a=(2^x)^2-4\times2^x+a$에서
$2^x=t$ $(t>0)$로 놓으면
$y=t^2-4t+a$
$\quad=(t-2)^2+a-4$
$1\leq x\leq3$이므로 $2^1\leq2^x\leq2^3$
$\therefore 2\leq t\leq8$
따라서 $t=8$일 때 최댓값
35를 가지므로
$(8-2)^2+a-4=35$
$32+a=35$
$\therefore a=3$

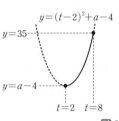

**답** 3

**076** $f(x)=2^x$, $g(x)=x^2+2x+3$에서
$(f\circ g)(x)=f(g(x))=2^{g(x)}$
함수 $y=2^{g(x)}$는 밑 2가 1보다 크므로 증가한다. 즉, $g(x)$의
값이 최소일 때 $2^{g(x)}$의 값도 최소이다.
$g(x)=(x+1)^2+2$이므로 $x=-1$일 때 $g(x)$의 최솟값은
2이다.
따라서 함수 $y=(f\circ g)(x)$의 최솟값은
$2^2=4$
$\therefore a=-1, m=4$
$\therefore a+m=3$ **답** 3

**077** $y=9^x+9^{-x}-2(3^x+3^{-x})+5$
$\quad=\{(3^x+3^{-x})^2-2\}-2(3^x+3^{-x})+5$
$\quad=(3^x+3^{-x})^2-2(3^x+3^{-x})+3$
에서 $3^x+3^{-x}=t$로 놓으면
$y=t^2-2t+3$
$\quad=(t-1)^2+2$ ……㉠
$3^x>0$, $3^{-x}>0$이므로 산술평균과 기하평균의 관계에 의하여
$t=3^x+3^{-x}\geq2\sqrt{3^x\times3^{-x}}=2$
$\qquad$ (단, 등호는 $3^x=3^{-x}$, 즉 $x=0$일 때 성립한다.)
즉, $t\geq2$이므로 ㉠에 $t=2$를 대입하면
$y=(2-1)^2+2=1+2=3$
따라서 주어진 함수는 $t=2$일 때, 즉 $x=0$일 때 최솟값은 3이다.
**답** ②

**078** 두 지수함수 $y=2^x$, $y=4^x$의 그래프와 직선 $y=8$의 교점의 $x$
좌표를 각각 구하면

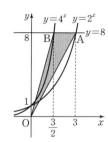

$2^x = 8 = 2^3$에서 $x=3$이므로

점 A의 $x$좌표는 3,

$4^x = 8$에서 $2^{2x} = 2^3$

즉, $2x = 3$에서 $x = \dfrac{3}{2}$이므로

점 B의 $x$좌표는 $\dfrac{3}{2}$

$\therefore \overline{AB} = 3 - \dfrac{3}{2} = \dfrac{3}{2}$

따라서 삼각형 OAB의 넓이는

$\dfrac{1}{2} \times \dfrac{3}{2} \times 8 = 6$

답 ③

**079** 두 지수함수 $y=2^x$, $y=\left(\dfrac{1}{2}\right)^x$의 그래프는 $y$축에 대하여 대칭이므로 색칠한 부분은 그림과 같이 이동시킬 수 있다.

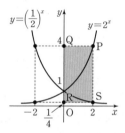

$4=2^x$에서 점 P의 $x$좌표는 2이고, $\left(\dfrac{1}{2}\right)^2 = \dfrac{1}{4}$에서 점 R의 $y$좌표는 $\dfrac{1}{4}$이므로 사각형 PQRS의 넓이는

$2 \times \left(4 - \dfrac{1}{4}\right) = 2 \times \dfrac{15}{4} = \dfrac{15}{2}$

답 $\dfrac{15}{2}$

**080** 지수함수 $y=2^x$의 그래프는 점 $(0, 1)$을 지나므로 그림에서

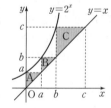

$a = 2^0 = 1$

$b = 2^a = 2^1 = 2$

$c = 2^b = 2^2 = 4$

따라서 색칠한 세 삼각형 A, B, C의 넓이의 합은

$\dfrac{1}{2}a^2 + \dfrac{1}{2}(b-a)^2 + \dfrac{1}{2}(c-b)^2 = \dfrac{1}{2} \times 1^2 + \dfrac{1}{2} \times 1^2 + \dfrac{1}{2} \times 2^2$

$= 3$

답 3

**081** 점 A의 $x$좌표가 3이므로 점 B의 $y$좌표는 $3^3$이다.

즉, 사각형 OABC의 넓이는

$3 \times 3^3 = 3^4$ ...... ㉠

점 D의 $x$좌표는 점 B의 $y$좌표와 같으므로 $3^3$이고,

점 E의 $y$좌표는 $3^{3^3} = 3^{27}$

즉, 사각형 ODEF의 넓이는

$3^3 \times 3^{27} = 3^{30}$ ...... ㉡

㉠, ㉡에서 사각형 ODEF의 넓이는 사각형 OABC의 넓이의

$\dfrac{3^{30}}{3^4} = 3^{26}$(배)이다.

답 ④

**082** 삼각형 ACB와 삼각형 ADC의 넓이의 비가 $2:1$이므로

$\overline{BC} : \overline{CD} = 2 : 1$

두 점 C, D에서 $x$축에 내린 수선의 발의 $x$좌표를 각각

$2p$, $3p$ $(p>0)$라 하면 두 점 C, D는 각각

$C(2p, 4)$, $D(3p, 4)$

$2^{2p} = 4$에서 $p=1$이므로

$a^{3p} = a^3 = 4$

$\therefore a = 4^{\frac{1}{3}} = \sqrt[3]{4}$

답 ④

**083** ㄱ. 로그함수 $y = \log_a x$의 그래프는 점 $(1, 0)$을 지나고, 점근선은 $y$축이므로 점근선의 방정식은 $x=0$이다. (참)

ㄴ. $a>1$일 때, $x$의 값이 증가하면 $y$의 값도 증가하고, $x$의 값이 감소하면 $y$의 값도 감소한다. (참)

ㄷ. 두 함수 $y = \log_a x$, $y = a^x$은 서로 역함수 관계이므로 두 함수의 그래프는 직선 $y=x$에 대하여 서로 대칭이다. (참)

따라서 ㄱ, ㄴ, ㄷ 모두 옳다.

답 ⑤

**084** 함수 $y = \log_3(2x-1)$의 밑 3은 1보다 크므로 $x$의 값이 증가하면 $y$의 값도 증가한다.

즉, $x=a$일 때 $y=2$이고, $x=b$일 때 $y=3$이므로

$\log_3(2a-1) = 2$에서

$2a-1 = 9$ $\therefore a=5$

$\log_3(2b-1) = 3$에서

$2b-1 = 27$ $\therefore b=14$

$\therefore a+b = 19$

답 19

**085** 두 점 A, B의 $y$좌표는 각각 $\log_3 a$, $\log_3 b$이므로

$\overline{AB} = \log_3 b - \log_3 a$

$= \log_3 \dfrac{b}{a} = 2$

$\therefore \dfrac{b}{a} = 3^2 = 9$

답 9

**086** $(f \circ g)(81) = f(g(81))$

$= \log_2(\log_3 81)$

$= \log_2 4 = 2$

$\therefore (g \circ f)(k) = 2$

$(g \circ f)(k) = g(f(k)) = \log_3(\log_2 k) = 2$에서

$\log_2 k = 3^2 = 9$

$\therefore k = 2^9 = 512$

답 512

**087** 주어진 로그함수 $y = \log_2 x$의 정의역은 $\{x \mid x>0\}$이다.

ㄱ. $y = -\log_2 \dfrac{1}{x} = \log_2 x$이고 정의역은 $\dfrac{1}{x}>0$에서

$\{x \mid x > 0\}$

ㄴ. $y = \log_4 x^2 = \log_2 |x|$ 이고 정의역은 $x^2 > 0$에서
$\{x \mid x \neq 0$인 모든 실수$\}$

ㄷ. $y = 3\log_2 \sqrt[3]{x} = \log_2 x$이고 정의역은 $\sqrt[3]{x} > 0$에서
$\{x \mid x > 0\}$

따라서 로그함수 $y = \log_2 x$와 같은 함수는 ㄱ, ㄷ이다.

답 ④

**088** ㄱ. $f\left(\dfrac{1}{8}\right) = \log\left(2 \times \dfrac{1}{8}\right)$

$\qquad\qquad = \log \dfrac{1}{4}$

$\qquad\qquad = -\log 4$

$\qquad\qquad = -f(2)$ (참)

ㄴ. $f(x) + f(y) = \log 2x + \log 2y$

$\qquad\qquad\quad = \log 4xy$

$\qquad\qquad\quad = f(2xy)$ (참)

ㄷ. $f(x^2) = \log 2x^2$,

$\quad 2f(x) = 2\log 2x = \log(2x)^2$

$\quad \therefore f(x^2) \neq 2f(x)$ (거짓)

따라서 옳은 것은 ㄱ, ㄴ이다.

답 ③

**089** 로그함수 $y = \log_x k$의 밑 $x$는 $0 < x < 1$이므로 $k$의 값이 증가하면 $y$의 값은 감소한다.

즉, $2 < 5 < 7$이므로

$\log_x 7 < \log_x 5 < \log_x 2$

$\therefore C < B < A$

답 ⑤

**090** $1 < x < 2$에서 $\log_2 1 < \log_2 x < \log_2 2$

$\therefore 0 < \log_2 x < 1$

(i) $0 < \log_2 x < 1$의 각 변에 $\log_2 x$를 곱하면

$\quad 0 < (\log_2 x)^2 < \log_2 x \;(\because \log_2 x > 0)$

$\quad \therefore B < A$

(ii) $C = \log_x 2 = \dfrac{1}{\log_2 x}$이므로 $0 < \log_2 x < 1$에서

$\quad \dfrac{1}{\log_2 x} > 1 > \log_2 x > 0 \qquad \therefore C > A$

(i), (ii)에 의하여

$B < A < C$

답 ③

다른 풀이

$A$, $B$의 대소 관계는 다음과 같이 확인할 수도 있다.

$A - B = \log_2 x - (\log_2 x)^2 = \log_2 x(1 - \log_2 x)$

$0 < \log_2 x < 1$이므로

$\log_2 x > 0$, $1 - \log_2 x > 0$

따라서 $A - B > 0$이므로 $A > B$

**091** $0 < b < a < 1$에 밑을 $a$로 하는 로그를 취하면

$\log_a b > \log_a a > \log_a 1$

$\log_a a = 1$이므로

$A = \log_a b > 1$

$0 < b < a < 1$에 밑을 $b$로 하는 로그를 취하면

$\log_b b > \log_b a > \log_b 1$

$\log_b b = 1$, $\log_b 1 = 0$이므로

$0 < B = \log_b a < 1$

$C = \log_a \dfrac{a}{b} = \log_a a - \log_a b$

$\quad = 1 - \log_a b < 0$

$\therefore C < B < A$

답 ⑤

**092** $y = \log_2(2x + 8)$

$\quad = \log_2 2(x + 4)$

$\quad = \log_2(x + 4) + 1$

이므로 로그함수 $y = \log_2 x$의 그래프를 $x$축의 방향으로 $-4$만큼, $y$축의 방향으로 1만큼 평행이동한 것이다.

$\therefore a + b = (-4) + 1 = -3$

답 $-3$

**093** ㄱ. 함수 $y = \log_3(-x)$의 그래프는 로그함수 $y = \log_3 x$의 그래프를 $y$축에 대하여 대칭이동한 것이다.

ㄴ. 함수 $y = \log_3(x - 2)$의 그래프는 로그함수 $y = \log_3 x$의 그래프를 $x$축의 방향으로 2만큼 평행이동한 것이다.

ㄷ. $y = 3\log_3 x = \log_3 x^3$이므로 로그함수 $y = \log_3 x$의 그래프를 평행이동 또는 대칭이동하여 함수 $y = 3\log_3 x$의 그래프와 일치할 수 없다.

ㄹ. $y = \log_3 3x = \log_3 x + 1$이므로 로그함수 $y = \log_3 x$의 그래프를 $y$축의 방향으로 1만큼 평행이동한 것이다.

따라서 로그함수 $y = \log_3 x$의 그래프를 평행이동 또는 대칭이동하여 일치할 수 있는 것은 ㄱ, ㄴ, ㄹ이다.

답 ⑤

**094** 함수 $y = \log_3 a(x + b)$의 그래프를 $x$축의 방향으로 1만큼, $y$축의 방향으로 $-2$만큼 평행이동하면

$y = \log_3 a(x - 1 + b) - 2$

$\quad = \log_3(x - 1 + b) + \log_3 a - 2$

로그함수 $y = \log_3 x$의 그래프와 일치해야 하므로

$-1 + b = 0$, $\log_3 a - 2 = 0$

$b = 1$, $\log_3 a = 2$

$\therefore a = 9$, $b = 1$

$\therefore a + b = 10$

답 10

다른 풀이

로그함수 $y = \log_3 x$의 그래프를 $x$축의 방향으로 $-1$만큼, $y$축의 방향으로 2만큼 평행이동하면 함수 $y = \log_3 a(x + b)$의 그래프가 되므로

$y = \log_3(x + 1) + 2$

$\quad = \log_3(x + 1) + \log_3 9$

$\quad = \log_3 9(x + 1)$

따라서 $a = 9$, $b = 1$이므로

$a + b = 10$

**095** 로그함수 $y = \log_a x$의 그래프가 점 $(9, 2)$를 지나므로

$2 = \log_a 9$, $a^2 = 9$

$\therefore a = 3 \;(\because a > 0)$ $\qquad \cdots\cdots$ ㉠

함수 $y = \log_a(3x + b)$의 그래프가 점 $(9, 2)$를 지나므로

$2 = \log_3(27 + b)$, $27 + b = 9$

$\therefore b = -18$ $\qquad\qquad \cdots\cdots$ ㉡

$y = \log_a(3x + b)$에 ㉠, ㉡을 대입하면

$y = \log_3(3x - 18) = \log_3 3(x - 6)$

$\quad = \log_3 3 + \log_3(x - 6) = \log_3(x - 6) + 1$

따라서 로그함수 $y=\log_3 x$의 그래프를 $x$축의 방향으로 6만큼, $y$축의 방향으로 1만큼 평행이동하면 함수 $y=\log_3 (3x-18)$의 그래프와 일치하므로 $m=6$, $n=1$

$\therefore a+b+m+n=3+(-18)+6+1$
$\qquad\qquad\qquad = -8$     답 $-8$

**096** 함수 $y=\log_2 2x=\log_2 x+1$의 그래프는 로그함수 $y=\log_2 x$의 그래프를 $y$축의 방향으로 1만큼 평행이동한 것이므로
로그함수 $y=\log_2 x$의 그래프와 $x$축 및 직선 $x=4$로 둘러싸인 부분과 함수 $y=\log_2 2x$의 그래프와 두 직선 $y=1$, $x=4$로 둘러싸인 부분은 모양과 크기가 같다.
즉, 두 부분의 넓이가 같으므로 구하는 넓이는 그림과 같이 생각할 수 있다.

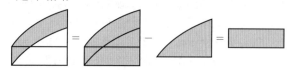

따라서 구하는 넓이는 직사각형의 넓이와 같으므로
$1\times 3=3$     답 3

**097** 함수 $y=\log_a (x-b)+c$의 그래프는 로그함수 $y=\log_a x$의 그래프를 $x$축의 방향으로 $b$만큼, $y$축의 방향으로 $c$만큼 평행이동한 것이므로 점근선의 방정식은 $x=b$이다.

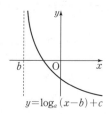

즉, 제1사분면을 지나지 않는 그래프는 그림과 같다.
ㄱ. $0<a<1$ (참)
ㄴ. $b<0$ (참)
ㄷ. [반례] 함수 $y=\log_{\frac{1}{2}} (x+4)+1$의 그래프는 점 $(0,\ -1)$을 지나므로 제1사분면을 지나지 않는다. (거짓)
따라서 옳은 것은 ㄱ, ㄴ이다.     답 ③

**098** $2\le x\le 3$일 때, 함수 $y=\log_{\frac{1}{3}} (x+1)$은 감소하므로 $x=2$일 때 최대이고, 최댓값은
$y=\log_{\frac{1}{3}} 3=-1$     답 $-1$

**099** $y=\log_2 (x^2-2x+4)$에서
$t=x^2-2x+4=(x-1)^2+3$으로 놓으면
$0\le x\le 4$이므로 $x=1$일 때 $t$는 최솟값 3을 가지고, $x=4$일 때 $t$는 최댓값 12를 가진다.
따라서 주어진 함수 $y=\log_2 (x^2-2x+4)$는
$x=1$일 때 최소이며 최솟값 $m=\log_2 3$
$x=4$일 때 최대이며 최댓값 $M=\log_2 12$
$\therefore M-m=\log_2 12-\log_2 3=\log_2 4=2$     답 2

**100** $y=(\log_2 x)^2-2\log_2 x+3$에서 $\log_2 x=t$로 놓으면
$y=t^2-2t+3$
$\quad =(t-1)^2+2$    ……㉠

$1\le x\le 8$에서
$\log_2 1\le \log_2 x\le \log_2 8$
$\therefore 0\le t\le 3$
따라서 $0\le t\le 3$에서 ㉠은 $t=3$일 때 최댓값 6을 갖고 $t=1$일 때 최솟값 2를 가지므로
$M+m=6+2=8$     답 ④

**101** $\log_3 x=t$로 놓으면 $y=t^2+at+b$
$x=\frac{1}{9}$, 즉 $t=\log_3 \frac{1}{9}=-2$일 때, 최솟값 $-2$를 가지므로
$y=t^2+at+b$
$\quad =(t+2)^2-2$
$\quad =t^2+4t+2$
따라서 $a=4$, $b=2$이므로
$ab=8$     답 8

**102** $y=\log_4 (x+1)+\log_4 \left(\dfrac{9}{x}+1\right)$
$\quad =\log_4 (x+1)\left(\dfrac{9}{x}+1\right)$
$\quad =\log_4 \left(10+x+\dfrac{9}{x}\right)$
$x>0$이므로 산술평균과 기하평균의 관계에 의하여
$x+\dfrac{9}{x}\ge 2\sqrt{x\times\dfrac{9}{x}}=6$ (단, 등호는 $x=3$일 때 성립한다.)
$\therefore y=\log_4 \left(10+x+\dfrac{9}{x}\right)$
$\qquad \ge\log_4 (10+6)$
$\qquad =\log_4 16=2$
따라서 주어진 함수의 최솟값은 2이다.     답 ③

**103** $y=10\times x^{4-\log x}$의 양변에 상용로그를 취하면
$\log y=\log (10\times x^{4-\log x})$
$\qquad =\log 10+\log x^{4-\log x}$
$\qquad =1+(4-\log x)\log x$
$\qquad =-(\log x)^2+4\log x+1$
$\log x=t$로 놓으면 $1\le x\le 100$에서
$\log 1\le \log x\le \log 100$
$\therefore 0\le t\le 2$
주어진 함수에서
$\log y=-t^2+4t+1$
$\qquad =-(t-2)^2+5$
따라서 $0\le t\le 2$에서 $\log y$는 $t=2$일 때 최댓값 5를 가지므로 $y$의 최댓값은 $\log y=5$에서 $y=10^5$이다.
    답 ④

**104** 그림에서 $\overline{\mathrm{AB}}=3$이므로
$\log_2 k-\log_4 k=3$
$\log_2 k-\dfrac{1}{2}\log_2 k=3$
$\dfrac{1}{2}\log_2 k=3$
$\log_2 k=6$
$\therefore k=2^6=64$     답 64

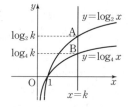

**105** 그림에서 작은 정사각형 ABCD의
한 변의 길이가 2이므로
$\overline{AB}=2$
점 B의 $x$좌표를 $a$라 하면
$\log_3 (a-1)=2$, $a-1=3^2=9$
$\therefore a=10$
즉, 점 C의 $x$좌표가 12이므로 큰 정사각형 CEFG의 한 변의
길이는
$\log_3 (12-1)=\log_3 11$
따라서 큰 정사각형 CEFG의 넓이는 $(\log_3 11)^2$   **답 ②**

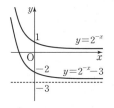

**106** 사다리꼴 ABQP의 넓이는
$\dfrac{1}{2}\times(\log_2 2+\log_2 4)\times 2=3$
사다리꼴 CDSR의 넓이는
$\dfrac{1}{2}\times(\log_2 8+\log_2 16)\times 8=28$
따라서 두 사다리꼴의 넓이의 합은
$3+28=31$   **답 31**

**107** 세 점 P, Q, R는 각각 P$(10, 0)$, Q$(10, \log 10a)$,
R$(10, \log 10b)$이고, $\overline{PQ}=\overline{QR}$이므로
$\log 10a=\log 10b-\log 10a$
$2\log 10a=\log 10b$
$\log (10a)^2=\log 10b$
$100a^2=10b$
$\therefore b=10a^2$   **답 ⑤**

**108** 두 점 A, B는 각각 A$(1, 0)$, B$(15, 0)$이고, 두 함수
$y=\log_a x$, $y=\log_a (16-x)$의 그래프의 교점 C의 $x$좌표를
$t$라 하면 $y$좌표가 같으므로
$\log_a t=\log_a (16-t)$
$t=16-t$   $\therefore t=8$

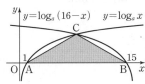

즉, 점 C의 좌표는 $(8, \log_a 8)$이고, 삼각형 ABC의 넓이가 14
이므로
$\dfrac{1}{2}\times 14\times\log_a 8=14$
$\log_a 8=2$, $a^2=8$
$\therefore a=2\sqrt{2}$ $(\because a>1)$   **답 ③**

**109** 로그함수 $y=\log_2 x$의 그래프를 직선 $y=x$에 대하여 대칭이동
하면
$x=\log_2 y$   $\therefore y=2^x$   ······ ㉠
㉠을 $x$축에 대하여 대칭이동하면
$y=-2^x$   **답 ②**

**110** ㄱ. 함수 $y=f(x)$에 대하여 $(g\circ f)(x)=x$를 만족시키는 함수
$y=g(x)$는 $y=f(x)$의 역함수이다.

즉, 함수 $y=g(x)$의 그래프는 함수 $y=f(x)$의 그래프와
직선 $y=x$에 대하여 대칭이다. (참)

ㄴ. $y=\log_2\dfrac{1}{x+3}$에서
$2^y=\dfrac{1}{x+3}$
$x=2^{-y}-3$
$x$와 $y$를 서로 바꾸면
$y=2^{-x}-3$
$\therefore g(x)=2^{-x}-3$
함수 $y=g(x)$의 그래프는 $y=2^{-x}$의 그래프를 $y$축의 방향
으로 $-3$만큼 평행이동한 것이므로 점근선의 방정식은
$y=-3$이다. (참)

ㄷ. 함수 $y=g(x)$의 그래프는 그림과 같으므로 제2, 3, 4사분면
을 지난다. (참)

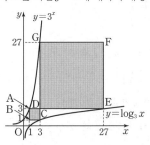

따라서 ㄱ, ㄴ, ㄷ 모두 옳다.   **답 ⑤**

**111** 두 함수의 그래프가 직선 $y=x$에 대하여 대칭이므로 두 함수는
서로 역함수 관계이다.
$y=10^{ax}$에서 $x$와 $y$를 서로 바꾸면
$x=10^{ay}$, $ay=\log x$
$\therefore y=\dfrac{1}{a}\log x$   ······ ㉠
㉠이 $y=\dfrac{a}{100}\log x$와 일치하므로
$\dfrac{1}{a}\log x=\dfrac{a}{100}\log x$
$\dfrac{1}{a}=\dfrac{a}{100}$, $a^2=100$
$a>0$이므로 $a=10$   **답 10**

**112** 지수함수 $y=2^x$의 역함수는
$y=\log_2 x$
함수 $y=f(x)$의 그래프와 $x$축의 교점은 A$(1, 0)$이므로 점 B
의 좌표는 $(1, 2)$   $\therefore b=2$
즉, 점 C의 좌표는 $(a, 2)$이므로
$f(a)=2$에서 $\log_2 a=2$
$\therefore a=4$
$\therefore \log_2 ab=\log_2 8=3$   **답 ②**

**113** 두 함수 $y=3^x$, $y=\log_3 x$는 서로 역함수 관계이므로 두 점 A
와 C, 두 점 G와 E는 직선 $y=x$에 대하여 대칭이다.

그림에서 두 정사각형 ABCD와 DEFG의 한 변의 길이는 각각 2, 24이다.

따라서 두 정사각형 ABCD, DEFG의 넓이의 합은

$2^2+24^2=4+576=580$ **답** 580

**114** ㄱ. $a>0$일 때, $a^x$은 항상 양수이므로 임의의 실수 $x$에 대하여 $f(x)=2^x>0$이다. (참)

ㄴ. $\left(\dfrac{1}{2}\right)^x=2^{-x}$이므로 지수함수 $y=2^x$의 그래프는 지수함수 $y=\left(\dfrac{1}{2}\right)^x$의 그래프와 $y$축에 대하여 대칭이다. (참)

ㄷ. 지수함수 $f(x)=2^x$의 밑 2는 1보다 크므로 $x$의 값이 증가하면 $y$의 값도 증가한다. (거짓)

따라서 옳은 것은 ㄱ, ㄴ이다. **답** ③

**115** $A=\sqrt{\dfrac{1}{9}}=\left(\dfrac{1}{3}\right)^1$

$B=\sqrt[3]{\dfrac{1}{3}}=\left(\dfrac{1}{3}\right)^{\frac{1}{3}}$

$C=\sqrt[5]{\dfrac{1}{81}}=\left(\dfrac{1}{3^4}\right)^{\frac{1}{5}}=\left(\dfrac{1}{3}\right)^{\frac{4}{5}}$

지수함수 $y=\left(\dfrac{1}{3}\right)^x$에서 밑 $\dfrac{1}{3}$은 0보다 크고 1보다 작으므로 $x$의 값이 증가하면 $y$의 값은 감소한다.

세 수 $A$, $B$, $C$의 지수의 크기를 비교하면

$\dfrac{1}{3}<\dfrac{4}{5}<1$이므로

$\left(\dfrac{1}{3}\right)^1<\left(\dfrac{1}{3}\right)^{\frac{4}{5}}<\left(\dfrac{1}{3}\right)^{\frac{1}{3}}$

$\therefore A<C<B$ **답** ②

**116** $y=8\times2^x+1=2^3\times2^x+1=2^{x+3}+1$

이므로 함수 $y=8\times2^x+1$의 그래프는 지수함수 $y=2^x$의 그래프를 $x$축의 방향으로 $-3$만큼, $y$축의 방향으로 1만큼 평행이동한 것이다.

$\therefore a=-3, b=1$

$\therefore a+b=-2$ **답** $-2$

**117** 지수함수 $y=3^x$의 밑 3이 1보다 크므로 함수 $y=3^{x-1}+b$는 $x$의 값이 증가할 때, $y$의 값도 증가한다.

즉, 이 함수는 $x=3$일 때 최댓값 11, $x=a$일 때 최솟값 3을 가지므로

$11=3^{3-1}+b$ ······ ㉠

$3=3^{a-1}+b$ ······ ㉡

㉠에서 $b=2$

㉡에 대입하면

$3^{a-1}=1=3^0, a-1=0$

$\therefore a=1$

$\therefore a+b=3$ **답** 3

**118** $f(x)=x^2-4x+1$로 놓으면

함수 $y=\left(\dfrac{1}{2}\right)^{f(x)}$의 밑 $\dfrac{1}{2}$은 0보다 크고 1보다 작으므로 $x$의 값이 증가하면 $y$의 값은 감소한다.

즉, $f(x)$가 최소일 때, 함수 $y=\left(\dfrac{1}{2}\right)^{f(x)}$은 최댓값을 가진다.

$f(x)=x^2-4x+1$

$\quad\quad=(x-2)^2-3$

에서 $f(x)$의 최솟값은 $-3$이므로

함수 $y=\left(\dfrac{1}{2}\right)^{x^2-4x+1}$의 최댓값은

$\left(\dfrac{1}{2}\right)^{-3}=2^3=8$ **답** ④

**119** $\log_a 4=2$에서

$a^2=4$

$\therefore a=2\ (\because a>1)$

$\log_2 b=3$에서

$b=2^3=8$

$\therefore a+b=10$ **답** ③

**120** ㄱ. 로그의 진수의 조건에서

$x-2>0$, 즉 $x>2$이므로 함수 $f(x)=\log_3(x-2)+3$의 정의역은 $\{x\,|\,x>2\}$이다. (거짓)

ㄴ. 로그함수 $y=\log_3 x$의 밑 3은 1보다 크므로 함수 $y=f(x)$는 $x$의 값이 증가하면 $y$의 값도 증가한다.
즉, $x_1<x_2$이면 $f(x_1)<f(x_2)$이다. (참)

ㄷ. 함수 $y=f(x)$의 그래프는 로그함수 $y=\log_3 x$의 그래프를 $x$축의 방향으로 2만큼, $y$축의 방향으로 3만큼 평행이동한 것이므로 점근선의 방정식은 $x=2$이다. (참)

따라서 옳은 것은 ㄴ, ㄷ이다. **답** ④

**121** 로그함수 $y=\log_3 x$의 그래프를 $x$축의 방향으로 $m$만큼, $y$축의 방향으로 $n$만큼 평행이동하면

$y=\log_3(x-m)+n$

두 점 $(5,0)$, $(29,2)$를 지나므로

$0=\log_3(5-m)+n$에서

$\log_3(5-m)=-n$

$\therefore 5-m=3^{-n}$ ······ ㉠

$2=\log_3(29-m)+n$에서

$\log_3(29-m)=2-n$

$\therefore 29-m=3^{2-n}$ ······ ㉡

㉡$-$㉠을 하면

$24=3^{2-n}-3^{-n}$

$24=3^{-n}(3^2-1), 3=3^{-n}$

$\therefore n=-1$

$n=-1$을 ㉠에 대입하면

$5-m=3$ $\therefore m=2$

$\therefore m^2+n^2=4+1=5$ **답** 5

**122** $g(x)=-x^2+2x+7$로 놓으면

$g(x)=-(x-1)^2+8$ ······ ㉠

함수 $f(x)=\log_{\frac{1}{2}} g(x)$의 밑 $\dfrac{1}{2}$이 0보다 크고 1보다 작으므로 $g(x)$의 값이 최대일 때, $f(x)$의 값은 최소이다.

$0\le x\le3$이므로 ㉠에서 함수 $g(x)$는 $x=1$일 때, 최댓값 8을 가지므로

$f(x)$의 최솟값은

$\log_{\frac{1}{2}}8=\log_{2^{-1}}2^3=-3$ **답** ④

**123** 지수함수 $y=2^x$의 그래프를 $x$축의 방향으로 $a$만큼, $y$축의 방향으로 $b$만큼 평행이동하면
$$y=2^{x-a}+b$$
이 함수의 그래프를 직선 $y=x$에 대하여 대칭이동하면
$$x=2^{y-a}+b$$
$$2^{y-a}=x-b$$
양변에 2를 밑으로 하는 로그를 취하면
$$y-a=\log_2(x-b)$$
$$\therefore y=\log_2(x-b)+a$$
따라서 $a=3$, $b=2$이므로
$$a+b=5$$ 답 5

**124** $2^{2x}>0$, $2^{-2(x+1)}>0$이므로 산술평균과 기하평균의 관계에 의하여
$$\begin{aligned}f(x)&=2^{2x}+2^{-2(x+1)}\\&\geq 2\sqrt{2^{2x}\times 2^{-2(x+1)}}\\&=2\times\sqrt{\frac{1}{4}}=1\end{aligned}$$
등호는 $2^{2x}=2^{-2(x+1)}$일 때 성립하므로
$2x=-2(x+1)$에서
$$x=-\frac{1}{2}$$
즉, 함수 $y=f(x)$는 $x=-\frac{1}{2}$에서 최솟값 1을 가지므로
$$a=-\frac{1}{2},\ b=1$$
$$\therefore a+b=\frac{1}{2}$$ 답 $\frac{1}{2}$

**125** 두 점 $P(p,0)$, $Q(q,0)$에 대하여 사각형 $P_1Q_1Q_2P_2$의 넓이를 $f(p,q)$라 하였으므로 $f(9,81)$의 값은 $p=9$, $q=81$일 때, 사각형 $P_1Q_1Q_2P_2$의 넓이이다.

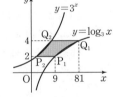

$P(9,0)$, $Q(81,0)$에서 각각 $y$축에 평행한 직선을 그어 곡선 $y=\log_3 x$와 만나는 점이 각각 $P_1$, $Q_1$이므로
$$P_1(9,\log_3 9),\ Q_1(81,\log_3 81)$$
$$\therefore P_1(9,2),\ Q_1(81,4)$$
점 $P_1$과 점 $P_2$는 $y$좌표가 같고 점 $P_2$는 곡선 $y=3^x$ 위의 점이므로 점 $P_2$의 $x$좌표는
$2=3^x$에서 $x=\log_3 2$
$$\therefore P_2(\log_3 2,2)$$
점 $Q_1$과 점 $Q_2$도 $y$좌표가 같고 점 $Q_2$도 곡선 $y=3^x$ 위의 점이므로 점 $Q_2$의 $x$좌표는
$4=3^x$에서 $x=\log_3 4=2\log_3 2$
$$\therefore Q_2(2\log_3 2,4)$$
따라서 $\overline{P_1P_2}=9-\log_3 2$, $\overline{Q_1Q_2}=81-2\log_3 2$이므로 사각형 $P_1Q_1Q_2P_2$의 넓이는
$$\begin{aligned}&\frac{1}{2}\{(9-\log_3 2)+(81-2\log_3 2)\}\times(4-2)\\&=\frac{1}{2}(90-3\log_3 2)\times 2\\&=90-3\log_3 2\end{aligned}$$ 답 ④

---

**001** $2^x=64=2^6$이므로 $x=6$ 답 $x=6$

**002** $3^{x-1}=81=3^4$이므로 $x-1=4$
$$\therefore x=5$$ 답 $x=5$

**003** $2\times 3^x=54$에서 $3^x=27$
$3^x=27=3^3$이므로 $x=3$ 답 $x=3$

**004** $2^{x+2}=\dfrac{1}{32}=2^{-5}$이므로 $x+2=-5$
$$\therefore x=-7$$ 답 $x=-7$

**005** $8^x=2\sqrt{2}$에서 $2^{3x}=2^{\frac{3}{2}}$이므로
$$3x=\frac{3}{2}\quad\therefore x=\frac{1}{2}$$ 답 $x=\frac{1}{2}$

**006** $\left(\dfrac{1}{9}\right)^x=\sqrt{3}$에서 $\left(\dfrac{1}{3}\right)^{2x}=3^{\frac{1}{2}}$
$3^{-2x}=3^{\frac{1}{2}}$이므로 $-2x=\dfrac{1}{2}$
$$\therefore x=-\frac{1}{4}$$ 답 $x=-\frac{1}{4}$

**007** 양변의 밑이 $x$로 같으므로 지수가 같거나 밑이 1이어야 한다.
(i) $x\neq 1$일 때, $3=x+1$이면 $x=2$
(ii) $x=1$일 때, 주어진 방정식은 $1^3=1^2$이므로 성립한다.
$$\therefore x=1$$
(i), (ii)에 의하여 $x=1$ 또는 $x=2$ 답 $x=1$ 또는 $x=2$

참고
$x^{f(x)}=x^{g(x)}\Longleftrightarrow f(x)=g(x)$ 또는 $x=1$

**008** $2^{x+1}=3^x$의 양변에 상용로그를 취하면
$$\log 2^{x+1}=\log 3^x$$
$$(x+1)\log 2=x\log 3$$
$$x\log 2+\log 2=x\log 3$$
$$(\log 3-\log 2)x=\log 2$$
$$\therefore x=\frac{\log 2}{\log 3-\log 2}$$ 답 $x=\dfrac{\log 2}{\log 3-\log 2}$

**009** $2^x=5^{x-1}$의 양변에 상용로그를 취하면
$$\log 2^x=\log 5^{x-1}$$
$$x\log 2=(x-1)\log 5$$
$$x\log 2=x\log 5-\log 5$$
$$(\log 5-\log 2)x=\log 5$$
$$\therefore x=\frac{\log 5}{\log 5-\log 2}$$ 답 $x=\dfrac{\log 5}{\log 5-\log 2}$

**010** 지수가 $x-2$로 같으므로 밑이 같거나 지수가 0이어야 한다.
(i) $x-1=4$이면 $x=5$
(ii) $x-2=0$, 즉 $x=2$이면 주어진 방정식은 $1^0=4^0$이므로 성립한다.

(i), (ii)에 의하여 $x=2$ 또는 $x=5$      답 $x=2$ 또는 $x=5$

**011** $2^{2x}-5\times2^x+4=0$에서 $(2^x)^2-5\times2^x+4=0$

$2^x=t\ (t>0)$로 놓으면

$t^2-5t+4=0$      답 $t^2-5t+4=0$

**012** $t^2-5t+4=0$에서

$(t-1)(t-4)=0$

$\therefore t=1$ 또는 $t=4$      답 $t=1$ 또는 $t=4$

**013** $t=1$ 또는 $t=4$이므로

$2^x=1$ 또는 $2^x=4$

$\therefore x=0$ 또는 $x=2$      답 $x=0$ 또는 $x=2$

**014** $(3^x)^2-6\times3^x-27=0$에서 $3^x=t\ (t>0)$로 놓으면

$t^2-6t-27=0$

$(t+3)(t-9)=0$

$\therefore t=-3$ 또는 $t=9$

$t=3^x>0$이므로 $t=9$

즉, $3^x=9$에서 $3^x=3^2$

$\therefore x=2$      답 $x=2$

**015** $4^x-2\times2^x-8=0$에서 $(2^x)^2-2\times2^x-8=0$

$2^x=t\ (t>0)$로 놓으면

$t^2-2t-8=0$

$(t+2)(t-4)=0$

$\therefore t=-2$ 또는 $t=4$

$t=2^x>0$이므로 $t=4$

즉, $2^x=4$에서 $2^x=2^2$

$\therefore x=2$      답 $x=2$

**016** 밑 3은 1보다 크므로

$3^{x_1}<3^{x_2}$이면 $x_1\boxed{<}x_2$      답 $<$

**017** 밑 $\dfrac{1}{5}$은 0보다 크고 1보다 작으므로

$\left(\dfrac{1}{5}\right)^{x_1}<\left(\dfrac{1}{5}\right)^{x_2}$이면 $x_1\boxed{>}x_2$      답 $>$

**018** 밑 2는 1보다 크므로

$x+1>3-x,\ 2x>2$

$\therefore x>1$      답 $x>1$

**019** $\left(\dfrac{1}{10}\right)^{x-2}<\dfrac{1}{100}$에서 $\left(\dfrac{1}{10}\right)^{x-2}<\left(\dfrac{1}{10}\right)^2$

밑 $\dfrac{1}{10}$은 0보다 크고 1보다 작으므로

$x-2>2$

$\therefore x>4$      답 $x>4$

**020** $\left(\dfrac{2}{3}\right)^{3x}\geq\left(\dfrac{3}{2}\right)^{2-x}$에서 $\left(\dfrac{2}{3}\right)^{3x}\geq\left(\dfrac{2}{3}\right)^{x-2}$

밑 $\dfrac{2}{3}$는 0보다 크고 1보다 작으므로

$3x\leq x-2,\ 2x\leq-2$

$\therefore x\leq-1$      답 $x\leq-1$

**021** $5^{2x-1}>125$에서 $5^{2x-1}>5^3$

밑 5는 1보다 크므로

$2x-1>3,\ 2x>4$

$\therefore x>2$      답 $x>2$

**022** $\left(\dfrac{1}{8}\right)^{2x+1}<32$에서 $(2^{-3})^{2x+1}<2^5$

$2^{-6x-3}<2^5$

밑 2는 1보다 크므로

$-6x-3<5,\ -6x<8$

$\therefore x>-\dfrac{4}{3}$      답 $x>-\dfrac{4}{3}$

**023** $7^{x+1}\leq\left(\dfrac{1}{49}\right)^x$에서 $7^{x+1}\leq7^{-2x}$

밑 7은 1보다 크므로

$x+1\leq-2x,\ 3x\leq-1$

$\therefore x\leq-\dfrac{1}{3}$      답 $x\leq-\dfrac{1}{3}$

**024** $2^x\geq3$의 양변에 상용로그를 취하면

$\log2^x\geq\log3,\ x\log2\geq\log3$

$\therefore x\geq\dfrac{\log3}{\log2}$      답 $x\geq\dfrac{\log3}{\log2}$

**025** $3^x<5^{x+1}$의 양변에 상용로그를 취하면

$\log3^x<\log5^{x+1}$

$x\log3<(x+1)\log5$

$x\log3<x\log5+\log5$

$(\log3-\log5)x<\log5$

$\log3-\log5<0$이므로 양변을 $\log3-\log5$로 나누면

$x>\dfrac{\log5}{\log3-\log5}$      답 $x>\dfrac{\log5}{\log3-\log5}$

**026** $2^{2x}-6\times2^x+8<0$에서 $(2^x)^2-6\times2^x+8<0$

$2^x=t\ (t>0)$로 놓으면

$t^2-6t+8<0$      답 $t^2-6t+8<0$

**027** $t^2-6t+8<0$에서

$(t-2)(t-4)<0$

$\therefore 2<t<4$      답 $2<t<4$

**028** $2<t<4$, 즉 $2<2^x<4$이므로

$2^1<2^x<2^2$

밑 2는 1보다 크므로

$1<x<2$      답 $1<x<2$

**029** $(2^x)^2+4\times2^x-32>0$에서 $2^x=t\ (t>0)$로 놓으면

$t^2+4t-32>0$

$(t+8)(t-4)>0$

$\therefore t < -8$ 또는 $t > 4$

$t = 2^x > 0$이므로 $t > 4$

$2^x > 4$에서 $2^x > 2^2$

밑 2는 1보다 크므로

$x > 2$      답 $x > 2$

**030** $9^x - 6 \times 3^x - 27 \leq 0$에서 $(3^x)^2 - 6 \times 3^x - 27 \leq 0$

$3^x = t \ (t > 0)$로 놓으면

$t^2 - 6t - 27 \leq 0$

$(t+3)(t-9) \leq 0$      $\therefore -3 \leq t \leq 9$

$t = 3^x > 0$이므로 $0 < t \leq 9$

즉, $0 < 3^x \leq 9$에서 $0 < 3^x \leq 3^2$

밑 3은 1보다 크므로 $x \leq 2$      답 $x \leq 2$

**031** $2^{-x+6} = 4^{x-1}$에서 $2^{-x+6} = (2^2)^{x-1}$

$2^{-x+6} = 2^{2(x-1)}$, $2^{-x+6} = 2^{2x-2}$

$-x+6 = 2x-2$이므로 $x = \dfrac{8}{3}$

$\therefore 3a = 3 \times \dfrac{8}{3} = 8$      답 ④

**032** $\sqrt{a^3} = \sqrt[3]{a\sqrt{a^x}}$에서

$a^{\frac{3}{2}} = \left(a \times a^{\frac{x}{2}}\right)^{\frac{1}{3}} = \left(a^{1+\frac{x}{2}}\right)^{\frac{1}{3}}$

$\quad\quad = a^{\frac{1}{3}\left(1+\frac{x}{2}\right)}$

$a > 0$, $a \neq 1$이므로 $\dfrac{3}{2} = \dfrac{1}{3}\left(1 + \dfrac{x}{2}\right)$

$9 = 2\left(1 + \dfrac{x}{2}\right)$, $9 = 2 + x$

$\therefore x = 7$      답 7

**033** $\left(\dfrac{4}{3}\right)^{2x^2-5} = \left(\dfrac{3}{4}\right)^{2-x}$에서 $\left(\dfrac{4}{3}\right)^{2x^2-5} = \left(\dfrac{4}{3}\right)^{x-2}$

즉, $2x^2 - 5 = x - 2$이므로

$2x^2 - x - 3 = 0$, $(x+1)(2x-3) = 0$

$\therefore x = -1$ 또는 $x = \dfrac{3}{2}$

따라서 모든 근의 합은

$(-1) + \dfrac{3}{2} = \dfrac{1}{2}$      답 ②

다른 풀이

$2x^2 - x - 3 = 0$에서 근과 계수의 관계에 의하여

(두 근의 합)$= \dfrac{1}{2}$

**034** 양변의 밑이 $x$로 같으므로 지수가 같거나 밑이 1이어야 한다.

(i) $x \neq 1$일 때,

     $3x+2 = 2x$이면 $x = -2$

(ii) $x = 1$일 때,

     주어진 방정식은 $1^5 = 1^2$이므로 성립한다.

     $\therefore x = 1$

(i), (ii)에 의하여 두 근의 곱은 $-2$이다.      답 ①

**035** 지수가 $x+1$로 같으므로 밑이 같거나 지수가 0이어야 한다.

(i) $x-1 = 2$이면 $x = 3$

(ii) $x+1 = 0$이면 $x = -1$

$x > 1$이므로 $-1$은 $x$의 값이 될 수 없다.

(i), (ii)에 의하여 주어진 방정식을 만족시키는 $x$의 값은 3이다.

     답 3

**036** $5^x = 2^{2-x}$의 양변에 상용로그를 취하면

$x \log 5 = (2-x) \log 2$

$x \log 5 + x \log 2 = 2 \log 2$

$(\log 5 + \log 2)x = 2 \log 2$

$\therefore x = 2 \log 2$

즉, $\alpha = 2 \log 2$이므로

$10^{3\alpha} = 10^{6 \log 2} = 10^{\log 2^6} = 2^6 = 64$      답 64

**037** $2^{2x} - 9 \times 2^x + 8 = 0$에서 $2^x = t \ (t > 0)$로 놓으면

$t^2 - 9t + 8 = 0$

$(t-1)(t-8) = 0$

$\therefore t = 1$ 또는 $t = 8$

즉, $2^x = 1$ 또는 $2^x = 8$이므로

$x = 0$ 또는 $x = 3$

$\therefore \alpha + \beta = 3$      답 ④

다른 풀이

$t$에 대한 이차방정식 $t^2 - 9t + 8 = 0$에서 근과 계수의 관계에 의하여

$2^\alpha \times 2^\beta = 8$, $2^{\alpha+\beta} = 2^3$

$\therefore \alpha + \beta = 3$

**038** $9^x - 2 \times 3^{x+1} = 27$에서 $(3^x)^2 - 6 \times 3^x - 27 = 0$이므로

$3^x = t \ (t > 0)$로 놓으면

$t^2 - 6t - 27 = 0$, $(t+3)(t-9) = 0$

$\therefore t = -3$ 또는 $t = 9$

$t > 0$이므로 $t = 9$

따라서 $3^x = 9 = 3^2$이므로

$x = 2$      답 $x = 2$

**039** $4^x - 5 \times 2^{x+1} + 2^k = 0$에 $x = 1$을 대입하면

$4 - 5 \times 2^2 + 2^k = 0$

$2^k = 16$      $\therefore k = 4$

$\therefore 4^x - 5 \times 2^{x+1} + 16 = 0$

$2^x = t \ (t > 0)$로 놓으면

$t^2 - 10t + 16 = 0$

$(t-2)(t-8) = 0$

$\therefore t = 2$ 또는 $t = 8$

즉, $2^x = 2$ 또는 $2^x = 8$이므로

$x = 1$ 또는 $x = 3$

따라서 나머지 한 근은 3이다.      답 ④

**040** $4^{x-1} = 2^{x+1} + 1$의 양변에 4를 곱하여 정리하면

$4^x - 8 \times 2^x - 4 = 0$

$2^x = t \ (t > 0)$로 놓으면

$t^2 - 8t - 4 = 0$

$\therefore t = 4 \pm \sqrt{5}$

$t > 0$이므로 $t = 4 + 2\sqrt{5}$

즉, $2^x = 4 + 2\sqrt{5}$이므로

$4^x = (4+2\sqrt{5})^2 = 36 + 16\sqrt{5}$

따라서 $a = 36$, $b = 16$이므로

$a + b = 52$

**답** 52

**041** $2^x + 2^{-x} = 2$의 양변에 $2^x$을 곱하여 정리하면

$(2^x)^2 - 2 \times 2^x + 1 = 0$

$2^x = t$ $(t > 0)$로 놓으면

$t^2 - 2t + 1 = 0$

$(t-1)^2 = 0$   ∴ $t = 1$

즉, $2^x = 1$이므로 $x = 0$

∴ $8^x = 1$

**답** ③

**042** $2(2^x + 2^{-x})^2 - 7(2^x + 2^{-x}) + 5 = 0$에서

$2^x + 2^{-x} = X$로 놓으면 $2^x > 0$, $2^{-x} > 0$이므로 산술평균과 기하평균의 관계에 의하여

$X = 2^x + 2^{-x} \geq 2\sqrt{2^x \times 2^{-x}} = 2$

(단, 등호는 $2^x = 2^{-x}$일 때 성립한다.)

즉, $X \geq 2$이고, 주어진 방정식은

$2X^2 - 7X + 5 = 0$

$(2X-5)(X-1) = 0$

∴ $X = \dfrac{5}{2}$ $(\because X \geq 2)$

$2^x + 2^{-x} = \dfrac{5}{2}$이므로

양변에 $2 \times 2^x$을 곱하여 정리하면

$2 \times 2^{2x} - 5 \times 2^x + 2 = 0$

$2^x = t$ $(t > 0)$로 놓으면

$2t^2 - 5t + 2 = 0$

$(2t-1)(t-2) = 0$

∴ $t = \dfrac{1}{2}$ 또는 $t = 2$

즉, $2^x = \dfrac{1}{2}$ 또는 $2^x = 2$이므로

$x = -1$ 또는 $x = 1$

따라서 방정식의 모든 실근의 곱은 $-1$이다.

**답** ②

**043** $x - y = -1$에서 $y = x + 1$   ······ ㉠

$4^x - 2^y = 48$에 대입하면

$4^x - 2^{x+1} = 48$, $2^{2x} - 2 \times 2^x - 48 = 0$

$2^x = t$ $(t > 0)$로 놓으면

$t^2 - 2t - 48 = 0$, $(t+6)(t-8) = 0$

∴ $t = 8$ $(\because t > 0)$

즉, $2^x = 8 = 2^3$이므로 $x = 3$

㉠에서 $y = 4$

∴ $x + y = 7$

**답** 7

**044** $2^x = X$ $(X > 0)$, $3^y = Y$ $(Y > 0)$로 놓으면

$\begin{cases} X + 2Y = 34 & \cdots\cdots ㉠ \\ 2X - Y = 23 & \cdots\cdots ㉡ \end{cases}$

㉠, ㉡을 연립하여 풀면

$X = 16$, $Y = 9$

즉, $2^x = 16 = 2^4$에서 $x = 4$, $3^y = 9 = 3^2$에서 $y = 2$

따라서 $\alpha = 4$, $\beta = 2$이므로

$\alpha + \beta = 6$

**답** ②

**045** $2^x = X$, $2^y = Y$ $(X > 0, Y > 0)$로 놓으면

$\begin{cases} X - Y = 4 & \cdots\cdots ㉠ \\ XY = 32 & \cdots\cdots ㉡ \end{cases}$

㉠에서 $Y = X - 4$이므로 이것을 ㉡에 대입하면

$X(X-4) = 32$

$X^2 - 4X - 32 = 0$

$(X-8)(X+4) = 0$

∴ $X = 8$, $Y = 4$ $(\because X > 0)$

즉, $2^x = 8$, $2^y = 4$이므로

$x = 3$, $y = 2$

∴ $x - y = 1$

**답** 1

**046** $4^x - 7 \times 2^x + 8 = 0$에서 $2^x = t$ $(t > 0)$로 놓으면

$t^2 - 7t + 8 = 0$   ······ ㉠

주어진 방정식의 두 근이 $\alpha$, $\beta$이므로 ㉠의 두 근은 $2^\alpha$, $2^\beta$이다.

따라서 이차방정식의 근과 계수의 관계에 의하여

$2^\alpha \times 2^\beta = 8$, $2^{\alpha+\beta} = 2^3$

∴ $\alpha + \beta = 3$

**답** 3

**047** $a^{2x} - 5a^x + 6 = 0$에서 $a^x = t$ $(t > 0)$로 놓으면

$t^2 - 5t + 6 = 0$   ······ ㉠

주어진 방정식의 두 근을 $\alpha$, $\beta$라 하면 $\alpha + \beta = 2$이고,

㉠의 두 근은 $a^\alpha$, $a^\beta$이다.

따라서 이차방정식의 근과 계수의 관계에 의하여

$a^\alpha \times a^\beta = a^{\alpha+\beta} = a^2 = 6$

∴ $a = \sqrt{6}$ $(\because a > 1)$

**답** ④

**048** $4^{2x} - 4^{x+1} + 1 = 0$에서 $4^x = t$ $(t > 0)$로 놓으면

$t^2 - 4t + 1 = 0$   ······ ㉠

주어진 방정식의 두 근이 $\alpha$, $\beta$이므로 ㉠의 두 근은 $4^\alpha$, $4^\beta$이다.

따라서 이차방정식의 근과 계수의 관계에 의하여

$4^\alpha + 4^\beta = 4$ , $4^\alpha \times 4^\beta = 1$

$\therefore (2^\alpha + 2^\beta)^2 = 4^\alpha + 4^\beta + 2 \times 2^\alpha \times 2^\beta$

$= 4^\alpha + 4^\beta + 2\sqrt{4^\alpha \times 4^\beta}$

$= 4 + 2$

$= 6$

$2^\alpha + 2^\beta > 0$이므로

$2^\alpha + 2^\beta = \sqrt{6}$

**답** ②

**049** $3^{3-x} \leq 9^{x+6}$에서 $3^{3-x} \leq (3^2)^{x+6}$

$3^{3-x} \leq 3^{2x+12}$

밑 3은 1보다 크므로

$3 - x \leq 2x + 12$, $-3x \leq 9$

∴ $x \geq -3$

**답** ②

**050** $\left(\dfrac{1}{2}\right)^{x^2} > \left(\dfrac{1}{4}\right)^{x+4}$에서 $\left(\dfrac{1}{2}\right)^{x^2} > \left(\dfrac{1}{2}\right)^{2x+8}$

밑 $\dfrac{1}{2}$은 0보다 크고 1보다 작으므로

$x^2 < 2x + 8$, $x^2 - 2x - 8 < 0$

$(x+2)(x-4) < 0$   ∴ $-2 < x < 4$

따라서 정수 $x$는 $-1$, $0$, $1$, $2$, $3$의 5개이다.

**답** 5

**051** $\left(\dfrac{\sqrt{3}}{3}\right)^{-2x-2}>9(\sqrt{3})^x$에서

$(3^{-\frac{1}{2}})^{-2x-2}>3^{2+\frac{1}{2}x}$

$3^{x+1}>3^{2+\frac{1}{2}x}$

밑 3은 1보다 크므로

$x+1>2+\dfrac{1}{2}x$

$\therefore x>2$        답 ⑤

**052** $a^{2x+1}>\sqrt[3]{a}\times a^{3x}$에서 $a^{2x+1}>a^{\frac{1}{3}+3x}$

$0<a<1$이므로

$2x+1<\dfrac{1}{3}+3x$

$\therefore x>\dfrac{2}{3}$        답 ⑤

**053** (i) $0<x<1$일 때,

　$x^x\leq x^3$에서 $x\geq3$이므로 주어진 부등식을 만족시키는 실수

　$x$의 값은 없다.

(ii) $x=1$일 때,

　$x^x\leq x^3$에서 $1^1=1^3$이므로 주어진 부등식은 성립한다.

　$\therefore x=1$

(iii) $x>1$일 때,

　$x^x\leq x^3$에서 $x\leq3$    $\therefore 1<x\leq3$

(i), (ii), (iii)에 의하여 $1\leq x\leq3$      답 ⑤

**054** $3^{2x}>2^{3x}$의 양변에 상용로그를 취하면

$\log 3^{2x}>\log 2^{3x}$

$2x\log 3>3x\log 2$

$2x\log 3-3x\log 2>0$

$(2\log 3-3\log 2)x>0$

$2\log 3-3\log 2=\log 3^2-\log 2^3$

$\qquad\qquad\qquad =\log 9-\log 8>0$

이므로 양변을 $2\log 3-3\log 2$로 나누면

$x>0$        답 ③

**055** $(3^x-9)(3^x-81)\leq0$에서 $3^x=t$ $(t>0)$로 놓으면

$(t-9)(t-81)\leq0$

$\therefore 9\leq t\leq81$

즉, $9\leq 3^x\leq81$이므로 $3^2\leq 3^x\leq 3^4$

$\therefore 2\leq x\leq4$

따라서 구하는 자연수 $x$는 2, 3, 4이므로 그 합은 $2+3+4=9$

       답 ③

**056** $4^{x+1}-9\times2^x+2\leq0$에서 $4\times2^{2x}-9\times2^x+2\leq0$

$2^x=t$ $(t>0)$로 놓으면

$4t^2-9t+2\leq0$

$(4t-1)(t-2)\leq0$

$\therefore \dfrac{1}{4}\leq t\leq2$

즉, $2^{-2}\leq 2^x\leq 2^1$이므로

$-2\leq x\leq1$

따라서 구하는 정수 $x$는 $-2$, $-1$, $0$, $1$의 4개이다.

       답 4

**057** $4^x-2^{x+4}+64\leq0$에서

$2^{2x}-2^4\times2^x+64\leq0$, $2^{2x}-16\times2^x+64\leq0$

$2^x=t$ $(t>0)$로 놓으면

$t^2-16t+64\leq0$

$(t-8)^2\leq0$    $\therefore t=8$

즉, $2^x=8=2^3$이므로

$x=3$        답 $x=3$

**058** $\left(\dfrac{1}{9}\right)^x-12\left(\dfrac{1}{3}\right)^x+27\leq0$에서

$\left(\dfrac{1}{3}\right)^{2x}-12\left(\dfrac{1}{3}\right)^x+27\leq0$

$\left(\dfrac{1}{3}\right)^x=t$ $(t>0)$로 놓으면

$t^2-12t+27\leq0$

$(t-3)(t-9)\leq0$

$\therefore 3\leq t\leq9$

즉, $\left(\dfrac{1}{3}\right)^{-1}\leq\left(\dfrac{1}{3}\right)^x\leq\left(\dfrac{1}{3}\right)^{-2}$이므로

$-2\leq x\leq-1$

따라서 $x$의 최댓값 $M=-1$, 최솟값 $m=-2$이므로

$M+m=-3$        답 ①

**059** $2^x+2^{-x+3}<6$에서

$2^x+8\times2^{-x}<6$

양변에 $2^x$을 곱하면

$(2^x)^2-6\times2^x+8<0$

$2^x=t$ $(t>0)$로 놓으면

$t^2-6t+8<0$

$(t-2)(t-4)<0$    $\therefore 2<t<4$

즉, $2^1<2^x<2^2$이므로 $1<x<2$

따라서 $\alpha=1$, $\beta=2$이므로

$\alpha+\beta=3$        답 ③

**060** $4^{x+1}+a\times2^x+b<0$에서

$4(2^x)^2+a\times2^x+b<0$

$2^x=t$ $(t>0)$로 놓으면

$4t^2+at+b<0$      ······ ㉠

해가 $-2<x<4$이므로 $2^{-2}<2^x<2^4$

$\therefore \dfrac{1}{4}<t<16$

즉, ㉠의 해가 $\dfrac{1}{4}<t<16$이므로

$4\left(t-\dfrac{1}{4}\right)(t-16)<0$, $4t^2-65t+16<0$

따라서 $a=-65$, $b=16$이므로

$b-a=81$        답 81

**061** $3^{x^2}\leq9^{x+4}$에서 $3^{x^2}\leq(3^2)^{x+4}$이므로

$3^{x^2}\leq3^{2x+8}$

밑 3은 1보다 크므로

$x^2 \leq 2x+8$, $x^2-2x-8 \leq 0$

$(x+2)(x-4) \leq 0$

$\therefore -2 \leq x \leq 4$ ······ ㉠

$\left(\dfrac{1}{25}\right)^{x-3} \geq \left(\dfrac{1}{5}\right)^{3x-4}$ 에서 $\left\{\left(\dfrac{1}{5}\right)^2\right\}^{x-3} \geq \left(\dfrac{1}{5}\right)^{3x-4}$

$\left(\dfrac{1}{5}\right)^{2x-6} \geq \left(\dfrac{1}{5}\right)^{3x-4}$

밑 $\dfrac{1}{5}$ 은 0보다 크고 1보다 작으므로

$2x-6 \leq 3x-4$

$\therefore x \geq -2$ ······ ㉡

㉠, ㉡에 의하여 $-2 \leq x \leq 4$이므로 구하는 정수 $x$는
$-2$, $-1$, 0, 1, 2, 3, 4의 7개이다. 답 7

**062** $\left(\dfrac{1}{8}\right)^{2x+1} < 32 < \left(\dfrac{1}{4}\right)^{2x-4}$ 에서

$\left(\dfrac{1}{2}\right)^{3(2x+1)} < \left(\dfrac{1}{2}\right)^{-5} < \left(\dfrac{1}{2}\right)^{2(2x-4)}$

밑 $\dfrac{1}{2}$ 은 0보다 크고 1보다 작으므로

$4x-8 < -5 < 6x+3$

(i) $4x-8 < -5$에서

$4x < 3$

$\therefore x < \dfrac{3}{4}$

(ii) $-5 < 6x+3$에서

$6x > -8$

$\therefore x > -\dfrac{4}{3}$

(i), (ii)에 의하여 $-\dfrac{4}{3} < x < \dfrac{3}{4}$

따라서 구하는 정수 $x$는 $-1$, 0의 2개이다. 답 ③

**063** $4^x - 12 \times 2^x + 32 = 0$에서 $2^x = t$ $(t>0)$로 놓으면

$t^2 - 12t + 32 = 0$, $(t-4)(t-8)=0$

$\therefore t=4$ 또는 $t=8$

$2^x = 4 = 2^2$ 또는 $2^x = 8 = 2^3$이므로

$x=2$ 또는 $x=3$

$\therefore A = \{2, 3\}$

$\left(\dfrac{1}{9}\right)^x - \left(\dfrac{1}{3}\right)^x < 72$에서 $\left(\dfrac{1}{3}\right)^x = t$ $(t>0)$로 놓으면

$t^2 - t - 72 < 0$, $(t+8)(t-9) < 0$

$\therefore -8 < t < 9$

$t > 0$이므로 $0 < t < 9$

$0 < \left(\dfrac{1}{3}\right)^x < \left(\dfrac{1}{3}\right)^{-2}$이고 밑 $\dfrac{1}{3}$이 0보다 크고 1보다 작으므로

$x > -2$

$\therefore B = \{x \mid x > -2\}$

$\therefore A \cap B = \{2, 3\}$ 답 $\{2, 3\}$

**064** $3^{2x} - k \times 3^x + 18 = 0$에서 $3^x = t$ $(t>0)$로 놓으면

$t^2 - kt + 18 = 0$이고, 이 이차방정식의 두 근을 $t_1$, $t_2$라 하자.

그런데 $x = \log_3 2$에서 $3^x = 2$이므로

즉, $t_1 = 2$라 하면 이차방정식의 근과 계수의 관계에 의하여

$t_1 t_2 = 2t_2 = 18$ $\therefore t_2 = 9$

$\therefore k = t_1 + t_2$

$= 2+9 = 11$ 답 11

다른 풀이

$t=2$를 $t^2 - kt + 18 = 0$에 대입하면

$2^2 - 2k + 18 = 0$

$2k = 22$ $\therefore k = 11$

**065** $4^x - 2^{x+1} - k > 0$에서 $(2^x)^2 - 2 \times 2^x - k > 0$

$2^x = t$ $(t>0)$로 놓으면

$t^2 - 2t - k > 0$ ······ ㉠

주어진 부등식이 모든 실수 $x$에 대하여 성립하려면 ㉠은 $t>0$ 인 모든 실수 $t$에 대하여 성립해야 한다.

$t$에 대한 이차방정식 $t^2 - 2t - k = 0$의 판별식을 $D$라 하면

$\dfrac{D}{4} = 1 + k < 0$

$\therefore k < -1$ 답 ②

**066** $\left(\dfrac{1}{3}\right)^{x^2+6} \leq 3^{k(1-2x)}$에서 $\left(\dfrac{1}{3}\right)^{x^2+6} \leq \left(\dfrac{1}{3}\right)^{k(2x-1)}$

밑 $\dfrac{1}{3}$ 은 0보다 크고 1보다 작으므로

$x^2 + 6 \geq k(2x-1)$

즉, $x^2 - 2kx + k + 6 \geq 0$이 모든 실수 $x$에 대하여 성립해야 하므로 이차방정식 $x^2 - 2kx + k + 6 = 0$의 판별식을 $D$라 하면

$\dfrac{D}{4} = k^2 - k - 6 \leq 0$

$(k+2)(k-3) \leq 0$

$\therefore -2 \leq k \leq 3$

따라서 정수 $k$의 최댓값 $M=3$, 최솟값 $m=-2$이므로

$M^2 + m^2 = 3^2 + (-2)^2$

$= 13$ 답 13

**067** 단세포 생물의 개체 수가 2배로 늘어나는 데 $k$시간이 걸리므로 4시간 후의 이 단세포 생물의 개체 수는 $2^{\frac{4}{k}}$배가 된다.

$2^{\frac{4}{k}} = 8$에서 $2^{\frac{4}{k}} = 2^3$

$\dfrac{4}{k} = 3$ $\therefore k = \dfrac{4}{3}$

12시간 후 이 단세포 생물의 개체 수는 $2^{\frac{12}{k}}$배가 되므로

$2^{\frac{12}{k}} = 2^{\frac{12}{\frac{4}{3}}} = 2^9$

$= 512$

따라서 이 단세포 생물 1마리는 12시간 후 512마리가 된다. 답 ⑤

다른 풀이

1마리가

$4 \times 1$시간 후 8마리

$4 \times 2$시간 후 $8^2$마리

$4 \times 3$시간 후 $8^3$마리

⋮

즉, $4n$시간 후에는 $8^n$마리가 되므로 이 단세포 생물 1마리는 12시간 후

$8^3 = 512$ (마리)

가 된다.

**068** 처음 불순물의 양을 1이라 하면

여과기를 $n$번 통과한 불순물의 양은 $\left(\dfrac{1}{2}\right)^n$이므로

불순물의 양이 0.1 % 이하가 되도록 하려면

$\left(\dfrac{1}{2}\right)^n \leq \dfrac{0.1}{100} = \dfrac{1}{1000}$

$2^n \geq 1000$

$\therefore n \geq 10 \ (\because 2^9 = 512, \ 2^{10} = 1024)$

따라서 여과기를 적어도 10번 통과해야 한다. 　답 ⑤

**069** $r = 10^{2.7}$, $m = 1.3$이므로

$\left(\dfrac{10^{2.7}}{10}\right)^2 = 100^{\frac{1}{5}(1.3-M)}$

$10^{3.4} = 10^{\frac{2}{5}(1.3-M)}$

즉, $3.4 = \dfrac{2}{5}(1.3-M)$이므로

$2M = -14.4$

$\therefore M = -7.2$ 　답 ④

**070** 2마리의 박테리아를 4시간 동안 배양하면 50마리가 되므로

$2 \times k^{0.5 \times 4} = 50$

$2k^2 = 50$, $k^2 = 25$

$\therefore k = 5 \ (\because k > 0)$

2마리를 $x$시간 동안 배양하여 400마리 이상이 된다고 하면

$2 \times 5^{0.5x} \geq 400$

$5^{0.5x} \geq 200$

이 식의 양변에 상용로그를 취하면

$\log 5^{0.5x} \geq \log 200$

$0.5x \log 5 \geq 2 + \log 2$

$\therefore x \geq \dfrac{2(2 + \log 2)}{\log 5}$

$\quad\ = \dfrac{2(2 + \log 2)}{1 - \log 2}$

$\quad\ = \dfrac{2(2 + 0.3)}{1 - 0.3}$

$\quad\ = \dfrac{46}{7} = 6. \times \times \times$

따라서 2마리의 박테리아를 배양하여 처음으로 400마리 이상이 되는 것은 7시간 후이다. 　답 ③

**071** $\left(\dfrac{3}{2}\right)^{x+1} = \left(\dfrac{3}{2}\right)^{-x+5}$에서

$x + 1 = -x + 5$

$\therefore x = 2$ 　답 $x=2$

**072** $4^x - 6 \times 2^x + 8 = 0$에서 $2^x = t \ (t > 0)$로 놓으면

$t^2 - 6t + 8 = 0$

$(t-2)(t-4) = 0$

$\therefore t = 2$ 또는 $t = 4$

즉, $2^x = 2$ 또는 $2^x = 4$이므로

$x = 1$ 또는 $x = 2$

$\therefore \alpha^2 + \beta^2 = 1^2 + 2^2 = 5$ 　답 5

**073** $2^x - 2^{-x+1} = 2$의 양변에 $2^x$을 곱하여 정리하면

$(2^x)^2 - 2 \times 2^x - 2 = 0$

$2^x = t \ (t > 0)$로 놓으면

$t^2 - 2t - 2 = 0$

$\therefore t = 1 \pm \sqrt{3}$

$t > 0$이므로 $t = 1 + \sqrt{3}$

즉, $2^x = 1 + \sqrt{3}$이므로

$4^x = (1 + \sqrt{3})^2 = 4 + 2\sqrt{3}$

따라서 $a = 4$, $b = 2$이므로

$a + b = 6$ 　답 ③

**074** $4^x - 8 \times 2^x + 15 = 0$에서 $2^x = t \ (t > 0)$로 놓으면

$t^2 - 8t + 15 = 0$ ⋯⋯ ㉠

주어진 방정식의 두 근이 $\alpha$, $\beta$이므로 ㉠의 두 근은 $2^\alpha$, $2^\beta$이다.

따라서 이차방정식의 근과 계수의 관계에 의하여

$2^\alpha + 2^\beta = 8$, $2^\alpha \times 2^\beta = 15$

$\therefore 2^{2\alpha} + 2^{2\beta} = (2^\alpha + 2^\beta)^2 - 2 \times 2^\alpha \times 2^\beta$

$\qquad\qquad\quad = 8^2 - 2 \times 15$

$\qquad\qquad\quad = 64 - 30 = 34$ 　답 34

**075** $2^{x^2} < 4 \times 2^x$에서 $2^{x^2} < 2^{x+2}$

밑 2는 1보다 크므로

$x^2 < x + 2$

$x^2 - x - 2 < 0$, $(x+1)(x-2) < 0$

$\therefore -1 < x < 2$

따라서 $\alpha = -1$, $\beta = 2$이므로

$\alpha + \beta = 1$ 　답 ①

**076** $\left(\dfrac{1}{3}\right)^{2x} \geq \dfrac{1}{81}$에서

$\left(\dfrac{1}{3}\right)^{2x} \geq \left(\dfrac{1}{3}\right)^4$

밑 $\dfrac{1}{3}$은 0보다 크고 1보다 작으므로

$2x \leq 4$ $\therefore x \leq 2$

$8^{x^2 + 2x - 4} \leq 4^{x^2 + x}$에서

$2^{3(x^2 + 2x - 4)} \leq 2^{2(x^2 + x)}$

밑 2는 1보다 크므로

$3x^2 + 6x - 12 \leq 2x^2 + 2x$

$x^2 + 4x - 12 \leq 0$

$(x+6)(x-2) \leq 0$

$\therefore -6 \leq x \leq 2$

즉, $A = \{x \mid x \leq 2\}$, $B = \{x \mid -6 \leq x \leq 2\}$이므로 $B \subset A$

①, ② $A \cap B = B$

③, ④ $A \cup B = A$

⑤ $A - B \neq \varnothing$

따라서 옳은 것은 ③이다. 　답 ③

**077** $81 < 96 < 243$이므로

$3^4 < 3^{a+2} < 3^5$

$4 < a + 2 < 5$

$\therefore 2 < a < 3$ 　답 ③

**078** $9^x - 3^{x+2} + 18 < 0$에서

$(3^x)^2 - 9 \times 3^x + 18 < 0$

$3^x=t\ (t>0)$로 놓으면
$t^2-9t+18<0$
$(t-3)(t-6)<0$
$\therefore 3<t<6$
즉, $3<3^x<6$이고,
$\alpha<x<\beta$에서 $3^\alpha<3^x<3^\beta$이므로
$3^\alpha=3,\ 3^\beta=6$
$\therefore 3^\alpha\times 3^\beta=18$ 답 18

**079** $4^x-3\times 2^{x+2}+32<0$에서
$(2^x)^2-12\times 2^x+32<0$
$2^x=t\ (t>0)$로 놓으면
$t^2-12t+32<0$
$(t-4)(t-8)<0$
$\therefore 4<t<8$
즉, $2^2<2^x<2^3$이므로
$2<x<3$  ……㉠
$\left(\dfrac{1}{2}\right)^{3x+1}<\left(\dfrac{1}{2}\right)^{2x}$에서 $3x+1>2x$
$\therefore x>-1$  ……㉡
㉠, ㉡에 의하여 $2<x<3$
따라서 $a=2,\ b=3$이므로
$a+b=5$ 답 5

**080** 배양한 지 2시간 후의 박테리아의 개체 수가 $5n$이므로
$5n=n\times 2^{2k},\ 2^{2k}=5$
$\therefore 2^k=\sqrt{5}\ (\because 2^k>0)$
5시간 후의 박테리아의 개체 수는
$n\times 2^{5k}=n\times(2^k)^5$
$\qquad\qquad =n\times(\sqrt{5})^5=25\sqrt{5}\,n$
따라서 5시간 후의 개체 수는 처음 개체 수의 $25\sqrt{5}$배이다. 답 ④

**081** $4^x-9^y=15$에서
$2^x=X,\ 3^y=Y\ (X>0,\ Y>0)$로 놓으면
$X^2-Y^2=15$
$(X+Y)(X-Y)=15$
$x,\ y$가 음이 아닌 정수이므로 $X,\ Y,\ X-Y,\ X+Y$도 모두
음이 아닌 정수이고, $X+Y>X-Y$이다.
즉, 다음의 두 경우에 대하여 근을 구하면 된다.
(i) $\begin{cases} X+Y=15 \\ X-Y=1 \end{cases}$일 때,

두 식을 연립하여 풀면
$X=8,\ Y=7$
즉, $2^x=8,\ 3^y=7$
그런데 음이 아닌 정수 $y$는 존재하지 않는다.
(ii) $\begin{cases} X+Y=5 \\ X-Y=3 \end{cases}$일 때,

두 식을 연립하여 풀면
$X=4,\ Y=1$
즉, $2^x=4,\ 3^y=1$이므로
$x=2,\ y=0$

(i), (ii)에 의하여 음이 아닌 정수 $x,\ y$의 값은
$x=2,\ y=0$ 답 $x=2,\ y=0$

**082** $4^x=2^{x+1}+k$에서 $4^x-2\times 2^x-k=0$
$2^x=t\ (t>0)$로 놓으면
$t^2-2t-k=0$  ……㉠
주어진 방정식이 서로 다른 두 실근을 가지려면 ㉠은 서로 다른
두 양의 실근을 가져야 한다.
(i) 이차방정식의 근과 계수의 관계에 의하여
(두 근의 합)$=2>0$, (두 근의 곱)$=-k>0$
$\therefore k<0$
(ii) 이차방정식 ㉠의 판별식을 $D$라 하면
$\dfrac{D}{4}=1+k>0$  $\therefore k>-1$
(i), (ii)에 의하여 $-1<k<0$
따라서 $\alpha=-1,\ \beta=0$이므로
$\alpha+\beta=-1$ 답 ②

다른 풀이
$2^x=t\ (t>0)$로 놓으면 주어진 방정
식은 $t^2=2t+k$
$t^2-2t=k$  ……㉠

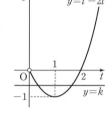

㉠이 서로 다른 두 양의 실근을 가지려
면 함수 $y=t^2-2t\ (t>0)$의 그래프
와 직선 $y=k$가 서로 다른 두 점에서
만나야 한다.
즉, 그림에서 $k$의 값의 범위는
$-1<k<0$
$\therefore \alpha+\beta=(-1)+0$
$\qquad\qquad =-1$

**001** $\log_2 x = 4$에서 $x = 2^{\boxed{4}}$

$\therefore x = \boxed{16}$

답 4, 16

**002** $\log_3 x = 2$에서 $x = \boxed{3}^2$

$\therefore x = \boxed{9}$

답 3, 9

**003** $\log_2 x = 1$에서 $x = 2^1$

$\therefore x = 2$

답 2

**004** $\log_5 x = 0$에서 $x = 5^0$

$\therefore x = 1$

답 1

**005** $\log_{\frac{1}{3}} x = 2$에서 $x = \left(\dfrac{1}{3}\right)^2$

$\therefore x = \dfrac{1}{9}$

답 $\dfrac{1}{9}$

**006** $\log_2 x = -3$에서 $x = 2^{-3} = \left(\dfrac{1}{2}\right)^3$

$\therefore x = \dfrac{1}{8}$

답 $\dfrac{1}{8}$

**007** 진수의 조건에서 $x+1 > 0$

$\therefore x > -1$ ······ ㉠

$\log_3(x+1) = 1$에서 $x+1 = 3^1$

$x+1 = 3$

$\therefore x = 2$

$x = 2$는 ㉠을 만족하므로 구하는 해이다.

답 2

**008** 진수의 조건에서 $3x - 5 > 0$

$\therefore x > \dfrac{5}{3}$ ······ ㉠

$\log_2(3x-5) = 2$에서 $3x - 5 = 2^2$

$3x = 4 + 5 = 9$

$\therefore x = 3$

$x = 3$은 ㉠을 만족하므로 구하는 해이다.

답 3

**009** 진수의 조건에서 $x+2 > 0$

$\therefore x > -2$ ······ ㉠

$\log_3(x+2) = \log_3 5$에서 $x + 2 = 5$

$\therefore x = 3$

$x = 3$은 ㉠을 만족하므로 구하는 해이다.

답 $x = 3$

**010** 진수의 조건에서 $x - 3 > 0$

$\therefore x > 3$ ······ ㉠

$\log_{\frac{1}{2}}(x-3) = \log_{\frac{1}{2}} 6$에서 $x - 3 = 6$

$\therefore x = 9$

$x = 9$는 ㉠을 만족하므로 구하는 해이다.

답 $x = 9$

**011** 진수의 조건에서 $3x - 1 > 0$, $2x > 0$

$\therefore x > \dfrac{1}{3}$ ······ ㉠

$\log_5(3x-1) = \log_5 2x$에서

$3x - 1 = 2x$

$\therefore x = 1$

$x = 1$은 ㉠을 만족하므로 구하는 해이다.

답 $x = 1$

**012** 진수의 조건에서 $4x - 3 > 0$, $3x + 5 > 0$

$\therefore x > \dfrac{3}{4}$ ······ ㉠

$\log_{\frac{1}{2}}(4x-3) = \log_{\frac{1}{2}}(3x+5)$에서

$4x - 3 = 3x + 5$

$\therefore x = 8$

$x = 8$은 ㉠을 만족하므로 구하는 해이다.

답 $x = 8$

**013** 진수의 조건에서 $x - 4 > 0$, $2x > 0$

$\therefore x > \boxed{4}$ ······ ㉠

$\log_2(x-4) = \log_4 2x$에서

$\log_2(x-4) = \boxed{\dfrac{1}{2}} \log_2 2x$

$\boxed{2} \log_2(x-4) = \log_2 2x$

$\log_2(x-4)^{\boxed{2}} = \log_2 2x$

$(x-4)^{\boxed{2}} = 2x$

$x^2 - 8x + 16 = 2x$

$x^2 - 10x + 16 = 0$

$(x-2)(x-8) = 0$

$\therefore x = 2$ 또는 $x = 8$

그런데 ㉠에서 $x > \boxed{4}$이므로 $x = \boxed{8}$

답 4, $\dfrac{1}{2}$, 2, 2, 2, 4, 8

**014** 진수의 조건에서 $x - 1 > 0$, $x + 1 > 0$

$\therefore x > 1$ ······ ㉠

$\log_2(x-1) = \log_4(x+1)$에서

$\log_2(x-1) = \dfrac{1}{2} \log_2(x+1)$

$2 \log_2(x-1) = \log_2(x+1)$

$\log_2(x-1)^2 = \log_2(x+1)$

$x^2 - 2x + 1 = x + 1$

$x^2 - 3x = 0$

$x(x-3) = 0$

$\therefore x = 0$ 또는 $x = 3$

그런데 ㉠에서 $x > 1$이므로 $x = 3$

답 $x = 3$

**015** 진수의 조건에서 $x - 3 > 0$, $5 - x > 0$

$\therefore 3 < x < 5$ ······ ㉠

$\log_3(x-3) = \log_9(5-x)$에서

$\log_3(x-3) = \dfrac{1}{2} \log_3(5-x)$

$2 \log_3(x-3) = \log_3(5-x)$

$\log_3(x-3)^2 = \log_3(5-x)$

$x^2 - 6x + 9 = 5 - x$

$x^2 - 5x + 4 = 0$

$(x-1)(x-4) = 0$

$\therefore x = 1$ 또는 $x = 4$

그런데 ㉠에서 $3 < x < 5$이므로 $x = 4$

답 $x = 4$

**016** 진수의 조건에서 $x-2>0$, $8-x>0$

$\therefore 2<x<8$ ······ ㉠

$\log_2(x-2)=\log_4(8-x)$에서

$\log_2(x-2)=\dfrac{1}{2}\log_2(8-x)$

$2\log_2(x-2)=\log_2(8-x)$

$\log_2(x-2)^2=\log_2(8-x)$

$x^2-4x+4=8-x$

$x^2-3x-4=0$

$(x+1)(x-4)=0$

$\therefore x=-1$ 또는 $x=4$

그런데 ㉠에서 $2<x<8$이므로 $x=4$ 　　　　　답 $x=4$

**017** 진수의 조건에서 $x>0$ ······ ㉠

$(\log_3 x)^2-4\log_3 x+4=0$에서

$\log_3 x=t$로 놓으면

$\boxed{t^2-4t+4}=0$, $(t-2)^2=0$

$\therefore t=\boxed{2}$

즉, $\log_3 x=\boxed{2}$이므로 $x=3^{\boxed{2}}=\boxed{9}$

$x=\boxed{9}$는 ㉠을 만족하므로 구하는 해이다.

답 $t^2-4t+4$, 2, 2, 2, 9, 9

**018** 진수의 조건에서 $x>0$ ······ ㉠

$(\log_2 x)^2-3\log_2 x+2=0$에서

$\log_2 x=t$로 놓으면

$t^2-3t+2=0$, $(t-1)(t-2)=0$

$\therefore t=1$ 또는 $t=2$

즉, $\log_2 x=1$ 또는 $\log_2 x=2$

$\therefore x=2$ 또는 $x=4$

$x=2$, $x=4$는 모두 ㉠을 만족하므로 구하는 해이다.

답 $x=2$ 또는 $x=4$

**019** 진수의 조건에서 $x>0$ ······ ㉠

$(\log_2 x)^2+\log_2 x-2=0$에서

$\log_2 x=t$로 놓으면

$t^2+t-2=0$, $(t+2)(t-1)=0$

$\therefore t=-2$ 또는 $t=1$

즉, $\log_2 x=-2$ 또는 $\log_2 x=1$

$\therefore x=\dfrac{1}{4}$ 또는 $x=2$

$x=\dfrac{1}{4}$, $x=2$는 모두 ㉠을 만족하므로 구하는 해이다.

답 $x=\dfrac{1}{4}$ 또는 $x=2$

**020** 진수의 조건에서 $x>0$, $x^2>0$

$\therefore x>0$ ······ ㉠

$(\log_2 x)^2-\log_2 x^2-3=0$에서

$(\log_2 x)^2-2\log_2 x-3=0$

$\log_2 x=t$로 놓으면

$t^2-2t-3=0$, $(t+1)(t-3)=0$

$\therefore t=-1$ 또는 $t=3$

즉, $\log_2 x=-1$ 또는 $\log_2 x=3$

$\therefore x=\dfrac{1}{2}$ 또는 $x=8$

$x=\dfrac{1}{2}$, $x=8$은 모두 ㉠을 만족하므로 구하는 해이다.

답 $x=\dfrac{1}{2}$ 또는 $x=8$

**021** 진수의 조건에서 $x>0$ ······ ㉠

$\log_3 x>\log_3 4$에서 (밑)$=3>1$이므로

$x>4$ ······ ㉡

㉠, ㉡의 공통 범위를 구하면

$x>4$ 　　　　　답 $x>4$

**022** 진수의 조건에서 $x+1>0$

$\therefore x>-1$ ······ ㉠

$\log_{\frac{1}{2}}(x+1)\le\log_{\frac{1}{2}}3$에서 (밑)$=\dfrac{1}{2}<1$이므로

$x+1\ge3$

$\therefore x\ge2$ ······ ㉡

㉠, ㉡의 공통 범위를 구하면

$x\ge2$ 　　　　　답 $x\ge2$

**023** 진수의 조건에서 $x>0$ ······ ㉠

$\log_5 x<\log_5 3$에서 (밑)$=5>1$이므로

$x<3$ ······ ㉡

㉠, ㉡의 공통 범위를 구하면

$0<x<3$ 　　　　　답 $0<x<3$

**024** 진수의 조건에서 $x-3>0$

$\therefore x>3$ ······ ㉠

$\log_{\frac{1}{3}}(x-3)<\log_{\frac{1}{3}}5$에서 (밑)$=\dfrac{1}{3}<1$이므로

$x-3>5$

$\therefore x>8$ ······ ㉡

㉠, ㉡의 공통 범위를 구하면

$x>8$ 　　　　　답 $x>8$

**025** 진수의 조건에서 $5-x>0$

$\therefore x<5$ ······ ㉠

$\log_2(5-x)<\log_2 3$에서 (밑)$=2>1$이므로

$5-x<3$

$\therefore x>2$ ······ ㉡

㉠, ㉡의 공통 범위를 구하면

$2<x<5$ 　　　　　답 $2<x<5$

**026** 진수의 조건에서 $3x-2>0$, $x+4>0$

$\therefore x>\dfrac{2}{3}$ ······ ㉠

$\log_2(3x-2)\le\log_2(x+4)$에서

(밑)$=2>1$이므로 $3x-2\le x+4$

$2x\le6$

$\therefore x\le3$ ······ ㉡

㉠, ㉡의 공통 범위를 구하면

$\dfrac{2}{3}<x\le3$ 　　　　　답 $\dfrac{2}{3}<x\le3$

**027** 진수의 조건에서 $3x-2>0$, $6-x>0$

$\therefore \dfrac{2}{3}<x<6$ ······ ㉠

$\log_{\frac{1}{5}}(3x-2)<\log_{\frac{1}{5}}(6-x)$에서

(밑)$=\dfrac{1}{5}<1$이므로 $3x-2>6-x$

$4x>8$

$\therefore x>2$ ······ ㉡

㉠, ㉡의 공통 범위를 구하면

$2<x<6$ 답 $2<x<6$

**028** 진수의 조건에서 $2x-3>0$

$\therefore x>\dfrac{3}{2}$ ······ ㉠

$\log_3(2x-3)\leq2$의 밑을 같게 하면

$\log_3(2x-3)\leq\log_3 3^2$에서

(밑)$=3>1$이므로 $2x-3\leq3^2$

$2x-3\leq9$

$2x\leq12$

$\therefore x\leq6$ ······ ㉡

㉠, ㉡의 공통 범위를 구하면

$\dfrac{3}{2}<x\leq6$ 답 $\dfrac{3}{2}<x\leq6$

**029** 진수의 조건에서 $x-1>0$

$\therefore x>1$ ······ ㉠

$\log_{\frac{1}{2}}(x-1)\geq3$의 밑을 같게 하면

$\log_{\frac{1}{2}}(x-1)\geq\log_{\frac{1}{2}}\left(\dfrac{1}{2}\right)^3$에서

(밑)$=\dfrac{1}{2}<1$이므로 $x-1\leq\left(\dfrac{1}{2}\right)^3$

$x-1\leq\dfrac{1}{8}$

$\therefore x\leq\dfrac{9}{8}$ ······ ㉡

㉠, ㉡의 공통 범위를 구하면

$1<x\leq\dfrac{9}{8}$ 답 $1<x\leq\dfrac{9}{8}$

**030** 진수의 조건에서 $x-1>0$, $2x+1>0$

$\therefore x>1$ ······ ㉠

$\log_2(x-1)<\log_4(2x+1)$에서

$\log_2(x-1)<\dfrac{1}{2}\log_2(2x+1)$

$2\log_2(x-1)<\log_2(2x+1)$

$\log_2(x-1)^2<\log_2(2x+1)$

(밑)$=2>1$이므로 $(x-1)^2<2x+1$

$x^2-2x+1<2x+1$

$x^2-4x<0$

$x(x-4)<0$

$\therefore 0<x<4$ ······ ㉡

㉠, ㉡의 공통 범위를 구하면

$1<x<4$ 답 $1<x<4$

**031** 진수의 조건에서 $x-4>0$, $x+8>0$

$\therefore x>4$ ······ ㉠

$\log_3(x-4)\leq\log_9(x+8)$에서

$\log_3(x-4)\leq\dfrac{1}{2}\log_3(x+8)$

$2\log_3(x-4)\leq\log_3(x+8)$

$\log_3(x-4)^2\leq\log_3(x+8)$

(밑)$=3>1$이므로 $(x-4)^2\leq x+8$

$x^2-8x+16\leq x+8$

$x^2-9x+8\leq0$

$(x-1)(x-8)\leq0$

$\therefore 1\leq x\leq8$ ······ ㉡

㉠, ㉡의 공통 범위를 구하면

$4<x\leq8$ 답 $4<x\leq8$

**032** 진수의 조건에서 $x-3>0$, $15-x>0$

$\therefore 3<x<15$ ······ ㉠

$\log_2(x-3)\geq\log_4(15-x)$에서

$\log_2(x-3)\geq\dfrac{1}{2}\log_2(15-x)$

$2\log_2(x-3)\geq\log_2(15-x)$

$\log_2(x-3)^2\geq\log_2(15-x)$

(밑)$=2>1$이므로 $(x-3)^2\geq15-x$

$x^2-6x+9\geq15-x$

$x^2-5x-6\geq0$

$(x+1)(x-6)\geq0$

$\therefore x\leq-1$ 또는 $x\geq6$ ······ ㉡

㉠, ㉡의 공통 범위를 구하면

$6\leq x<15$ 답 $6\leq x<15$

**033** 진수의 조건에서 $x>0$ ······ ㉠

$(\log_2 x)^2-4\log_2 x+3\leq0$에서

$\log_2 x=t$로 놓으면 $t^2-4t+3\leq0$

$(t-1)(t-3)\leq0$

$\therefore 1\leq t\leq3$

즉 $1\leq\log_2 x\leq3$이므로

$2^1\leq x\leq2^3$

$\therefore 2\leq x\leq8$ ······ ㉡

㉠, ㉡의 공통 범위를 구하면

$2\leq x\leq8$ 답 $2\leq x\leq8$

**034** 진수의 조건에서 $x>0$ ······ ㉠

$(\log_3 x)^2-\log_3 x-2<0$에서

$\log_3 x=t$로 놓으면 $t^2-t-2<0$

$(t+1)(t-2)<0$

$\therefore -1<t<2$

즉 $-1<\log_3 x<2$이므로

$3^{-1}<x<3^2$

$\therefore \dfrac{1}{3}<x<9$ ······ ㉡

㉠, ㉡의 공통 범위를 구하면

$\dfrac{1}{3}<x<9$ 답 $\dfrac{1}{3}<x<9$

**035** 진수의 조건에서 $x>0$, $x^2>0$

$\therefore x>0$ ······ ㉠

$(\log_2 x)^2 - \log_2 x^2 - 8 \leq 0$에서

$(\log_2 x)^2 - 2\log_2 x - 8 \leq 0$

$\log_2 x = t$로 놓으면 $t^2 - 2t - 8 \leq 0$

$(t+2)(t-4) \leq 0$

$\therefore -2 \leq t \leq 4$

즉 $-2 \leq \log_2 x \leq 4$이므로 $2^{-2} \leq x \leq 2^4$

$\therefore \dfrac{1}{4} \leq x \leq 16$ ······ ㉡

㉠, ㉡의 공통 범위를 구하면

$\dfrac{1}{4} \leq x \leq 16$ 　　　답 $\dfrac{1}{4} \leq x \leq 16$

**036** 진수의 조건에서 $(x+1)^2 > 0$, $3x+1 > 0$

$\therefore x > -\dfrac{1}{3}$ ······ ㉠

$\log_2 (x+1)^2 = \log_2 (3x+1)$에서

$(x+1)^2 = 3x+1$, $x^2 - x = 0$

$x(x-1) = 0$

$\therefore x=0$ 또는 $x=1$

$x=0$, $x=1$은 모두 ㉠을 만족하므로 구하는 해이다.

따라서 모든 $x$의 값의 합은 1이다. 　　　답 ④

**037** 진수의 조건에서 $x>0$, $x+3>0$

$\therefore x>0$ ······ ㉠

$\log_2 x + \log_2 (x+3) = \log_2 10$에서

$\log_2 (x^2 + 3x) = \log_2 10$

$x^2 + 3x = 10$, $x^2 + 3x - 10 = 0$

$(x+5)(x-2) = 0$

$\therefore x=-5$ 또는 $x=2$

그런데 ㉠에서 $x>0$이므로 $x=2$ 　　　답 ③

**038** 진수의 조건에서 $x-3>0$, $x-1>0$

$\therefore x>3$ ······ ㉠

$\log_2 (x-3) = \log_4 (x-1)$에서

$\log_2 (x-3) = \dfrac{1}{2} \log_2 (x-1)$

$\log_2 (x-3)^2 = \log_2 (x-1)$

$(x-3)^2 = x-1$, $x^2 - 7x + 10 = 0$

$(x-2)(x-5) = 0$

$\therefore x=2$ 또는 $x=5$

그런데 ㉠에서 $x>3$이므로 $x=5$ 　　　답 ③

**039** 진수의 조건에서 $x-3>0$, $x-5>0$

$\therefore x>5$ ······ ㉠

$\log_4 (x-3) + \log_{\frac{1}{4}} (x-5) = \dfrac{1}{2}$에서

$\log_4 (x-3) - \log_4 (x-5) = \log_4 4^{\frac{1}{2}}$

$\log_4 (x-3) = \log_4 (x-5) + \log_4 2$

$\log_4 (x-3) = \log_4 2(x-5)$

$x-3 = 2x-10$

$\therefore x=7$

$x=7$은 ㉠을 만족하므로 구하는 해이다. 　　　답 7

**040** $\log_2 (\log_3 (\log_5 x)) = 0$에서

$\log_3 (\log_5 x) = 1$

$\log_5 x = 3$

$\therefore x = 5^3 = 125$ 　　　답 125

**041** 진수의 조건에서 $|x-2| > 0$

$\therefore x \neq 2$ ······ ㉠

$\log_2 |x-2| = 3$에서

$|x-2| = 2^3$

$|x-2| = 8$

$x-2 = -8$ 또는 $x-2 = 8$

$\therefore x=-6$ 또는 $x=10$

$x=-6$, $x=10$은 모두 ㉠을 만족하므로 구하는 해이다.

따라서 모든 $x$의 값의 합은

$-6+10 = 4$ 　　　답 ②

**042** 진수의 조건에서 $x>0$ ······ ㉠

$(\log_2 x)^2 - 3\log_2 x + 2 = 0$에서

$\log_2 x = t$로 놓으면 $t^2 - 3t + 2 = 0$

$(t-1)(t-2) = 0$

$\therefore t=1$ 또는 $t=2$

즉, $\log_2 x = 1$ 또는 $\log_2 x = 2$이므로

$x=2$ 또는 $x=4$

$x=2$, $x=4$는 모두 ㉠을 만족하므로 구하는 해이다.

따라서 $\alpha = 2$, $\beta = 4$이므로

$2\alpha + \beta = 4 + 4 = 8$ 　　　답 ④

**043** 진수의 조건, 밑의 조건에서 $x>0$, $x \neq 1$ ······ ㉠

$\log_x 4 = 2\log_x 2 = \dfrac{2}{\log_2 x}$이므로

$\log_x 4 - \log_2 x = 1$에서

$\dfrac{2}{\log_2 x} - \log_2 x = 1$

이때, $\log_2 x = t$로 놓으면 $\dfrac{2}{t} - t = 1$

$t \neq 0$ ($\because x \neq 1$)이므로 양변에 $t$를 곱하여 정리하면

$t^2 + t - 2 = 0$

$(t+2)(t-1) = 0$

$\therefore t=-2$ 또는 $t=1$

즉, $\log_2 x = -2$ 또는 $\log_2 x = 1$이므로

$x = \dfrac{1}{4}$ 또는 $x=2$

$x = \dfrac{1}{4}$, $x=2$는 모두 ㉠을 만족하므로 구하는 해이다.

따라서 $\alpha = 2$, $\beta = \dfrac{1}{4}$이므로

$\alpha - \beta = \dfrac{7}{4}$ 　　　답 $\dfrac{7}{4}$

**044** 진수의 조건에서 $x>0$ ······ ㉠

$\log_3 x - \log_9 x = 2\log_3 x \times \log_9 x$에서

$\log_3 x - \dfrac{1}{2}\log_3 x = (\log_3 x)^2$

$(\log_3 x)^2 = \dfrac{1}{2}\log_3 x$

이때, $\log_3 x = t$로 놓으면 $t^2 = \frac{1}{2}t$

$2t^2 - t = 0$, $t(2t-1) = 0$

$\therefore t = 0$ 또는 $t = \frac{1}{2}$

즉, $\log_3 x = 0$ 또는 $\log_3 x = \frac{1}{2}$이므로

$x = 1$ 또는 $x = \sqrt{3}$

$x = 1$, $x = \sqrt{3}$은 모두 ㉠을 만족하므로 구하는 해이다.

$\therefore \alpha^2 + \beta^2 = 1 + 3 = 4$        답 ③

**045** 진수의 조건에서 $3x > 0$, $\frac{x}{3} > 0$

$\therefore x > 0$       ……㉠

$\log_3 3x \times \log_3 \frac{x}{3} = 8$에서

$(\log_3 x + \log_3 3)(\log_3 x - \log_3 3) = 8$

$(\log_3 x + 1)(\log_3 x - 1) = 8$

$\log_3 x = t$로 놓으면 $(t+1)(t-1) = 8$

$t^2 - 1 = 8$, $t^2 - 9 = 0$

$(t+3)(t-3) = 0$     $\therefore t = -3$ 또는 $t = 3$

즉, $\log_3 x = -3$ 또는 $\log_3 x = 3$이므로

$x = 3^{-3} = \frac{1}{27}$ 또는 $x = 3^3 = 27$

$x = \frac{1}{27}$, $x = 27$은 모두 ㉠을 만족하므로 구하는 해이다.

답 $\frac{1}{27}$ 또는 27

**046** 진수의 조건에서 $x > 0$     ……㉠

$\log_{\frac{1}{3}} x \times \log_3 x + 2\log_3 x + k = 0$에서

$-(\log_3 x)^2 + 2\log_3 x + k = 0$     ……㉡

㉡에 $x = 81$을 대입하면

$-(\log_3 81)^2 + 2\log_3 81 + k = 0$

$-4^2 + 2 \times 4 + k = 0$     $\therefore k = 8$

$k = 8$을 ㉡에 대입하여 정리하면

$(\log_3 x)^2 - 2\log_3 x - 8 = 0$

이때, $\log_3 x = t$로 놓으면 $t^2 - 2t - 8 = 0$

$(t+2)(t-4) = 0$     $\therefore t = -2$ 또는 $t = 4$

즉, $\log_3 x = -2$ 또는 $\log_3 x = 4$이므로

$x = \frac{1}{9}$ 또는 $x = 81$

$x = \frac{1}{9}$, $x = 81$은 모두 ㉠을 만족하므로 구하는 다른 한 근은

$\frac{1}{9}$이다.        답 ①

**047** 진수의 조건에서 $x > 0$     ……㉠

$\log_3 x^{\log_3 x} - \log_3 x^3 - 4 = 0$에서

$(\log_3 x)^2 - 3\log_3 x - 4 = 0$

$\log_3 x = t$로 놓으면 $t^2 - 3t - 4 = 0$

$(t+1)(t-4) = 0$     $\therefore t = -1$ 또는 $t = 4$

즉, $\log_3 x = -1$ 또는 $\log_3 x = 4$이므로

$x = \frac{1}{3}$ 또는 $x = 81$

$x = \frac{1}{3}$, $x = 81$은 모두 ㉠을 만족하므로

$\alpha\beta = \frac{1}{3} \times 81 = 27$        답 ⑤

**048** $(\log_2 x - 4)\log_2 x = 1$에서

$\log_2 x = t$로 놓으면 $(t-4)t = 1$

$t^2 - 4t - 1 = 0$     ……㉠

이때, 주어진 방정식의 두 근을 $\alpha$, $\beta$라 하면 ㉠의 두 근은

$\log_2 \alpha$, $\log_2 \beta$이다.

따라서 이차방정식의 근과 계수의 관계에 의하여

$\log_2 \alpha + \log_2 \beta = 4$

$\log_2 \alpha\beta = 4$

$\therefore \alpha\beta = 2^4 = 16$        답 ④

**049** $\log x \times \log \frac{x}{32} = 1$에서

$\log x \times (\log x - \log 32) = 1$

$\log x = t$로 놓으면 $t(t - \log 32) = 1$

$t^2 - \log 32 \times t - 1 = 0$     ……㉠

이때, 주어진 방정식의 두 근이 $\alpha$, $\beta$이므로 ㉠의 두 근은

$\log \alpha$, $\log \beta$이다.

따라서 이차방정식의 근과 계수의 관계에 의하여

$\log \alpha + \log \beta = \log 32$

$\log \alpha\beta = \log 32$

$\therefore \alpha\beta = 32$        답 32

**050** $(\log x)^2 - k\log x - 2 = 0$에서

$\log x = t$로 놓으면 $t^2 - kt - 2 = 0$     ……㉠

이때, 주어진 방정식의 두 근을 $\alpha$, $\beta$라 하면 $\alpha\beta = 1000$이고,

㉠의 두 근은 $\log \alpha$, $\log \beta$이다.

따라서 이차방정식의 근과 계수의 관계에 의하여

$k = \log \alpha + \log \beta$

  $= \log \alpha\beta$

  $= \log 1000$

  $= 3$        답 ③

**051** 진수의 조건에서 $2x - 1 > 0$

$\therefore x > \frac{1}{2}$     ……㉠

$\log_2 (2x-1) < 1$에서

$\log_2 (2x-1) < \log_2 2$

이때, (밑) $> 1$이므로 $2x - 1 < 2$

$\therefore x < \frac{3}{2}$     ……㉡

㉠, ㉡의 공통 범위를 구하면

$\frac{1}{2} < x < \frac{3}{2}$     답 $\frac{1}{2} < x < \frac{3}{2}$

**052** 진수의 조건에서 $x^2 - 2x + 5 = (x-1)^2 + 4 > 0$

$\therefore x$는 모든 실수     ……㉠

$\log_{\frac{1}{5}} (x^2 - 2x + 5) \geq -1$에서

$\log_{\frac{1}{5}} (x^2 - 2x + 5) \geq \log_{\frac{1}{5}} \left(\frac{1}{5}\right)^{-1}$

이때, $0 <$ (밑) $< 1$이므로 $x^2 - 2x + 5 \leq 5$

$x^2 - 2x \leq 0$, $x(x-2) \leq 0$

$\therefore 0 \leq x \leq 2$     ……㉡

㉠, ㉡의 공통 범위를 구하면 $0 \leq x \leq 2$

따라서 $x$의 최댓값은 2이다.        답 ⑤

**053** 진수의 조건에서 $x-1>0$, $7-x>0$

$\therefore 1<x<7$ ······ ㉠

$\log_3(x-1)+\log_3(7-x)>\log_3 5$에서

$\log_3(x-1)(7-x)>\log_3 5$

이때, (밑)$>1$이므로 $(x-1)(7-x)>5$

$(x-1)(x-7)<-5$

$x^2-8x+12<0$

$(x-2)(x-6)<0$

$\therefore 2<x<6$ ······ ㉡

㉠, ㉡의 공통 범위를 구하면 $2<x<6$

따라서 정수 $x$는 3, 4, 5의 3개이다. **답** ③

**054** 진수의 조건에서 $x-1>0$, $x+5>0$

$\therefore x>1$ ······ ㉠

$\log_2(x-1)\leq\log_4(x+5)$에서

$\log_2(x-1)\leq\dfrac{1}{2}\log_2(x+5)$

$\log_2(x-1)^2\leq\log_2(x+5)$

이때, (밑)$>1$이므로 $(x-1)^2\leq x+5$

$x^2-3x-4\leq 0$

$(x+1)(x-4)\leq 0$

$\therefore -1\leq x\leq 4$ ······ ㉡

㉠, ㉡의 공통 범위를 구하면 $1<x\leq 4$

따라서 정수 $x$는 2, 3, 4의 3개이다. **답** 3

**055** 진수의 조건에서 $x>0$, $\log_2 x>0$

$\therefore x>1$ ······ ㉠

$\log_2(\log_2 x)\leq 1$에서

$\log_2(\log_2 x)\leq\log_2 2$

이때, (밑)$>1$이므로 $\log_2 x\leq 2$

$\log_2 x\leq\log_2 4$

$\therefore x\leq 4$ ······ ㉡

㉠, ㉡의 공통 범위를 구하면 $1<x\leq 4$

따라서 정수 $x$는 2, 3, 4이므로 합은 9이다. **답** ③

**056** $\log_{\frac{1}{2}}(x^2-ax+b)\geq\log_{\frac{1}{2}}x$에서

$0<$(밑)$<1$이므로 $x^2-ax+b\leq x$

$x^2-(a+1)x+b\leq 0$

이 부등식의 해가 $1\leq x\leq 3$이므로

$(x-1)(x-3)\leq 0$

$x^2-4x+3\leq 0$

즉, $a+1=4$, $b=3$이므로 $a=3$, $b=3$

$\therefore a^2+b^2=9+9=18$ **답** 18

**057** 진수의 조건에서 $x>0$ ······ ㉠

$(\log_3 x-1)(\log_3 x-2)<0$에서

$\log_3 x=t$라 하면 $(t-1)(t-2)<0$

$\therefore 1<t<2$

$\log_3 3<\log_3 x<\log_3 3^2$

$\therefore 3<x<9$ ······ ㉡

㉠, ㉡의 공통 범위를 구하면 $3<x<9$

따라서 정수 $x$는 4, 5, 6, 7, 8의 5개이다. **답** ③

**058** 진수의 조건에서 $x>0$ ······ ㉠

$(\log_{\frac{1}{2}}x)^2-2\log_{\frac{1}{2}}x-3\leq 0$에서

$\log_{\frac{1}{2}}x=t$로 놓으면 $t^2-2t-3\leq 0$

$(t+1)(t-3)\leq 0$

$\therefore -1\leq t\leq 3$

즉, $-1\leq\log_{\frac{1}{2}}x\leq 3$이므로

$\dfrac{1}{8}\leq x\leq 2$ ······ ㉡

㉠, ㉡의 공통 범위를 구하면 $\dfrac{1}{8}\leq x\leq 2$ **답** ③

**059** 진수의 조건에서 $x>0$, $x^2>0$

$\therefore x>0$ ······ ㉠

$(\log_3 x)^2<\log_{\frac{1}{3}}x^2$에서

$(\log_3 x)^2<-2\log_3 x$

이때, $\log_3 x=t$로 놓으면 $t^2<-2t$

$t^2+2t<0$

$t(t+2)<0$

$\therefore -2<t<0$

즉, $-2<\log_3 x<0$이므로

$\dfrac{1}{9}<x<1$ ······ ㉡

㉠, ㉡의 공통 범위를 구하면 $\dfrac{1}{9}<x<1$ **답** $\dfrac{1}{9}<x<1$

**060** 진수의 조건에서 $x>0$ ······ ㉠

$(\log_2 x)^2+\log_2 x-2\geq 0$에서

$\log_2 x=t$로 놓으면 $t^2+t-2\geq 0$

$(t+2)(t-1)\geq 0$

$\therefore t\leq -2$ 또는 $t\geq 1$

$\log_2 x\leq -2$ 또는 $\log_2 x\geq 1$

$x\leq\dfrac{1}{4}$ 또는 $x\geq 2$ ······ ㉡

㉠, ㉡의 공통 범위를 구하면

$0<x\leq\dfrac{1}{4}$ 또는 $x\geq 2$ **답** ④

**061** 진수의 조건에서 $x>0$ ······ ㉠

$\log_3 9x\times\log_3 27x<2$에서

$(\log_3 9+\log_3 x)(\log_3 27+\log_3 x)<2$

이때, $\log_3 x=t$로 놓으면 $(2+t)(3+t)<2$

$t^2+5t+4<0$

$(t+4)(t+1)<0$

$\therefore -4<t<-1$

즉, $-4<\log_3 x<-1$이므로

$\dfrac{1}{81}<x<\dfrac{1}{3}$ ······ ㉡

㉠, ㉡의 공통 범위를 구하면 $\dfrac{1}{81}<x<\dfrac{1}{3}$

따라서 $\alpha=\dfrac{1}{81}$, $\beta=\dfrac{1}{3}$이므로

$\dfrac{\beta}{\alpha}=\dfrac{\frac{1}{3}}{\frac{1}{81}}=27$ **답** ⑤

**062** 진수의 조건에서 $3x>0$, $x^5>0$

$\therefore x>0$ ...... ㉠

$(\log_3 3x)^2-\log_3 x^5+1<0$에서

$(1+\log_3 x)^2-5\log_3 x+1<0$

이때, $\log_3 x=t$로 놓으면 $(1+t)^2-5t+1<0$

$t^2-3t+2<0$

$(t-1)(t-2)<0$

$\therefore 1<t<2$

즉, $1<\log_3 x<2$이므로

$3<x<9$ ...... ㉡

㉠, ㉡의 공통 범위를 구하면 $3<x<9$

$3<x<9$를 해로 갖고, 이차항의 계수가 1인 이차부등식은

$(x-3)(x-9)<0$

$\therefore x^2-12x+27<0$

따라서 $a=-12$, $b=27$이므로

$a+b=15$ 冒15

**063** 진수의 조건에서 $x^2+2x+a>0$ ...... ㉠

$\log_2(x^2+2x+a)>0$에서

$\log_2(x^2+2x+a)>\log_2 1$

이때, (밑)$>1$이므로 $x^2+2x+a>1$ ...... ㉡

㉠, ㉡을 모두 만족하려면 $x^2+2x+a>1$

$\therefore x^2+2x+a-1>0$

이 부등식이 모든 실수 $x$에 대하여 항상 성립하려면 이차방정식 $x^2+2x+a-1=0$의 판별식을 $D$라 할 때 $D<0$이어야 한다.

$\dfrac{D}{4}=1-(a-1)<0$

$\therefore a>2$ 冒④

**064** $(\log_3 x)^2+a\log_3 x+a+8>0$에서

$\log_3 x=t$로 놓으면 $t^2+at+a+8>0$

이 부등식이 모든 실수 $t$에 대하여 항상 성립해야 하므로 이차방정식 $t^2+at+a+8=0$의 판별식을 $D$라 하면

$D=a^2-4(a+8)<0$

$a^2-4a-32<0$

$(a+4)(a-8)<0$

$\therefore -4<a<8$

따라서 정수 $a$는 $-3$, $-2$, $-1$, $0$, $1$, $\cdots$, $7$의 11개이다. 冒⑤

**065** $x^2-2(2+\log_2 a)x+1=0$이 실근을 가져야 하므로 판별식을 $D$라 하면

$\dfrac{D}{4}=(2+\log_2 a)^2-1\geq0$

$(\log_2 a)^2+4\log_2 a+3\geq0$

진수의 조건에서 $a>0$ ...... ㉠

$\log_2 a=t$로 놓으면 $t^2+4t+3\geq0$

$(t+3)(t+1)\geq0$

$\therefore t\leq-3$ 또는 $t\geq-1$

즉, $\log_2 a\leq-3$ 또는 $\log_2 a\geq-1$이므로

$a\leq\dfrac{1}{8}$ 또는 $a\geq\dfrac{1}{2}$ ...... ㉡

㉠, ㉡의 공통 범위를 구하면

$0<a\leq\dfrac{1}{8}$ 또는 $a\geq\dfrac{1}{2}$ 冒 $0<a\leq\dfrac{1}{8}$ 또는 $a\geq\dfrac{1}{2}$

**066** 진수의 조건에서 $x>0$ ...... ㉠

$2^{\log_8 x}=3$의 양변에 밑이 2인 로그를 취하면

$\log_2 2^{\log_8 x}=\log_2 3$

$\log_8 x\times\log_2 2=\log_2 3$

$\dfrac{1}{3}\log_2 x=\log_2 3$

$\log_2 x=3\log_2 3$

$\log_2 x=\log_2 27$

$\therefore x=27$

$x=27$은 ㉠을 만족하므로 구하는 해이다. 冒⑤

**067** 진수의 조건에서 $x^2>0$

$\therefore x\neq0$ ...... ㉠

$x^{\log_2 x^2}=4x^3$의 양변에 밑이 2인 로그를 취하면

$\log_2 x^{\log_2 x^2}=\log_2 4x^3$

$\log_2 x^2\times\log_2 x=\log_2 4+\log_2 x^3$

$2(\log_2 x)^2=2+3\log_2 x$

이때, $\log_2 x=t$로 놓으면 $2t^2=2+3t$

$2t^2-3t-2=0$

$(2t+1)(t-2)=0$

$\therefore t=-\dfrac{1}{2}$ 또는 $t=2$

즉, $\log_2 x=-\dfrac{1}{2}$ 또는 $\log_2 x=2$이므로

$x=\dfrac{1}{\sqrt{2}}$ 또는 $x=4$

$x=\dfrac{1}{\sqrt{2}}$, $x=4$는 ㉠을 만족하므로 구하는 해이다.

따라서 모든 근의 곱은

$\dfrac{1}{\sqrt{2}}\times4=2\sqrt{2}$ 冒③

**068** 진수의 조건에서 $x>0$ ...... ㉠

$x^{\log_2 x}<4x$의 양변에 밑이 2인 로그를 취하면

$\log_2 x^{\log_2 x}<\log_2 4x$

$(\log_2 x)^2<\log_2 2^2+\log_2 x$

이때, $\log_2 x=t$로 놓으면 $t^2<2+t$

$t^2-t-2<0$

$(t+1)(t-2)<0$

$\therefore -1<t<2$

즉, $-1<\log_2 x<2$이므로

$\dfrac{1}{2}<x<4$ ...... ㉡

㉠, ㉡의 공통 범위를 구하면

$\dfrac{1}{2}<x<4$

따라서 $\alpha=\dfrac{1}{2}$, $\beta=4$이므로

$\alpha\beta=\dfrac{1}{2}\times4=2$ 冒①

**069** $\begin{cases} y=x+2 \\ 3=\log_2 x+\log_2 y \end{cases} \Longleftrightarrow \begin{cases} y=x+2 \\ 3=\log_2 xy \end{cases}$

$\Longleftrightarrow \begin{cases} y=x+2 & \cdots\cdots \ \text{㉠} \\ xy=2^3=8 & \cdots\cdots \ \text{㉡} \end{cases}$

㉠을 ㉡에 대입하면

$x(x+2)=8$

$x^2+2x-8=0$

$(x+4)(x-2)=0$

$\therefore x=2 \ (\because \text{진수의 조건에 의하여 } x>0)$

$x=2$를 ㉠에 대입하면 $y=4$

$\therefore \alpha=2, \ \beta=4$

$\therefore \alpha^2-\beta^2=2^2-4^2=-12$  〔답〕$-12$

**070** $\log_3 x \times \log_2 y=3$에서 $\dfrac{\log x}{\log 3} \times \dfrac{\log y}{\log 2}=3$

$\dfrac{\log x}{\log 2} \times \dfrac{\log y}{\log 3}=3$

$\log_2 x \times \log_3 y=3$

이때, $\log_2 x=X$, $\log_3 y=Y$로 놓으면 주어진 연립방정식은

$\begin{cases} X+Y=4 & \cdots\cdots \ \text{㉠} \\ XY=3 & \cdots\cdots \ \text{㉡} \end{cases}$

㉠, ㉡을 연립하여 풀면

$X=1, Y=3$ 또는 $X=3, Y=1$

그런데 $x>y$이면 $X>Y$이므로

$X=3, Y=1$

즉, $\log_2 x=3$, $\log_3 y=1$이므로

$x=8, y=3$

$\therefore xy=24$  〔답〕24

**071** 진수의 조건에서 $x>0$, $x^2>0$

$\therefore x>0 \quad \cdots\cdots \ \text{㉠}$

$(\log_2 x)^2-\log_2 x^2<3$에서

$(\log_2 x)^2-2\log_2 x-3<0$

이때, $\log_2 x=t$로 놓으면 $t^2-2t-3<0$

$(t+1)(t-3)<0$

$\therefore -1<t<3$

즉, $-1<\log_2 x<3$이므로

$\dfrac{1}{2}<x<8 \quad \cdots\cdots \ \text{㉡}$

㉠, ㉡의 공통 범위를 구하면

$\dfrac{1}{2}<x<8 \quad \cdots\cdots \ \text{㉢}$

$4^x-2^{x+2}\leq 32$에서

$2^x=S \ (S>0)$로 놓으면

$S^2-4S\leq 32$

$S^2-4S-32\leq 0$

$(S+4)(S-8)\leq 0$

$\therefore 0<S\leq 8 \ (\because S>0)$

즉, $0<2^x\leq 8$이므로

$x\leq 3 \quad \cdots\cdots \ \text{㉣}$

㉢, ㉣의 공통 범위를 구하면 $\dfrac{1}{2}<x\leq 3$

따라서 정수 $x$는 1, 2, 3이므로 그 합은 6이다.  〔답〕④

**072** $x=10\log\dfrac{I}{I_0}$에서

$100=10\log\dfrac{I}{10^{-8}}$

$\log\dfrac{I}{10^{-8}}=10$

$\log I-\log 10^{-8}=10$

$\log I+8=10$

$\log I=2$

$\therefore I=100$

따라서 100 dB의 소리의 강도는 100 W/cm²이다.  〔답〕④

**073** 남아 있는 물질의 양이 120 cc가 될 때까지의 시간이 $a$이므로

$120=200-50\log_2(1+a)$에서

$\log_2(1+a)=\dfrac{8}{5} \quad \cdots\cdots \ \text{㉠}$

남아 있는 물질의 양이 40 cc가 될 때까지의 시간을 $t$라 하면

$40=200-50\log_2(1+t)$에서

$\log_2(1+t)=\dfrac{16}{5} \quad \cdots\cdots \ \text{㉡}$

㉡$-$㉠$\times 2$를 하면

$\log_2(1+t)-2\log_2(1+a)=0$

$\log_2\dfrac{1+t}{(1+a)^2}=0$

$\dfrac{1+t}{(1+a)^2}=1$

$\therefore t=(a+1)^2-1$  〔답〕①

**074** 처음 세균의 수를 $a$라 하면 $n$시간 후의 세균의 수는 $2^n a$이므로

$2^n a\geq 4000a$

$2^n\geq 4000$

양변에 상용로그를 취하면

$\log 2^n\geq \log 4000$

$n\log 2\geq 2\log 2+3$

$n\geq \dfrac{2\log 2+3}{\log 2}$

$=\dfrac{2\times 0.3+3}{0.3}$

$=12$

따라서 구하는 $n$의 값은 12이다.  〔답〕12

**075** 10년 후의 연봉은 $a\left(1+\dfrac{p}{100}\right)^{10}$ 원이므로

$a\left(1+\dfrac{p}{100}\right)^{10}\geq 2a$

$\left(1+\dfrac{p}{100}\right)^{10}\geq 2$

양변에 상용로그를 취하면

$10\log\left(1+\dfrac{p}{100}\right)\geq \log 2$

$\log\left(1+\dfrac{p}{100}\right)\geq \dfrac{\log 2}{10}=0.03=\log 1.072$

즉, $1+\dfrac{p}{100}\geq 1.072$이므로

$p\geq 7.2$

따라서 $p$의 최솟값은 7.2이다.  〔답〕7.2

**076** 처음 들어오는 빛의 양을 $a$라 하면

필름 $n$장을 통과한 후의 빛의 양은 $\left(\dfrac{9}{10}\right)^n a$이므로

$\left(\dfrac{9}{10}\right)^n a \le \dfrac{1}{4}a$

$\left(\dfrac{9}{10}\right)^n \le \dfrac{1}{4}$

양변에 상용로그를 취하면

$\log\left(\dfrac{9}{10}\right)^n \le \log\dfrac{1}{4}$

$n(2\log 3 - 1) \le -2\log 2$

$\therefore n \ge \dfrac{2\log 2}{1 - 2\log 3} = \dfrac{2 \times 0.3010}{1 - 2 \times 0.4771} = 13. \times\times\times$

따라서 필름을 최소한 14장 붙여야 한다.     🖪 ③

**077** 진수의 조건에서 $x + 2 > 0$, $x > 0$

$\therefore x > 0$     ……㉠

$\log_2 (x+2) = \log_{\sqrt{2}} x$에서

$\log_2 (x+2) = 2\log_2 x$

$\log_2 (x+2) = \log_2 x^2$

$x + 2 = x^2$

$x^2 - x - 2 = 0$

$(x+1)(x-2) = 0$

$\therefore x = -1$ 또는 $x = 2$

그런데 ㉠에서 $x > 0$이므로 $x = 2$     🖪 ②

**078** 진수의 조건에서 $x > 0$     ……㉠

$(\log x + 2)(\log x - 1) = 4$에서

$\log x = t$로 놓으면 $(t+2)(t-1) = 4$

$t^2 + t - 6 = 0$

$(t+3)(t-2) = 0$

$\therefore t = -3$ 또는 $t = 2$

즉, $\log x = -3$ 또는 $\log x = 2$

$\therefore x = 10^{-3} = \dfrac{1}{1000}$ 또는 $x = 10^2 = 100$

$x = \dfrac{1}{1000}$, $x = 100$은 모두 ㉠을 만족하므로 구하는 근이다.

따라서 두 근의 곱은 $\dfrac{1}{1000} \times 100 = \dfrac{1}{10}$     🖪 $\dfrac{1}{10}$

다른 풀이

$(\log x + 2)(\log x - 1) = 4$     ……㉠

$\log x = t$로 놓으면

$t^2 + t - 6 = 0$     ……㉡

㉠의 두 근을 $\alpha$, $\beta$라 하면 $\log \alpha$, $\log \beta$는 ㉡의 근이므로 이차방정식의 근과 계수의 관계에 의하여

$\log \alpha + \log \beta = -1$

$\log \alpha\beta = -1$

$\therefore \alpha\beta = 10^{-1} = \dfrac{1}{10}$

**079** 진수의 조건에서 $x > 0$     ……㉠

$\left(\log_{\frac{1}{2}} x\right)^2 + 3\log_{\frac{1}{2}} x - 10 = 0$에서

$\log_{\frac{1}{2}} x = t$로 놓으면 $t^2 + 3t - 10 = 0$

$(t+5)(t-2) = 0$

$\therefore t = -5$ 또는 $t = 2$

즉, $\log_{\frac{1}{2}} x = -5$ 또는 $\log_{\frac{1}{2}} x = 2$

$\therefore x = 32$ 또는 $x = \dfrac{1}{4}$

$x = 32$, $x = \dfrac{1}{4}$은 모두 ㉠을 만족하므로 구하는 해이다.

    🖪 32 또는 $\dfrac{1}{4}$

**080** 진수의 조건에서 $x > 0$, $x^2 > 0$

$\therefore x > 0$     ……㉠

$(\log_2 x)^2 = \log_2 x^2 + 8$에서

$(\log_2 x)^2 - 2\log_2 x - 8 = 0$

$\log_2 x = t$로 놓으면 $t^2 - 2t - 8 = 0$

$(t+2)(t-4) = 0$

$\therefore t = -2$ 또는 $t = 4$

즉, $\log_2 x = -2$ 또는 $\log_2 x = 4$

$\therefore x = \dfrac{1}{4}$ 또는 $x = 16$

$x = \dfrac{1}{4}$, $x = 16$은 모두 ㉠을 만족하므로 구하는 근이다.

$\therefore \alpha\beta = \dfrac{1}{4} \times 16 = 4$     🖪 ②

다른 풀이

$(\log_2 x)^2 = \log_2 x^2 + 8$     ……㉠

$\log_2 x = t$로 놓으면

$t^2 - 2t - 8 = 0$     ……㉡

㉠의 두 근이 $\alpha$, $\beta$이므로 ㉡의 두 근은 $\log_2 \alpha$, $\log_2 \beta$이다.

따라서 이차방정식의 근과 계수의 관계에 의하여

$\log_2 \alpha + \log_2 \beta = 2$

$\log_2 \alpha\beta = 2$

$\therefore \alpha\beta = 2^2 = 4$

**081** 진수의 조건에서 $x - 1 > 0$, $2x + 6 > 0$

$\therefore x > 1$     ……㉠

$2\log_3 (x-1) \le \log_3 (2x+6)$에서

$\log_3 (x-1)^2 \le \log_3 (2x+6)$

이때, (밑)$>1$이므로 $(x-1)^2 \le 2x + 6$

$x^2 - 4x - 5 \le 0$

$(x+1)(x-5) \le 0$

$\therefore -1 \le x \le 5$     ……㉡

㉠, ㉡의 공통 범위를 구하면

$1 < x \le 5$     🖪 ④

**082** 진수의 조건에서 $x > 0$     ……㉠

$(\log_2 x)^2 + 2\log_2 x - 3 \ge 0$에서

$\log_2 x = t$로 놓으면 $t^2 + 2t - 3 \ge 0$

$(t+3)(t-1) \ge 0$

$\therefore t \le -3$ 또는 $t \ge 1$

즉, $\log_2 x \le -3$ 또는 $\log_2 x \ge 1$이므로

$x \le \dfrac{1}{8}$ 또는 $x \ge 2$     ……㉡

㉠, ㉡의 공통 범위를 구하면

$0 < x \le \dfrac{1}{8}$ 또는 $x \ge 2$     🖪 ①

**083** $x^2-2(1+\log_3 a)x+1-(\log_3 a)^2=0$의 판별식을 $D$라 하면

$\dfrac{D}{4}=(1+\log_3 a)^2-\{1-(\log_3 a)^2\}<0$

$2(\log_3 a)^2+2\log_3 a<0$

진수의 조건에서 $a>0$ ······ ㉠

$\log_3 a=t$로 놓으면 $2t^2+2t<0$

$2t(t+1)<0$

$\therefore -1<t<0$

즉, $-1<\log_3 a<0$이므로

$\dfrac{1}{3}<a<1$ ······ ㉡

㉠, ㉡의 공통 범위를 구하면 $\dfrac{1}{3}<a<1$ 답 ④

**084** 진수의 조건에서 $x>0$ ······ ㉠

$x^{\log x}=10$의 양변에 상용로그를 취하면

$\log x^{\log x}=\log 10$

$(\log x)^2=1$

이때, $\log x=t$로 놓으면 $t^2=1$

$\therefore t=-1$ 또는 $t=1$

즉, $\log x=-1$ 또는 $\log x=1$이므로

$x=\dfrac{1}{10}$ 또는 $x=10$

$x=\dfrac{1}{10}$, $x=10$은 모두 ㉠을 만족하므로 구하는 해이다.

따라서 모든 $x$의 값의 곱은

$\dfrac{1}{10}\times 10=1$ 답 ③

**085** $2\log_4 y=2\log_{2^2} y=\dfrac{2}{2}\log_2 y=\log_2 y$이므로

$\begin{cases}\log_2 x+2\log_4 y=5 \\ \log_2 x^2-\log_2 y=1\end{cases} \Longleftrightarrow \begin{cases}\log_2 x+\log_2 y=5 \\ 2\log_2 x-\log_2 y=1\end{cases}$

이때, $\log_2 x=X$, $\log_2 y=Y$라 하면

$\begin{cases}X+Y=5 \\ 2X-Y=1\end{cases}$

연립방정식을 풀면

$X=2$, $Y=3$

즉, $\log_2 x=2$, $\log_2 y=3$이므로

$a=2^2=4$, $\beta=2^3=8$

$\therefore a+\beta=4+8=12$ 답 ①

**086** 두 남자의 나이를 각각 $t$, $t+3(15\le t<t+3\le 25)$이라 하면 두 남자의 몸무게의 합이 $110\,\mathrm{kg}$이므로

$\{45+20\log(t-14)\}+\{45+20\log(t-11)\}=110$

$\log(t-14)+\log(t-11)=1$

$\log(t-14)(t-11)=1$

$(t-14)(t-11)=10$

$t^2-25t+144=0$

$(t-9)(t-16)=0$

$\therefore t=9$ 또는 $t=16$

이때, $15\le t\le 22$이므로 $t=16$

따라서 두 남자의 나이의 합은

$16+19=35$ 답 ②

**087** 진수의 조건, 밑의 조건에서

$x-3>0$, $x^2-8>0$, $x^2-8\ne 1$, $2x+7>0$, $2x+7\ne 1$

$\therefore x>3$ ······ ㉠

(i) $x^2-8=2x+7$일 때,

$x^2-2x-15=0$

$(x+3)(x-5)=0$

$\therefore x=-3$ 또는 $x=5$

그런데 ㉠에서 $x>3$이므로 $x=5$

(ii) $x-3=1$일 때,

$x=4$

$x=4$는 ㉠을 만족하므로 구하는 근이다.

(i), (ii)에 의하여 구하는 근은 $x=4$ 또는 $x=5$이므로 모든 근의 곱은 20이다. 답 ⑤

**088** $10^{x^2+\log a}>a^{2x}$의 양변에 상용로그를 취하면

$x^2+\log a>2x\log a$

$x^2-2x\log a+\log a>0$

이 부등식이 모든 실수 $x$에 대하여 항상 성립하려면 이차방정식 $x^2-2x\log a+\log a=0$의 판별식을 $D$라 할 때

$\dfrac{D}{4}=(\log a)^2-\log a<0$

$\log a(\log a-1)<0$

$\therefore 0<\log a<1$

$\therefore 1<a<10$

따라서 양의 정수 $a$의 총합은

$2+3+4+5+6+7+8+9=44$ 답 44

**001**        답 ㉠

**002**        답 ㉣

**003**        답 ㉡

**004**        답 ㉢

**005** $\angle \text{POX} = 360° \times n + \boxed{45}°$ (단, $n$은 정수)    답 45

**006** $\angle \text{POX} = 360° \times n + \boxed{135}°$ (단, $n$은 정수)    답 135

**007** $\angle \text{POX} = 360° \times n + \boxed{240}°$ (단, $n$은 정수)    답 240

**008** $460° = 360° \times 1 + 100°$이므로
$360° \times n + 100°$ ($n$은 정수)

답 $360° \times n + 100°$ ($n$은 정수)

**009** $750° = 360° \times 2 + 30°$이므로
$360° \times n + 30°$ ($n$은 정수)

답 $360° \times n + 30°$ ($n$은 정수)

**010** $-300° = 360° \times (-1) + 60°$이므로
$360° \times n + 60°$ ($n$은 정수)

답 $360° \times n + 60°$ ($n$은 정수)

**011** $90° < 120° < 180°$이므로 $120°$는 제2사분면의 각이다.

답 제2사분면

**012** $180° < 210° < 270°$이므로 $210°$는 제3사분면의 각이다.

답 제3사분면

**013** $270° < 315° < 360°$이므로 $315°$는 제4사분면의 각이다.

답 제4사분면

**014** $400° = 360° \times 1 + 40°$이고, $0° < 40° < 90°$이므로
$400°$는 제1사분면의 각이다.    답 제1사분면

**015** $-150° = 360° \times (-1) + 210°$이고, $180° < 210° < 270°$이므로
$-150°$는 제3사분면의 각이다.    답 제3사분면

**016** $1° = \dfrac{\pi}{180}$ 라디안이므로

$30° = 30 \times 1° = 30 \times \dfrac{\pi}{180} = \dfrac{\pi}{6}$    답 $\dfrac{\pi}{6}$

**017** $1° = \dfrac{\pi}{180}$ 라디안이므로

$45° = 45 \times 1° = 45 \times \dfrac{\pi}{180} = \dfrac{\pi}{4}$    답 $\dfrac{\pi}{4}$

**018** $1° = \dfrac{\pi}{180}$ 라디안이므로

$60° = 60 \times 1° = 60 \times \dfrac{\pi}{180} = \dfrac{\pi}{3}$    답 $\dfrac{\pi}{3}$

**019** $1° = \dfrac{\pi}{180}$ 라디안이므로

$90° = 90 \times 1° = 90 \times \dfrac{\pi}{180} = \dfrac{\pi}{2}$    답 $\dfrac{\pi}{2}$

**020** $1° = \dfrac{\pi}{180}$ 라디안이므로

$120° = 120 \times 1° = 120 \times \dfrac{\pi}{180} = \dfrac{2}{3}\pi$    답 $\dfrac{2}{3}\pi$

**021** $1° = \dfrac{\pi}{180}$ 라디안이므로

$135° = 135 \times 1° = 135 \times \dfrac{\pi}{180} = \dfrac{3}{4}\pi$    답 $\dfrac{3}{4}\pi$

**022** $1° = \dfrac{\pi}{180}$ 라디안이므로

$180° = 180 \times 1° = 180 \times \dfrac{\pi}{180} = \pi$    답 $\pi$

**023** $1° = \dfrac{\pi}{180}$ 라디안이므로

$240° = 240 \times 1° = 240 \times \dfrac{\pi}{180} = \dfrac{4}{3}\pi$    답 $\dfrac{4}{3}\pi$

**024** $1° = \dfrac{\pi}{180}$ 라디안이므로

$330° = 330 \times 1° = 330 \times \dfrac{\pi}{180} = \dfrac{11}{6}\pi$    답 $\dfrac{11}{6}\pi$

**025** $1° = \dfrac{\pi}{180}$ 라디안이므로

$360° = 360 \times 1° = 360 \times \dfrac{\pi}{180} = 2\pi$    답 $2\pi$

**026** 1라디안 $= \dfrac{180°}{\pi}$ 이므로

$\dfrac{\pi}{6} = \dfrac{\pi}{6} \times \dfrac{180°}{\pi} = 30°$    답 $30°$

**027** 1라디안 $= \dfrac{180°}{\pi}$ 이므로

$\dfrac{\pi}{4} = \dfrac{\pi}{4} \times \dfrac{180°}{\pi} = 45°$    답 $45°$

**028** 1라디안 $= \dfrac{180°}{\pi}$ 이므로

$\dfrac{\pi}{3} = \dfrac{\pi}{3} \times \dfrac{180°}{\pi} = 60°$    답 $60°$

**029** 1라디안 $= \dfrac{180°}{\pi}$ 이므로

$\dfrac{\pi}{2} = \dfrac{\pi}{2} \times \dfrac{180°}{\pi} = 90°$    답 $90°$

**030** 1라디안 $=\dfrac{180°}{\pi}$ 이므로

$\dfrac{5}{6}\pi=\dfrac{5\pi}{6}\times\dfrac{180°}{\pi}=150°$   冒 $150°$

**031** 1라디안 $=\dfrac{180°}{\pi}$ 이므로

$\dfrac{7}{6}\pi=\dfrac{7\pi}{6}\times\dfrac{180°}{\pi}=210°$   冒 $210°$

**032** 1라디안 $=\dfrac{180°}{\pi}$ 이므로

$\dfrac{4}{3}\pi=\dfrac{4\pi}{3}\times\dfrac{180°}{\pi}=240°$   冒 $240°$

**033** 1라디안 $=\dfrac{180°}{\pi}$ 이므로

$\dfrac{7}{4}\pi=\dfrac{7\pi}{4}\times\dfrac{180°}{\pi}=315°$   冒 $315°$

**034** 1라디안 $=\dfrac{180°}{\pi}$ 이므로

$2\pi=2\pi\times\dfrac{180°}{\pi}=360°$   冒 $360°$

**035** (호의 길이)=(반지름의 길이)×(중심각의 크기)이므로

$\square=6\times\dfrac{\pi}{6}=\pi$   冒 $\pi$

**036** (호의 길이)=(반지름의 길이)×(중심각의 크기)이므로

$\square=9\times\dfrac{2}{3}\pi=6\pi$   冒 $6\pi$

**037** (중심각의 크기)=(호의 길이)÷(반지름의 길이)이므로

$\square=4\pi\div3=\dfrac{4}{3}\pi$   冒 $\dfrac{4}{3}\pi$

**038** (반지름의 길이)=(호의 길이)÷(중심각의 크기)이므로

$\square=10\pi\div\dfrac{5}{6}\pi=10\pi\times\dfrac{6}{5\pi}=12$   冒 $12$

**039** (부채꼴의 넓이)$=\dfrac{1}{2}\times$(반지름의 길이)$^2\times$(중심각의 크기)

$=\dfrac{1}{2}\times4^2\times\dfrac{3}{4}\pi$

$=6\pi$   冒 $6\pi$

**040** (부채꼴의 넓이)$=\dfrac{1}{2}\times$(반지름의 길이)×(호의 길이)

$=\dfrac{1}{2}\times8\times2\pi$

$=8\pi$   冒 $8\pi$

**[041-043]** $\overline{OP}=\sqrt{4^2+3^2}=5$이고, 점 P에서 $x$축에 내린 수선의 발을 Q라 하면 $\overline{OQ}=4,\ \overline{PQ}=3$

**041** $\sin\theta=\dfrac{\overline{PQ}}{\overline{OP}}=\dfrac{3}{5}$   冒 $\dfrac{3}{5}$

**042** $\cos\theta=\dfrac{\overline{OQ}}{\overline{OP}}=\dfrac{4}{5}$   冒 $\dfrac{4}{5}$

**043** $\tan\theta=\dfrac{\overline{PQ}}{\overline{OQ}}=\dfrac{3}{4}$   冒 $\dfrac{3}{4}$

**[044-046]** $\overline{OP}=\sqrt{(-1)^2+2^2}=\sqrt5$이고, 점 P에서 $x$축에 내린 수선의 발을 Q라 하면 $\overline{OQ}=1,\ \overline{PQ}=2$

**044** $\sin\theta=\dfrac{\overline{PQ}}{\overline{OP}}=\dfrac{2}{\sqrt5}=\dfrac{2\sqrt5}{5}$   冒 $\dfrac{2\sqrt5}{5}$

**045** $\cos\theta=-\dfrac{\overline{OQ}}{\overline{OP}}=-\dfrac{1}{\sqrt5}=-\dfrac{\sqrt5}{5}$   冒 $-\dfrac{\sqrt5}{5}$

**046** $\tan\theta=-\dfrac{\overline{PQ}}{\overline{OQ}}=-\dfrac{2}{1}=-2$   冒 $-2$

**047** $\theta$가 제2사분면의 각이므로 $\sin\theta>0$   冒 $\sin\theta>0$

**048** $\theta$가 제2사분면의 각이므로 $\cos\theta<0$   冒 $\cos\theta<0$

**049** $\theta$가 제2사분면의 각이므로 $\tan\theta<0$   冒 $\tan\theta<0$

**050** $\theta$가 제3사분면의 각이므로 $\sin\theta<0$   冒 $\sin\theta<0$

**051** $\theta$가 제3사분면의 각이므로 $\cos\theta<0$   冒 $\cos\theta<0$

**052** $\theta$가 제3사분면의 각이므로 $\tan\theta>0$   冒 $\tan\theta>0$

**053** $\sin30°=\dfrac{\overline{AC}}{\overline{AB}}=\dfrac{1}{2}$   冒 $\dfrac{1}{2}$

**054** $\cos30°=\dfrac{\overline{BC}}{\overline{AB}}=\dfrac{\sqrt3}{2}$   冒 $\dfrac{\sqrt3}{2}$

**055** $\tan30°=\dfrac{\overline{AC}}{\overline{BC}}=\dfrac{1}{\sqrt3}=\dfrac{\sqrt3}{3}$   冒 $\dfrac{\sqrt3}{3}$

**056** $\sin45°=\dfrac{\overline{DF}}{\overline{DE}}=\dfrac{1}{\sqrt2}=\dfrac{\sqrt2}{2}$   冒 $\dfrac{\sqrt2}{2}$

**057** $\cos45°=\dfrac{\overline{EF}}{\overline{DE}}=\dfrac{1}{\sqrt2}=\dfrac{\sqrt2}{2}$   冒 $\dfrac{\sqrt2}{2}$

**058** $\tan45°=\dfrac{\overline{DF}}{\overline{EF}}=\dfrac{1}{1}=1$   冒 $1$

**059** $\sin60°=\dfrac{\overline{GI}}{\overline{GH}}=\dfrac{\sqrt3}{2}$   冒 $\dfrac{\sqrt3}{2}$

**060** $\cos60°=\dfrac{\overline{HI}}{\overline{GH}}=\dfrac{1}{2}$   冒 $\dfrac{1}{2}$

**061** $\tan60°=\dfrac{\overline{GI}}{\overline{HI}}=\dfrac{\sqrt3}{1}=\sqrt3$   冒 $\sqrt3$

**062** $\tan\theta=\dfrac{\sin\theta}{\cos\theta}=\dfrac{\dfrac{\sqrt{3}}{2}}{-\dfrac{1}{2}}=-\sqrt{3}$  답 $-\sqrt{3}$

**063** $\sin^2\theta+\cos^2\theta=\left(\dfrac{\sqrt{3}}{2}\right)^2+\left(-\dfrac{1}{2}\right)^2$

$=\dfrac{3}{4}+\dfrac{1}{4}=1$  답 $1$

**064** 피타고라스의 정리에 의해
삼각형의 변의 길이는
$\sqrt{5^2-3^2}=\sqrt{16}=4$
$\theta$가 제1사분면의 각이므로
$\cos\theta>0$, $\tan\theta>0$
$\therefore\cos\theta=\dfrac{4}{5}$, $\tan\theta=\dfrac{3}{4}$

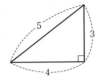

답 $\cos\theta=\dfrac{4}{5}$, $\tan\theta=\dfrac{3}{4}$

**065** 피타고라스의 정리에 의해
삼각형의 변의 길이는
$\sqrt{5^2-4^2}=\sqrt{9}=3$
$\theta$가 제2사분면의 각이므로
$\cos\theta<0$, $\tan\theta<0$
$\therefore\cos\theta=-\dfrac{3}{5}$, $\tan\theta=-\dfrac{4}{3}$

답 $\cos\theta=-\dfrac{3}{5}$, $\tan\theta=-\dfrac{4}{3}$

**066** 피타고라스의 정리에 의해
삼각형의 변의 길이는
$\sqrt{2^2+1^2}=\sqrt{5}$
$\theta$가 제3사분면의 각이므로
$\sin\theta<0$, $\cos\theta<0$
$\therefore\sin\theta=-\dfrac{1}{\sqrt{5}}=-\dfrac{\sqrt{5}}{5}$, $\cos\theta=-\dfrac{2}{\sqrt{5}}=-\dfrac{2\sqrt{5}}{5}$

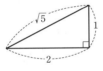

답 $\sin\theta=-\dfrac{\sqrt{5}}{5}$, $\cos\theta=-\dfrac{2\sqrt{5}}{5}$

**067** 피타고라스의 정리에 의해
삼각형의 변의 길이는
$\sqrt{(\sqrt{2})^2-1^2}=\sqrt{1}=1$
$\theta$가 제4사분면의 각이므로
$\sin\theta<0$, $\tan\theta<0$
$\therefore\sin\theta=-\dfrac{1}{\sqrt{2}}=-\dfrac{\sqrt{2}}{2}$, $\tan\theta=-\dfrac{1}{1}=-1$

답 $\sin\theta=-\dfrac{\sqrt{2}}{2}$, $\tan\theta=-1$

**068** 주어진 식의 양변을 제곱하면
$\sin^2\theta+2\sin\theta\cos\theta+\cos^2\theta=\dfrac{1}{4}$
$\sin^2\theta+\cos^2\theta=1$이므로
$2\sin\theta\cos\theta=-\dfrac{3}{4}$
$\therefore\sin\theta\cos\theta=-\dfrac{3}{8}$  답 $-\dfrac{3}{8}$

**069** 주어진 식의 양변을 제곱하면
$\sin^2\theta+2\sin\theta\cos\theta+\cos^2\theta=\dfrac{1}{9}$
$\sin^2\theta+\cos^2\theta=1$이므로
$2\sin\theta\cos\theta=-\dfrac{8}{9}$
$\therefore\sin\theta\cos\theta=-\dfrac{4}{9}$  답 $-\dfrac{4}{9}$

**070** 주어진 식의 양변을 제곱하면
$\sin^2\theta-2\sin\theta\cos\theta+\cos^2\theta=\dfrac{1}{9}$
$\sin^2\theta+\cos^2\theta=1$이므로
$2\sin\theta\cos\theta=\dfrac{8}{9}$
$\therefore\sin\theta\cos\theta=\dfrac{4}{9}$  답 $\dfrac{4}{9}$

**071** ㄱ. $2=2\times\dfrac{180°}{\pi}=\dfrac{360°}{\pi}$ (참)

ㄴ. $\dfrac{\pi}{3}=\dfrac{\pi}{3}\times\dfrac{180°}{\pi}=60°$ (참)

ㄷ. $150°=150\times\dfrac{\pi}{180}=\dfrac{5}{6}\pi$ (거짓)

ㄹ. $\dfrac{1}{2}=\dfrac{1}{2}\times\dfrac{180°}{\pi}=\dfrac{90°}{\pi}$ (거짓)

ㅁ. $\dfrac{\pi}{2}=\dfrac{\pi}{2}\times\dfrac{180°}{\pi}=90°$ (참)

ㅂ. $\dfrac{\pi}{4}=\dfrac{\pi}{4}\times\dfrac{180°}{\pi}=45°$ (거짓)

따라서 옳은 것은 ㄱ, ㄴ, ㅁ의 3개이다.  답 ②

**072** ① $15°=15\times\dfrac{\pi}{180}=\dfrac{\pi}{12}$

② $120°=120\times\dfrac{\pi}{180}=\dfrac{2}{3}\pi$

③ $225°=225\times\dfrac{\pi}{180}=\dfrac{5}{4}\pi$

④ $300°=300\times\dfrac{\pi}{180}=\dfrac{5}{3}\pi$

⑤ $360°=360\times\dfrac{\pi}{180}=2\pi$

따라서 옳지 않은 것은 ④이다.  답 ④

**073** $\angle x+65°+\dfrac{3}{4}\pi+100°+\dfrac{\pi}{2}=540°$
$\angle x+65°+135°+100°+90°=540°$
$\angle x+390°=540°$
$\therefore\angle x=150°=150\times\dfrac{\pi}{180}=\dfrac{5}{6}\pi$  답 $\dfrac{5}{6}\pi$

**074** ① $910°=360°\times2+190°$이고, $180°<190°<270°$이므로
제3사분면의 각이다.
② $-520°=360°\times(-2)+200°$이고, $180°<200°<270°$이
므로 제3사분면의 각이다.

③ $-\dfrac{5}{6}\pi=2\pi\times(-1)+\dfrac{7}{6}\pi$이고, $\pi<\dfrac{7}{6}\pi<\dfrac{3}{2}\pi$이므로

　　제3사분면의 각이다.

④ $\pi<\dfrac{4}{3}\pi<\dfrac{3}{2}\pi$이므로 제3사분면의 각이다.

⑤ $\dfrac{14}{5}\pi=2\pi+\dfrac{4}{5}\pi$이고, $\dfrac{\pi}{2}<\dfrac{4}{5}\pi<\pi$이므로

　　제2사분면의 각이다.

따라서 나머지 넷과 다른 것은 ⑤이다.　　📋 ⑤

**075** 동경 OP가 나타내는 각의 일반각은 $360°\times n+60°$ ($n$은 정수)

① $420°=360°\times1+60°$

② $780°=360°\times2+60°$

③ $-300°=360°\times(-1)+60°$

④ $-420°=360°\times(-2)+300°$

⑤ $-660°=360°\times(-2)+60°$

따라서 동경 OP가 나타낼 수 없는 것은 ④이다.　📋 ④

**076** $\theta$가 제3사분면의 각이므로

$2n\pi+\pi<\theta<2n\pi+\dfrac{3}{2}\pi$ ($n$은 정수)

$\therefore n\pi+\dfrac{\pi}{2}<\dfrac{\theta}{2}<n\pi+\dfrac{3}{4}\pi$

이때, $\dfrac{\theta}{2}$가 존재하는 사분면은 다음과 같다.

(i) $n=2k$ ($k$는 정수)일 때

$2k\pi+\dfrac{\pi}{2}<\dfrac{\theta}{2}<2k\pi+\dfrac{3}{4}\pi$

즉, $\dfrac{\theta}{2}$는 제2사분면의 각이다.

(ii) $n=2k+1$ ($k$는 정수)일 때

$(2k+1)\pi+\dfrac{\pi}{2}<\dfrac{\theta}{2}<(2k+1)\pi+\dfrac{3}{4}\pi$

$\therefore 2k\pi+\dfrac{3}{2}\pi<\dfrac{\theta}{2}<2k\pi+\dfrac{7}{4}\pi$

즉, $\dfrac{\theta}{2}$는 제4사분면의 각이다.

(i), (ii)에 의하여 $\dfrac{\theta}{2}$는 제2사분면 또는 제4사분면의 각이다.

📋 제2사분면 또는 제4사분면

**077** $0°<\theta<90°$일 때, 각 $6\theta$와 $\theta$의 동경이 일치하므로

$6\theta-\theta=360°\times n$ ($n$은 정수)

$5\theta=360°\times n$　　$\therefore \theta=72°\times n$

이때, $\theta$는 예각이므로 $\theta=72°$이다.　📋 $72°$

**078** 각 $\theta$를 나타내는 동경과 각 $7\theta$를 나타내는 동경이 일직선 위에 있고 방향이 반대이므로

$7\theta-\theta=2n\pi+\pi$ ($n$은 정수)

$6\theta=(2n+1)\pi$

$\therefore \theta=\dfrac{2n+1}{6}\pi$

이때, $\dfrac{\pi}{2}<\theta<\pi$이므로 $\dfrac{\pi}{2}<\dfrac{2n+1}{6}\pi<\pi$

$\therefore 1<n<\dfrac{5}{2}$

즉, $n=2$이므로 $\theta=\dfrac{5}{6}\pi$

$\therefore \sin\left(\theta-\dfrac{2}{3}\pi\right)=\sin\left(\dfrac{5}{6}\pi-\dfrac{2}{3}\pi\right)$

$\qquad\qquad\qquad=\sin\dfrac{\pi}{6}=\dfrac{1}{2}$　📋 $\dfrac{1}{2}$

**079** 각 $2\theta$를 나타내는 동경과 각 $4\theta$를 나타내는 동경이 $x$축에 대하여 대칭이므로

$2\theta+4\theta=360°\times n$ ($n$은 정수)

$6\theta=360°\times n$

$\therefore \theta=60°\times n$

이때, $0°<\theta<90°$이므로

$0°<60°\times n<90°$

$\therefore 0<n<\dfrac{3}{2}$

따라서 정수 $n$은 1이므로

$\theta=60°$　　📋 ④

**080** $r=12$, $l=4\pi$이므로

$l=r\theta$에서 $4\pi=12\theta$

$\therefore \theta=\dfrac{\pi}{3}$

따라서 $\sin\theta=\sin\dfrac{\pi}{3}=\dfrac{\sqrt{3}}{2}$　📋 $\dfrac{\sqrt{3}}{2}$

**081** 부채꼴의 반지름의 길이를 $r$, 중심각의 크기를 $\theta$, 호의 길이를 $l$, 넓이를 $S$라 하면

$\theta=\dfrac{\pi}{3}$, $l=2\pi$이므로 $l=r\theta$에서

$2\pi=r\times\dfrac{\pi}{3}$

$\therefore r=6$(cm)

$\therefore S=\dfrac{1}{2}rl=\dfrac{1}{2}\times6\times2\pi=6\pi$(cm$^2$)　📋 ①

**082** 부채꼴의 반지름의 길이를 $r$, 중심각의 크기를 $\theta$, 호의 길이를 $l$이라 하면

$r=4$, $\theta=315°=315\times\dfrac{\pi}{180}=\dfrac{7}{4}\pi$이므로

$l=r\theta=4\times\dfrac{7}{4}\pi=7\pi$

따라서 부채꼴의 둘레의 길이는

$2r+l=2\times4+7\pi$

$\qquad\qquad=8+7\pi$　📋 $8+7\pi$

**083** 반지름의 길이가 2인 원의 넓이를 $S_1$이라 하면

$S_1=\pi\times2^2=4\pi$

반지름의 길이가 4인 부채꼴의 호의 길이를 $l$, 넓이를 $S_2$라 하면

$S_2=\dfrac{1}{2}\times4\times l=2l$

이때, $S_1=S_2$이므로

$4\pi=2l$

$\therefore l=2\pi$

따라서 부채꼴의 둘레의 길이는

$2\times4+2\pi=8+2\pi$　📋 $8+2\pi$

**084** 부채꼴의 반지름의 길이를 $r$, 호의 길이를 $l$, 넓이를 $S$라 하면
$2r+l=8$에서 $l=8-2r$ $(0<r<4)$
즉, 부채꼴의 넓이는
$$S=\frac{1}{2}r(8-2r)$$
$$=-r^2+4r$$
$$=-(r-2)^2+4$$
따라서 $r=2$일 때, 최대의 넓이는 4이다. **답** 4

**085** 그림과 같이 원기둥을 밑면에 평행한 평면으로 자른 단면을 생각하자.
삼각형 $O_1O_2O_3$는 정삼각형이므로 필요한 끈의 길이는
$3(\overline{AB}+\overparen{BC})$
이때, 각 원기둥의 밑면인 원의 반지름의 길이가 1이므로

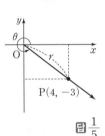

$$\overline{AB}=2, \quad \overparen{BC}=1\times\frac{2}{3}\pi=\frac{2}{3}\pi$$
$\therefore$ (끈의 길이의 최솟값)$=3(\overline{AB}+\overparen{BC})$
$$=3\left(2+\frac{2\pi}{3}\right)$$
$$=6+2\pi$$
**답** ⑤

**086** 원점 O와 점 $P(4,-3)$에 대하여
$x=4, y=-3, r=\sqrt{16+9}=5$이므로
$$\sin\theta=\frac{y}{r}=-\frac{3}{5}$$
$$\cos\theta=\frac{x}{r}=\frac{4}{5}$$
$\therefore \sin\theta+\cos\theta=\left(-\frac{3}{5}\right)+\frac{4}{5}=\frac{1}{5}$
**답** $\dfrac{1}{5}$

**087** 점 $P(a,1)$에 대하여
$\tan\theta=\dfrac{1}{a}=-\dfrac{3}{5}$ $\qquad \therefore a=-\dfrac{5}{3}$
즉, 점 P의 좌표가 $\left(-\dfrac{5}{3},1\right)$이므로
$\overline{OP}=\sqrt{\left(-\dfrac{5}{3}\right)^2+1^2}=\dfrac{\sqrt{34}}{3}$ **답** $\dfrac{\sqrt{34}}{3}$

**088** 점 $P(a,b)$는 직선 $y=-\dfrac{4}{3}x$ 위의 점이므로
$$b=-\frac{4}{3}a$$
이때, $b>0$이므로 $a<0$
$\therefore \overline{OP}=\sqrt{a^2+\dfrac{16}{9}a^2}=\sqrt{\dfrac{25}{9}a^2}=\dfrac{5}{3}|a|=-\dfrac{5}{3}a$
따라서 $\sin\theta=\dfrac{b}{-\dfrac{5}{3}a}=\dfrac{-\dfrac{4}{3}a}{-\dfrac{5}{3}a}=\dfrac{4}{5}$,
$\cos\theta=\dfrac{a}{-\dfrac{5}{3}a}=-\dfrac{3}{5}$이므로
$\sin\theta\cos\theta=\dfrac{4}{5}\times\left(-\dfrac{3}{5}\right)=-\dfrac{12}{25}$ **답** $-\dfrac{12}{25}$

**089** $\begin{cases} x^2+y^2=4 & \cdots\cdots \text{㉠} \\ y=-\sqrt{3}x & \cdots\cdots \text{㉡} \end{cases}$ 에서
㉡을 ㉠에 대입하면
$x^2+(-\sqrt{3}x)^2=4$
$4x^2=4, x^2=1$
$\therefore \begin{cases} x=\pm1 \\ y=\mp\sqrt{3} \end{cases}$ $(\because \text{㉡})$ (단, 복부호 동순)
즉, 두 점 A, B의 좌표는 각각
$(-1,\sqrt{3}), (1,-\sqrt{3})$이다.
이때, 원의 반지름의 길이는 2이므로

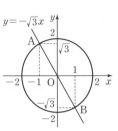

$$\sin\alpha=\frac{\sqrt{3}}{2}, \cos\alpha=-\frac{1}{2},$$
$$\sin\beta=-\frac{\sqrt{3}}{2}, \cos\beta=\frac{1}{2}$$
$\therefore \sin\alpha\cos\beta=\dfrac{\sqrt{3}}{2}\times\dfrac{1}{2}=\dfrac{\sqrt{3}}{4}$
**답** $\dfrac{\sqrt{3}}{4}$

**090** 그림과 같이 점 D, E를 잡으면
$\triangle ABD$에서 $\dfrac{\overline{AD}}{\overline{BD}}=\dfrac{1}{3}$

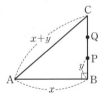

$\therefore \angle ABD=\alpha$ $\cdots\cdots$ ㉠
$\triangle BCE$에서 $\dfrac{\overline{CE}}{\overline{BE}}=\dfrac{1}{1}=1$
$\therefore \angle EBC=\beta$ $\cdots\cdots$ ㉡
㉠, ㉡에서 $\angle ABC=\alpha+\beta$
이때, 직각삼각형 ABC에서
$$\tan(\alpha+\beta)=\frac{\overline{AC}}{\overline{BC}}$$
$$=\frac{\sqrt{2^2+2^2}}{\sqrt{1^2+1^2}}$$
$$=\frac{2\sqrt{2}}{\sqrt{2}}=2$$ **답** 2

**091** $\overline{AB}=x, \overline{BP}=y$로 놓으면 $\overline{BC}=3y$
$\overline{AC}^2=\overline{AB}^2+\overline{BC}^2$이므로
$(x+y)^2=x^2+(3y)^2$
$2xy=8y^2$
$\therefore x=4y$ $(\because x>0, y>0)$
$\therefore \tan A=\dfrac{3y}{x}=\dfrac{3y}{4y}=\dfrac{3}{4}$ **답** ⑤

**092** $\theta$가 제3사분면의 각이므로
$\sin\theta<0, \cos\theta<0, \tan\theta>0$
$\therefore \sin\theta\cos\theta>0, \dfrac{\cos\theta}{\sin\theta}>0, \dfrac{\sin\theta}{\tan\theta}<0$
따라서 옳은 것은 ㄱ, ㄴ, ㄷ이다. **답** ⑤

**093** $\sin\theta\cos\theta<0$에서
$\sin\theta>0, \cos\theta<0$ 또는 $\sin\theta<0, \cos\theta>0$
(i) $\sin\theta>0, \cos\theta<0$일 때
$\theta$는 제2사분면의 각이다.
(ii) $\sin\theta<0, \cos\theta>0$일 때
$\theta$는 제4사분면의 각이다.
(i), (ii)에서 $\theta$는 제2사분면 또는 제4사분면의 각이다. **답** ⑤

**094** $\frac{\pi}{2}<\theta<\pi$, 즉 $\theta$가 제2사분면의 각이므로

$\sin\theta>0$, $\cos\theta<0$, $\cos\theta-\sin\theta<0$

(주어진 식)$=|\sin\theta|-|\cos\theta|-|\cos\theta-\sin\theta|$

$\qquad=\sin\theta-(-\cos\theta)-\{-(\cos\theta-\sin\theta)\}$

$\qquad=\sin\theta+\cos\theta+\cos\theta-\sin\theta$

$\qquad=2\cos\theta$

**답** $2\cos\theta$

**095** $\dfrac{\sqrt{\cos\theta}}{\sqrt{\tan\theta}}=-\sqrt{\dfrac{\cos\theta}{\tan\theta}}$에서

$\cos\theta>0$, $\tan\theta<0$

즉, $\theta$는 제4사분면의 각이므로

$\sin\theta<0$이고, $\sin\theta-\cos\theta<0$

$\therefore \sqrt{(\sin\theta-\cos\theta)^2}-|\sin\theta|=-(\sin\theta-\cos\theta)+\sin\theta$

$\qquad\qquad\qquad\qquad\qquad\qquad=\cos\theta$

**답** $\cos\theta$

**096** (i) $\sin\theta\cos\theta<0$에서

$\quad\sin\theta>0$, $\cos\theta<0$ 또는 $\sin\theta<0$, $\cos\theta>0$

이므로 $\theta$는 제2사분면 또는 제4사분면의 각이다.

(ii) $\cos\theta\tan\theta>0$에서

$\quad\cos\theta>0$, $\tan\theta>0$ 또는 $\cos\theta<0$, $\tan\theta<0$

이므로 $\theta$는 제1사분면 또는 제2사분면의 각이다.

(i), (ii)에서 $\theta$는 제2사분면의 각이다.

**답** ②

**097** $\sin\theta=3\cos\theta$의 양변을 $\cos\theta$로 나누면

$\dfrac{\sin\theta}{\cos\theta}=3$ $\quad\therefore \tan\theta=3$

$\tan\theta>0$이므로 $\theta$는 제1사분면 또는 제3사분면의 각이다.

(i) $\theta$가 제1사분면의 각일 때

$\quad\sin\theta=\dfrac{3}{\sqrt{10}}$, $\cos\theta=\dfrac{1}{\sqrt{10}}$

(ii) $\theta$가 제3사분면의 각일 때

$\quad\sin\theta=-\dfrac{3}{\sqrt{10}}$, $\cos\theta=-\dfrac{1}{\sqrt{10}}$

(i), (ii)에서 $\sin\theta\cos\theta=\dfrac{3}{10}$

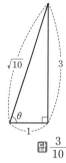

**답** $\dfrac{3}{10}$

**098** $\tan\theta=\dfrac{\sin\theta}{\cos\theta}=\dfrac{1}{4}$이므로

$\cos\theta=4\sin\theta$

$\therefore \dfrac{\cos\theta+\sin\theta}{\cos\theta-\sin\theta}=\dfrac{4\sin\theta+\sin\theta}{4\sin\theta-\sin\theta}=\dfrac{5\sin\theta}{3\sin\theta}=\dfrac{5}{3}$

**답** $\dfrac{5}{3}$

**다른 풀이**

주어진 식의 분모, 분자를 각각 $\cos\theta$로 나누면

$\dfrac{\cos\theta+\sin\theta}{\cos\theta-\sin\theta}=\dfrac{1+\dfrac{\sin\theta}{\cos\theta}}{1-\dfrac{\sin\theta}{\cos\theta}}$

$\qquad\qquad\quad=\dfrac{1+\tan\theta}{1-\tan\theta}$

$\qquad\qquad\quad=\dfrac{1+\dfrac{1}{4}}{1-\dfrac{1}{4}}=\dfrac{5}{3}$

**099** $\dfrac{1}{\cos\theta}\times\dfrac{1}{\sin\theta}=2$에서 $\sin\theta\cos\theta=\dfrac{1}{2}$

$\therefore (\sin\theta+\cos\theta)^2=\sin^2\theta+2\sin\theta\cos\theta+\cos^2\theta$

$\qquad\qquad\qquad\qquad=1+2\sin\theta\cos\theta$

$\qquad\qquad\qquad\qquad=2$

**답** ⑤

**100** $\dfrac{\cos\theta}{1-\sin\theta}+\dfrac{1-\sin\theta}{\cos\theta}=\dfrac{\cos^2\theta+1-2\sin\theta+\sin^2\theta}{\cos\theta(1-\sin\theta)}$

$\qquad\qquad\qquad\qquad\qquad=\dfrac{2(1-\sin\theta)}{\cos\theta(1-\sin\theta)}$

$\qquad\qquad\qquad\qquad\qquad=\dfrac{2}{\cos\theta}$

$\qquad\qquad\qquad\qquad\qquad=\dfrac{2}{\dfrac{\sqrt{2}}{2}}$

$\qquad\qquad\qquad\qquad\qquad=2\sqrt{2}$

**답** ④

**101** $\sin\theta+\cos\theta=\dfrac{1}{\sqrt{2}}$의 양변을 제곱하면

$1+2\sin\theta\cos\theta=\dfrac{1}{2}$

$\therefore \sin\theta\cos\theta=-\dfrac{1}{4}$

$(\sin\theta-\cos\theta)^2=1-2\sin\theta\cos\theta$

$\qquad\qquad\qquad\quad=1-2\times\left(-\dfrac{1}{4}\right)$

$\qquad\qquad\qquad\quad=\dfrac{3}{2}$

그런데 $\theta$는 제2사분면의 각이므로

$\sin\theta>0$, $\cos\theta<0$에서 $\sin\theta-\cos\theta>0$

$\therefore \sin\theta-\cos\theta=\sqrt{\dfrac{3}{2}}=\dfrac{\sqrt{6}}{2}$

**답** $\dfrac{\sqrt{6}}{2}$

**102** $\tan\theta+\dfrac{1}{\tan\theta}=2$에서 $\dfrac{\sin\theta}{\cos\theta}+\dfrac{\cos\theta}{\sin\theta}=2$

$\dfrac{\sin^2\theta+\cos^2\theta}{\cos\theta\sin\theta}=2$

$\therefore \sin\theta\cos\theta=\dfrac{1}{2}$

$\therefore \dfrac{1}{\sin^2\theta}+\dfrac{1}{\cos^2\theta}=\dfrac{\cos^2\theta+\sin^2\theta}{\sin^2\theta\cos^2\theta}$

$\qquad\qquad\qquad\quad=\dfrac{1}{(\sin\theta\cos\theta)^2}$

$\qquad\qquad\qquad\quad=4$

**답** 4

**103** $2\tan\theta=\cos\theta$에서 $2\times\dfrac{\sin\theta}{\cos\theta}=\cos\theta$

$\therefore 2\sin\theta=\cos^2\theta$

이때, $\sin^2\theta+\cos^2\theta=1$에서 $\sin^2\theta+2\sin\theta-1=0$

$\sin\theta=t$로 놓으면 $t^2+2t-1=0$

이차방정식의 근의 공식에 의하여

$t=-1\pm\sqrt{2}$

$\therefore \sin\theta=-1\pm\sqrt{2}$

그런데 $\theta$가 제1사분면의 각이므로

$\sin\theta=-1+\sqrt{2}$

**답** ③

**104** 이차방정식 $2x^2-x+k=0$의 두 근이 $\sin\theta$, $\cos\theta$이므로 근과 계수의 관계에 의하여

$$\sin\theta+\cos\theta=\frac{1}{2},\ \sin\theta\cos\theta=\frac{k}{2}$$

$\sin\theta+\cos\theta=\frac{1}{2}$의 양변을 제곱하면

$$1+2\sin\theta\cos\theta=\frac{1}{4}$$

$$\therefore 2\sin\theta\cos\theta=-\frac{3}{4}$$

$$\therefore k=2\sin\theta\cos\theta=-\frac{3}{4}$$   답 $-\frac{3}{4}$

**105** $\sin\theta+\cos\theta=\frac{\sqrt{6}}{2}$의 양변을 제곱하면

$$1+2\sin\theta\cos\theta=\frac{3}{2}$$

$$\therefore \sin\theta\cos\theta=\frac{1}{4}$$

즉, $\sin\theta$, $\cos\theta$를 두 근으로 하고 이차항의 계수가 1인 이차방정식은

$$x^2-(\sin\theta+\cos\theta)x+\sin\theta\cos\theta=0$$

$$x^2-\frac{\sqrt{6}}{2}x+\frac{1}{4}=0$$

$$\therefore 4x^2-2\sqrt{6}x+1=0$$   답 ②

**106** 이차방정식 $3x^2-x+k=0$의 두 근이 $\sin\theta$, $\cos\theta$이므로 근과 계수의 관계에 의하여

$$\sin\theta+\cos\theta=\frac{1}{3} \qquad \cdots\cdots ㉠$$

$$\sin\theta\cos\theta=\frac{k}{3}$$

㉠의 양변을 제곱하면

$$1+2\sin\theta\cos\theta=\frac{1}{9}$$

$$\therefore \sin\theta\cos\theta=-\frac{4}{9} \qquad \cdots\cdots ㉡$$

즉, $\frac{k}{3}=-\frac{4}{9}$이므로 $k=-\frac{4}{3}$

한편, 이차방정식 $ax^2+bx+8=0$의 두 근이 $\tan\theta$, $\frac{1}{\tan\theta}$이므로 근과 계수의 관계에 의하여

$$\tan\theta+\frac{1}{\tan\theta}=-\frac{b}{a} \qquad \cdots\cdots ㉢$$

$$\tan\theta\times\frac{1}{\tan\theta}=\frac{8}{a}$$

$$1=\frac{8}{a}$$

$$\therefore a=8$$

㉢에서

$$\begin{aligned}\tan\theta+\frac{1}{\tan\theta}&=\frac{\sin\theta}{\cos\theta}+\frac{\cos\theta}{\sin\theta}\\&=\frac{\sin^2\theta+\cos^2\theta}{\sin\theta\cos\theta}\\&=-\frac{9}{4}\ (\because ㉡)\end{aligned}$$

즉, $-\frac{b}{a}=-\frac{9}{4}$이므로

$$b=\frac{9}{4}a=\frac{9}{4}\times8=18$$

$$\therefore abk=8\times18\times\left(-\frac{4}{3}\right)=-192$$   답 $-192$

**107** $\begin{aligned}150°+\frac{2}{3}\pi-210°&=\frac{5}{6}\pi+\frac{2}{3}\pi-\frac{7}{6}\pi\\&=\frac{5+4-7}{6}\pi\\&=\frac{\pi}{3}\end{aligned}$

$$\therefore a=\frac{1}{3}$$   답 ②

다른 풀이

$$150°+\frac{2}{3}\pi-210°=150°+120°-210°=60°=\frac{\pi}{3}$$

$$\therefore a=\frac{1}{3}$$

**108** ㄱ. $840°=360°\times2+120°$

ㄴ. $-380°=360°\times(-2)+340°$

ㄷ. $\frac{17}{3}\pi=2\pi\times2+\frac{5}{3}\pi$

$$\frac{5}{3}\pi=\frac{5}{3}\pi\times\frac{180°}{\pi}=300°$$

ㄹ. $-960°=360°\times(-3)+120°$

따라서 $120°$를 나타내는 동경과 일치하는 것은 ㄱ, ㄹ이다.

답 ③

**109** $\theta$가 제3사분면의 각이므로 일반각으로 나타내면

$$2n\pi+\pi<\theta<2n\pi+\frac{3}{2}\pi\ (n은\ 정수)$$

$$\therefore \frac{2}{3}n\pi+\frac{\pi}{3}<\frac{\theta}{3}<\frac{2}{3}n\pi+\frac{\pi}{2}$$

이때, $\frac{\theta}{3}$가 존재하는 사분면은 다음과 같다.

(i) $n=3k$ ($k$는 정수)일 때

$$2k\pi+\frac{\pi}{3}<\frac{\theta}{3}<2k\pi+\frac{\pi}{2}$$

즉, $\frac{\theta}{3}$는 제1사분면의 각이다.

(ii) $n=3k+1$ ($k$는 정수)일 때

$$\frac{2}{3}(3k+1)\pi+\frac{\pi}{3}<\frac{\theta}{3}<\frac{2}{3}(3k+1)\pi+\frac{\pi}{2}$$

$$\therefore 2k\pi+\pi<\frac{\theta}{3}<2k\pi+\frac{7}{6}\pi$$

즉, $\frac{\theta}{3}$는 제3사분면의 각이다.

(iii) $n=3k+2$ ($k$는 정수)일 때

$$\frac{2}{3}(3k+2)\pi+\frac{\pi}{3}<\frac{\theta}{3}<\frac{2}{3}(3k+2)\pi+\frac{\pi}{2}$$

$$\therefore 2k\pi+\frac{5}{3}\pi<\frac{\theta}{3}<2k\pi+\frac{11}{6}\pi$$

즉, $\frac{\theta}{3}$는 제4사분면의 각이다.

(i), (ii), (iii)에서 $\frac{\theta}{3}$는 제1, 3, 4사분면에 존재할 수 있다.   답 ⑤

**110** 각 $\theta$를 나타내는 동경과 각 $4\theta$를 나타내는 동경이 일치하므로

$4\theta - \theta = 2n\pi$ ($n$은 정수)

$3\theta = 2n\pi$

$\therefore \theta = \dfrac{2n}{3}\pi$

이때, $\dfrac{\pi}{2} < \theta < \pi$이므로

$\dfrac{\pi}{2} < \dfrac{2n}{3}\pi < \pi$

$\therefore \dfrac{3}{4} < n < \dfrac{3}{2}$

따라서 정수 $n$은 $1$이므로

$\theta = \dfrac{2}{3}\pi$ 　　　　　　　　　　　　　　　**답** ④

**111** 부채꼴의 반지름의 길이를 $r$, 중심각의 크기를 $\theta$, 호의 길이를 $l$, 넓이를 $S$라 하면

$l = \dfrac{\pi}{3}$, $S = \dfrac{3}{2}\pi$이므로 $S = \dfrac{1}{2}rl$에서

$\dfrac{3}{2}\pi = \dfrac{1}{2} \times r \times \dfrac{\pi}{3}$

$\therefore r = 9$

또 $l = r\theta$에서 $\dfrac{\pi}{3} = 9 \times \theta$

$\therefore \theta = \dfrac{\pi}{27}$ 　　　　　　　　　　　　　　**답** ⑤

**112** 부채꼴의 반지름의 길이를 $r$, 호의 길이를 $l$, 넓이를 $S$라 하면
$r = 5$이므로

$l = r\theta = 5\theta$

즉, 부채꼴의 둘레의 길이는

$2r + l = 10 + 5\theta$

이고, 부채꼴의 넓이는

$S = \dfrac{1}{2}rl = \dfrac{1}{2} \times 5 \times 5\theta = \dfrac{25}{2}\theta$

이때, 부채꼴의 둘레의 길이와 넓이가 같으므로

$10 + 5\theta = \dfrac{25}{2}\theta$ 　　$\therefore \theta = \dfrac{4}{3}$ 　　**답** $\dfrac{4}{3}$

**113** $\triangle BOA$, $\triangle AOF$, $\triangle FOE$에서 $\overline{BO} = \overline{AO} = \overline{FO} = \overline{EO} = 2$이고, $\overline{BA} = \overline{AF} = \overline{FE}$이므로 $\triangle BOA \equiv \triangle AOF \equiv \triangle FOE$이고 모두 정삼각형이다.

점 A에서 $\overline{BO}$에 내린 수선의 발을 H라 하면 $\triangle BOA$는 한 변의 길이가 $2$인 정삼각형이므로

$\overline{AH} = \sqrt{3}$, $\overline{HO} = 1$

따라서 $A(-1, \sqrt{3})$이므로 $\sin\alpha = \dfrac{\sqrt{3}}{2}$

같은 방법으로 $\triangle ODE$도 정삼각형이므로 점 D에서 $\overline{OE}$에 내린 수선의 발을 I라 하면 $\overline{DI} = \sqrt{3}$, $\overline{OI} = 1$

따라서 $D(1, -\sqrt{3})$이므로 $\cos\beta = \dfrac{1}{2}$

$\alpha$, $\beta$는 각각 두 동경 OA, OD가 나타내는 일반각이므로

$\dfrac{\sin\alpha}{\cos\beta} = \dfrac{\frac{\sqrt{3}}{2}}{\frac{1}{2}} = \sqrt{3}$ 　　　　　　　　**답** $\sqrt{3}$

**114** $\sin\theta\tan\theta > 0$에서 $\sin\theta$와 $\tan\theta$의 부호가 같으므로 $\theta$는 제1사분면 또는 제4사분면의 각이다.

ㄱ. $\theta$가 제1사분면의 각일 때 $\sin\theta + |\sin\theta| = 2\sin\theta$ (거짓)

ㄴ. $\theta$가 제1사분면 또는 제4사분면의 각이므로
$\cos\theta > 0$
$\therefore \sqrt{\cos^2\theta} = |\cos\theta| = \cos\theta$ (참)

ㄷ. $\theta$가 제1사분면의 각일 때 $|\tan\theta| = \tan\theta$ (거짓)

따라서 항상 옳은 것은 ㄴ뿐이다. 　　　　　**답** ②

**115** $\sin\theta + \cos\theta = \dfrac{3}{2}$의 양변을 제곱하면

$1 + 2\sin\theta\cos\theta = \dfrac{9}{4}$

$2\sin\theta\cos\theta = \dfrac{5}{4}$

$\therefore \sin\theta\cos\theta = \dfrac{5}{8}$

$\therefore \sin^3\theta + \cos^3\theta$
$= (\sin\theta + \cos\theta)(\sin^2\theta - \sin\theta\cos\theta + \cos^2\theta)$
$= \dfrac{3}{2} \times \left(1 - \dfrac{5}{8}\right) = \dfrac{9}{16}$ 　　**답** ④

**116** 이차방정식 $x^2 - kx + 2 = 0$의 두 근이 $\dfrac{1}{\sin\theta}$, $\dfrac{1}{\cos\theta}$이므로

근과 계수의 관계에 의하여

$\dfrac{1}{\sin\theta} + \dfrac{1}{\cos\theta} = k$ 　　…… ㉠

$\dfrac{1}{\sin\theta} \times \dfrac{1}{\cos\theta} = 2$

$\therefore \sin\theta\cos\theta = \dfrac{1}{2}$ 　　…… ㉡

㉠에서

$\dfrac{1}{\sin\theta} + \dfrac{1}{\cos\theta} = \dfrac{\sin\theta + \cos\theta}{\sin\theta\cos\theta}$
$= 2(\sin\theta + \cos\theta) = k \ (\because \text{㉡})$

$\therefore k^2 = 4(\sin^2\theta + 2\sin\theta\cos\theta + \cos^2\theta)$
$= 4\left(1 + 2 \times \dfrac{1}{2}\right)$
$= 8$ 　　　　　　　　　　　　　　　　**답** 8

**117** 부채꼴의 반지름의 길이를 $r$, 중심각의 크기를 $\theta$, 호의 길이를 $l$, 넓이를 $S$라 하면

$S = \dfrac{1}{2}r^2\theta$에서 $\theta = \dfrac{2S}{r^2}$

한편, 부채꼴의 둘레의 길이는

$2r + l = 2r + r\theta = 2r + \dfrac{2S}{r}$

이때, 산술평균과 기하평균의 관계에 의하여

$2r + \dfrac{2S}{r} \geq 2\sqrt{2r \times \dfrac{2S}{r}} = 4\sqrt{S}$

$\left(\text{단, 등호는 } 2r = \dfrac{2S}{r} \text{일 때 성립}\right)$

즉, $2r = \dfrac{2S}{r}$일 때 둘레의 길이가 최소이므로

$2r = \dfrac{2S}{r}$에서 $r^2 = S$

$\therefore \theta = \dfrac{2S}{r^2} = \dfrac{2S}{S} = 2$ 　　　　　　　　**답** 2

**118** 직선 $y=\dfrac{\sqrt{3}}{3}x$와 $x$축의 양의 방향이

이루는 각의 크기를 $\theta$라 하면

$\tan\theta=\dfrac{\sqrt{3}}{3}$

$\therefore \theta=30°$

두 원 A, A$'$이 $y$축과 접하는 점을 각

각 B, B$'$이라 하면

$\angle BOA=\angle AOP$, $\angle B'OA'=\angle A'OP$이고,

$\angle BOP=60°$, $\angle B'OP=120°$이므로

$\angle AOP=30°$, $\angle A'OP=60°$

$\therefore \overline{A'P}=\overline{OP}\tan 60°$

$\qquad =\dfrac{\overline{AP}}{\tan 30°}\times \tan 60°$

$\qquad =3\overline{AP}$

$\therefore \overline{AP}:\overline{A'P}=1:3$　　　　　目 ②

---

**001** 함수 $y=f(x)$의 그래프는 구간 $[0,\ 3]$에서의 그래프가 반복해
서 나타나므로 함수 $y=f(x)$의 주기는 3이다. 　　目 3

**002** $x=12$일 때, $f(15)=f(12)$

$x=9$일 때, $f(12)=f(9)$

$x=6$일 때, $f(9)=f(6)$

$x=3$일 때, $f(6)=f(3)$

$x=0$일 때, $f(3)=f(0)$

$\therefore f(15)=f(12)=f(9)=f(6)=f(3)=f(0)=0$　　目 0

**003**

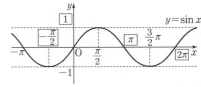

目 $-\dfrac{\pi}{2}$, 1, $\pi$, $2\pi$

**004** 주기가 $\boxed{2\pi}$인 주기함수이다. 　　目 $2\pi$

**005** 치역은 $\{y\,|\,\boxed{-1\le y\le 1}\}$이다. 　　目 $-1\le y\le 1$

**006** $y=\sin x$의 그래프는 $\boxed{원점}$에 대하여 대칭이다. 　目 원점

참고

$y=\sin x$의 그래프는 원점 뿐만 아니라 직선 $x=n\pi-\dfrac{1}{2}\pi$,

점 $(n\pi,\ 0)$ 등에 대하여도 대칭이다. (단, $n$은 정수이다.)

**007**

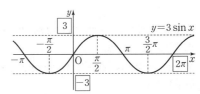

目 3, $-3$, $2\pi$

**008** 주기가 $\boxed{2\pi}$인 주기함수이다. 　　目 $2\pi$

**009** 치역은 $\{y\,|\,\boxed{-3\le y\le 3}\}$이다. 　　目 $-3\le y\le 3$

**010** $-1\le \sin x\le 1$에서 $-2\le 2\sin x\le 2$이므로

최댓값: 2, 최솟값: $-2$

또 $2\sin x=2\sin(x+2\pi)$이므로 주기는 $2\pi$이다.

따라서 함수 $y=2\sin x$의 그래프는 함수 $y=\sin x$의 그래프를
$y$축의 방향으로 2배한 것이므로 그림과 같다.

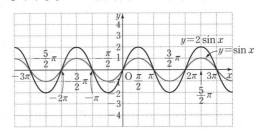

目 풀이 참조

**011** $-1 \leq \sin 2x \leq 1$이므로 최댓값: 1, 최솟값: $-1$

또 $\sin 2x = \sin(2x+2\pi) = \sin 2(x+\pi)$이므로 주기는 $\pi$이다.

따라서 함수 $y = \sin 2x$의 그래프는 $y = \sin x$의 그래프를 $x$축의 방향으로 $\frac{1}{2}$배한 것이므로 그림과 같다.

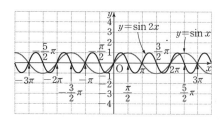

　답 풀이 참조

**012** $-1 \leq \cos \frac{x}{2} \leq 1$이므로 최댓값: 1, 최솟값: $-1$

또 $\cos \frac{x}{2} = \cos\left(\frac{x}{2}+2\pi\right) = \cos \frac{1}{2}(x+4\pi)$이므로 주기는 $4\pi$이다.

따라서 함수 $y = \cos \frac{x}{2}$의 그래프는 $y = \cos x$의 그래프를 $x$축의 방향으로 2배한 것이므로 그림과 같다.

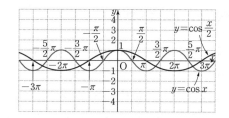

　답 풀이 참조

**013** $-1 \leq \cos 2x \leq 1$에서 $-2 \leq 2\cos 2x \leq 2$이므로 치역은 $\{y \mid -2 \leq y \leq 2\}$

또 $2\cos 2x = 2\cos(2x+2\pi) = 2\cos 2(x+\pi)$이므로 주기는 $\pi$이다.

따라서 함수 $y = 2\cos 2x$의 그래프는 $y = \cos x$의 그래프를 $x$축의 방향으로 $\frac{1}{2}$배, $y$축의 방향으로 2배한 것이므로 그림과 같다.

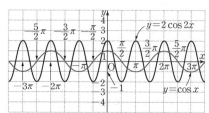

　답 풀이 참조

**014** $-1 \leq \sin 2x \leq 1$에서 $-4 \leq 4\sin 2x \leq 4$이므로 치역은 $\{y \mid -4 \leq y \leq 4\}$이다.　답 $\{y \mid -4 \leq y \leq 4\}$

**015** $-1 \leq \sin \frac{x}{2} \leq 1$에서 $-\sqrt{2} \leq \sqrt{2}\sin \frac{x}{2} \leq \sqrt{2}$이므로 치역은 $\{y \mid -\sqrt{2} \leq y \leq \sqrt{2}\}$이다.　답 $\{y \mid -\sqrt{2} \leq y \leq \sqrt{2}\}$

**016** $-1 \leq \cos \frac{x}{3} \leq 1$에서 $-2 \leq -2\cos \frac{x}{3} \leq 2$이므로 치역은 $\{y \mid -2 \leq y \leq 2\}$이다.　답 $\{y \mid -2 \leq y \leq 2\}$

**017** $y = 3\sin 2x$의 주기는

$\dfrac{2\pi}{|2|} = \pi$　답 $\pi$

**018** $y = \cos \frac{x}{2}$의 주기는

$\dfrac{2\pi}{\left|\frac{1}{2}\right|} = 4\pi$　답 $4\pi$

**019** $y = \sqrt{2}\sin 3x$의 주기는

$\dfrac{2\pi}{|3|} = \frac{2}{3}\pi$　답 $\frac{2}{3}\pi$

**020** $y = -\cos 4x$의 주기는

$\dfrac{2\pi}{|4|} = \frac{\pi}{2}$　답 $\frac{\pi}{2}$

**021** $y = \sin\left(x-\frac{\pi}{3}\right)$의 그래프는 $y = \sin x$의 그래프를 $x$축의 방향으로 $\frac{\pi}{3}$만큼 평행이동한 것이므로

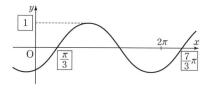

　답 $1, \dfrac{\pi}{3}, \dfrac{7}{3}\pi$

**022** $y = \cos\left(x+\frac{\pi}{4}\right)$의 그래프는 $y = \cos x$의 그래프를 $x$축의 방향으로 $-\frac{\pi}{4}$만큼 평행이동한 것이므로

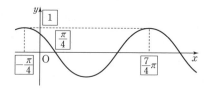

　답 $-\dfrac{\pi}{4}, 1, \dfrac{\pi}{4}, \dfrac{7}{4}\pi$

**023** $y = \sin x + 1$의 그래프는 $y = \sin x$의 그래프를 $y$축의 방향으로 1만큼 평행이동한 것이므로

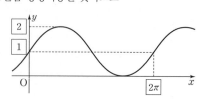

　답 $2, 1, 2\pi$

**024** $y=\cos x-1$의 그래프는 $y=\cos x$의 그래프를 $y$축의 방향으로 $-1$만큼 평행이동한 것이므로

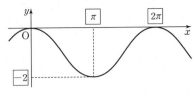

답 $-2$, $\pi$, $2\pi$

**025**

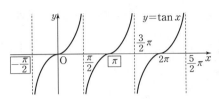

답 $-\dfrac{\pi}{2}$, $\pi$

**026** 주기가 $\boxed{\pi}$인 주기함수이다. 답 $\pi$

**027** 정의역은 $x=n\pi+\boxed{\dfrac{\pi}{2}}$ ($n$은 정수)를 제외한 실수 전체의 집합이다. 답 $\dfrac{\pi}{2}$

**028** $y=\tan x$의 그래프는 $\boxed{원점}$에 대하여 대칭이다. 답 원점

**029** 점근선의 방정식은 $x=n\pi+\boxed{\dfrac{\pi}{2}}$ ($n$은 정수)이다. 답 $\dfrac{\pi}{2}$

**030**

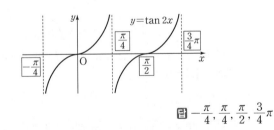

답 $-\dfrac{\pi}{4}$, $\dfrac{\pi}{4}$, $\dfrac{\pi}{2}$, $\dfrac{3}{4}\pi$

**031** 주기가 $\boxed{\dfrac{\pi}{2}}$인 주기함수이다. 답 $\dfrac{\pi}{2}$

**032** 정의역은 $x=\dfrac{n}{2}\pi+\boxed{\dfrac{\pi}{4}}$ ($n$은 정수)를 제외한 실수 전체의 집합이다. 답 $\dfrac{\pi}{4}$

**033** 점근선의 방정식은 $x=\dfrac{n}{2}\pi+\boxed{\dfrac{\pi}{4}}$ ($n$은 정수)이다. 답 $\dfrac{\pi}{4}$

**034** $\sin(2\pi+\theta)=\sin\theta$ 답 $\sin\theta$

**035** $\cos(2\pi-\theta)=\cos(-\theta)=\cos\theta$ 답 $\cos\theta$

**036** $\tan(2\pi-\theta)=\tan(-\theta)=-\tan\theta$ 답 $-\tan\theta$

**037** $\sin(\pi-\theta)=\sin\theta$ 답 $\sin\theta$

**038** $\cos(\pi+\theta)=-\cos\theta$ 답 $-\cos\theta$

**039** $\sin\left(\dfrac{\pi}{2}-\theta\right)=\cos\theta$ 답 $\cos\theta$

**040** $\cos\left(\dfrac{\pi}{2}+\theta\right)=-\sin\theta$ 답 $-\sin\theta$

**041** $\sin\left(2\pi-\dfrac{\pi}{6}\right)=\sin\left(-\dfrac{\pi}{6}\right)=-\sin\dfrac{\pi}{6}=-\dfrac{1}{2}$ 답 $-\dfrac{1}{2}$

**042** $\cos\left(2\pi+\dfrac{\pi}{3}\right)=\cos\dfrac{\pi}{3}=\dfrac{1}{2}$ 답 $\dfrac{1}{2}$

**043** $\sin\left(\pi+\dfrac{\pi}{6}\right)=-\sin\dfrac{\pi}{6}=-\dfrac{1}{2}$ 답 $-\dfrac{1}{2}$

**044** $\tan\left(\pi-\dfrac{\pi}{3}\right)=-\tan\dfrac{\pi}{3}=-\sqrt{3}$ 답 $-\sqrt{3}$

**045** $\cos\left(\dfrac{\pi}{2}-\dfrac{\pi}{4}\right)=\sin\dfrac{\pi}{4}=\dfrac{\sqrt{2}}{2}$ 답 $\dfrac{\sqrt{2}}{2}$

**046** $y=\sin x$ $(0\le x<2\pi)$의 그래프와 직선 $y=\dfrac{1}{2}$은 그림과 같다.

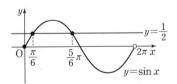

따라서 구하는 해는 두 그래프의 교점의 $x$좌표이므로
$x=\dfrac{\pi}{6}$ 또는 $x=\dfrac{5}{6}\pi$ 답 $\dfrac{\pi}{6}$ 또는 $\dfrac{5}{6}\pi$

**047** $y=\sin x$ $(0\le x<2\pi)$의 그래프와 직선 $y=\dfrac{\sqrt{3}}{2}$은 그림과 같다.

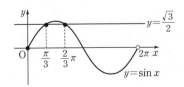

따라서 구하는 해는 두 그래프의 교점의 $x$좌표이므로
$x=\dfrac{\pi}{3}$ 또는 $x=\dfrac{2}{3}\pi$ 답 $\dfrac{\pi}{3}$ 또는 $\dfrac{2}{3}\pi$

**048** $y=\sin x$ $(0\le x<2\pi)$의 그래프와 직선 $y=-\dfrac{\sqrt{2}}{2}$는 그림과 같다.

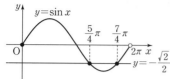

따라서 구하는 해는 두 그래프의 교점의 $x$좌표이므로

$x=\dfrac{5}{4}\pi$ 또는 $x=\dfrac{7}{4}\pi$     답 $\dfrac{5}{4}\pi$ 또는 $\dfrac{7}{4}\pi$

**049** $y=\cos x$ $(0\le x<2\pi)$의 그래프와 직선 $y=-\dfrac{1}{2}$은 그림과 같다.

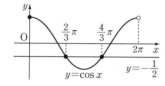

따라서 구하는 해는 두 그래프의 교점의 $x$좌표이므로

$x=\dfrac{2}{3}\pi$ 또는 $x=\dfrac{4}{3}\pi$     답 $\dfrac{2}{3}\pi$ 또는 $\dfrac{4}{3}\pi$

**050** $y=\tan x$ $(0\le x<2\pi)$의 그래프와 직선 $y=\sqrt{3}$은 그림과 같다.

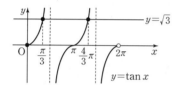

따라서 구하는 해는 두 그래프의 교점의 $x$좌표이므로

$x=\dfrac{\pi}{3}$ 또는 $x=\dfrac{4}{3}\pi$     답 $\dfrac{\pi}{3}$ 또는 $\dfrac{4}{3}\pi$

**051**

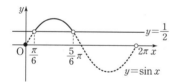

그림에서 $y=\sin x$ $(0\le x<2\pi)$의 그래프와 직선 $y=\dfrac{1}{2}$의 교점의 $x$좌표를 구하면 $x=\dfrac{\pi}{6}$ 또는 $x=\dfrac{5}{6}\pi$

따라서 $\sin x>\dfrac{1}{2}$을 만족시키는 $x$의 값의 범위는

$\dfrac{\pi}{6}<x<\dfrac{5}{6}\pi$     답 $\dfrac{\pi}{6}<x<\dfrac{5}{6}\pi$

**052**

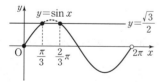

그림에서 $y=\sin x$ $(0\le x<2\pi)$의 그래프와 직선 $y=\dfrac{\sqrt{3}}{2}$의 교점의 $x$좌표를 구하면 $x=\dfrac{\pi}{3}$ 또는 $x=\dfrac{2}{3}\pi$

따라서 $\sin x\le\dfrac{\sqrt{3}}{2}$을 만족시키는 $x$의 값의 범위는

$0\le x\le\dfrac{\pi}{3}$ 또는 $\dfrac{2}{3}\pi\le x<2\pi$     답 풀이 참조

**053**

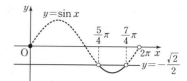

그림에서 $y=\sin x$ $(0\le x<2\pi)$의 그래프와 직선 $y=-\dfrac{\sqrt{2}}{2}$의 교점의 $x$좌표를 구하면

$x=\dfrac{5}{4}\pi$ 또는 $x=\dfrac{7}{4}\pi$

따라서 $\sin x<-\dfrac{\sqrt{2}}{2}$를 만족시키는 $x$의 값의 범위는

$\dfrac{5}{4}\pi<x<\dfrac{7}{4}\pi$     답 $\dfrac{5}{4}\pi<x<\dfrac{7}{4}\pi$

**054**

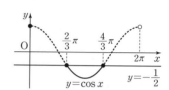

그림에서 $y=\cos x$ $(0\le x<2\pi)$의 그래프와 직선 $y=-\dfrac{1}{2}$의 교점의 $x$좌표를 구하면

$x=\dfrac{2}{3}\pi$ 또는 $x=\dfrac{4}{3}\pi$

따라서 $\cos x\le-\dfrac{1}{2}$을 만족시키는 $x$의 값의 범위는

$\dfrac{2}{3}\pi\le x\le\dfrac{4}{3}\pi$     답 $\dfrac{2}{3}\pi\le x\le\dfrac{4}{3}\pi$

**055**

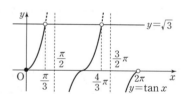

그림에서 $y=\tan x$ $(0\le x<2\pi)$의 그래프와 직선 $y=\sqrt{3}$의 교점의 $x$좌표를 구하면

$x=\dfrac{\pi}{3}$ 또는 $x=\dfrac{4}{3}\pi$

따라서 $\tan x<\sqrt{3}$을 만족시키는 $x$의 값의 범위는

$0\le x<\dfrac{\pi}{3}$ 또는 $\dfrac{\pi}{2}<x<\dfrac{4}{3}\pi$ 또는 $\dfrac{3}{2}\pi<x<2\pi$

답 풀이 참조

**056**

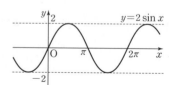

ㄱ, ㄷ. 함수 $f(x)=2\sin x$의 정의역은 실수 전체의 집합이고 최댓값은 2, 최솟값은 $-2$이다.

ㄴ, ㄹ. 주어진 함수는 주기가 $2\pi$인 함수이므로

     $f(3\pi)=f(\pi)=f(-\pi)$

ㅁ. $y=2\sin x$의 그래프는 원점에 대하여 대칭이다.

따라서 옳은 것은 ㄱ, ㄷ, ㄹ이다.     답 ㄱ, ㄷ, ㄹ

**057** $y=a\cos bx$의 최댓값이 5, 주기가 $\dfrac{\pi}{2}$이므로

$|a|=5$, $\dfrac{2\pi}{|b|}=\dfrac{\pi}{2}$

$\therefore a=5$, $b=4$ $(\because a>0,\ b>0)$

$\therefore a+b=5+4=9$     답 9

**058** $y=2\cos x$의 최댓값은 2이므로 $a=2$

또 $y=2\cos x$의 주기는 $2\pi$이고 $b$는 주기의 $\dfrac{1}{4}$이므로 $\dfrac{\pi}{2}$,

$c$는 주기의 $\dfrac{3}{4}$이므로 $\dfrac{3}{2}\pi$이다.

$\therefore 2a(b+c)=2\times 2\left(\dfrac{\pi}{2}+\dfrac{3}{2}\pi\right)=8\pi$     답 $8\pi$

**059** 함수 $y=3\sin 2x$의 주기는 $\dfrac{2\pi}{2}=\pi$이고 최댓값은 3,

최솟값은 $-3$이므로 그래프는 그림과 같다.

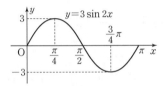

즉, $0\le x\le \pi$에서 $x=\dfrac{\pi}{4}$일 때 최댓값 3, $x=\dfrac{3}{4}\pi$일 때 최솟값

$-3$을 가지므로

$\theta_1=\dfrac{\pi}{4}$, $\theta_2=\dfrac{3}{4}\pi$

$\therefore \theta_1-\theta_2=\dfrac{\pi}{4}-\dfrac{3}{4}\pi=-\dfrac{\pi}{2}$     답 ①

**060** 각 함수의 주기를 구해 보면

① $\dfrac{2\pi}{2}=\pi$

② $\dfrac{2\pi}{\pi}=2$

③ $\dfrac{2\pi}{\sqrt{2}\pi}=\sqrt{2}$

④ $\dfrac{2\pi}{\dfrac{\sqrt{2}}{2}\pi}=2\sqrt{2}$

⑤ $\dfrac{2\pi}{2\sqrt{2}}=\dfrac{\sqrt{2}}{2}\pi$

따라서 $f(x+\sqrt{2})=f(x)$를 만족하는 함수는 ③이다.     답 ③

**061** $y=\cos x$의 그래프의 대칭성과 주기성을 이용하면

$b=\pi-a$, $c=\pi+a$

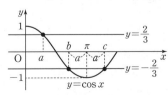

$\therefore a+b+c=a+(\pi-a)+(\pi+a)=2\pi+a$

$\therefore \cos(a+b+c)=\cos(2\pi+a)$

$\qquad\qquad\qquad\qquad =\cos a=\dfrac{2}{3}$     답 $\dfrac{2}{3}$

**062**

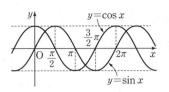

그림에서 $y=\sin x$의 그래프를 $x$축의 방향으로 $-\dfrac{\pi}{2}$만큼 평행

이동하면 $y=\cos x$의 그래프와 일치한다.

또 $y=\sin x$의 그래프를 $x$축의 방향으로 $\dfrac{3}{2}\pi$만큼 평행이동하

면 $y=\cos x$의 그래프와 일치한다.

따라서 양수 $k$의 최솟값은 $\dfrac{3}{2}\pi$이다.     답 ⑤

**063** ① $y=\cos(2x-\pi)=\cos 2\left(x-\dfrac{\pi}{2}\right)$의 그래프는

$y=\cos 2x$의 그래프를 $x$축의 방향으로 $\dfrac{\pi}{2}$만큼 평행이동한

것이다.

② $y=\cos\left(2x-\dfrac{\pi}{2}\right)+1=\cos 2\left(x-\dfrac{\pi}{4}\right)+1$의 그래프는

$y=\cos 2x$의 그래프를 $x$축의 방향으로 $\dfrac{\pi}{4}$만큼, $y$축의 방향

으로 1만큼 평행이동한 것이다.

③ $y=2\cos 2x+3$의 그래프는 $y=\cos 2x$의 그래프를 평행이

동 또는 대칭이동하여 일치시킬 수 없다.

④ $y=-\cos 2x+5$의 그래프는 $y=\cos 2x$의 그래프를 $x$축에

대하여 대칭이동한 후, $y$축의 방향으로 5만큼 평행이동한 것

이다.

⑤ $y=-\cos(2x+\pi)-1=-\cos 2\left(x+\dfrac{\pi}{2}\right)-1$의 그래프는

$y=\cos 2x$의 그래프를 $x$축에 대하여 대칭이동한 후, $x$축의

방향으로 $-\dfrac{\pi}{2}$만큼, $y$축의 방향으로 $-1$만큼 평행이동한 것

이다.

따라서 평행이동 또는 대칭이동하여 일치되지 않는 것은 ③이다.

    답 ③

**064** $y=3\sin(\pi x-\pi)-2=3\sin \pi(x-1)-2$의 그래프는

$y=3\sin \pi x$의 그래프를 $x$축의 방향으로 1만큼, $y$축의 방향으

로 $-2$만큼 평행이동한 것이다.

따라서 $m=1$, $n=-2$이므로

$m+n=1+(-2)=-1$     답 $-1$

**065** $f(x)=2\sin\left(2x+\dfrac{\pi}{3}\right)+2=2\sin 2\left(x+\dfrac{\pi}{6}\right)+2$

ㄱ. $f\left(\dfrac{\pi}{3}\right)=2\sin \pi+2=0+2=2$ (참)

ㄴ. $f\left(-\dfrac{\pi}{6}\right)=2\sin 0+2=0+2=2$,

$\qquad f\left(\dfrac{5}{6}\pi\right)=2\sin 2\pi+2=0+2=2$

$\therefore f\left(-\dfrac{\pi}{6}\right)=f\left(\dfrac{5}{6}\pi\right)$ (참)

ㄷ. 주기는 $\dfrac{2\pi}{2}=\pi$이다. (참)

ㄹ. 최댓값은 $2+2=4$, 최솟값은 $-2+2=0$이다. (거짓)

ㅁ. $y=f(x)$의 그래프는 $y=2\sin 2x+2$의 그래프를 $x$축의 방향으로 $-\dfrac{\pi}{6}$만큼 평행이동한 것이다. (거짓)

따라서 옳은 것은 ㄱ, ㄴ, ㄷ이다.　　　　　　　답 ㄱ, ㄴ, ㄷ

**066** $y=a\cos bx+c$의 주기가 $\pi$이므로

$\dfrac{2\pi}{|b|}=\pi$ 　　　$\therefore |b|=2$

최댓값이 $2$이므로 $|a|+c=2$ 　　$\cdots\cdots$ ㉠

최솟값이 $-4$이므로 $-|a|+c=-4$ 　$\cdots\cdots$ ㉡

㉠+㉡을 하면 $2c=-2$

$\therefore c=-1$

$c=-1$을 ㉠에 대입하면 $|a|=3$

$\therefore a^2+b^2+c^2=9+4+1=14$　　　　　答 ④

**067** $y=a\sin(bx-c)=a\sin b\left(x-\dfrac{c}{b}\right)$

$a>0$이고 주어진 그래프에서 최댓값이 $3$, 최솟값이 $-3$이므로 $a=3$

$b>0$이고 주기가 $\dfrac{\pi}{3}\times 2=\dfrac{2}{3}\pi$이므로

$\dfrac{2\pi}{b}=\dfrac{2\pi}{3}$에서 $b=3$

한편, 주어진 그래프는 $y=3\sin 3x$의 그래프를 $x$축의 방향으로 $\dfrac{\pi}{3}$만큼 평행이동한 것이므로

$\dfrac{c}{b}=\dfrac{c}{3}=\dfrac{\pi}{3}$ 　　$\therefore c=\pi$ ($\because 0<c<2\pi$)

$\therefore \dfrac{abc}{\pi}=\dfrac{3\times 3\times \pi}{\pi}=9$　　　　　答 9

**068** $y=|\sin x|$의 그래프는 그림과 같다.

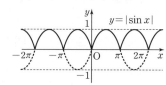

따라서 옳지 않은 것은 ④이다.　　　　　　　答 ④

**069** ㄱ. $y=|\cos x|$의 그래프는 그림과 같으므로 주기가 $\pi$인 주기함수이다.

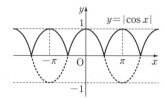

ㄴ. $y=\sin|x|$의 그래프는 그림과 같으므로 주기함수가 아니다.

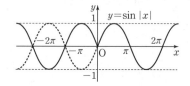

ㄷ. $y=\cos|x|$의 그래프는 그림과 같으므로 주기가 $2\pi$인 주기함수이다.

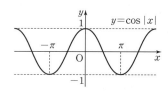

ㄹ. $y=\tan|x|$의 그래프는 그림과 같으므로 주기함수가 아니다.

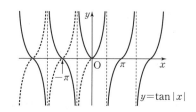

따라서 주기함수가 아닌 것은 ㄴ, ㄹ이다.　　　　答 ④

**070** $y=f(x)$의 그래프는 그림과 같다.

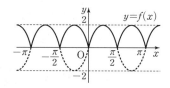

ㄱ. $y$축에 대하여 대칭이다. (참)

ㄴ. 치역은 $\{y\,|\,0\le y\le 2\}$이다. (참)

ㄷ. 주기는 $\dfrac{\pi}{2}$이다. (거짓)

따라서 옳은 것은 ㄱ, ㄴ이다.　　　　　　　答 ③

**071** $y=\tan\left(x-\dfrac{\pi}{4}\right)$의 그래프의 점근선의 방정식은

$x-\dfrac{\pi}{4}=n\pi+\dfrac{\pi}{2}$에서 $x=n\pi+\dfrac{3}{4}\pi$ ($n$은 정수)

따라서 점근선의 방정식이 아닌 것은 ①이다.　　答 ①

**072** $y=3\tan 2x$의 주기는 $\dfrac{\pi}{2}$이므로

$b=\dfrac{\pi}{2}-a,\ c=\dfrac{\pi}{2}+a$

$\therefore a-b-2c=a-\left(\dfrac{\pi}{2}-a\right)-2\left(\dfrac{\pi}{2}+a\right)$

$\qquad\qquad\quad =-\dfrac{3}{2}\pi$　　　　　　答 $-\dfrac{3}{2}\pi$

**073** $b>0$이고 주어진 그래프에서 주기가 $\dfrac{\pi}{2}$이므로

$\dfrac{\pi}{b}=\dfrac{\pi}{2}$ 　　$\therefore b=2$

한편, 주어진 그래프가 점 $(0,\,0)$을 지나므로

$0=a\tan 0+c$ 　　$\therefore c=0$

또 주어진 그래프가 점 $\left(\dfrac{\pi}{8},\,4\right)$를 지나므로

$4=a\tan\left(2\times\dfrac{\pi}{8}\right)$ 　　$\therefore a=4$

$\therefore a^2+b^2+c^2=16+4+0=20$　　　　答 ④

**074**
$$\sin\left(-\frac{\pi}{6}\right)+\cos\frac{14}{3}\pi+\tan\frac{5}{4}\pi$$
$$=-\sin\frac{\pi}{6}+\cos\left(4\pi+\frac{2}{3}\pi\right)+\tan\left(\pi+\frac{\pi}{4}\right)$$
$$=-\frac{1}{2}+\cos\left(\pi-\frac{\pi}{3}\right)+\tan\frac{\pi}{4}$$
$$=-\frac{1}{2}-\cos\frac{\pi}{3}+1$$
$$=-\frac{1}{2}-\frac{1}{2}+1$$
$$=0$$
답 ③

**075**
$$\cos(\pi+\theta)=-\cos\theta,$$
$$\cos\left(\frac{3}{2}\pi+\theta\right)=\sin\theta,$$
$$\sin(\pi-\theta)=\sin\theta$$
$$\therefore \text{(주어진 식)}=\frac{\cos\theta}{-\cos\theta}-\frac{\sin\theta}{\sin\theta}$$
$$=-1-1$$
$$=-2$$
답 ①

**076**
$$\sin\left(\frac{\pi}{2}+\theta\right)=\cos\theta,$$
$$\cos\left(\frac{\pi}{2}+\theta\right)=-\sin\theta,$$
$$\sin(\pi+\theta)=-\sin\theta$$
$$\therefore \sin\left(\frac{\pi}{2}+\theta\right)\cos\theta+\cos\left(\frac{\pi}{2}+\theta\right)\sin(\pi+\theta)$$
$$=\cos\theta\cos\theta+(-\sin\theta)(-\sin\theta)$$
$$=\cos^2\theta+\sin^2\theta$$
$$=1$$
답 ④

**077**
$$\cos^2 10°+\cos^2 20°+\cos^2 30°+\cdots+\cos^2 80°$$
$$=\cos^2 10°+\cos^2 20°+\cos^2 30°+\cos^2 40°$$
$$\qquad+\cos^2(90°-40°)+\cos^2(90°-30°)$$
$$\qquad+\cos^2(90°-20°)+\cos^2(90°-10°)$$
$$=\cos^2 10°+\cos^2 20°+\cos^2 30°+\cos^2 40°+\sin^2 40°$$
$$\qquad+\sin^2 30°+\sin^2 20°+\sin^2 10°$$
$$=(\cos^2 10°+\sin^2 10°)+(\cos^2 20°+\sin^2 20°)$$
$$\qquad+(\cos^2 30°+\sin^2 30°)+(\cos^2 40°+\sin^2 40°)$$
$$=1+1+1+1$$
$$=4$$
답 ④

**078** $\alpha+\beta=\frac{\pi}{2}$이므로
$$\sin(\alpha+2\beta)=\sin(\alpha+\beta+\beta)$$
$$=\sin\left(\frac{\pi}{2}+\beta\right)$$
$$=\cos\beta$$
$$=\frac{4}{5}$$
답 ④

**079**
$$\cos\left(\frac{3}{2}\pi-\theta\right)=-\sin\theta,$$
$$\sin\left(\frac{3}{2}\pi+\theta\right)=-\cos\theta$$

$$\therefore \frac{\cos\left(\frac{3}{2}\pi-\theta\right)}{\sin\left(\frac{3}{2}\pi+\theta\right)}=\frac{-\sin\theta}{-\cos\theta}=\frac{\sin\theta}{\cos\theta}=\tan\theta$$
이때, $\triangle$BOE에서 $\tan\theta=\dfrac{\overline{BE}}{\overline{OB}}=\overline{BE}\ (\because \overline{OB}=1)$  답 ⑤

**080**
$$y=-\sin^2 x+2\cos x+1$$
$$=-(1-\cos^2 x)+2\cos x+1$$
$$=\cos^2 x+2\cos x$$
이때, $\cos x=t\ (-1\le t\le 1)$로 놓으면
$$y=t^2+2t=(t+1)^2-1$$
이므로 그래프는 그림과 같다.
그림에서
$t=1$일 때, 최댓값 $M=3$,
$t=-1$일 때, 최솟값 $m=-1$
$$\therefore M-m=3-(-1)=4$$
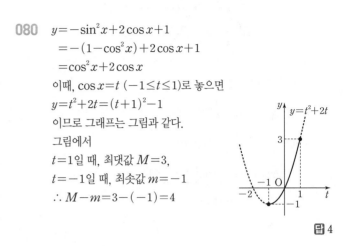
답 4

**081**
$$y=\sin^2 x-6\cos x+k$$
$$=1-\cos^2 x-6\cos x+k$$
$$=-\cos^2 x-6\cos x+k+1$$
이때, $\cos x=t\ (-1\le t\le 1)$로 놓으면
$$y=-t^2-6t+k+1$$
$$=-(t+3)^2+k+10$$
즉, $t=-1$일 때 최댓값이 $k+6$이므로 $k+6=5$
$$\therefore k=-1$$
답 $-1$

**082** $y=\dfrac{-2\sin x+3}{\sin x+2}$에서 $\sin x=t\ (-1\le t\le 1)$로 놓으면
$$y=\frac{-2t+3}{t+2}$$
$$=\frac{7}{t+2}-2$$
이므로 그래프는 그림과 같다.
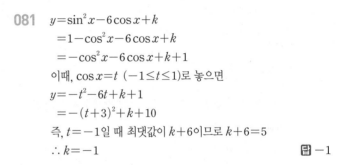
그림에서 $t=-1$일 때
최댓값 $M=5$,
$t=1$일 때 최솟값 $m=\frac{1}{3}$
$$\therefore 3Mm=3\times 5\times\frac{1}{3}=5$$
답 5

**083** 함수 $y=\cos x\ (0\le x<2\pi)$의 그래프와 직선 $y=\dfrac{1}{2}$은 그림과 같다.

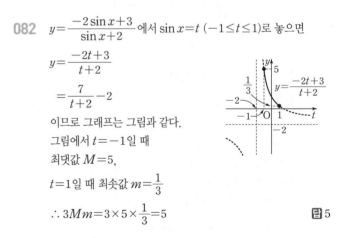

교점의 $x$좌표를 구하면
$$x=\frac{\pi}{3}\ \text{또는}\ x=\frac{5}{3}\pi$$
따라서 구하는 모든 $x$의 값의 합은 $\dfrac{\pi}{3}+\dfrac{5}{3}\pi=2\pi$  답 $2\pi$

**084** $2\sin x=\sqrt{2}$에서 $\sin x=\dfrac{\sqrt{2}}{2}$이고,

$0\leq x\leq 2\pi$에서 함수 $y=\sin x$의 그래프와 직선 $y=\dfrac{\sqrt{2}}{2}$는

그림과 같다.

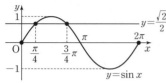

교점의 $x$좌표를 구하면

$x=\dfrac{\pi}{4}$ 또는 $x=\dfrac{3}{4}\pi$이므로

$\alpha=\dfrac{\pi}{4}$, $\beta=\dfrac{3}{4}\pi$ ($\because$ $\alpha<\beta$)

$\therefore \cos(\alpha+\beta)=\cos\left(\dfrac{\pi}{4}+\dfrac{3}{4}\pi\right)$

$\qquad\qquad\quad =\cos\pi$

$\qquad\qquad\quad =-1$ 　　　　　　　답 ①

**085** $\cos x=\sqrt{3}\sin x$에서

$\dfrac{\sin x}{\cos x}=\dfrac{1}{\sqrt{3}}$ (단, $\cos x\neq 0$)

즉, $\tan x=\dfrac{1}{\sqrt{3}}$

$0\leq x\leq 2\pi$에서 함수 $y=\tan x$의 그래프와 직선 $y=\dfrac{1}{\sqrt{3}}$은

그림과 같다.

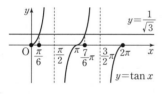

따라서 교점의 $x$좌표를 구하면

$x=\dfrac{\pi}{6}$ 또는 $x=\dfrac{7}{6}\pi$ 　　　　　답 ①

**086** $2\sin^2 x+3\cos x=0$에서

$2(1-\cos^2 x)+3\cos x=0$

$2\cos^2 x-3\cos x-2=0$

$(2\cos x+1)(\cos x-2)=0$

$\therefore \cos x=-\dfrac{1}{2}$ ($\because$ $-1\leq\cos x\leq 1$)

$0\leq x\leq 2\pi$에서 함수 $y=\cos x$의 그래프와 직선 $y=-\dfrac{1}{2}$은

그림과 같다.

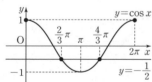

교점의 $x$좌표를 구하면

$x=\dfrac{2}{3}\pi$ 또는 $x=\dfrac{4}{3}\pi$

따라서 모든 근의 합은 $\dfrac{2}{3}\pi+\dfrac{4}{3}\pi=2\pi$ 　답 ③

**087** $3\sin^2 x+4\sin x-4=0$에서

$(3\sin x-2)(\sin x+2)=0$

$\therefore \sin x=\dfrac{2}{3}$ ($\because$ $-1\leq\sin x\leq 1$)

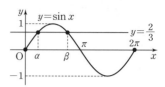

$0\leq x\leq 2\pi$에서 $\sin x=\dfrac{2}{3}$를 만족시키는 두 근을 $\alpha$, $\beta$라 하면

$\alpha+\beta=\pi$ 　　　　　　　　　　　답 ④

**088** $2\sin^2 A-3\cos A-3=0$에서

$\quad 2(1-\cos^2 A)-3\cos A-3=0$

$\quad 2\cos^2 A+3\cos A+1=0$

$\quad (2\cos A+1)(\cos A+1)=0$

$\therefore \cos A=-\dfrac{1}{2}$ 또는 $\cos A=-1$

이때, $0<A<\pi$이므로 $\cos A=-\dfrac{1}{2}$

$\therefore A=\dfrac{2}{3}\pi=120°$ 　　　　　　　답 ④

**089** $2\sin x+1\leq 0$에서

$\sin x\leq -\dfrac{1}{2}$

$0\leq x<2\pi$에서 함수

$y=\sin x$의 그래프와 직선

$y=-\dfrac{1}{2}$은 그림과 같다.

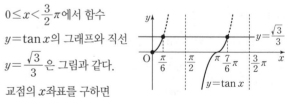

교점의 $x$좌표를 구하면

$x=\dfrac{7}{6}\pi$ 또는 $x=\dfrac{11}{6}\pi$

즉, 부등식 $\sin x\leq -\dfrac{1}{2}$의 해는 $\dfrac{7}{6}\pi\leq x\leq\dfrac{11}{6}\pi$

따라서 $\alpha=\dfrac{7}{6}\pi$, $\beta=\dfrac{11}{6}\pi$이므로

$\beta-\alpha=\dfrac{11}{6}\pi-\dfrac{7}{6}\pi=\dfrac{2}{3}\pi$ 　　　　답 ④

**090** $3\tan x-\sqrt{3}\leq 0$에서 $\tan x\leq\dfrac{\sqrt{3}}{3}$

$0\leq x<\dfrac{3}{2}\pi$에서 함수

$y=\tan x$의 그래프와 직선

$y=\dfrac{\sqrt{3}}{3}$은 그림과 같다.

교점의 $x$좌표를 구하면

$x=\dfrac{\pi}{6}$ 또는 $x=\dfrac{7}{6}\pi$

즉, 부등식 $\tan x\leq\dfrac{\sqrt{3}}{3}$을 만족시키는 $x$의 값의 범위는

$0\leq x\leq\dfrac{\pi}{6}$ 또는 $\dfrac{\pi}{2}<x\leq\dfrac{7}{6}\pi$

따라서 $x$의 최댓값은 $\dfrac{7}{6}\pi$이다. 　　답 $\dfrac{7}{6}\pi$

**091** $0 \leq \theta < \pi$에서 함수 $y = \cos\theta$의 그래프와 두 직선 $y = -\dfrac{\sqrt{3}}{2}$,

$y = \dfrac{1}{2}$은 그림과 같다.

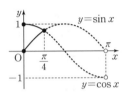

교점의 $\theta$좌표를 구하면

$\cos\theta = \dfrac{1}{2}$에서 $\theta = \dfrac{\pi}{3}$,

$\cos\theta = -\dfrac{\sqrt{3}}{2}$에서 $\theta = \dfrac{5}{6}\pi$

따라서 부등식 $-\dfrac{\sqrt{3}}{2} \leq \cos\theta < \dfrac{1}{2}$의 해는

$\dfrac{\pi}{3} < \theta \leq \dfrac{5}{6}\pi$　　　　　🔲 ④

**092** $0 \leq x < \pi$에서 두 함수 $y = \sin x$, $y = \cos x$의 그래프는 그림과 같다.

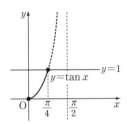

교점의 $x$좌표를 구하면

$x = \dfrac{\pi}{4}$

따라서 $\sin x \leq \cos x$를 만족시키는 $x$의 값의 범위는

$0 \leq x \leq \dfrac{\pi}{4}$　　　　　🔲 $0 \leq x \leq \dfrac{\pi}{4}$

**다른 풀이**

$0 \leq x < \dfrac{\pi}{2}$에서 $\sin x > 0$, $\cos x > 0$이고, $\dfrac{\pi}{2} < x < \pi$에서

$\sin x > 0$, $\cos x < 0$이므로 부등식 $\sin x \leq \cos x$를 만족시키는

$x$의 값의 범위는 $0 \leq x < \dfrac{\pi}{2}$에서만 구하여야 한다.

만일 $\cos x = 0$이면 $x = \dfrac{\pi}{2}$이므로 $1 \leq 0$이 되어 모순이다.

즉, $\cos x \neq 0$이므로 $\sin x \leq \cos x$의 양변을 $\cos x$로 나누면

$\dfrac{\sin x}{\cos x} \leq 1$에서 $\tan x \leq 1$

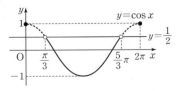

따라서 부등식 $\sin x \leq \cos x$를 만족시키는 $x$의 값의 범위는

$0 \leq x \leq \dfrac{\pi}{4}$

**093** $2\cos^2 x + 3\cos x - 2 < 0$에서 $(2\cos x - 1)(\cos x + 2) < 0$

$\therefore -1 \leq \cos x < \dfrac{1}{2}$ $(\because -1 \leq \cos x \leq 1)$

$0 \leq x \leq 2\pi$에서 함수 $y = \cos x$의 그래프와 직선 $y = \dfrac{1}{2}$은 그림과 같다.

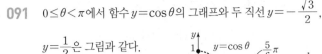

교점의 $x$좌표를 구하면

$x = \dfrac{\pi}{3}$ 또는 $x = \dfrac{5}{3}\pi$

즉, 주어진 부등식의 해는 $\dfrac{\pi}{3} < x < \dfrac{5}{3}\pi$

따라서 $a = \dfrac{\pi}{3}$, $b = \dfrac{5}{3}\pi$이므로

$a + b = \dfrac{\pi}{3} + \dfrac{5}{3}\pi = 2\pi$　　　　　🔲 $2\pi$

**094** $2\cos^2 x + \sin x - 1 \geq 0$에서

$2(1 - \sin^2 x) + \sin x - 1 \geq 0$

$2\sin^2 x - \sin x - 1 \leq 0$

$(2\sin x + 1)(\sin x - 1) \leq 0$

$\therefore -\dfrac{1}{2} \leq \sin x \leq 1$

$0 \leq x \leq 2\pi$에서 $y = \sin x$의 그래프와 두 직선 $y = -\dfrac{1}{2}$, $y = 1$은 그림과 같다.

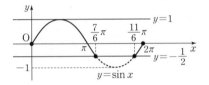

교점의 $x$좌표를 구하면

$\sin x = -\dfrac{1}{2}$에서

$x = \dfrac{7}{6}\pi$ 또는 $x = \dfrac{11}{6}\pi$

즉, 주어진 부등식을 만족시키는 $x$의 값의 범위는

$0 \leq x \leq \dfrac{7}{6}\pi$ 또는 $\dfrac{11}{6}\pi \leq x \leq 2\pi$

$\therefore \alpha = \dfrac{7}{6}\pi, \beta = \dfrac{11}{6}\pi$

$\therefore \tan(\beta - \alpha) = \tan\dfrac{2}{3}\pi = -\sqrt{3}$　　　　　🔲 ①

**095** $2\sin 2x = \sqrt{3}$에서

$\sin 2x = \dfrac{\sqrt{3}}{2}$

$2x = t$로 놓으면 $\sin t = \dfrac{\sqrt{3}}{2}$

$0 \leq x < 2\pi$에서 $0 \leq t < 4\pi$

이 범위에서 함수 $y = \sin t$의 그래프와 직선 $y = \dfrac{\sqrt{3}}{2}$은 그림과 같다.

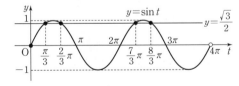

교점의 $t$좌표를 구하면

$t = \dfrac{\pi}{3}$ 또는 $t = \dfrac{2}{3}\pi$ 또는 $t = \dfrac{7}{3}\pi$ 또는 $t = \dfrac{8}{3}\pi$

$\therefore x = \dfrac{\pi}{6}$ 또는 $x = \dfrac{\pi}{3}$ 또는 $x = \dfrac{7}{6}\pi$ 또는 $x = \dfrac{4}{3}\pi$

따라서 모든 $x$의 값의 합은

$\dfrac{\pi}{6} + \dfrac{\pi}{3} + \dfrac{7}{6}\pi + \dfrac{4}{3}\pi = 3\pi$　　　　　🔲 ⑤

**096** $2\cos\dfrac{x}{2}+1\geq0$에서 $\cos\dfrac{x}{2}\geq-\dfrac{1}{2}$

$\dfrac{x}{2}=t$로 놓으면 $\cos t\geq-\dfrac{1}{2}$

$0\leq x<2\pi$에서 $0\leq t<\pi$

이 범위에서 함수 $y=\cos t$의 그래프와 직선 $y=-\dfrac{1}{2}$은 그림과 같다.

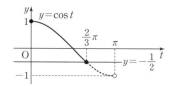

교점의 $t$좌표를 구하면 $t=\dfrac{2}{3}\pi$이므로 $\cos t\geq-\dfrac{1}{2}$을 만족시키는 $t$의 값의 범위는

$0\leq t\leq\dfrac{2}{3}\pi$

즉, $0\leq\dfrac{x}{2}\leq\dfrac{2}{3}\pi$이므로 $0\leq x\leq\dfrac{4}{3}\pi$

따라서 $\alpha=0$, $\beta=\dfrac{4}{3}\pi$이므로 $\alpha+\beta=\dfrac{4}{3}\pi$   🔲 ④

**097** $\tan\left(x+\dfrac{\pi}{4}\right)=\sqrt{3}$에서 $x+\dfrac{\pi}{4}=t$로 놓으면 $\tan t=\sqrt{3}$

한편, $-\pi\leq x\leq\pi$에서 $-\dfrac{3}{4}\pi\leq t\leq\dfrac{5}{4}\pi$

이 범위에서 함수 $y=\tan t$의 그래프와 직선 $y=\sqrt{3}$은 그림과 같다.

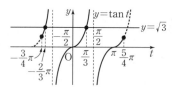

교점의 $t$좌표를 구하면

$t=-\dfrac{2}{3}\pi$ 또는 $t=\dfrac{\pi}{3}$

즉, $x+\dfrac{\pi}{4}=-\dfrac{2}{3}\pi$ 또는 $x+\dfrac{\pi}{4}=\dfrac{\pi}{3}$이므로

$x=-\dfrac{11}{12}\pi$ 또는 $x=\dfrac{\pi}{12}$

따라서 모든 $x$의 값의 합은 $-\dfrac{11}{12}\pi+\dfrac{\pi}{12}=-\dfrac{5}{6}\pi$   🔲 ③

**098** $\cos\left(x-\dfrac{\pi}{6}\right)\leq-\dfrac{\sqrt{3}}{2}$에서 $x-\dfrac{\pi}{6}=t$로 놓으면

$\cos t\leq-\dfrac{\sqrt{3}}{2}$

$0\leq x\leq2\pi$에서 $-\dfrac{\pi}{6}\leq t\leq\dfrac{11}{6}\pi$

이 범위에서 함수 $y=\cos t$의 그래프와 직선 $y=-\dfrac{\sqrt{3}}{2}$은 그림과 같다.

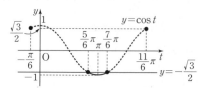

교점의 $t$좌표를 구하면 $t=\dfrac{5}{6}\pi$ 또는 $t=\dfrac{7}{6}\pi$이므로

$\cos t\leq-\dfrac{\sqrt{3}}{2}$ 을 만족시키는 $t$의 값의 범위는

$\dfrac{5}{6}\pi\leq t\leq\dfrac{7}{6}\pi$

즉, $\dfrac{5}{6}\pi\leq x-\dfrac{\pi}{6}\leq\dfrac{7}{6}\pi$이므로 $\pi\leq x\leq\dfrac{4}{3}\pi$

따라서 $\alpha=\pi$, $\beta=\dfrac{4}{3}\pi$이므로

$\beta-\alpha=\dfrac{4}{3}\pi-\pi=\dfrac{\pi}{3}$   🔲 ①

**099** $\pi\sin x=t$로 놓으면

$0\leq x\leq\dfrac{3}{2}\pi$에서 $-1\leq\sin x\leq1$이므로

$-\pi\leq\pi\sin x\leq\pi$   $\therefore -\pi\leq t\leq\pi$

이 범위에서 $\sin t=1$을 만족시키는 $t$의 값은

$t=\dfrac{\pi}{2}$, 즉 $\pi\sin x=\dfrac{\pi}{2}$

$\therefore \sin x=\dfrac{1}{2}$

$0\leq x\leq\dfrac{3}{2}\pi$에서 이를 만족시키는 $x$의 값은

$x=\dfrac{\pi}{6}$ 또는 $x=\dfrac{5}{6}\pi$

$\therefore \beta-\alpha=\dfrac{5}{6}\pi-\dfrac{\pi}{6}=\dfrac{2}{3}\pi$ $(\because \alpha<\beta)$   🔲 ⑤

**100** 방정식 $\sin\pi x=\dfrac{x}{4}$의 실근은 함수 $y=\sin\pi x$의 그래프와 직선 $y=\dfrac{x}{4}$의 교점의 $x$좌표와 같다.

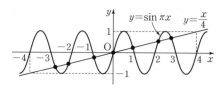

위의 그림에서 교점의 개수가 7이므로 주어진 방정식의 실근의 개수는 7이다.   🔲 ④

**101** $-2\sin^2 x+2\cos x+a=0$에서

$-2(1-\cos^2 x)+2\cos x+a=0$

$2\cos^2 x+2\cos x-2+a=0$

$2(\cos^2 x+\cos x-1)=-a$

이 방정식을 만족하는 실근이 존재하기 위해서는 함수 $y=2(\cos^2 x+\cos x-1)$의 그래프와 직선 $y=-a$가 교점을 가져야 한다.

이때, $\cos x=t$ $(-1\leq t\leq1)$로 놓으면

$y=2(t^2+t-1)=2\left(t+\dfrac{1}{2}\right)^2-\dfrac{5}{2}$

그림에서 교점을 가지려면

$-\dfrac{5}{2}\leq-a\leq2$

$\therefore -2\leq a\leq\dfrac{5}{2}$

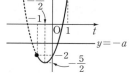

🔲 $-2\leq a\leq\dfrac{5}{2}$

**102** $\cos^2\theta+4\sin\theta\leq2a$에서

$1-\sin^2\theta+4\sin\theta\leq2a$

$\sin^2\theta-4\sin\theta+2a-1\geq0$

$\sin\theta=t\ (-1\leq t\leq1)$로 놓으면

$t^2-4t+2a-1\geq0$

이 부등식이 성립하기 위해서는 $-1\leq t\leq1$에서 함수

$y=t^2-4t+2a-1$의 최솟값이 0보다 크거나 같아야 한다.

즉, $y=(t-2)^2+2a-5$에서 $t=1$일 때 최소이므로

$1+2a-5\geq0$

$\therefore a\geq2$ 답 ③

**103** $f(x)=3\sin\dfrac{x}{2}$에서

ㄱ. 주기는 $\dfrac{2\pi}{\frac{1}{2}}=4\pi$이다. (거짓)

ㄴ. 최댓값은 3이다. (참)

ㄷ.

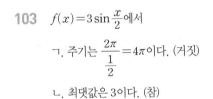

$y=f(x)$의 그래프는 그림과 같으므로 원점에 대하여 대칭이다. (참)

따라서 옳은 것은 ㄴ, ㄷ이다. 답 ⑤

**104** $y=2\sin\left(x+\dfrac{\pi}{4}\right)-1$의 주기는 $2\pi$이고,

최댓값은 $2-1=1$, 최솟값은 $-2-1=-3$이다. 답 ③

**105** $a>0$이고 주어진 그래프에서 최댓값이 5, 최솟값이 $-3$이므로

$a+b=5,\ -a+b=-3$

두 식을 연립하여 풀면

$a=4,\ b=1$

즉, $y=4\cos\left\{\dfrac{\pi}{3}(2x-1)\right\}+1=4\cos\left\{\dfrac{2}{3}\pi\left(x-\dfrac{1}{2}\right)\right\}+1$이

므로 주기는 $\dfrac{2\pi}{\frac{2}{3}\pi}=3$

이때, $c-0=3$이므로 $c=3$

$\therefore a+b+c=4+1+3=8$ 답 ④

**106** $b>0$이고 주어진 그래프에서 주기가 $\dfrac{\pi}{2}$이므로

$\dfrac{\pi}{b}=\dfrac{\pi}{2}$

$\therefore b=2$ 답 2

**107** $\sin\left(\dfrac{\pi}{2}+\theta\right)+\cos(\pi+\theta)-\sin(-\theta)+\cos\left(\dfrac{\pi}{2}+\theta\right)$

$=\cos\theta+(-\cos\theta)-(-\sin\theta)+(-\sin\theta)$

$=\cos\theta-\cos\theta+\sin\theta-\sin\theta$

$=0$ 답 ④

**108** $A+B=\dfrac{\pi}{2}$일 때, $A=\dfrac{\pi}{2}-B$이므로

$\tan A=\tan\left(\dfrac{\pi}{2}-B\right)$

$=\dfrac{1}{\tan B}$

즉, $\tan A\tan B=1$이므로

$\tan2°\tan88°=1$

$\tan3°\tan87°=1$

$\vdots$

$\tan44°\tan46°=1$

$\therefore \tan2°\tan3°\tan4°\cdots\tan87°\tan88°=\tan45°=1$

답 ③

참고

$\tan(90°-\theta)=\dfrac{1}{\tan\theta}$이므로

$\tan\theta\tan(90°-\theta)=\tan\theta\times\dfrac{1}{\tan\theta}=1$

**109** $f(\theta)=\cos^2\left(\theta+\dfrac{\pi}{2}\right)-3\cos^2\theta+4\sin(\theta+\pi)$

$=(-\sin\theta)^2-3(1-\sin^2\theta)-4\sin\theta$

$=4\sin^2\theta-4\sin\theta-3$

이때, $\sin\theta=t\ (-1\leq t\leq1)$로 놓으면

$y=4t^2-4t-3$

$=4\left(t-\dfrac{1}{2}\right)^2-4$

이므로 그래프는 그림과 같다.

그림에서 $t=-1$일 때 최댓값은 5이다.

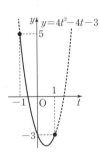

답 ⑤

**110** $2\cos x+3\tan x=0$에서

$2\cos x+\dfrac{3\sin x}{\cos x}=0$ (단, $\cos x\neq0$)

양변에 $\cos x$를 곱하면

$2\cos^2 x+3\sin x=0$

$2(1-\sin^2 x)+3\sin x=0$

$2\sin^2 x-3\sin x-2=0$

$(2\sin x+1)(\sin x-2)=0$

$\therefore \sin x=-\dfrac{1}{2}\ (\because -1\leq\sin x\leq1)$

$0\leq x<2\pi$에서 함수 $y=\sin x$의 그래프와 직선 $y=-\dfrac{1}{2}$은 그림과 같다.

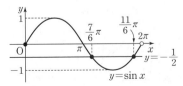

따라서 교점의 $x$좌표를 구하면

$x=\dfrac{7}{6}\pi$ 또는 $x=\dfrac{11}{6}\pi$ 답 $\dfrac{7}{6}\pi$ 또는 $\dfrac{11}{6}\pi$

**111** $2\cos^2 x + 5\cos x + 2 < 0$에서 $(2\cos x + 1)(\cos x + 2) < 0$

이때, $\cos x + 2 \geq 1$이므로 $2\cos x + 1 < 0$

$\therefore \cos x < -\dfrac{1}{2}$

$0 \leq x \leq 2\pi$에서 함수 $y = \cos x$의 그래프와 직선 $y = -\dfrac{1}{2}$은 그림과 같다.

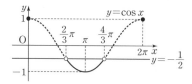

교점의 $x$좌표를 구하면 $x = \dfrac{2}{3}\pi$ 또는 $x = \dfrac{4}{3}\pi$

즉, $\cos x < -\dfrac{1}{2}$을 만족시키는 $x$의 값의 범위는

$\dfrac{2}{3}\pi < x < \dfrac{4}{3}\pi$

이때, $\dfrac{2}{3}\pi = 2. \times \times \times$, $\dfrac{4}{3}\pi = 4. \times \times \times$이므로 주어진 부등식을 만족시키는 정수 $x$는 3, 4로 그 합은 7이다.  답 7

**112** $\cos 2x > \dfrac{1}{2}$에서 $2x = t$로 놓으면 $\cos t > \dfrac{1}{2}$

한편, $0 < x < \pi$에서 $0 < t < 2\pi$

이 범위에서 함수 $y = \cos t$의 그래프와 직선 $y = \dfrac{1}{2}$은 그림과 같다.

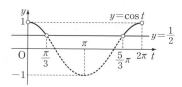

교점의 $t$좌표를 구하면 $t = \dfrac{\pi}{3}$ 또는 $t = \dfrac{5}{3}\pi$

즉, $\cos t > \dfrac{1}{2}$을 만족시키는 $t$의 값의 범위는

$0 < t < \dfrac{\pi}{3}$ 또는 $\dfrac{5}{3}\pi < t < 2\pi$

$\therefore 0 < x < \dfrac{\pi}{6}$ 또는 $\dfrac{5}{6}\pi < x < \pi$

$\therefore \alpha + \beta + \gamma + \delta = 0 + \dfrac{\pi}{6} + \dfrac{5}{6}\pi + \pi = 2\pi$  답 ②

**113** 방정식 $3\cos \pi x - \sin \dfrac{\pi}{3}x = 0$의 실근의 개수는 두 함수

$y = 3\cos \pi x$, $y = \sin \dfrac{\pi}{3}x$의 그래프의 교점의 개수와 같다.

두 함수 $y = 3\cos \pi x$, $y = \sin \dfrac{\pi}{3}x$의 그래프는 그림과 같다.

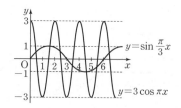

자연수 $n$에 대하여 $[n-1, n]$에서 교점이 1개씩이다.

따라서 $0 \leq x \leq 15$에서 방정식의 실근의 개수는 15이다.  답 ⑤

**114** $2\cos^2\left(x - \dfrac{\pi}{3}\right) - 5\cos\left(x + \dfrac{\pi}{6}\right) \geq 4$에서

$x - \dfrac{\pi}{3} = t$로 놓으면 $x = t + \dfrac{\pi}{3}$이므로

$x + \dfrac{\pi}{6} = t + \dfrac{\pi}{3} + \dfrac{\pi}{6} = t + \dfrac{\pi}{2}$

즉, 주어진 부등식은 $2\cos^2 t - 5\cos\left(t + \dfrac{\pi}{2}\right) \geq 4$이므로

$2(1 - \sin^2 t) + 5\sin t \geq 4$

$2\sin^2 t - 5\sin t + 2 \leq 0$

$(2\sin t - 1)(\sin t - 2) \leq 0$

$\therefore \dfrac{1}{2} \leq \sin t \leq 1 \ (\because -1 \leq \sin t \leq 1)$ ······ ㉠

이때, $0 \leq x \leq 2\pi$에서 $-\dfrac{\pi}{3} \leq t \leq \dfrac{5}{3}\pi$

이 범위에서 $y = \sin t$의 그래프와 두 직선 $y = \dfrac{1}{2}$, $y = 1$은 그림과 같다.

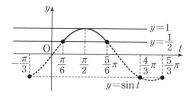

교점의 $t$좌표를 구하면

$t = \dfrac{\pi}{6}$ 또는 $t = \dfrac{5}{6}\pi$

즉, 부등식 ㉠의 해는 $\dfrac{\pi}{6} \leq t \leq \dfrac{5}{6}\pi$

$\therefore \dfrac{\pi}{2} \leq x \leq \dfrac{7}{6}\pi$  답 $\dfrac{\pi}{2} \leq x \leq \dfrac{7}{6}\pi$

**001** $\dfrac{a}{\sin A}=\dfrac{b}{\boxed{\sin B}}=\dfrac{c}{\sin C}=\boxed{2R}$ 에서

$\dfrac{a}{\sin A}=\dfrac{\boxed{c}}{\sin C}$ 이므로

$c=4$, $A=60°$, $C=30°$를 대입하면

$\dfrac{a}{\sin 60°}=\dfrac{\boxed{4}}{\sin 30°}$

$a\times\sin 30°=\boxed{4}\times\sin 60°$

$a\times\dfrac{1}{2}=\boxed{4}\times\dfrac{\sqrt{3}}{2}$

$\therefore a=\boxed{4\sqrt{3}}$

답 풀이 참조

**002** 삼각형의 세 내각의 크기의 합은 $180°$이므로

$\boxed{\phantom{x}}=180-(60+75)$

$=180-135$

$=45$

답 45

**003** $\triangle ABC$에서 $c=6$, $B=30°$, $C=45°$이므로
사인법칙에 의하여

$\dfrac{\boxed{\phantom{x}}}{\sin 30°}=\dfrac{6}{\sin 45°}$

$\dfrac{\boxed{\phantom{x}}}{\dfrac{1}{2}}=\dfrac{6}{\dfrac{\sqrt{2}}{2}}$

$\therefore \boxed{\phantom{x}}=6\sqrt{2}\times\dfrac{1}{2}=3\sqrt{2}$

답 $3\sqrt{2}$

**004** $\triangle ABC$에서 $b=3\sqrt{2}$, $A=60°$, $B=45°$이므로
사인법칙에 의하여

$\dfrac{\boxed{\phantom{x}}}{\sin 60°}=\dfrac{3\sqrt{2}}{\sin 45°}$

$\dfrac{\boxed{\phantom{x}}}{\dfrac{\sqrt{3}}{2}}=\dfrac{3\sqrt{2}}{\dfrac{\sqrt{2}}{2}}$

$\therefore \boxed{\phantom{x}}=6\times\dfrac{\sqrt{3}}{2}=3\sqrt{3}$

답 $3\sqrt{3}$

**005** 삼각형의 세 내각의 크기의 합은 $180°$이므로

$A=180°-(B+C)$

$=180°-135°$

$=45°$

$\triangle ABC$에서 $b=8$, $A=45°$, $B=30°$이므로
사인법칙에 의하여

$\dfrac{\boxed{\phantom{x}}}{\sin 45°}=\dfrac{8}{\sin 30°}$

$\dfrac{\boxed{\phantom{x}}}{\dfrac{\sqrt{2}}{2}}=\dfrac{8}{\dfrac{1}{2}}$

$\therefore \boxed{\phantom{x}}=16\times\dfrac{\sqrt{2}}{2}=8\sqrt{2}$

답 $8\sqrt{2}$

**006** 삼각형의 세 내각의 크기의 합은 $180°$이므로

$C=180°-(A+B)$

$=180°-150°$

$=30°$

$\triangle ABC$에서 $c=3$, $A=120°$, $B=30°$, $C=30°$이므로
사인법칙에 의하여

$\dfrac{a}{\sin 120°}=\dfrac{b}{\sin 30°}=\dfrac{3}{\sin 30°}$

$\dfrac{a}{\dfrac{\sqrt{3}}{2}}=\dfrac{b}{\dfrac{1}{2}}=\dfrac{3}{\dfrac{1}{2}}$

$\therefore a=6\times\dfrac{\sqrt{3}}{2}=3\sqrt{3}$, $b=3$

답 $(\overline{AC}=)3$, $(\overline{BC}=)3\sqrt{3}$

**007** $\dfrac{a}{\sin A}=2R$에서 $a=\overline{BC}=3$, $A=30°$이므로

$\dfrac{3}{\sin 30°}=2R$

$\dfrac{3}{\dfrac{1}{2}}=2R$

$\therefore R=6\times\dfrac{1}{2}=3$

답 3

**008** $\dfrac{b}{\sin B}=2R$에서 $b=\overline{CA}=4\sqrt{3}$, $B=150°$이므로

$\dfrac{4\sqrt{3}}{\sin 150°}=2R$

$\dfrac{4\sqrt{3}}{\dfrac{1}{2}}=2R$

$\therefore R=8\sqrt{3}\times\dfrac{1}{2}=4\sqrt{3}$

답 $4\sqrt{3}$

**009** 삼각형의 세 내각의 크기의 합은 $180°$이므로

$C=180°-(60°+75°)=45°$

$\dfrac{c}{\sin C}=2R$에서 $c=\overline{AB}=2\sqrt{2}$, $C=45°$이므로

$\dfrac{2\sqrt{2}}{\sin 45°}=2R$

$\dfrac{2\sqrt{2}}{\dfrac{\sqrt{2}}{2}}=2R$

$\therefore R=4\times\dfrac{1}{2}=2$

답 2

**010** $\dfrac{a}{\sin A}=2R$에서 $a=\overline{BC}=3$, $R=4$이므로

$\dfrac{3}{\sin A}=2\times 4=8$

$\therefore \sin A=\dfrac{3}{8}$

답 $\dfrac{3}{8}$

**011** $\dfrac{b}{\sin B}=2R$에서 $b=\overline{CA}=4$, $R=6$이므로

$\dfrac{4}{\sin B}=2\times 6=12$

$\therefore \sin B=\dfrac{4}{12}=\dfrac{1}{3}$

답 $\dfrac{1}{3}$

**012** $\dfrac{c}{\sin C}=2R$에서 $c=\overline{\mathrm{AB}}=3\sqrt{3}$, $R=3$이므로

$\dfrac{3\sqrt{3}}{\sin C}=2\times3=6$

$\therefore \sin C=\dfrac{3\sqrt{3}}{6}=\dfrac{\sqrt{3}}{2}$

$\therefore \angle\mathrm{C}=60°$      **답** $60°$

**013** $a=\boxed{b}\times\cos C+\boxed{c}\times\cos B$      **답** $b$, $c$

**014** $a=b\cos C+c\cos B$이므로

$\Box=2\sqrt{3}\times\cos60°+6\times\cos30°$

$=2\sqrt{3}\times\dfrac{1}{2}+6\times\dfrac{\sqrt{3}}{2}$

$=\sqrt{3}+3\sqrt{3}$

$=4\sqrt{3}$      **답** $4\sqrt{3}$

**015** $A=180°-(75°+60°)=45°$

$b=c\cos A+a\cos C$이므로

$\Box=\sqrt{6}\times\cos45°+2\times\cos60°$

$=\sqrt{6}\times\dfrac{\sqrt{2}}{2}+2\times\dfrac{1}{2}$

$=\sqrt{3}+1$      **답** $\sqrt{3}+1$

**016** $a^2=b^2+c^2-2bc\cos A$에 $b=2$, $c=4$, $A=60°$를 대입하면

$a^2=\boxed{2}^2+4^2-2\times\boxed{2}\times4\times\cos60°$

$=4+16-16\times\dfrac{1}{2}$

$=20-8$

$=12$

$\therefore a=\sqrt{12}\ (\because a>0)$

$=\boxed{2\sqrt{3}}$      **답** $2$, $2$, $2\sqrt{3}$

**017** $a^2=b^2+c^2-2bc\cos A$에 $b=2$, $c=\sqrt{3}$, $A=30°$를 대입하면

$\Box^2=2^2+\sqrt{3}^2-2\times2\times\sqrt{3}\times\cos30°$

$=4+3-4\sqrt{3}\times\dfrac{\sqrt{3}}{2}$

$=7-6$

$=1$

$\therefore \Box=1$      **답** $1$

**018** $b^2=c^2+a^2-2ca\cos B$에 $a=\sqrt{2}$, $c=3$, $B=45°$를 대입하면

$\Box^2=3^2+\sqrt{2}^2-2\times3\times\sqrt{2}\times\cos45°$

$=9+2-6\sqrt{2}\times\dfrac{\sqrt{2}}{2}$

$=11-6$

$=5$

$\therefore \Box=\sqrt{5}$      **답** $\sqrt{5}$

**019** $c^2=a^2+b^2-2ab\cos C$에 $a=2$, $b=1$, $C=120°$를 대입하면

$\Box^2=2^2+1^2-2\times2\times1\times\cos120°$

$=4+1-4\times\left(-\dfrac{1}{2}\right)$

$=5+2=7$

$\therefore \Box=\sqrt{7}$      **답** $\sqrt{7}$

**020** $a^2=b^2+c^2-2bc\cos A$에서

$2bc\cos A=b^2+c^2-a^2$

$\therefore \cos A=\dfrac{\boxed{b}^2+c^2-\boxed{a}^2}{\boxed{2}\times bc}$      **답** $b$, $a$, $2$

**021** $\cos A=\dfrac{b^2+c^2-a^2}{2bc}$에 $a=3$, $b=4$, $c=3$을 대입하면

$\cos A=\dfrac{4^2+3^2-3^2}{2\times4\times3}=\dfrac{16}{24}=\dfrac{2}{3}$      **답** $\dfrac{2}{3}$

**022** $\cos B=\dfrac{c^2+a^2-b^2}{2ca}$에 $a=3$, $b=2\sqrt{3}$, $c=1$을 대입하면

$\cos B=\dfrac{1^2+3^2-(2\sqrt{3})^2}{2\times1\times3}=\dfrac{-2}{6}=-\dfrac{1}{3}$      **답** $-\dfrac{1}{3}$

**023** $\cos C=\dfrac{a^2+b^2-c^2}{2ab}$에 $a=2$, $b=3\sqrt{2}$, $c=\sqrt{10}$을 대입하면

$\cos C=\dfrac{2^2+(3\sqrt{2})^2-\sqrt{10}^2}{2\times2\times3\sqrt{2}}=\dfrac{12}{12\sqrt{2}}=\dfrac{\sqrt{2}}{2}$

$\therefore \angle\mathrm{C}=45°\left(또는\ \dfrac{\pi}{4}\right)$      **답** $45°\left(또는\ \dfrac{\pi}{4}\right)$

**024** (삼각형의 넓이)$=\dfrac{1}{2}\times$(두 변의 길이의 곱)

$\times$(그 끼인각에 대한 사인값)

이므로

$S=\dfrac{1}{2}ab\times\boxed{\sin C}$

$=\dfrac{1}{2}bc\times\boxed{\sin A}$

$=\dfrac{1}{2}\times\boxed{c}\times\boxed{a}\times\sin B$      **답** $\sin C$, $\sin A$, $c$, $a$

**025** $S=\dfrac{1}{2}ca\sin B$에 $a=7$, $c=4$, $B=30°$를 대입하면

$S=\dfrac{1}{2}\times4\times7\times\sin30°$

$=14\times\dfrac{1}{2}=7$      **답** $7$

**026** $S=\dfrac{1}{2}ab\sin C$에 $a=6$, $b=5$, $C=120°$를 대입하면

$S=\dfrac{1}{2}\times6\times5\times\sin120°$

$=15\times\dfrac{\sqrt{3}}{2}=\dfrac{15\sqrt{3}}{2}$      **답** $\dfrac{15\sqrt{3}}{2}$

**027** $s=\dfrac{a+b+c}{2}=\dfrac{2+2+2}{2}=\dfrac{6}{2}=3$

이므로

$S=\sqrt{3(3-2)(3-2)(3-2)}=\sqrt{3}$      **답** $\sqrt{3}$

**다른 풀이**

$a=b=c=2$이므로 △ABC는 정삼각형이다.

$\therefore A=B=C=60°$

$S=\dfrac{1}{2}ab\sin C$에 $a=2$, $b=2$, $C=60°$를 대입하면

$S=\dfrac{1}{2}\times2\times2\times\sin60°=2\times\dfrac{\sqrt{3}}{2}=\sqrt{3}$

**028** (평행사변형의 넓이)＝(이웃한 두 변의 길이의 곱)
$\qquad\qquad\qquad\qquad\qquad$ ×(그 끼인각에 대한 사인값)

이므로

$S=ab\times\boxed{\sin\theta}$ $\qquad\qquad\qquad\qquad$ 답 $\sin\theta$

**029** $S=ab\sin\theta$에 $a=4$, $b=7$, $\theta=30°$를 대입하면

$S=4\times7\times\sin30°=28\times\dfrac{1}{2}=14$ $\qquad\qquad$ 답 $14$

**030** $S=ab\sin\theta$에 $a=3$, $b=8$, $\theta=60°$를 대입하면

$S=3\times8\times\sin60°=24\times\dfrac{\sqrt{3}}{2}=12\sqrt{3}$ $\qquad$ 답 $12\sqrt{3}$

**031** $\square ABCD$는 평행사변형이므로 $B=D=45°$

$S=ab\sin\theta$에 $a=5$, $b=6$, $\theta=45°$를 대입하면

$S=5\times6\times\sin45°=30\times\dfrac{\sqrt{2}}{2}=15\sqrt{2}$ $\quad$ 답 $15\sqrt{2}$

**032** $\square ABCD$는 평행사변형이므로

$B=180°-A=180°-120°=60°$

$S=ab\sin\theta$에 $a=4$, $b=10$, $\theta=60°$를 대입하면

$S=4\times10\times\sin60°=40\times\dfrac{\sqrt{3}}{2}=20\sqrt{3}$ $\quad$ 답 $20\sqrt{3}$

**033** $\triangle ABC$에서

$b=\overline{CA}=6$, $c=\overline{AB}=6\sqrt{3}$,

$\angle C=60°$이므로 사인법칙에

의하여

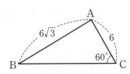

$\dfrac{6}{\sin B}=\dfrac{6\sqrt{3}}{\sin60°}=\dfrac{6\sqrt{3}}{\dfrac{\sqrt{3}}{2}}=12$

$\therefore \sin B=\dfrac{6}{12}=\dfrac{1}{2}$

따라서 $\angle B=30°$이므로

$\angle A=180°-(\angle B+\angle C)$
$\qquad=180°-(30°+60°)$
$\qquad=90°$ $\qquad\qquad\qquad\qquad\qquad$ 답 $90°$

**034** $\triangle ABC$에서 사인법칙에 의하여

$\dfrac{8}{\sin60°}=\dfrac{4\sqrt{2}}{\sin B}$

$\therefore \sin B=\dfrac{4\sqrt{2}\sin60°}{8}$

$\qquad=\dfrac{4\sqrt{2}\times\dfrac{\sqrt{3}}{2}}{8}$

$\qquad=\dfrac{\sqrt{6}}{4}$

이때, $\sin^2 B+\cos^2 B=1$이므로

$\cos^2 B=1-\sin^2 B$

$\qquad=1-\left(\dfrac{\sqrt{6}}{4}\right)^2$

$\qquad=\dfrac{10}{16}$

$\therefore \cos B=\sqrt{\dfrac{10}{16}}=\dfrac{\sqrt{10}}{4}$ $(\because 0°<\angle B<90°)$ 답 ②

**035** $\triangle ABC$의 외접원의 반지름의 길이

를 $R$라 하면 사인법칙에 의하여

$2R=\dfrac{\overline{BC}}{\sin A}=\dfrac{3\sqrt{2}}{\sin45°}$

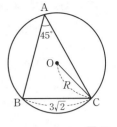

$\qquad=\dfrac{3\sqrt{2}}{\dfrac{\sqrt{2}}{2}}=6$

$\therefore R=6\times\dfrac{1}{2}=3$ $\qquad\qquad\qquad\qquad$ 답 ③

**036** $\angle AOO'=45°$, $\angle AO'O=30°$

이므로 $\triangle AOO'$에서 사인법칙

에 의하여

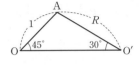

$\dfrac{1}{\sin30°}=\dfrac{R}{\sin45°}$

$\therefore R=\dfrac{\sin45°}{\sin30°}=\dfrac{\dfrac{\sqrt{2}}{2}}{\dfrac{1}{2}}=\sqrt{2}$

즉, 원 $O'$의 반지름의 길이가 $\sqrt{2}$이므로 부채꼴 $AO'B$의 넓이는

$\dfrac{1}{2}\times(\sqrt{2})^2\times\dfrac{\pi}{3}=\dfrac{\pi}{3}$ $\qquad\qquad$ 답 $\dfrac{\pi}{3}$

**037** $\angle DAB+\angle BDA=\angle DBC$이므로 $\angle BDA=30°$

$\triangle ABD$에서 사인법칙에 의하여

$\dfrac{25}{\sin30°}=\dfrac{\overline{BD}}{\sin45°}$

$\therefore \overline{BD}=\dfrac{25\sin45°}{\sin30°}$

$\qquad=\dfrac{25\times\dfrac{\sqrt{2}}{2}}{\dfrac{1}{2}}$

$\qquad=25\sqrt{2}$

$\triangle DBC$에서 $\sin75°=\dfrac{\overline{CD}}{\overline{BD}}$

$\therefore \overline{CD}=\overline{BD}\sin75°=25\sqrt{2}\times0.96=24\sqrt{2}$ 답 $24\sqrt{2}$

**038** $\angle ADB=\theta$로 놓으면 $\angle ADC=\pi-\theta$

$\triangle ABD$와 $\triangle ADC$의 외접원의 반지름의 길이를 각각 $R_1$, $R_2$

라 하면 사인법칙에서

$\dfrac{2}{\sin\theta}=2R_1$, $\dfrac{4}{\sin(\pi-\theta)}=2R_2$

이때, $\sin(\pi-\theta)=\sin\theta$이므로 $R_1:R_2=1:2$

따라서 $\triangle ABD$와 $\triangle ADC$의 외접원의 넓이의 비는

$\pi R_1{}^2:\pi R_2{}^2=1^2:2^2=1:4$ $\qquad\qquad$ 답 ③

**039** $A+B+C=180°$이므로 $A:B:C=2:1:3$에서

$A=2k$, $B=k$, $C=3k$ $(k>0°)$라 하면

$2k+k+3k=180°$ $\quad\therefore k=30°$

따라서 $A=60°$, $B=30°$, $C=90°$이므로 사인법칙에 의하여

$\overline{BC}:\overline{CA}:\overline{AB}=\sin A:\sin B:\sin C$

$\qquad=\sin60°:\sin30°:\sin90°$

$\qquad=\dfrac{\sqrt{3}}{2}:\dfrac{1}{2}:1$

$\qquad=\sqrt{3}:1:2$ $\qquad\qquad\qquad\qquad$ 답 ①

**040** $\overset{\frown}{AB}:\overset{\frown}{BC}:\overset{\frown}{CA}=4:3:5$이므로

$A=180°\times\dfrac{3}{12}=45°,\ B=180°\times\dfrac{5}{12}=75°,$

$C=180°\times\dfrac{4}{12}=60°$

$\dfrac{\overline{BC}}{\sin A}=\dfrac{\overline{AB}}{\sin C}$에서 $\dfrac{\overline{BC}}{\sin 45°}=\dfrac{3\sqrt3}{\sin 60°}$

$\therefore\overline{BC}=\dfrac{3\sqrt3}{\dfrac{\sqrt3}{2}}\times\dfrac{\sqrt2}{2}=3\sqrt2$ 　답 ④

**041** $\dfrac{\overline{AB}+\overline{BC}}{7}=\dfrac{\overline{BC}+\overline{CA}}{5}=\dfrac{\overline{CA}+\overline{AB}}{6}=k\ (k>0)$라 하면

$\overline{AB}+\overline{BC}=7k,\ \overline{BC}+\overline{CA}=5k,\ \overline{CA}+\overline{AB}=6k$ 　……㉠

세 식을 변끼리 더하면 $2\overline{AB}+2\overline{BC}+2\overline{CA}=18k$

$\therefore\overline{AB}+\overline{BC}+\overline{CA}=9k$ 　……㉡

㉡에서 ㉠의 각 식을 빼면

$\overline{AB}=4k,\ \overline{BC}=3k,\ \overline{CA}=2k$

$\therefore\sin A:\sin B:\sin C=\overline{BC}:\overline{CA}:\overline{AB}$

$\qquad\qquad\qquad\qquad=3k:2k:4k$

$\qquad\qquad\qquad\qquad=3:2:4$ 　답 $3:2:4$

**042** $\angle C=180°-(60°+75°)=45°$

$\triangle ABC$에서 사인법칙에 의하여

$\dfrac{\overline{AB}}{\sin C}=\dfrac{\overline{BC}}{\sin A}$

$\therefore\overline{BC}=\dfrac{\overline{AB}\sin A}{\sin C}$

$\qquad=\dfrac{50\sin 60°}{\sin 45°}$

$\qquad=\dfrac{50\times\dfrac{\sqrt3}{2}}{\dfrac{\sqrt2}{2}}=25\sqrt6\,(\mathrm{m})$ 　답 ③

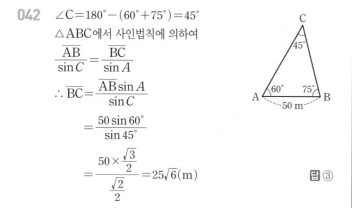

**043** $\triangle ABC$에서 사인법칙에 의하여

$\dfrac{\overline{BC}}{\sin 105°}=\dfrac{30}{\sin 30°}$

$\therefore\overline{BC}=\dfrac{30\sin 105°}{\sin 30°}$

$\qquad=60\cos 15°$

$\qquad(\because\sin 105°=\sin(90°+15°)=\cos 15°)$

$\qquad=60\times\dfrac{\sqrt6+\sqrt2}{4}$

$\qquad=15(\sqrt6+\sqrt2)$

$\triangle CBD$에서

$\overline{CD}=\overline{BC}\sin 45°=15(\sqrt6+\sqrt2)\times\dfrac{1}{\sqrt2}$

$\qquad=15(\sqrt3+1)\,(\mathrm{m})$ 　답 ④

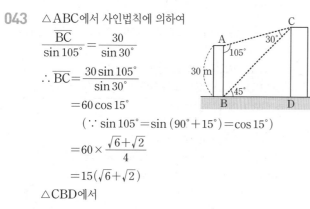

**044** 제일 코사인법칙에 의하여

$\overline{BC}=b\cos C+c\cos B$

$\qquad=4\cos 30°+2\sqrt2\cos 45°$

$\qquad=4\times\dfrac{\sqrt3}{2}+2\sqrt2\times\dfrac{\sqrt2}{2}$

$\qquad=2\sqrt3+2$ 　답 $2\sqrt3+2$

**045** $\angle A+\angle B+\angle C=180°$에서 $\angle C=30°$

$\triangle ABC$에서 사인법칙에 의하여

$\dfrac{\overline{BC}}{\sin 45°}=\dfrac{6}{\sin 30°}$

$\therefore\overline{BC}=\dfrac{6\sin 45°}{\sin 30°}=\dfrac{6\times\dfrac{\sqrt2}{2}}{\dfrac{1}{2}}=6\sqrt2$

$\triangle ABC$에서 제일 코사인법칙에 의하여

$\overline{AC}=\overline{AB}\cos 45°+\overline{BC}\cos 30°$

$\qquad=6\times\dfrac{\sqrt2}{2}+6\sqrt2\times\dfrac{\sqrt3}{2}$

$\qquad=3\sqrt2+3\sqrt6$ 　답 ③

**046** 그림에서 제일 코사인법칙에 의하여

$4=2\cos B+3\cos C$ 　……㉠

$3=4\cos C+2\cos A$ 　……㉡

$2=3\cos A+4\cos B$ 　……㉢

㉠+㉡+㉢을 하면

$5\cos A+6\cos B+7\cos C=9$ 　답 $9$

**047** $\triangle ABC$에서 제이 코사인법칙에 의하여

$\overline{BC}^2=2^2+4^2-2\times2\times4\times\cos 60°$

$\qquad=4+16-16\times\dfrac{1}{2}=12$

$\therefore\overline{BC}=2\sqrt3\ (\because\overline{BC}>0)$ 　답 $2\sqrt3$

**048** $\triangle ABC$에서 제이 코사인법칙에 의하여

$\overline{BC}^2=4^2+5^2-2\times4\times5\times\cos 60°$

$\qquad=16+25-40\times\dfrac{1}{2}=21$

$\therefore\overline{BC}=\sqrt{21}\ (\because\overline{BC}>0)$

따라서 $\triangle ABC$의 외접원의 반지름의 길이 $R$는 사인법칙에 의하여

$\dfrac{\sqrt{21}}{\sin 60°}=2R$

$\therefore R=\dfrac{\sqrt{21}}{2\sin 60°}=\dfrac{\sqrt{21}}{2\times\dfrac{\sqrt3}{2}}=\sqrt7$ 　답 $\sqrt7$

**049** $\overline{BC}=a$라 하면 $c^2=a^2+b^2-2ab\cos C$이므로

$(2\sqrt5)^2=a^2+(2\sqrt2)^2-2\times a\times2\sqrt2\times\cos 45°$

$20=a^2+8-4\sqrt2a\times\dfrac{\sqrt2}{2}$

$a^2-4a-12=0$

$(a-6)(a+2)=0$

$a>0$이므로 $a=6$

$\therefore\overline{BC}=6$ 　답 ④

**050** $\overline{AP}=2\sqrt3\tan 30°=2$

$\triangle APB$에서 $\angle APB=120°$이므로 제이 코사인법칙에 의하여

$\overline{AB}^2=\overline{AP}^2+\overline{BP}^2-2\times\overline{AP}\times\overline{BP}\times\cos(\angle APB)$

$\qquad=2^2+2^2-2\times2\times2\cos 120°$

$\qquad=8-8\times\left(-\dfrac{1}{2}\right)=12$

$\therefore\overline{AB}=2\sqrt3\ (\because\overline{AB}>0)$ 　답 $2\sqrt3$

**051** 원의 반지름의 길이를 $r$, $\angle$POB의 크기를 $\theta$라 하면 $\overarc{BP}=r\theta$이므로
$$2\theta=\frac{\pi}{3}$$
$$\therefore \theta=\frac{\pi}{6}$$
$$\therefore \angle AOP=\pi-\frac{\pi}{6}=\frac{5}{6}\pi$$

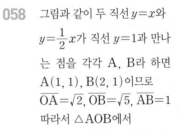

$\triangle$AOP에서 제이 코사인법칙에 의하여
$$\overline{AP}^2=\overline{AO}^2+\overline{OP}^2-2\times\overline{AO}\times\overline{OP}\times\cos(\angle AOP)$$
$$=2^2+2^2-2\times2\times2\times\cos\frac{5}{6}\pi$$
$$=8-8\times\left(-\frac{\sqrt{3}}{2}\right)$$
$$=8+4\sqrt{3}$$
답 $8+4\sqrt{3}$

**052** $\square$ABCD가 원에 내접하므로 $A+C=\pi$
$\triangle$ABD에서 제이 코사인법칙에 의하여
$$\overline{BD}^2=1^2+2^2-2\times1\times2\cos A$$
$$=5-4\cos A \quad\cdots\cdots\text{㉠}$$
또, $\triangle$BCD에서 제이 코사인법칙에 의하여
$$\overline{BD}^2=2^2+3^2-2\times2\times3\cos C$$
$$=13-12\cos(\pi-A)$$
$$=13+12\cos A \quad\cdots\cdots\text{㉡}$$
㉠=㉡에서
$$5-4\cos A=13+12\cos A$$
$$\therefore \cos A=-\frac{1}{2}$$
$\cos A=-\dfrac{1}{2}$ 을 ㉠에 대입하면
$$\overline{BD}^2=5-4\times\left(-\frac{1}{2}\right)=7$$
$$\therefore \overline{BD}=\sqrt{7} \ (\because \overline{BD}>0)$$
답 ④

**053** $\triangle$ABC에서 제이 코사인법칙에 의하여
$$\overline{AB}^2=6^2+3^2-2\times6\times3\cos60°$$
$$=45-36\times\frac{1}{2}$$
$$=27$$
$$\therefore \overline{AB}=3\sqrt{3} \ (\because \overline{AB}>0)$$
$$\therefore \cos A=\frac{b^2+c^2-a^2}{2bc}=\frac{3^2+(3\sqrt{3})^2-6^2}{2\times3\times3\sqrt{3}}=0$$
답 0

**054** 삼각형에서 변의 길이가 각각 4, 5인 두 변 사이에 끼인각의 크기를 $\theta$라 하면 제이 코사인법칙에 의하여
$$\cos\theta=\frac{4^2+5^2-6^2}{2\times4\times5}=\frac{1}{8}$$
$\cos\theta>0$이므로 $0°<\theta<90°$이고 $\sin\theta>0$이다.
$$\therefore \sin\theta=\sqrt{1-\cos^2\theta}=\sqrt{1-\left(\frac{1}{8}\right)^2}=\frac{3\sqrt{7}}{8}$$
이때, 외접원의 반지름의 길이를 $R$라 하면 사인법칙에 의하여
$$\frac{6}{\frac{3\sqrt{7}}{8}}=2R$$
$$\therefore R=\frac{16}{\sqrt{7}}\times\frac{1}{2}=\frac{8}{\sqrt{7}}=\frac{8\sqrt{7}}{7}$$
답 $\dfrac{8\sqrt{7}}{7}$

**055** $\overline{BC}=a$라 하면 제이 코사인법칙에 의하여
$$7^2=3^2+a^2-2\times3\times a\cos120°$$
$$49=a^2+3a+9,\ a^2+3a-40=0$$
$$(a+8)(a-5)=0$$
$$\therefore \overline{BC}=a=5 \ (\because a>0)$$
$$\therefore \cos C=\frac{5^2+7^2-3^2}{2\times5\times7}=\frac{13}{14}$$
답 ①

**056** $a:b:c=\sin A:\sin B:\sin C=3:5:7$이므로
$a=3m,\ b=5m,\ c=7m \ (m\neq0)$으로 놓을 수 있다.
이때, 가장 긴 변에 대응하는 각이 최대각이므로 최대각은 $C$이다.
$$\cos C=\frac{(3m)^2+(5m)^2-(7m)^2}{2\times3m\times5m}$$
$$=\frac{9m^2+25m^2-49m^2}{30m^2}=-\frac{1}{2}$$
$$\therefore C=120° \left(\text{또는}\ \frac{2}{3}\pi\right)$$
답 $120°\left(\text{또는}\ \dfrac{2}{3}\pi\right)$

**057** $\overline{EB}=\overline{BG}=\sqrt{6^2+2^2}=2\sqrt{10}$
$\overline{EG}=\sqrt{2^2+2^2}=2\sqrt{2}$
따라서 삼각형 EBG에서
$$\cos\theta=\frac{(2\sqrt{10})^2+(2\sqrt{10})^2-(2\sqrt{2})^2}{2\times2\sqrt{10}\times2\sqrt{10}}=\frac{72}{80}=\frac{9}{10}$$
답 ⑤

**058** 그림과 같이 두 직선 $y=x$와 $y=\dfrac{1}{2}x$가 직선 $y=1$과 만나는 점을 각각 A, B라 하면 A(1, 1), B(2, 1)이므로
$\overline{OA}=\sqrt{2}$, $\overline{OB}=\sqrt{5}$, $\overline{AB}=1$

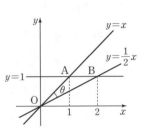

따라서 $\triangle$AOB에서
$$\cos\theta=\frac{(\sqrt{2})^2+(\sqrt{5})^2-1^2}{2\times\sqrt{2}\times\sqrt{5}}=\frac{6}{2\sqrt{10}}=\frac{3\sqrt{10}}{10}$$
$$\therefore 10\cos\theta=10\times\frac{3\sqrt{10}}{10}=3\sqrt{10}$$
답 $3\sqrt{10}$

**059** 제이 코사인법칙에 의하여
$$\overline{AB}^2=\overline{AC}^2+\overline{BC}^2-2\times\overline{AC}\times\overline{BC}\times\cos C$$
$$=2^2+3^2-2\times2\times3\times\cos60°$$
$$=13-12\times\frac{1}{2}=7$$
$$\therefore \overline{AB}=\sqrt{7} \ (\because \overline{AB}>0)$$
따라서 두 건물 A, B 사이의 거리는 약 2.646 km이다.
답 2.646 km

**060** 그림과 같은 삼각형에서 제이 코사인법칙을 이용하면

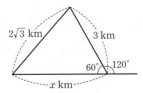

$$(2\sqrt{3})^2=3^2+x^2-2\times3\times x\times\cos60°$$
$$12=9+x^2-3x$$
$$x^2-3x-3=0$$
$$\therefore x=\frac{3+\sqrt{21}}{2} \ (\because x>0)$$
답 ②

**061** △ABC에서 제이 코사인법칙에 의하여

$$\cos C = \frac{a^2+b^2-c^2}{2ab} = \frac{9+4-16}{2\times3\times2} = -\frac{1}{4}$$

$$\therefore \sin C = \sqrt{1-\cos^2 C} \ (\because 0°<C<180°)$$

$$= \sqrt{1-\left(-\frac{1}{4}\right)^2}$$

$$= \frac{\sqrt{15}}{4}$$

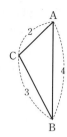

△ABC의 외접원의 반지름의 길이를 $R$라 하면 사인법칙에 의하여

$$R = \frac{c}{2\sin C} = \frac{4}{2\times\frac{\sqrt{15}}{4}} = \frac{8}{\sqrt{15}} = \frac{8\sqrt{15}}{15}$$

따라서 손거울의 반지름의 길이는 $\frac{8\sqrt{15}}{15}$ 이다. 🖺 $\frac{8\sqrt{15}}{15}$

**062** △ABC의 외접원의 반지름의 길이를 $R$라 하면 사인법칙에 의하여

$$\sin A = \frac{a}{2R}, \ \sin B = \frac{b}{2R}, \ \sin C = \frac{c}{2R}$$

이므로 $\sin^2 A = \sin^2 B + \sin^2 C$에서

$$\left(\frac{a}{2R}\right)^2 = \left(\frac{b}{2R}\right)^2 + \left(\frac{c}{2R}\right)^2$$

$$\therefore a^2 = b^2 + c^2$$

따라서 △ABC는 $A=90°$인 직각삼각형이다. 🖺 ①

**063** △ABC의 외접원의 반지름의 길이를 $R$라 하면

$$\sin A = \frac{a}{2R}, \ \sin B = \frac{b}{2R} \quad \cdots\cdots \ \boxed{⊙}$$

$$\cos C = \frac{a^2+b^2-c^2}{2ab} \quad \cdots\cdots \ \boxed{ⓒ}$$

⊙, ⓒ을 주어진 식 $\sin A = 2\sin B\cos C$에 대입하면

$$\frac{a}{2R} = 2\times\frac{b}{2R}\times\frac{a^2+b^2-c^2}{2ab}$$

$$b^2 = c^2 \quad \therefore b=c \ (\because b>0, c>0)$$

따라서 △ABC는 $\overline{AB}=\overline{CA}$인 이등변삼각형이다. 🖺 ①

**064** 제이 코사인법칙의 변형에 의하여

$$\cos A = \frac{b^2+c^2-a^2}{2bc}, \ \cos B = \frac{c^2+a^2-b^2}{2ca}$$

이를 주어진 식 $a\cos B = b\cos A$에 대입하면

$$a\times\frac{c^2+a^2-b^2}{2ca} = b\times\frac{b^2+c^2-a^2}{2bc}$$

$$\frac{c^2+a^2-b^2}{2c} = \frac{b^2+c^2-a^2}{2c}$$

$$c^2+a^2-b^2 = b^2+c^2-a^2$$

$$a^2 = b^2 \quad \therefore a=b \ (\because a>0, b>0)$$

따라서 △ABC는 $a=b$인 이등변삼각형이다. 🖺 ①

**065** 그림과 같은 △ABC의 넓이는

$$\frac{1}{2}\times\overline{AB}\times\overline{BC}\times\sin B$$이므로

$$\frac{1}{2}\times\overline{AB}\times4\times\sin30° = 3$$

$$\frac{1}{2}\times\overline{AB}\times4\times\frac{1}{2} = 3$$

$$\therefore \overline{AB} = 3$$

🖺 ②

**066** $0°<A<180°$이므로 $\sin A>0$

$$\therefore \sin A = \sqrt{1-\cos^2 A}$$

$$= \sqrt{1-\left(\frac{2}{3}\right)^2} = \frac{\sqrt{5}}{3}$$

$$\therefore \triangle ABC = \frac{1}{2}\times\overline{CA}\times\overline{AB}\times\sin A$$

$$= \frac{1}{2}\times3\sqrt{5}\times4\times\frac{\sqrt{5}}{3}$$

$$= 10$$

🖺 10

**067** $\overline{CA}=b$라 하면 제이 코사인법칙에 의하여

$$7^2 = 3^2 + b^2 - 2\times3\times b\times\cos120°$$

$$49 = 9 + b^2 - 6b\times\left(-\frac{1}{2}\right)$$

$$b^2 + 3b - 40 = 0$$

$$(b+8)(b-5) = 0$$

$$\therefore b = 5 \ (\because b>0)$$

따라서 △ABC의 넓이는

$$\frac{1}{2}\times3\times5\times\sin120° = \frac{1}{2}\times3\times5\times\frac{\sqrt{3}}{2}$$

$$= \frac{15}{4}\sqrt{3}$$

🖺 $\frac{15}{4}\sqrt{3}$

**068** 그림에서 부채꼴 ABC의 넓이를 $S$라 하면

$$S = \frac{1}{2}\times6^2\times\frac{2}{3}\pi = 12\pi$$

또, △ABC의 넓이를 $S'$이라 하면

$$S' = \frac{1}{2}\times6\times6\times\sin120°$$

$$= 18\times\frac{\sqrt{3}}{2} = 9\sqrt{3}$$

따라서 구하는 활꼴의 넓이는

$$S - S' = 12\pi - 9\sqrt{3}$$

🖺 ②

**069** 그림에서 $\overline{AD}=x$라 하면

△ABC = △ABD + △ACD 에서

$$\frac{1}{2}\times2\times4\times\sin60°$$

$$= \frac{1}{2}\times2\times x\times\sin30° + \frac{1}{2}\times4\times x\times\sin30°$$

$$2\sqrt{3} = \frac{1}{2}x + x$$

$$2\sqrt{3} = \frac{3}{2}x \quad \therefore \overline{AD} = x = \frac{4\sqrt{3}}{3}$$

🖺 ④

**070** $$\triangle APQ = \frac{1}{2}\times\overline{AP}\times\overline{AQ}\times\sin A$$

$$= \frac{1}{2}\times\frac{2}{3}\overline{AB}\times\frac{1}{3}\overline{AC}\times\sin A$$

$$= \frac{1}{9}\times\overline{AB}\times\overline{AC}\times\sin A$$

$$= \frac{2}{9}\times\frac{1}{2}\times\overline{AB}\times\overline{AC}\times\sin A$$

$$= \frac{2}{9}\times\triangle ABC$$

$$= \frac{2}{9}\times9 = 2$$

🖺 ②

**071**

$\angle \text{CAD} = 180° - (75° + 60°)$
$\qquad = 45°$

$\triangle \text{ACD}$에서 사인법칙에 의하여

$\dfrac{\overline{\text{AC}}}{\sin 60°} = \dfrac{4}{\sin 45°}$

$\therefore \overline{\text{AC}} = \dfrac{4\sin 60°}{\sin 45°}$

$\qquad = \dfrac{4 \times \frac{\sqrt{3}}{2}}{\frac{\sqrt{2}}{2}}$

$\qquad = 2\sqrt{6}$

따라서 $\triangle \text{ABC}$의 넓이 $S$는

$S = \dfrac{1}{2} \times \overline{\text{BC}} \times \overline{\text{AC}} \times \sin 30°$

$\quad = \dfrac{1}{2} \times 3 \times 2\sqrt{6} \times \dfrac{1}{2}$

$\quad = \dfrac{3\sqrt{6}}{2}$

답 $\dfrac{3\sqrt{6}}{2}$

**072**

$\overline{\text{AC}}^2 = \overline{\text{AB}}^2 + \overline{\text{BC}}^2 - 2 \times \overline{\text{AB}} \times \overline{\text{BC}} \times \cos 60°$

$\qquad = 25 + 9 - 2 \times 5 \times 3 \times \dfrac{1}{2} = 19$

$\angle \text{B} + \angle \text{D} = 180°$이므로 $\angle \text{D} = 120°$

$\overline{\text{CD}} = x$라 하면

$\overline{\text{AC}}^2 = \overline{\text{CD}}^2 + \overline{\text{AD}}^2 - 2 \times \overline{\text{CD}} \times \overline{\text{AD}} \times \cos 120°$

$19 = x^2 + 4 - 2 \times x \times 2 \times \left(-\dfrac{1}{2}\right)$

$x^2 + 2x - 15 = 0$

$(x+5)(x-3) = 0$

$\therefore x = 3 \ (\because x > 0)$

따라서 $\square \text{ABCD}$의 넓이는

$\triangle \text{ABC} + \triangle \text{ACD}$

$= \dfrac{1}{2} \times 5 \times 3 \times \sin 60° + \dfrac{1}{2} \times 2 \times 3 \times \sin 120°$

$= \dfrac{15\sqrt{3}}{4} + \dfrac{6\sqrt{3}}{4}$

$= \dfrac{21\sqrt{3}}{4}$

답 $\dfrac{21\sqrt{3}}{4}$

**073**

$\triangle \text{ABD}$에서 제이 코사인법칙에 의하여

$\overline{\text{BD}}^2 = 5^2 + 3^2 - 2 \times 5 \times 3 \times \cos 120°$

$\qquad = 25 + 9 - 30 \times \left(-\dfrac{1}{2}\right)$

$\qquad = 49$

$\therefore \overline{\text{BD}} = 7 \ (\because \overline{\text{BD}} > 0)$

이때, $\triangle \text{BCD}$에서 $\cos C = \dfrac{8^2 + 3^2 - 7^2}{2 \times 8 \times 3} = \dfrac{1}{2}$이므로

$\sin C = \sqrt{1 - \left(\dfrac{1}{2}\right)^2} = \dfrac{\sqrt{3}}{2}$

$\therefore \square \text{ABCD} = \triangle \text{ABD} + \triangle \text{BCD}$

$\qquad = \dfrac{1}{2} \times 5 \times 3 \times \sin 120° + \dfrac{1}{2} \times 8 \times 3 \times \sin C$

$\qquad = \dfrac{15}{2} \times \dfrac{\sqrt{3}}{2} + 12 \times \dfrac{\sqrt{3}}{2}$

$\qquad = \dfrac{39\sqrt{3}}{4} \ (\text{km}^2)$

답 ④

**074**

$2s = 8 + 9 + 7$에서 $s = 12$

따라서 삼각형의 넓이 $S$는

$S = \sqrt{s(s-a)(s-b)(s-c)}$

$\quad = \sqrt{12 \times 4 \times 3 \times 5}$

$\quad = 12\sqrt{5}$

이때, $S = \dfrac{1}{2} \times 8 \times \overline{\text{AD}} = 12\sqrt{5}$이므로

$\overline{\text{AD}} = 3\sqrt{5}$

답 ⑤

**075**

제이 코사인법칙에 의하여

$\overline{\text{AB}}^2 = 6^2 + 10^2 - 2 \times 6 \times 10 \times \cos 120°$

$\qquad = 136 - 120 \times \left(-\dfrac{1}{2}\right) = 196$

$\therefore \overline{\text{AB}} = 14 \ (\because \overline{\text{AB}} > 0)$

$\triangle \text{ABC}$의 넓이를 $S$라 하면

$S = \dfrac{1}{2} \times 6 \times 10 \times \sin 120°$

$\quad = 30 \times \dfrac{\sqrt{3}}{2}$

$\quad = 15\sqrt{3}$

내접원의 반지름의 길이를 $r$라 하면

$15\sqrt{3} = \dfrac{1}{2} r (6 + 10 + 14)$

$\therefore r = \sqrt{3}$

답 $\sqrt{3}$

**076**

그림과 같이 $a = 3$, $b = 4$, $c = 5$인

$\triangle \text{ABC}$의 넓이를 $S$라 하면

$s = \dfrac{3+4+5}{2} = 6$이므로

$S = \sqrt{6 \times 3 \times 2 \times 1} = 6$

$S = \dfrac{abc}{4R}$에서 $6 = \dfrac{3 \times 4 \times 5}{4R}$

$\therefore R = \dfrac{5}{2}$

$S = rs$에서 $6 = r \times 6$

$\therefore r = 1$

$\therefore R + r = \dfrac{5}{2} + 1 = \dfrac{7}{2}$

답 ⑤

**077**

평행사변형 $\text{ABCD}$의 넓이 $S$는

$S = ab\sin\theta$

$\quad = 4 \times 6 \times \sin\theta$

$\quad = 24\sin\theta = 12$

$\therefore \sin\theta = \dfrac{1}{2}$

이때, $0 < \theta < \dfrac{\pi}{2}$이므로 $\theta = \dfrac{\pi}{6}$

답 $\dfrac{\pi}{6}$

**078**

사각형 $\text{ABCD}$의 넓이 $S$는

$S = \dfrac{1}{2} ab \sin 30° = \dfrac{1}{2} ab \times \dfrac{1}{2} = \dfrac{1}{4} ab$

이므로 $\dfrac{1}{4} ab = 4$에서 $ab = 16$

$\therefore a^2 + b^2 = (a+b)^2 - 2ab$

$\qquad = 10^2 - 2 \times 16$

$\qquad = 68$

답 68

**079** 주어진 평행사변형의 두 변 AB, BC의 길이를 각각 $a$, $b$, 넓이를 $S$라 하면

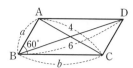

$S = ab \sin 60°$

$\quad = \dfrac{\sqrt{3}}{2} ab \qquad\qquad \cdots\cdots \text{㉠}$

△ABC에서 제이 코사인법칙에 의하여

$4^2 = a^2 + b^2 - 2ab \cos 60°$

$\therefore a^2 + b^2 - ab = 16 \qquad \cdots\cdots \text{㉡}$

△ABD에서 제이 코사인법칙에 의하여

$6^2 = a^2 + b^2 - 2ab \cos 120°$

$\therefore a^2 + b^2 + ab = 36 \qquad \cdots\cdots \text{㉢}$

㉢－㉡을 하면 $2ab = 20$

$\therefore ab = 10 \qquad\qquad \cdots\cdots \text{㉣}$

$\therefore S = \dfrac{\sqrt{3}}{2} \times 10 \; (\because \text{㉠, ㉣})$

$\quad = 5\sqrt{3}$

目 $5\sqrt{3}$

**080** $\angle A = 180° - (70° + 80°) = 30°$

△ABC의 외접원의 반지름의 길이를 $R$라 하면 사인법칙에 의하여

$\dfrac{\overline{BC}}{\sin A} = 2R$, 즉 $\dfrac{4}{\sin 30°} = 2R$

$\therefore R = \dfrac{4}{2 \sin 30°} = \dfrac{4}{2 \times \frac{1}{2}} = 4$

따라서 △ABC의 외접원의 넓이는 $\pi \cdot 4^2 = 16\pi$

目 $16\pi$

**081** $A = 180° \times \dfrac{1}{6} = 30°$

$B = 180° \times \dfrac{2}{6} = 60°$

$C = 180° \times \dfrac{3}{6} = 90°$

△ABC의 외접원의 반지름의 길이를 $R$라 하면 사인법칙에 의하여

$a = 2R \sin A = 2R \sin 30° = 2R \times \dfrac{1}{2} = R$

$b = 2R \sin B = 2R \sin 60° = 2R \times \dfrac{\sqrt{3}}{2} = \sqrt{3}R$

$c = 2R \sin C = 2R \sin 90° = 2R$

이때, $a + b + c = R(1 + \sqrt{3} + 2) = R(3 + \sqrt{3}) = 6$이므로

$R = \dfrac{6}{3 + \sqrt{3}} = 3 - \sqrt{3}$

目 ②

**082** $\angle BAC = 30°$이므로

$\angle BOC = 60°$ $(\because$ (중심각)$= 2 \times$ (원주각)$)$

이때, △OBC에서

$\overline{BC}^2 = \overline{OB}^2 + \overline{OC}^2 - 2 \times \overline{OB} \times \overline{OC} \times \cos 60°$

$\quad = 2^2 + 2^2 - 2 \times 2 \times 2 \times \cos 60° = 4$

이므로 $\overline{BC} = 2 \; (\because \overline{BC} > 0)$

目 ③

**다른 풀이**

$\angle BAC = 30°$이므로

$\angle BOC = 60°$ $(\because$ (중심각)$= 2 \times$ (원주각)$)$

이때, △OBC에서 $\overline{OB} = \overline{OC}$이므로 △OBC는 정삼각형이다.

$\therefore \overline{BC} = 2$

**083** $a + b = 5k$, $b + c = 4k$, $c + a = 6k \; (k > 0$인 상수$)$라 하면

$2(a + b + c) = 15k$

$\therefore a + b + c = \dfrac{15}{2}k$

$\therefore a = \dfrac{7}{2}k$, $b = \dfrac{3}{2}k$, $c = \dfrac{5}{2}k$

제이 코사인법칙에 의하여

$\cos A = \dfrac{\left(\frac{3}{2}k\right)^2 + \left(\frac{5}{2}k\right)^2 - \left(\frac{7}{2}k\right)^2}{2 \times \frac{3}{2}k \times \frac{5}{2}k} = -\dfrac{1}{2}$

$\therefore A = 120° \left(\text{또는 } \dfrac{2}{3}\pi\right)$

目 $120° \left(\text{또는 } \dfrac{2}{3}\pi\right)$

**084** △ABC에서 제이 코사인법칙에 의하여

$\cos B = \dfrac{5^2 + 6^2 - 3^2}{2 \times 5 \times 6} = \dfrac{13}{15}$

변 BC를 $2 : 1$로 내분하는 점이 D이므로

$\overline{BD} = 4$

△ABD에서 제이 코사인법칙에 의하여

$\overline{AD}^2 = \overline{AB}^2 + \overline{BD}^2 - 2 \times \overline{AB} \times \overline{BD} \times \cos B$

$\quad = 5^2 + 4^2 - 2 \times 5 \times 4 \times \dfrac{13}{15}$

$\quad = \dfrac{19}{3}$

$\therefore \overline{AD} = \dfrac{\sqrt{57}}{3} \; (\because \overline{AD} > 0)$

目 ③

**085** 삼각형 ABC에서 제이 코사인법칙에 의하여

$\overline{BC}^2 = \overline{AB}^2 + \overline{AC}^2 - 2 \times \overline{AB} \times \overline{AC} \times \cos A$

$\quad = 80^2 + 100^2 - 2 \times 80 \times 100 \times \cos 60°$

$\quad = 16400 - 16000 \times \dfrac{1}{2}$

$\quad = 8400$

$\therefore \overline{BC} = \sqrt{8400} \; (\because \overline{BC} > 0)$

호수의 반지름의 길이를 $R$ m라 하면

사인법칙에 의하여

$\dfrac{\overline{BC}}{\sin 60°} = 2R$

$\therefore R = \dfrac{\sqrt{8400}}{\sqrt{3}} = \sqrt{2800}$

따라서 호수의 넓이는 $\pi R^2 = 2800\pi \, (\text{m}^2)$

目 ⑤

**086** △ABC의 넓이가 12이므로

$\dfrac{1}{2} \times 5 \times 8 \times \sin C = 12$

$\therefore \sin C = \dfrac{3}{5}$

△ABC가 예각삼각형이므로

$\cos C = \sqrt{1 - \left(\dfrac{3}{5}\right)^2} = \dfrac{4}{5}$

제이 코사인법칙에 의하여

$\overline{AB}^2 = 5^2 + 8^2 - 2 \times 5 \times 8 \times \cos C$

$\quad = 89 - 80 \times \dfrac{4}{5}$

$\quad = 25$

$\therefore \overline{AB} = 5 \; (\because \overline{AB} > 0)$

$\triangle$ABC의 외접원의 반지름의 길이를 $R$라 하면

$\dfrac{\overline{AB}}{\sin C}=2R$에서

$R=\dfrac{\overline{AB}}{2\sin C}=\dfrac{5}{2\times\dfrac{3}{5}}=\dfrac{25}{6}$  📘 ③

**087** $S=\dfrac{1}{2}ac\sin B$이므로

$2S=ac\sin B$

이를 주어진 식 $2S=a^2\sin B\cos B$에 대입하면

$ac\sin B=a^2\sin B\cos B$

이때, $a>0$이고, $0°<B<180°$에서 $\sin B>0$이므로

$c=a\cos B$

제이 코사인법칙의 변형에 의하여 $\cos B=\dfrac{a^2+c^2-b^2}{2ac}$이므로

$c=a\times\dfrac{a^2+c^2-b^2}{2ac}$

$\quad=\dfrac{a^2+c^2-b^2}{2c}$

$2c^2=a^2+c^2-b^2$

$\therefore a^2=b^2+c^2$

따라서 $\triangle$ABC는 $A=90°$인 직각삼각형이다.  📘 ①

**088** 등변사다리꼴의 두 대각선의 길이는 같으므로 한 대각선의 길이를 $x$라 하면

$12\sqrt{2}=\dfrac{1}{2}\times x^2\times\sin 45°$

$12\sqrt{2}=\dfrac{\sqrt{2}}{4}x^2$

$x^2=48$

$\therefore x=\sqrt{48}=4\sqrt{3}\ (\because x>0)$  📘 $4\sqrt{3}$

**089** 사각형 ABCD에서 $\square$ABCD $=\triangle$ACD $+\triangle$ABC

$\triangle$ACD $=\dfrac{1}{2}\times 3\times 5\times\sin 120°$

$\qquad\quad=\dfrac{15}{2}\times\dfrac{\sqrt{3}}{2}$

$\qquad\quad=\dfrac{15\sqrt{3}}{4}$

$\triangle$ACD에서 제이 코사인법칙에 의하여

$\overline{AC}^2=3^2+5^2-2\times 3\times 5\times\cos 120°$

$\qquad=34-30\times\left(-\dfrac{1}{2}\right)$

$\qquad=49$

$\therefore\overline{AC}=7\ (\because\overline{AC}>0)$

$\triangle$ABC에서 $\cos B=\dfrac{4^2+9^2-7^2}{2\times 4\times 9}=\dfrac{2}{3}$이므로

$\sin B=\sqrt{1-\left(\dfrac{2}{3}\right)^2}=\dfrac{\sqrt{5}}{3}$

$\therefore\triangle$ABC $=\dfrac{1}{2}\times 4\times 9\times\dfrac{\sqrt{5}}{3}=6\sqrt{5}$

따라서 $\square$ABCD의 넓이는 $\dfrac{15\sqrt{3}}{4}+6\sqrt{5}$이다.

📘 $\dfrac{15\sqrt{3}}{4}+6\sqrt{5}$

**090** $\triangle$ABC에서 제이 코사인법칙의 변형에 의하여

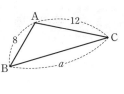

$\cos C=\dfrac{a^2+b^2-c^2}{2ab}$

$\qquad=\dfrac{a^2+12^2-8^2}{24a}$

$\qquad=\dfrac{a^2+80}{24a}$

$\qquad=\dfrac{a}{24}+\dfrac{10}{3a}$

이때, $a>0$이므로 $\dfrac{a}{24}>0$, $\dfrac{10}{3a}>0$이다.

$\therefore\cos C=\dfrac{a}{24}+\dfrac{10}{3a}$

$\qquad\quad\geq 2\sqrt{\dfrac{a}{24}\times\dfrac{10}{3a}}\left(\text{단, 등호는 }\dfrac{a}{24}=\dfrac{10}{3a}\text{일 때 성립}\right)$

$\qquad\quad=\dfrac{\sqrt{5}}{3}$

따라서 $\cos C$의 최솟값은 $\dfrac{\sqrt{5}}{3}$이다.  📘 $\dfrac{\sqrt{5}}{3}$

다른 풀이

그림과 같이 선분 AC를 고정하고 점 B가 원 위의 점이라 하자.

$\cos C$가 최솟값을 갖기 위해서는 $C$가 최대일 때이므로 직선 BC가 원과 접할 때이다.

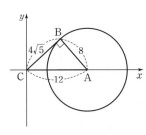

$\therefore\overline{BC}=\sqrt{12^2-8^2}=4\sqrt{5}$

$\therefore\cos C=\dfrac{12^2+(4\sqrt{5})^2-8^2}{2\times 12\times 4\sqrt{5}}$

$\qquad\quad=\dfrac{160}{96\sqrt{5}}$

$\qquad\quad=\dfrac{\sqrt{5}}{3}$

**091** 그림과 같이 전개도에서 호 AA'의 길이는

$2\pi\times 4=8\pi$이므로

$\angle AOA'=\dfrac{8\pi}{12}=\dfrac{2}{3}\pi$

$\therefore\angle AOB=\dfrac{\pi}{3}$

$\overline{OP}:\overline{PB}=1:2$이므로

$\overline{OP}=\dfrac{1}{3}\overline{OB}=\dfrac{1}{3}\times 12=4$

$\triangle$OAP에서 제이 코사인법칙에 의하여

$\overline{AP}^2=12^2+4^2-2\times 12\times 4\times\cos\dfrac{\pi}{3}$

$\qquad=160-96\times\dfrac{1}{2}$

$\qquad=112$

$\therefore\overline{AP}=4\sqrt{7}\ (\because\overline{AP}>0)$  📘 $4\sqrt{7}$

**001** $a_1=2\times1=2$, $a_2=2\times2=4$, $a_3=2\times3=6$

답 $a_1=2$, $a_2=4$, $a_3=6$

**002** $a_1=4\times1-1=3$, $a_2=4\times2-1=7$, $a_3=4\times3-1=11$

답 $a_1=3$, $a_2=7$, $a_3=11$

**003** $a_1=3\times2=6$, $a_2=3\times2^2=12$, $a_3=3\times2^3=24$

답 $a_1=6$, $a_2=12$, $a_3=24$

**004** $a_1=(-1)\times1=-1$, $a_2=(-1)^2\times2=2$,
$a_3=(-1)^3\times3=-3$　　답 $a_1=-1$, $a_2=2$, $a_3=-3$

**005** $a_{10}=3\times10+4=34$　　　　　　　　　답 34

**006** $a_{10}=2^{10+1}=2^{11}=2048$　　　　　답 $2^{11}(=2048)$

**007** $a_{10}=\dfrac{10-4}{2}=3$　　　　　　　　　답 3

**008** $a_{10}=\dfrac{10+8}{3\times10}=\dfrac{3}{5}$　　　　　　　답 $\dfrac{3}{5}$

**009** $a_1=2$, $a_2=6$에서
$a_2-a_1=6-2=4$
∴ 첫째항: 2, 공차: 4　　　　　답 첫째항: 2, 공차: 4

**010** $a_1=-1$, $a_2=4$에서
$a_2-a_1=4-(-1)=5$
∴ 첫째항: $-1$, 공차: 5　　　답 첫째항: $-1$, 공차: 5

**011** $a_1=\dfrac{1}{2}$, $a_2=1$에서

$a_2-a_1=1-\dfrac{1}{2}=\dfrac{1}{2}$

∴ 첫째항: $\dfrac{1}{2}$, 공차: $\dfrac{1}{2}$　　답 첫째항: $\dfrac{1}{2}$, 공차: $\dfrac{1}{2}$

**012** 첫째항이 9, 공차가 $-2$이므로
$9, 7, 5, 3, \cdots$　　　　　　　　답 $9, 7, 5, 3$

**013** 첫째항이 $-15$, 공차가 3이므로
$-15, -12, -9, -6, \cdots$　　답 $-15, -12, -9, -6$

**014** 등차수열 $\{6n+2\}$의 첫째항이 8, 공차가 6이므로
$8, 14, 20, 26, \cdots$　　　　　답 $8, 14, 20, 26$

**015** 등차수열 $\{-3n+13\}$의 첫째항이 10이고, 공차가 $-3$이므로
$10, 7, 4, 1, \cdots$　　　　　　　답 $10, 7, 4, 1$

[016-023] 첫째항이 $a$이고, 공차가 $d$인 등차수열의 일반항 $a_n$은
$a_n=a+(n-1)d$임을 이용한다.

**016** $a=5$, $d=2$이므로
$a_n=5+(n-1)\times2=2n+3$

답 $a_n=2n+3$

**017** $a=10$, $d=-4$이므로
$a_n=10+(n-1)\times(-4)=-4n+14$

답 $a_n=-4n+14$

**018** $a=-1$, $d=3$이므로
$a_n=-1+(n-1)\times3=3n-4$

답 $a_n=3n-4$

**019** $a=2$, $d=3-2=1$이므로
$a_n=2+(n-1)\times1=n+1$　　　　답 $a_n=n+1$

**020** $a=1$, $d=3-1=2$이므로
$a_n=1+(n-1)\times2=2n-1$　　　답 $a_n=2n-1$

**021** $a=-4$, $d=-2-(-4)=2$이므로
$a_n=-4+(n-1)\times2=2n-6$　　답 $a_n=2n-6$

**022** $a=12$, $d=10-12=-2$이므로
$a_n=12+(n-1)\times(-2)=-2n+14$

답 $a_n=-2n+14$

**023** $a=7$, $d=4-7=-3$이므로
$a_n=7+(n-1)\times(-3)=-3n+10$

답 $a_n=-3n+10$

[024-027] 주어진 등차수열의 공차를 $d$라 하면

**024** $a_4=13$에서 $a_1+3d=13$
$4+3d=13$, $3d=9$
∴ $d=3$　　　　　　　　　　　　답 3

다른 풀이
$a_m-a_n=(m-n)d$이므로
$a_4-a_1=3d$
$3d=9$　　∴ $d=3$

**025** $a_5=8$에서 $a_1+4d=8$
$-4+4d=8$, $4d=12$
∴ $d=3$　　　　　　　　　　　　답 3

**026** $a_6=23$에서 $a_2+4d=23$
$7+4d=23$, $4d=16$
∴ $d=4$　　　　　　　　　　　　답 4

다른 풀이
첫째항을 $a$라 하면
$a_2=7$에서 $a+d=7$　　　……㉠
$a_6=23$에서 $a+5d=23$　　……㉡
㉠, ㉡을 연립하여 풀면
$d=4$

**027**
$a_7 = 28$에서 $a_3 + 4d = 28$
$8 + 4d = 28$, $4d = 20$
$\therefore d = 5$ 　　　　　　　　　　　답 5

다른 풀이
첫째항을 $a$라 하면
$a_3 = 8$에서 $a + 2d = 8$ 　　　……㉠
$a_7 = 28$에서 $a + 6d = 28$ 　……㉡
㉠, ㉡을 연립하여 풀면 $d = 5$

**028**
□가 1과 15의 등차중항이므로
$□ = \dfrac{1 + 15}{2} = 8$ 　　　　　　　답 8

**029**
□가 $-3$과 9의 등차중항이므로
$□ = \dfrac{-3 + 9}{2} = 3$ 　　　　　　답 3

**030**
□가 $-17$과 $-7$의 등차중항이므로
$□ = \dfrac{-17 + (-7)}{2} = -12$ 　　答 $-12$

**031**
주어진 수열을 5, $a$, 21, $b$, 37, ⋯이라 하면
$2a = 5 + 21 = 26$ 　　$\therefore a = 13$
$2b = 21 + 37 = 58$ 　　$\therefore b = 29$ 　답 13, 29

**032**
주어진 수열을 $-6$, $a$, 2, $b$, 10, ⋯이라 하면
$2a = (-6) + 2 = -4$ 　$\therefore a = -2$
$2b = 2 + 10 = 12$ 　　$\therefore b = 6$ 　답 $-2$, 6

**033**
주어진 수열을 15, $a$, $-3$, $b$, $-21$, ⋯이라 하면
$2a = 15 + (-3) = 12$ 　　$\therefore a = 6$
$2b = (-3) + (-21) = -24$ 　　$\therefore b = -12$ 　답 6, $-12$

**034**
$S_{10} = \dfrac{10(2 + 29)}{2} = 155$ 　　　답 155

**035**
$S_8 = \dfrac{8\{5 + (-23)\}}{2} = -72$ 　　答 $-72$

**036**
$\dfrac{9\{2 \times (-2) + (9-1) \times 2\}}{2} = \dfrac{9 \times 12}{2} = 54$ 　答 54

**037**
$\dfrac{14\{2 \times 11 + (14-1) \times (-2)\}}{2} = \dfrac{14 \times (-4)}{2} = -28$
답 $-28$

**038**
첫째항이 1, 공차가 5인 등차수열의 첫째항부터 제20항까지의 합이므로
$\dfrac{20\{2 \times 1 + (20-1) \times 5\}}{2} = \dfrac{20 \times 97}{2} = 970$ 　答 970

**039**
첫째항이 $-8$, 공차가 3인 등차수열의 첫째항부터 제20항까지의 합이므로

$\dfrac{20\{2 \times (-8) + (20-1) \times 3\}}{2} = \dfrac{20 \times 41}{2} = 410$
답 410

**040**
첫째항이 3, 공차가 $-1$인 등차수열의 첫째항부터 제20항까지의 합이므로
$\dfrac{20\{2 \times 3 + (20-1) \times (-1)\}}{2} = \dfrac{20 \times (-13)}{2} = -130$
답 $-130$

**041**
첫째항이 10, 공차가 $-3$인 등차수열의 첫째항부터 제20항까지의 합이므로
$\dfrac{20\{2 \times 10 + (20-1) \times (-3)\}}{2} = \dfrac{20 \times (-37)}{2} = -370$
답 $-370$

**042**
첫째항이 1, 공차가 1인 등차수열의 제100항이 100이므로
$1 + 2 + 3 + \cdots + 100 = \dfrac{100(1 + 100)}{2}$
$= \dfrac{100 \times 101}{2} = 5050$ 　答 5050

**043**
첫째항이 2, 공차가 2인 등차수열의 제$n$항을 30이라 하면
$30 = 2 + (n-1) \times 2$이므로 $n = 15$
$\therefore 2 + 4 + 6 + \cdots + 30 = \dfrac{15(2 + 30)}{2}$
$= \dfrac{15 \times 32}{2}$
$= 240$ 　答 240

**044**
첫째항이 19, 공차가 $-2$인 등차수열의 제$n$항을 1이라 하면
$1 = 19 + (n-1) \times (-2)$이므로 $n = 10$
$\therefore 19 + 17 + 15 + \cdots + 1 = \dfrac{10(19 + 1)}{2}$
$= \dfrac{10 \times 20}{2}$
$= 100$ 　答 100

**045**
$S_{10} = a_1 + a_2 + a_3 + \cdots + a_9 + a_{10} = 30$
$S_9 = a_1 + a_2 + a_3 + \cdots + a_9 = 25$
$\therefore a_{10} = S_{10} - S_9 = 5$ 　　　答 5

**046**
$S_{20} = a_1 + a_2 + a_3 + \cdots + a_{19} + a_{20} = 46$
$S_{19} = a_1 + a_2 + a_3 + \cdots + a_{19} = 36$
$\therefore a_{20} = S_{20} - S_{19} = 10$ 　　答 10

**047**
$S_{10} = a_1 + a_2 + a_3 + \cdots + a_8 + a_9 + a_{10} = 35$
$S_8 = a_1 + a_2 + a_3 + \cdots + a_8 = 25$
$\therefore a_9 + a_{10} = S_{10} - S_8 = 10$ 　답 10

**048**
$a_n = S_n - S_{n-1}$
$= n^2 - (n-1)^2$
$= 2n - 1$ (단, $n \geq 2$)
$\therefore a_5 = 2 \times 5 - 1 = 9$ 　　답 9

다른 풀이

$a_5 = S_5 - S_4 = 5^2 - 4^2 = 9$

**049** $a_n = S_n - S_{n-1}$
$\quad = (n-1)^2 - \{(n-1)-1\}^2$
$\quad = 2n-3$ (단, $n \geq 2$)
$\therefore a_5 = 2 \times 5 - 3 = 7$      탑 7

다른 풀이

$a_5 = S_5 - S_4 = 4^2 - 3^2 = 7$

**050** $a_n = S_n - S_{n-1}$
$\quad = (2n^2+n) - \{2(n-1)^2 + (n-1)\}$
$\quad = 4n-1$ (단, $n \geq 2$)
$\therefore a_5 = 4 \times 5 - 1 = 19$      탑 19

다른 풀이

$a_5 = S_5 - S_4 = (2 \times 5^2 + 5) - (2 \times 4^2 + 4) = 19$

**051** (i) $n \geq 2$일 때,
$\quad a_n = S_n - S_{n-1}$
$\quad\quad = 3n^2 - 3(n-1)^2$
$\quad\quad = 6n-3$
(ii) $n=1$일 때,
$\quad a_1 = S_1 = 3$
$a_1 = 3$은 $a_n = 6n-3$에 $n=1$을 대입한 것과 같다.
$\therefore a_1 = 3, \ a_n = 6n-3$      탑 $a_1 = 3, \ a_n = 6n-3$

**052** (i) $n \geq 2$일 때,
$\quad a_n = S_n - S_{n-1}$
$\quad\quad = n(n+1) - (n-1)\{(n-1)+1\}$
$\quad\quad = 2n$
(ii) $n=1$일 때,
$\quad a_1 = S_1 = 2$
$a_1 = 2$는 $a_n = 2n$에 $n=1$을 대입한 것과 같다.
$\therefore a_1 = 2, \ a_n = 2n$      탑 $a_1 = 2, \ a_n = 2n$

**053** (i) $n \geq 2$일 때,
$\quad a_n = S_n - S_{n-1}$
$\quad\quad = (3n^2+n) - \{3(n-1)^2 + (n-1)\}$
$\quad\quad = 6n-2$
(ii) $n=1$일 때,
$\quad a_1 = S_1 = 4$
$a_1 = 4$는 $a_n = 6n-2$에 $n=1$을 대입한 것과 같다.
$\therefore a_1 = 4, \ a_n = 6n-2$      탑 $a_1 = 4, \ a_n = 6n-2$

**054** (i) $n \geq 2$일 때,
$\quad a_n = S_n - S_{n-1}$
$\quad\quad = (n^2+3) - \{(n-1)^2 + 3\}$
$\quad\quad = 2n-1$
(ii) $n=1$일 때,
$\quad a_1 = S_1 = 4$
(i), (ii)에 의하여 $a_1 = 4, \ a_n = 2n-1$ (단, $n \geq 2$)
     탑 $a_1 = 4, \ a_n = 2n-1$ (단, $n \geq 2$)

**055** (i) $n \geq 2$일 때,
$\quad a_n = S_n - S_{n-1}$
$\quad\quad = (n^2+2n-1) - \{(n-1)^2 + 2(n-1) - 1\}$
$\quad\quad = 2n+1$
(ii) $n=1$일 때,
$\quad a_1 = S_1 = 2$
(i), (ii)에 의하여 $a_1 = 2, \ a_n = 2n+1$ (단, $n \geq 2$)
     탑 $a_1 = 2, \ a_n = 2n+1$ (단, $n \geq 2$)

**056** (i) $n \geq 2$일 때,
$\quad a_n = S_n - S_{n-1}$
$\quad\quad = (5-n^2) - \{5 - (n-1)^2\}$
$\quad\quad = -2n+1$
(ii) $n=1$일 때,
$\quad a_1 = S_1 = 4$
(i), (ii)에 의하여 $a_1 = 4, \ a_n = -2n+1$ (단, $n \geq 2$)
     탑 $a_1 = 4, \ a_n = -2n+1$ (단, $n \geq 2$)

**057** $a_1 = 3 \times 1 + 5 = 8, \ a_5 = 3 \times 5 + 5 = 20$이므로
$a_1 + a_5 = 28$      탑 28

**058** $1 = \dfrac{1}{1}$이므로 주어진 수열은
$a_1 = \dfrac{2 \times 1 - 1}{1^2}, \ a_2 = \dfrac{2 \times 2 - 1}{2^2}, \ a_3 = \dfrac{2 \times 3 - 1}{3^2},$
$a_4 = \dfrac{2 \times 4 - 1}{4^2}, \cdots$
$\therefore a_n = \dfrac{2n-1}{n^2}$      탑 $a_n = \dfrac{2n-1}{n^2}$

**059** $a_1 = 101 = 10^2 + 1, \ a_2 = 1001 = 10^3 + 1,$
$a_3 = 10001 = 10^4 + 1, \cdots$
$\therefore a_n = 10^{n+1} + 1$      탑 ⑤

**060** 주어진 수열은 첫째항이 2이고, 공차가 5인 등차수열이므로
$a_n = 2 + (n-1) \times 5 = 5n-3$
$\therefore \alpha = 5, \ \beta = -3$
$\therefore \alpha + \beta = 2$      탑 ④

다른 풀이

$a_1 = \alpha + \beta$이므로 $\alpha + \beta = 2$

**061** 첫째항이 $-2$, 공차가 3인 등차수열의 일반항 $a_n$은
$a_n = -2 + (n-1) \times 3 = 3n-5$
제 $k$항을 19라 하면
$3k-5 = 19$에서 $3k = 24$
$\therefore k = 8$
따라서 19는 등차수열 $\{a_n\}$의 제8항이다.      탑 ①

**062** 등차수열 $\{a_n\}$의 공차를 $d$라 하면
$a_5 = -4 + 4d = 8$에서 $d = 3$
$\therefore a_2 = -1, \ a_3 = 2, \ a_4 = 5$
$\therefore a_2 a_3 a_4 = (-1) \times 2 \times 5$
$\quad\quad\quad = -10$      탑 ①

**063** 등차수열 $\{a_n\}$의 첫째항을 $a$, 공차를 $d$라 하면
$a_4 = a + 3d = 10$ ······ ㉠
$a_7 = a + 6d = 19$ ······ ㉡
㉠, ㉡을 연립하여 풀면 $a = 1$, $d = 3$
$\therefore a_n = 1 + (n-1) \times 3 = 3n - 2$
$\therefore a_{10} = 3 \times 10 - 2 = 28$ **답** ③

**064** 주어진 등차수열의 공차를 $d$라 하면 첫째항이 $\log_3 2$, 제7항이
$\log_3 128$이므로
$\log_3 2 + 6d = \log_3 128$
$6d = \log_3 128 - \log_3 2 = \log_3 \dfrac{128}{2}$
$\qquad = \log_3 64 = \log_3 2^6 = 6\log_3 2$
$\therefore d = \log_3 2$ **답** ①

**065** $A = \{2, 4, 6, 8, 10, 12, 14, 16, \cdots\}$
$B = \{1, 4, 7, 10, 13, 16, \cdots\}$
$\therefore A \cap B = \{4, 10, 16, \cdots\}$
따라서 수열 $\{c_n\}$은 첫째항이 4, 공차가 6인 등차수열이므로
$c_n = 4 + (n-1) \times 6 = 6n - 2$ **답** $c_n = 6n - 2$

**066** 주어진 등차수열의 공차를 $d$라 하면 첫째항이 10, 제5항이 30
이므로
$30 = 10 + 4d$  $\therefore d = 5$ **답** ③

**067** 주어진 등차수열의 공차를 $d$라 하면 첫째항이 $-2$, 제12항이
20이므로
$20 = -2 + 11d$  $\therefore d = 2$
$a_{10} + 2 = 20$이므로 $a_{10} = 18$ **답** 18

**068** 주어진 수열은 첫째항이 $-30$, 제$(n+2)$항이 30, 공차가 2인
등차수열을 이루므로
$-30 + (n+2-1) \times 2 = 30$
$2(n+1) = 60$  $\therefore n = 29$ **답** ⑤

**069** 등차수열 $\{a_n\}$의 첫째항을 $a$, 공차를 $d$라 하면
$a_3 + 3a_5 + 2a_9 = (a+2d) + 3(a+4d) + 2(a+8d)$
$\qquad\qquad\qquad = 6a + 30d = 6(a+5d)$
$a_3 + 3a_5 + 2a_9 = 42$이므로
$6(a+5d) = 42$  $\therefore a + 5d = 7$
$\therefore a_6 = a + 5d = 7$ **답** ③

**070** 등차수열 $\{a_n\}$의 첫째항을 $a$, 공차를 $d$라 하면
$a_3 = a + 2d = 5$ ······ ㉠
$a_6 - a_4 = (a+5d) - (a+3d) = 2d = 4$
$\therefore d = 2$ ······ ㉡
㉡을 ㉠에 대입하면 $a = 1$
$\therefore a_n = 1 + (n-1) \times 2 = 2n - 1$
$\therefore a_{10} = 2 \times 10 - 1 = 19$ **답** 19

**071** 등차수열 $\{a_n\}$의 첫째항을 $a$라 하면 $a_n = a + (n-1) \times 2$이므로
$a_4 = a + 6$, $a_9 = a + 16$

$(a+6) : (a+16) = 3 : 5$이므로
$3(a+16) = 5(a+6)$  $\therefore a = 9$
$\therefore a_{15} = 9 + (15-1) \times 2 = 37$ **답** ③

**072** 등차수열 $\{a_n\}$의 첫째항을 $a$, 공차를 $d$라 하면
$a_3 + a_7 = (a+2d) + (a+6d) = 2a + 8d = 18$
$\therefore a + 4d = 9$ ······ ㉠
$a_4 + a_8 = (a+3d) + (a+7d) = 2a + 10d = 24$
$\therefore a + 5d = 12$ ······ ㉡
㉠, ㉡을 연립하여 풀면 $a = -3$, $d = 3$
$\therefore a_{10} = a + 9d$
$\qquad\quad = -3 + 9 \times 3 = 24$ **답** 24

**073** 등차수열 $\{a_n\}$의 첫째항을 $a$, 공차를 $d$라 하면
$a_1 + a_2 = a + (a+d)$
$\qquad\quad = 2a + d = 14$ ······ ㉠
$a_3 + a_4 + a_5 = (a+2d) + (a+3d) + (a+4d)$
$\qquad\qquad\quad = 3a + 9d = 51$
즉, $a + 3d = 17$ ······ ㉡
㉠, ㉡을 연립하여 풀면 $a = 5$, $d = 4$
$\therefore a_{11} = 5 + 10 \times 4 = 45$ **답** ④

**074** 등차수열 $\{a_n\}$의 첫째항을 $a$, 공차를 $d$라 하면
$a_3 a_4 = (a+2d)(a+3d)$
$\qquad = a^2 + 5ad + 6d^2$ ······ ㉠
$a_1 a_6 = a(a+5d)$
$\qquad = a^2 + 5ad = 0$ ······ ㉡
$a_2 a_5 = (a+d)(a+4d)$
$\qquad = a^2 + 5ad + 4d^2 = 36$ ······ ㉢
㉡을 ㉢에 대입하면 $d^2 = 9$ ······ ㉣
㉡, ㉣을 ㉠에 대입하면
$a_3 a_4 = 0 + 6 \times 9 = 54$ **답** ⑤

**075** 주어진 등차수열은 첫째항이 2, 공차가 4이므로 일반항 $a_n$은
$a_n = 2 + (n-1) \times 4 = 4n - 2$
$4n - 2 > 100$에서 $4n > 102$
$\therefore n > 25.5$
따라서 주어진 수열은 제26항에서 처음으로 100보다 커지게
된다. **답** ②

**076** 등차수열 $\{a_n\}$의 첫째항을 $a$, 공차를 $d$라 하면
$a_3 = a + 2d = 55$ ······ ㉠
$a_{10} = a + 9d = 27$ ······ ㉡
㉠, ㉡을 연립하여 풀면 $a = 63$, $d = -4$
$\therefore a_n = 63 + (n-1) \times (-4) = -4n + 67$
$-4n + 67 < 0$에서 $n > 16.75$
따라서 주어진 수열은 제17항에서 처음으로 음수가 된다.
**답** ⑤

**077** 등차수열 $\{a_n\}$의 첫째항을 $a$, 공차를 $d$라 하면
$a_{11} = a + 10d = 166$ ······ ㉠
$a_{51} = a + 50d = -114$ ······ ㉡

$\bigcirc-\bigcirc$을 하면 $40d=-280$

$\therefore d=-7$

$d=-7$을 $\bigcirc$에 대입하면

$a=236$

$\therefore a_n=236+(n-1)\times(-7)$

$\qquad =-7n+243$

$-7n+243>0$에서 $n<34.7\times\times\times$

따라서 양수인 항은 제1항부터 제34항까지이므로 모두 34개이다.

答 34

**078** 4, $b$, 16이 이 순서대로 등차수열을 이루므로

$b=\dfrac{4+16}{2}=10$

4, $a$, 10이 이 순서대로 등차수열을 이루므로

$a=\dfrac{4+10}{2}=7$

10, $c$, 16이 이 순서대로 등차수열을 이루므로

$c=\dfrac{10+16}{2}=13$

$\therefore a+b+c=30$

答 30

**079** 6개의 수를 표와 같이 $a$, $b$, $c$, $d$, $e$, $f$라 하면 가로, 세로, 대각선 방향으로 각각 등차수열을 이루므로

| 3 | $a$ | 7 |
|---|-----|---|
| $b$ | $c$ | $d$ |
| $e$ | 11 | $f$ |

$2a=3+7$에서 $a=5$

$2c=a+11=5+11$에서 $c=8$

$2c=7+e=16$에서 $e=9$

$2b=3+e=3+9$에서 $b=6$

$2c=b+d=6+d=16$에서 $d=10$

$2d=7+f=20$에서 $f=13$

$\therefore a=5,\ b=6,\ c=8,\ d=10,\ e=9,\ f=13$

$\therefore a+b+c+d+e+f=51$

答 51

**080** 두 수 $a$, $b$의 등차중항이 10이므로

$\dfrac{a+b}{2}=10 \qquad \therefore a+b=20$

주어진 조건에서 $ab=50$이므로

$a^2+b^2=(a+b)^2-2ab$

$\qquad =20^2-2\times50=300$

答 ③

**081** $\overline{AB}=1$이므로 $\overline{AP}=x$라 하면 $\overline{PB}=1-x$

$\overline{AP}$, $\overline{PB}$, $\overline{AB}$가 이 순서대로 등차수열을 이루므로

$1-x=\dfrac{x+1}{2}$, $3x=1$

$\therefore x=\dfrac{1}{3}$

$\therefore \overline{AP}=\dfrac{1}{3}$

答 ③

**082** 등차수열을 이루는 세 수를 각각 $a-d$, $a$, $a+d$라 하면

세 수의 합이 15이므로

$(a-d)+a+(a+d)=15$, $3a=15$

$\therefore a=5$

세 수의 곱은 45이므로

$(5-d)\times5\times(5+d)=45$

$(5-d)(5+d)=9$, $25-d^2=9$

$d^2=25-9=16 \qquad \therefore d=-4$ 또는 $d=4$

따라서 세 수는 9, 5, 1 또는 1, 5, 9이므로 세 수의 제곱의 합은

$1^2+5^2+9^2=107$

答 107

**083** 등차수열을 이루는 네 각의 크기를

$a-3d$, $a-d$, $a+d$, $a+3d$ $(d>0)$라 하면

$2(a+3d)=(a-3d)+(a-d)+(a+d)$

$2a+6d=3a-3d \qquad \therefore a=9d$

사각형의 내각의 크기의 합은 360°이므로

$4a=360° \qquad \therefore a=90°$

따라서 $d=10°$이므로 공차는 20°이다.

答 20°

**084** 주어진 등차수열은 첫째항이 3, 공차가 2이므로

$3+(n-1)\times2=41$에서 $n=20$

$\therefore 3+5+7+\cdots+41=\dfrac{20(3+41)}{2}$

$\qquad =440$

答 440

**085** $a_1=3$, $a_{n+1}=a_n+2$이므로 수열 $\{a_n\}$은 첫째항이 3, 공차가 2인 등차수열이다.

$\therefore a_1+a_2+a_3+\cdots+a_{99}=\dfrac{99\{2\times3+(99-1)\times2\}}{2}$

$\qquad =9999$

答 ④

참고

수열 $\{a_n\}$이 공차가 $d$인 등차수열이면

$a_{n+1}=a_n+d \iff a_{n+1}-a_n=d$

**086** 첫째항부터 제 $n$항까지의 합을 210이라 하면

$\dfrac{n\{2\times3+(n-1)\times4\}}{2}=210$

$2n^2+n-210=0$, $(2n+21)(n-10)=0$

$\therefore n=10$ $(\because n>0)$

따라서 첫째항부터 제 10항까지의 합이 210이다.

答 제10항

**087** 주어진 등차수열의 공차를 $d$라 할 때, 첫째항부터 제 3항까지의 합이 36이므로

$\dfrac{3\{2\times8+(3-1)\times d\}}{2}=36$

$16+2d=24 \qquad \therefore d=4$

따라서 첫째항부터 제10항까지의 합은

$\dfrac{10\{2\times8+(10-1)\times4\}}{2}=5(16+36)=260$

答 ③

**088** 첫째항이 21, 공차가 $-4$이므로 첫째항부터 제 $n$항까지의 합은

$\dfrac{n\{2\times21+(n-1)\times(-4)\}}{2}=n(23-2n)$

$n(23-2n)<0$에서 $n(2n-23)>0$

$\therefore n>\dfrac{23}{2}=11.5$ $(\because n>0)$

따라서 첫째항부터 제 12항까지의 합이 처음으로 음수가 된다.

答 ③

**089** 주어진 등차수열은 첫째항이 $-3$, 공차가 2이므로 첫째항부터 제 $n$항까지의 합을 $S_n$이라 하면

$a_{11}+a_{12}+a_{13}+\cdots+a_{20}$

$=S_{20}-S_{10}$

$=\dfrac{20\{2\times(-3)+(20-1)\times2\}}{2}-\dfrac{10\{2\times(-3)+(10-1)\times2\}}{2}$

$=320-60=260$　　　　　　　　　　　　　**답 ②**

**다른 풀이**

$a_{11}=17$, $a_{20}=35$이므로

$a_{11}+a_{12}+a_{13}+\cdots+a_{20}=\dfrac{10(17+35)}{2}=260$

**090** 등차수열 $\{a_n\}$의 첫째항을 $a$, 공차를 $d$, 첫째항부터 제 $n$항까지의 합을 $S_n$이라 하면

$S_4=\dfrac{4\{2a+(4-1)\times d\}}{2}=20$

$\therefore 2a+3d=10$　　　$\cdots\cdots$ ㉠

$S_8=\dfrac{8\{2a+(8-1)\times d\}}{2}=20+68$

$\therefore 2a+7d=22$　　　$\cdots\cdots$ ㉡

㉠, ㉡을 연립하여 풀면 $a=\dfrac{1}{2}$, $d=3$

$\therefore ad=\dfrac{1}{2}\times3=\dfrac{3}{2}$　　　　　　　　　**답 ①**

**다른 풀이**

등차수열 $\{a_n\}$의 첫째항을 $a$, 공차를 $d$라 하면

$a_1+a_2+a_3+a_4=\dfrac{4\{a+(a+3d)\}}{2}=20$

$\therefore 2a+3d=10$　　　$\cdots\cdots$ ㉠

$a_5+a_6+a_7+a_8=\dfrac{4\{(a+4d)+(a+7d)\}}{2}=68$

$\therefore 2a+11d=34$　　　$\cdots\cdots$ ㉡

㉠, ㉡을 연립하여 풀면 $a=\dfrac{1}{2}$, $d=3$

$\therefore ad=\dfrac{3}{2}$

**091** 등차수열 $\{a_n\}$의 첫째항을 $a$, 공차를 $d$라 하면

$S_{10}=\dfrac{10\{2a+(10-1)\times d\}}{2}=120$

$\therefore 2a+9d=24$　　　$\cdots\cdots$ ㉠

$S_{20}=\dfrac{20\{2a+(20-1)\times d\}}{2}=440$

$\therefore 2a+19d=44$　　　$\cdots\cdots$ ㉡

㉠, ㉡을 연립하여 풀면 $a=3$, $d=2$

$\therefore S_{30}=\dfrac{30\{2\times3+(30-1)\times2\}}{2}=960$　　　**답 960**

**다른 풀이**

등차수열 $\{a_n\}$의 항을 순서대로 10개씩 묶어 그 합을 나타내면

$A=S_{10}$, $B=S_{20}-S_{10}$, $C=S_{30}-S_{20}$으로 나타낼 수 있다.

$B=S_{20}-S_{10}=440-120=320$이고

$a_{11}-a_1=a_{12}-a_2=a_{13}-a_3=\cdots=a_{20}-a_{10}=10d$이므로

$B-A=10\times10d=320-120=200$　　　$\cdots\cdots$ ㉠

마찬가지 방법으로

$a_{21}-a_{11}=a_{22}-a_{12}=a_{23}-a_{13}=\cdots=a_{30}-a_{20}=10d$이므로

$C-B=10\times10d=200$ $(\because$ ㉠$)$

따라서 $A$, $B$, $C$는 이 순서대로 공차가 200인 등차수열을 이루므로

$S_{30}=A+B+C$

$=120+320+520$

$=960$

**092** 주어진 등차수열의 공차를 $d$, 첫째항부터 제 $n$항까지의 합을 $S_n$이라 하면

$S_{10}=\dfrac{10\{2\times50+(10-1)\times d\}}{2}=410$

$5(100+9d)=410$, $100+9d=82$

$9d=-18$　　$\therefore d=-2$

$a_{11}=a+10d=50+10\times(-2)=30$

$a_{20}=a+19d=50+19\times(-2)=12$

따라서 제 11항부터 제 20항까지의 합은

$\dfrac{10(30+12)}{2}=210$　　　　　　　　　　**답 210**

**다른 풀이**

주어진 등차수열의 공차를 $d$, 첫째항부터 제 $n$항까지의 합을 $S_n$이라 하면

$S_{10}=\dfrac{10\{2\times50+(10-1)\times d\}}{2}=410$

$\therefore d=-2$

$\therefore S_{20}-S_{10}=\dfrac{20\{2\times50+(20-1)\times(-2)\}}{2}-410$

$=620-410=210$

**093** 첫째항이 100, 공차가 $-3$인 등차수열의 일반항 $a_n$은

$a_n=100+(n-1)\times(-3)=-3n+103$

$-3n+103>0$에서 $n<34.3\times\times\times$

즉, 제 34항까지가 양수이므로 첫째항부터 제 34항까지의 합이 최대이다.

따라서 첫째항부터 제 $n$항까지의 합 $S_n$의 최댓값은

$S_{34}=\dfrac{34\{2\times100+(34-1)\times(-3)\}}{2}$

$=\dfrac{34(200-99)}{2}=1717$　　　　　**답 1717**

**094** 주어진 등차수열의 첫째항을 $a$, 공차를 $d$, 일반항을 $a_n$이라 하면

$a_4=a+3d=-12$　　　$\cdots\cdots$ ㉠

$a_9=a+8d=38$　　　$\cdots\cdots$ ㉡

㉠, ㉡을 연립하여 풀면

$a=-42$, $d=10$

$\therefore a_n=-42+(n-1)\times10=10n-52$

$10n-52<0$에서 $n<5.2$

즉, 제 5항까지가 음수이므로 첫째항부터 제 5항까지의 합이 최소가 된다.　　　　　　　　　　　　　**답 제 5항**

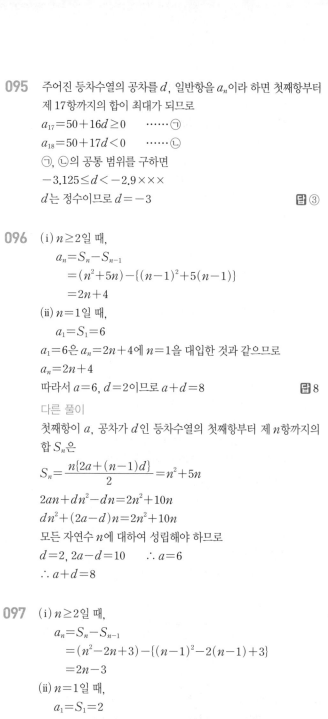

**095** 주어진 등차수열의 공차를 $d$, 일반항을 $a_n$이라 하면 첫째항부터 제 17항까지의 합이 최대가 되므로
$a_{17}=50+16d \geq 0$ ······ ㉠
$a_{18}=50+17d < 0$ ······ ㉡
㉠, ㉡의 공통 범위를 구하면
$-3.125 \leq d < -2.9 \times\times\times$
$d$는 정수이므로 $d=-3$　　　　　　 답 ③

**096** (i) $n \geq 2$일 때,
$\begin{aligned}a_n &= S_n - S_{n-1} \\ &= (n^2+5n) - \{(n-1)^2+5(n-1)\} \\ &= 2n+4\end{aligned}$
(ii) $n=1$일 때,
$a_1 = S_1 = 6$
$a_1=6$은 $a_n=2n+4$에 $n=1$을 대입한 것과 같으므로
$a_n = 2n+4$
따라서 $a=6$, $d=2$이므로 $a+d=8$　　　 답 8

다른 풀이
첫째항이 $a$, 공차가 $d$인 등차수열의 첫째항부터 제 $n$항까지의 합 $S_n$은
$S_n = \dfrac{n\{2a+(n-1)d\}}{2} = n^2+5n$
$2an+dn^2-dn = 2n^2+10n$
$dn^2+(2a-d)n = 2n^2+10n$
모든 자연수 $n$에 대하여 성립해야 하므로
$d=2$, $2a-d=10$　　 ∴ $a=6$
∴ $a+d=8$

**097** (i) $n \geq 2$일 때,
$\begin{aligned}a_n &= S_n - S_{n-1} \\ &= (n^2-2n+3) - \{(n-1)^2-2(n-1)+3\} \\ &= 2n-3\end{aligned}$
(ii) $n=1$일 때,
$a_1 = S_1 = 2$
$a_1=2$는 $a_n=2n-3$에 $n=1$을 대입한 것과 같지 않으므로
$a_1=2$, $a_n=2n-3$ (단, $n \geq 2$)
∴ $a_{10} = 2 \times 10 - 3 = 17$
∴ $a_1 + a_{10} = 19$　　　　　　　 답 ②

**098** (i) $n \geq 2$일 때,
$\begin{aligned}a_n &= S_n - S_{n-1} \\ &= (n^2+3n-1) - \{(n-1)^2+3(n-1)-1\} \\ &= 2n+2\end{aligned}$
(ii) $n=1$일 때,
$a_1 = S_1 = 3$
$a_1=3$은 $a_n=2n+2$에 $n=1$을 대입한 것과 같지 않으므로
$a_1=3$, $a_n=2n+2$ (단, $n \geq 2$)
$a_k = 2k+2 = 202$이므로 $k=100$　　 답 ③

**099** $\begin{aligned}a_{11}+a_{12}+a_{13}+\cdots+a_{20} &= S_{20}-S_{10} \\ &= (20^2+20) - (10^2+10) \\ &= 310\end{aligned}$
답 310

**100** (i) $n \geq 2$일 때,
$\begin{aligned}a_n &= S_n - S_{n-1} \\ &= (2n^2+kn) - \{2(n-1)^2+k(n-1)\} \\ &= 4n-2+k \quad ······ ㉠\end{aligned}$
(ii) $n=1$일 때,
$a_1 = S_1 = 2+k$
$a_1=2+k$는 ㉠에 $n=1$을 대입한 것과 같으므로
$a_n = 4n-2+k$
$a_{10}=22$이므로 $38+k=22$　　 ∴ $k=-16$
∴ $a_1 = 2-16 = -14$　　　　　 답 $-14$

**101** ㄱ. $a_1 = S_1 = 1^2+1 = 2$ (참)
ㄴ. $n \geq 2$일 때,
$a_n = S_n - S_{n-1} = n^2+1 - \{(n-1)^2+1\} = 2n-1$ (참)
ㄷ. 수열 $\{a_n\}$은 제 2항부터 공차가 2인 등차수열을 이루므로 수열 $\{a_{2n}\}$은 공차가 $a_4-a_2=4$인 등차수열이다. (참)
따라서 ㄱ, ㄴ, ㄷ 모두 옳다.　　　　 답 ⑤

**102** 수열 $1, x_1, x_2, x_3, \cdots, x_{19}, 9$가 이 순서대로 등차수열을 이루므로
$1+x_1+x_2+x_3+\cdots+x_{19}+9 = \dfrac{21 \times (1+9)}{2} = 105$
∴ $x_1+x_2+x_3+\cdots+x_{19} = 105-10 = 95$
답 ④

**103** $\overline{A_1 B_1} = 60\,\text{m}$, $\overline{A_{10}B_{10}} = 6\,\text{m}$이고
$\overline{A_1 B_1}$, $\overline{A_2 B_2}$, $\overline{A_3 B_3}$, $\cdots$, $\overline{A_{10}B_{10}}$은 모두 일정한 간격을 유지하고 있으므로 등차수열이 된다.
따라서 10개의 강철 밧줄의 길이의 합은
$\dfrac{10(60+6)}{2} = 330\,(\text{m})$　　　　 답 330 m

**104** 등차수열 $\{a_n\}$의 공차를 $d$라 하면
$a_{12} = 2+(12-1)d = -31$
$2+11d = -31$　　 ∴ $d=-3$　　　 답 ①

**105** 등차수열 $\{a_n\}$의 첫째항을 $a$, 공차를 $d$라 하면
$a_2 = a+d = 10$ ······ ㉠
$a_5 = a+4d = 43$ ······ ㉡
㉠, ㉡을 연립하여 풀면 $a=-1$, $d=11$
∴ $a_n = -1+(n-1) \times 11 = 11n-12$
$a_k = 11k-12 = 978$에서 $11k=990$
∴ $k=90$　　　　　　　　　　　 답 90

**106** 등차수열 $\{a_n\}$의 첫째항을 $a$, 공차를 $d$라 하면
$a_1+a_2 = a+(a+d) = 2a+d = 12$ ······ ㉠
$a_3+a_4 = (a+2d)+(a+3d) = 2a+5d = 48$ ······ ㉡
㉡$-$㉠을 하면 $4d=36$　　 ∴ $d=9$
$a_4-a_3=d$이므로 $a_4-a_3=9$　　　 답 ④

**107** 등차수열 $\{a_n\}$의 첫째항을 $a$, 공차를 $d$라 하면
$a_6 = a+5d = 1$ ······ ㉠
$a_{10} = a+9d = 9$ ······ ㉡
㉠, ㉡을 연립하여 풀면 $a=-9$, $d=2$
∴ $a_n = -9+(n-1) \times 2 = 2n-11$

$a_k=2k-11\geq95$에서 $2k\geq106$

$\therefore k\geq53$

따라서 $k$의 최솟값은 53이다. **답** 53

**108** 7, $a$, 13이 이 순서대로 등차수열을 이루므로

$2a=7+13$ $\therefore a=10$

10, 6, $b$가 이 순서대로 등차수열을 이루므로

$12=10+b$ $\therefore b=2$

10, 2, $c$가 이 순서대로 등차수열을 이루므로

$4=10+c$ $\therefore c=-6$

$\therefore a+b+c=6$ **답** ③

**109** 등차수열을 이루는 직각삼각형의 세 변의 길이를 그림과 같이

$a-d$, $a$, $a+d$ $(d>0)$라 하면

$a+d=5$ ······㉠

$(a+d)^2=a^2+(a-d)^2$이므로

$a^2-4ad=0$, $a(a-4d)=0$

$a\neq0$이므로

$a-4d=0$ ······㉡

㉠, ㉡을 연립하여 풀면 $a=4$, $d=1$

따라서 직각삼각형의 세 변의 길이는 3, 4, 5이므로 넓이는

$\dfrac{1}{2}\times3\times4=6$ **답** ②

**다른 풀이**

빗변을 제외한 직각삼각형의 나머지 두 변의 길이를 각각 $a$, $b$ $(a<b)$라 하면

$a^2+b^2=25$ ······㉠

$a$, $b$, 5가 이 순서대로 등차수열을 이루므로

$b=\dfrac{a+5}{2}$ ······㉡

㉡을 ㉠에 대입하면 $a^2+\left(\dfrac{a+5}{2}\right)^2=25$

$5a^2+10a-75=0$, $a^2+2a-15=0$

$(a+5)(a-3)=0$

$\therefore a=3$ $(\because a>0)$

이것을 ㉡에 대입하면 $b=4$

따라서 직각삼각형의 넓이는

$\dfrac{1}{2}\times3\times4=6$

**110** 첫째항이 3, 제10항이 27이므로 첫째항부터 제10항까지의 합은

$\dfrac{10(3+27)}{2}=150$ **답** 150

**111** $a_1+a_2+a_3+\cdots+a_n=-150$이므로

$12+a_1+a_2+a_3+\cdots+a_n+(-42)=-180$

$\dfrac{(n+2)\{12+(-42)\}}{2}=-180$

$\therefore n=10$ **답** ①

**112** 등차수열 $\{a_n\}$의 첫째항을 $a$, 공차를 $d$라 하면

$a_2=a+d=17$ ······㉠

$a_3=a+2d$, $a_5=a+4d$에서

$(a+2d):(a+4d)=7:4$

$7(a+4d)=4(a+2d)$

$\therefore 3a=-20d$ ······㉡

㉠, ㉡을 연립하여 풀면 $a=20$, $d=-3$

$\therefore a_n=20+(n-1)\times(-3)=-3n+23$

$-3n+23>0$에서 $n<7.6\times\times\times$

즉, 제7항까지가 양수이므로 첫째항부터 제7항까지의 합이 최대이다.

따라서 첫째항부터 제$n$항까지의 합 $S_n$의 최댓값은

$S_7=\dfrac{7\{2\times20+(7-1)\times(-3)\}}{2}=77$ **답** 77

**113** (i) $n\geq2$일 때,

$a_n=S_n-S_{n-1}$

$=-n^2+16n-\{-(n-1)^2+16(n-1)\}$

$=-2n+17$

(ii) $n=1$일 때, $a_1=S_1=15$

$a_1=15$는 $a_n=-2n+17$에 $n=1$을 대입한 것과 같으므로

$a_n=-2n+17$

$-2n+17<0$에서 $n>\dfrac{17}{2}=8.5$

따라서 처음으로 음수가 되는 항은 제9항이다. **답** 제9항

**114** 첫째항이 19, 공차가 $-2$인 등차수열의 일반항 $a_n$은

$a_n=19+(n-1)\times(-2)=-2n+21$

$-2n+21<0$에서 $n>10.5$

따라서 $a_1$, $a_2$, $\cdots$, $a_{10}$은 양수이고, $a_{11}$부터는 음수이므로

$|a_1|+|a_2|+\cdots+|a_{10}|=a_1+a_2+\cdots+a_{10}$

$=19+17+\cdots+1$

$=\dfrac{10(19+1)}{2}=100$

$|a_{11}|+|a_{12}|+\cdots+|a_{18}|=-(a_{11}+a_{12}+\cdots+a_{18})$

$=1+3+5+\cdots+15$

$=\dfrac{8(1+15)}{2}=64$

$\therefore |a_1|+|a_2|+|a_3|+\cdots+|a_{18}|=100+64=164$

**답** 164

**115** 등차수열 $\{a_n\}$의 공차를 $d$, 첫째항부터 제$n$항까지의 합을 $S_n$이라 하면

$S_{10}=\dfrac{10\{2a_1+(10-1)d\}}{2}=0$

$\therefore a_1=-\dfrac{9}{2}d$ ······㉠

$S_{100}=900$이므로

$S_{100}=\dfrac{100\{2a_1+(100-1)d\}}{2}$

$=\dfrac{100(-9d+99d)}{2}$ $(\because ㉠)$

$=4500d=900$

$\therefore d=\dfrac{1}{5}$

$\therefore a_{101}-a_{91}=(a_1+100d)-(a_1+90d)$

$=10d=10\times\dfrac{1}{5}=2$ **답** ②

# 11 등비수열

본책 161~174쪽

**[001-003]** 주어진 등비수열의 일반항을 $a_n$이라 하면

**001** $a_1=2$, $a_2=4$에서

$\dfrac{a_2}{a_1}=\dfrac{4}{2}=2$

$\therefore$ 첫째항 : 2, 공비 : 2 　　　目 첫째항 : 2, 공비 : 2

**002** $a_1=1$, $a_2=-\dfrac{1}{2}$에서

$a_2\div a_1=\left(-\dfrac{1}{2}\right)\div 1=-\dfrac{1}{2}$

$\therefore$ 첫째항 : 1, 공비 : $-\dfrac{1}{2}$ 　目 첫째항 : 1, 공비 : $-\dfrac{1}{2}$

**003** $a_1=1$, $a_2=\sqrt{3}$에서

$\dfrac{a_2}{a_1}=\dfrac{\sqrt{3}}{1}=\sqrt{3}$

$\therefore$ 첫째항 : 1, 공비 : $\sqrt{3}$ 　目 첫째항 : 1, 공비 : $\sqrt{3}$

**004** $a_n=3^n$에서 $a_1=3$, $a_2=3^2=9$이므로

$\dfrac{a_2}{a_1}=\dfrac{9}{3}=3$

$\therefore$ 첫째항 : 3, 공비 : 3 　　　目 첫째항 : 3, 공비 : 3

**005** $a_n=\left(\dfrac{1}{5}\right)^n$에서

$a_1=\dfrac{1}{5}$, $a_2=\left(\dfrac{1}{5}\right)^2=\dfrac{1}{25}$이므로

$a_2\div a_1=\dfrac{1}{25}\div\dfrac{1}{5}=\dfrac{1}{5}$

$\therefore$ 첫째항 : $\dfrac{1}{5}$, 공비 : $\dfrac{1}{5}$ 　目 첫째항 : $\dfrac{1}{5}$, 공비 : $\dfrac{1}{5}$

**006** $a_n=3\times(-4)^n$에서

$a_1=3\times(-4)=-12$, $a_2=3\times(-4)^2=48$이므로

$\dfrac{a_2}{a_1}=\dfrac{48}{-12}=-4$

$\therefore$ 첫째항 : $-12$, 공비 : $-4$

目 첫째항 : $-12$, 공비 : $-4$

**007** $a_n=\dfrac{1}{5}\times 2^n$에서

$a_1=\dfrac{1}{5}\times 2=\dfrac{2}{5}$, $a_2=\dfrac{1}{5}\times 2^2=\dfrac{4}{5}$이므로

$a_2\div a_1=\dfrac{4}{5}\div\dfrac{2}{5}=2$

$\therefore$ 첫째항 : $\dfrac{2}{5}$, 공비 : 2 　目 첫째항 : $\dfrac{2}{5}$, 공비 : 2

**008** 첫째항이 3, 공비가 2이므로

$3, 6, 12, 24, \cdots$ 　　　目 $3, 6, 12, 24$

**009** 첫째항이 5, 공비가 $-2$이므로

$5, -10, 20, -40, \cdots$ 　目 $5, -10, 20, -40$

**010** 등비수열 $\{2^{n+1}\}$의 첫째항이 4, 공비가 2이므로

$4, 8, 16, 32, \cdots$ 　　　目 $4, 8, 16, 32$

**011** 등비수열 $\{5\times(-1)^n\}$의 첫째항이 $-5$, 공비가 $-1$이므로

$-5, 5, -5, 5, \cdots$ 　　目 $-5, 5, -5, 5$

**[012-014]** 첫째항을 $a$, 공비를 $r$라 하면

**012** $a=1$, $r=5$이므로

$a_n=ar^{n-1}=1\times 5^{n-1}=5^{n-1}$

$\therefore a_5=5^4=625$

目 $a_n=5^{n-1}$, $a_5=5^4(=625)$

**013** $a=4$, $r=-9$이므로

$a_n=ar^{n-1}=4\times(-9)^{n-1}$

$\therefore a_5=4\times(-9)^4=26244$

目 $a_n=4\times(-9)^{n-1}$, $a_5=4\times(-9)^4(=26244)$

**014** $a=16$, $r=\dfrac{1}{2}$이므로

$a_n=ar^{n-1}=16\times\left(\dfrac{1}{2}\right)^{n-1}$

$\therefore a_5=16\times\left(\dfrac{1}{2}\right)^4=1$ 　目 $a_n=16\times\left(\dfrac{1}{2}\right)^{n-1}$, $a_5=1$

**[015-020]** 첫째항을 $a$, 공비를 $r$라 하면

**015** $a=6$, $r=\dfrac{12}{6}=2$이므로

$a_n=ar^{n-1}=6\times 2^{n-1}$ 　　　目 $a_n=6\times 2^{n-1}$

**016** $a=3$, $r=\dfrac{-6}{3}=-2$이므로

$a_n=3\times(-2)^{n-1}$ 　　目 $a_n=3\times(-2)^{n-1}$

**017** $a=\dfrac{1}{3}$, $r=\dfrac{3}{-1}=-3$이므로

$a_n=\dfrac{1}{3}\times(-3)^{n-1}$ 　　目 $a_n=\dfrac{1}{3}\times(-3)^{n-1}$

**018** $a=54$, $r=\dfrac{18}{54}=\dfrac{1}{3}$이므로

$a_n=54\times\left(\dfrac{1}{3}\right)^{n-1}$ 　目 $a_n=54\times\left(\dfrac{1}{3}\right)^{n-1}$

**019** $a=0.1$, $r=\dfrac{0.01}{0.1}=0.1$이므로

$a_n=0.1\times(0.1)^{n-1}=(0.1)^n$ 　　目 $a_n=(0.1)^n$

**020** $a=1$, $r=\dfrac{\sqrt{5}}{1}=\sqrt{5}$이므로

$a_n=1\times(\sqrt{5})^{n-1}=(\sqrt{5})^{n-1}$ 　目 $a_n=(\sqrt{5})^{n-1}$

**[021-024]** 공비를 $r$ ($r>0$)라 하면

**021** $a_4=64$에서 $1\times r^3=64$

$r^3=64$ 　$\therefore r=4$ 　　　目 $4$

**022** $a_3 = 45$에서 $5r^2 = 45$
$r^2 = 9$ $\therefore r = 3$ $(\because r > 0)$ 　　　　　답 3

**023** $a_3 = \dfrac{1}{4}$에서 $4r^2 = \dfrac{1}{4}$
$r^2 = \dfrac{1}{16}$ $\therefore r = \dfrac{1}{4}$ $(\because r > 0)$ 　　답 $\dfrac{1}{4}$

**024** $a_5 = 12$에서 $a_3 \times r^2 = 12$
$6r^2 = 12,\ r^2 = 2$
$\therefore r = \sqrt{2}$ $(\because r > 0)$ 　　　답 $\sqrt{2}$

다른 풀이
$a_3 = a_1 r^2 = 6$ $\cdots\cdots$ ㉠
$a_5 = a_1 r^4 = 12$ $\cdots\cdots$ ㉡
㉡÷㉠을 하면 $r^2 = 2$
$\therefore r = \sqrt{2}$ $(\because r > 0)$

**[025-027]** 공비를 $r$라 하면

**025** $a_4 = -40$에서 $5r^3 = -40$
$r^3 = -8$ $\therefore r = -2$ 　　　　　답 $-2$

**026** $a_5 = -32$에서 $(-2) \times r^4 = -32$
$r^4 = 16$ $\therefore r = -2$ 또는 $r = 2$ 　답 $-2$ 또는 $2$

**027** $a_5 = 9$에서 $a_3 \times r^2 = 9$
$\dfrac{1}{9} r^2 = 9,\ r^2 = 81$
$\therefore r = -9$ 또는 $r = 9$ 　　　답 $-9$ 또는 $9$

다른 풀이
$a_3 = a_1 r^2 = \dfrac{1}{9}$ $\cdots\cdots$ ㉠
$a_5 = a_1 r^4 = 9$ $\cdots\cdots$ ㉡
㉡÷㉠을 하면 $r^2 = 81$
$\therefore r = -9$ 또는 $r = 9$

**028** $x$가 3과 12의 등비중항이므로
$x^2 = 3 \times 12 = 36$
$\therefore x = -6$ 또는 $x = 6$ 　　답 $-6$ 또는 $6$

**029** $x$가 18과 50의 등비중항이므로
$x^2 = 18 \times 50 = 900$
$\therefore x = -30$ 또는 $x = 30$ 　　답 $-30$ 또는 $30$

**030** $x$가 2와 4의 등비중항이므로
$x^2 = 2 \times 4 = 8$
$\therefore x = -2\sqrt{2}$ 또는 $x = 2\sqrt{2}$ 　답 $-2\sqrt{2}$ 또는 $2\sqrt{2}$

**031** $4,\ a,\ 36,\ b,\ 324,\ \cdots$이라 하면
$a^2 = 4 \times 36 = 144$
$\therefore a = -12$ 또는 $a = 12$
$a = -12$일 때, 공비는 $-3$이므로 $b = -108$
$a = 12$일 때, 공비는 $3$이므로 $b = 108$
답 $-12,\ -108$ 또는 $12,\ 108$

**032** $3,\ a,\ \dfrac{1}{3},\ b,\ \dfrac{1}{27},\ \cdots$이라 하면
$a^2 = 3 \times \dfrac{1}{3} = 1$
$\therefore a = -1$ 또는 $a = 1$
$a = -1$일 때, 공비는 $-\dfrac{1}{3}$이므로 $b = -\dfrac{1}{9}$
$a = 1$일 때, 공비는 $\dfrac{1}{3}$이므로 $b = \dfrac{1}{9}$
답 $-1,\ -\dfrac{1}{9}$ 또는 $1,\ \dfrac{1}{9}$

**033** $\dfrac{2(4^5 - 1)}{4 - 1} = \dfrac{2}{3}(4^5 - 1)$
$\qquad\qquad = \dfrac{2}{3}(1024 - 1)$
$\qquad\qquad = \dfrac{2046}{3} = 682$ 　　답 682

**034** $\dfrac{4\{1 - (-3)^5\}}{1 - (-3)} = 1 - (-3)^5 = 244$ 　답 244

**035** $\dfrac{1\left\{1 - \left(\dfrac{1}{2}\right)^8\right\}}{1 - \dfrac{1}{2}} = 2 - \left(\dfrac{1}{2}\right)^7$ 　답 $2 - \left(\dfrac{1}{2}\right)^7$

**036** 첫째항이 2, 공비가 2인 등비수열의 첫째항부터 제 10항까지의 합이므로
$\dfrac{2(2^{10} - 1)}{2 - 1} = 2 \times 1023 = 2046$ 　답 2046

**037** 첫째항이 2, 공비가 4인 등비수열의 첫째항부터 제 10항까지의 합이므로
$\dfrac{2(4^{10} - 1)}{4 - 1} = \dfrac{2}{3}(4^{10} - 1)$ 　답 $\dfrac{2}{3}(4^{10} - 1)$

**038** 첫째항이 2, 공비가 $\dfrac{1}{2}$인 등비수열의 첫째항부터 제 10항까지의 합이므로
$\dfrac{2\left\{1 - \left(\dfrac{1}{2}\right)^{10}\right\}}{1 - \dfrac{1}{2}} = 4\left\{1 - \left(\dfrac{1}{2}\right)^{10}\right\}$ 　답 $4\left\{1 - \left(\dfrac{1}{2}\right)^{10}\right\}$

**039** 첫째항이 $\dfrac{1}{16}$, 공비가 2인 등비수열의 제 $n$항을 4라 하면
$4 = \dfrac{1}{16} \times 2^{n-1},\ 64 = 2^6 = 2^{n-1}$
$\therefore n = 7$
따라서 첫째항부터 제 7항까지의 합은
$\dfrac{\dfrac{1}{16}(2^7 - 1)}{2 - 1} = \dfrac{1}{16}(2^7 - 1)$ 　답 $\dfrac{1}{16}(2^7 - 1)$

**040** 첫째항이 3, 공비가 $-2$인 등비수열의 제 $n$항을 $-384$라 하면
$-384 = 3 \times (-2)^{n-1}$
$-128 = (-2)^7 = (-2)^{n-1}$
$\therefore n = 8$

따라서 첫째항부터 제 8항까지의 합은

$$\frac{3\{1-(-2)^8\}}{1-(-2)}=-255$$

답 $-255$

**041** 첫째항이 3, 공비가 $\frac{1}{2}$인 등비수열의 제 $n$항을 $\frac{3}{16}$이라 하면

$$\frac{3}{16}=3\times\left(\frac{1}{2}\right)^{n-1}$$

$$\frac{1}{16}=\left(\frac{1}{2}\right)^4=\left(\frac{1}{2}\right)^{n-1}$$

$\therefore n=5$

따라서 첫째항부터 제 5항까지의 합은

$$\frac{3\left\{1-\left(\frac{1}{2}\right)^5\right\}}{1-\frac{1}{2}}=6\left\{1-\left(\frac{1}{2}\right)^5\right\}$$

답 $6\left\{1-\left(\frac{1}{2}\right)^5\right\}$

**042** $S_{10}=a_1+a_2+a_3+\cdots+a_9+a_{10}=50$

$S_9=a_1+a_2+a_3+\cdots+a_9=32$

$\therefore a_{10}=S_{10}-S_9=18$

답 18

**043** $S_{100}=a_1+a_2+a_3+\cdots+a_{99}+a_{100}=1024$

$S_{99}=a_1+a_2+a_3+\cdots+a_{99}=512$

$\therefore a_{100}=S_{100}-S_{99}=512$

답 512

**044** $S_{10}=a_1+a_2+a_3+\cdots+a_9+a_{10}=150$

$S_5=a_1+a_2+a_3+a_4+a_5=100$

$\therefore a_6+a_7+a_8+a_9+a_{10}=S_{10}-S_5=50$

답 50

**045** $a_n=S_n-S_{n-1}$

$\quad=2^n-1-(2^{n-1}-1)$

$\quad=2^n-2^{n-1}$

$\quad=2^{n-1}$ (단, $n\geq2$)

$\therefore a_5=2^{5-1}=16$

답 16

다른 풀이

$a_5=S_5-S_4$

$\quad=(2^5-1)-(2^4-1)$

$\quad=32-16=16$

**046** $a_n=S_n-S_{n-1}$

$\quad=3^n-2-(3^{n-1}-2)$

$\quad=3^n-3^{n-1}$

$\quad=2\times3^{n-1}$ (단, $n\geq2$)

$\therefore a_5=2\times3^{5-1}=162$

답 162

다른 풀이

$a_5=S_5-S_4=(3^5-2)-(3^4-2)$

$\quad=3^5-3^4=162$

**047** (ⅰ) $n\geq2$일 때,

$\quad a_n=S_n-S_{n-1}$

$\qquad=3^n-1-(3^{n-1}-1)$

$\qquad=3^n-3^{n-1}=2\times3^{n-1}$

(ⅱ) $n=1$일 때,

$\quad a_1=S_1=2$

$a_1=2$는 $a_n=2\times3^{n-1}$에 $n=1$을 대입한 것과 같다.

$\therefore a_1=2,\ a_n=2\times3^{n-1}$

답 $a_1=2,\ a_n=2\times3^{n-1}$

**048** (ⅰ) $n\geq2$일 때,

$\quad a_n=S_n-S_{n-1}$

$\qquad=2^{n+1}-2-(2^n-2)$

$\qquad=2^{n+1}-2^n=2^n$

(ⅱ) $n=1$일 때,

$\quad a_1=S_1=2$

$a_1=2$는 $a_n=2^n$에 $n=1$을 대입한 것과 같다.

$\therefore a_1=2,\ a_n=2^n$

답 $a_1=2,\ a_n=2^n$

**049** (ⅰ) $n\geq2$일 때,

$\quad a_n=S_n-S_{n-1}$

$\qquad=2^n+5-(2^{n-1}+5)$

$\qquad=2^n-2^{n-1}=2^{n-1}$

(ⅱ) $n=1$일 때,

$\quad a_1=S_1=7$

$a_1=7$은 $a_n=2^{n-1}$에 $n=1$을 대입한 것과 같지 않다.

$\therefore a_1=7,\ a_n=2^{n-1}$ (단, $n\geq2$)

답 $a_1=7,\ a_n=2^{n-1}$ (단, $n\geq2$)

**050** (ⅰ) $n\geq2$일 때,

$\quad a_n=S_n-S_{n-1}$

$\qquad=2\times3^n-1-(2\times3^{n-1}-1)$

$\qquad=2\times3^n-2\times3^{n-1}=4\times3^{n-1}$

(ⅱ) $n=1$일 때,

$\quad a_1=S_1=5$

$a_1=5$는 $a_n=4\times3^{n-1}$에 $n=1$을 대입한 것과 같지 않다.

$\therefore a_1=5,\ a_n=4\times3^{n-1}$ (단, $n\geq2$)

답 $a_1=5,\ a_n=4\times3^{n-1}$ (단, $n\geq2$)

**051** 공비를 $r$라 하면

$$a_1=5\times2^{1-2}=\frac{5}{2},\ a_2=5\times2^{1-2\times2}=\frac{5}{8}$$

$$\therefore r=\frac{a_2}{a_1}=\frac{\frac{5}{8}}{\frac{5}{2}}=\frac{1}{4}$$

$$\therefore a_1=\frac{5}{2},\ r=\frac{1}{4}$$

답 ①

**052** $2,\ x,\ y,\ 11$이 이 순서대로 등비수열을 이루므로 이 수열의 공비를 $r$라 하면

$x=2r,\ y=2r^2,\ 11=2r^3$

$11=2r^3$에서 $r^3=\frac{11}{2}$

$\therefore xy=2r\times2r^2=4r^3$

$\quad=4\times\frac{11}{2}=22$

답 22

다른 풀이

공비를 $r$라 하면

$x=2r,\ y=2r^2,\ 11=2r^3$

$\therefore xy=2r\times2r^2=2\times2r^3$

$\quad=2\times11=22$

**053** 주어진 등비수열의 공비를 $r$라 하면

$$r = \frac{4\sqrt{2}}{4} = \sqrt{2}$$

$$a = \sqrt{2}\,r = (\sqrt{2})^2 = 2$$

$$b = 4\sqrt{2}\,r = 4\sqrt{2} \times \sqrt{2} = 8$$

$$\therefore a + b = 10$$

답 10

**054** 주어진 수열은 첫째항이 4, 공비가 $\frac{2}{4} = \frac{1}{2}$이므로 일반항은

$$4 \times \left(\frac{1}{2}\right)^{n-1} = \left(\frac{1}{2}\right)^{n-3}$$

답 ①

**055** 첫째항이 4, 공비가 2이므로

$$a_n = 4 \times 2^{n-1} = 2^{n+1}$$

$$1024 = 2^{10} = 2^{n+1}$$이므로

$$n + 1 = 10 \quad \therefore n = 9$$

따라서 1024는 제9항이다.

답 ②

**056** 등비수열 $\{a_n\}$의 첫째항을 $a$, 공비를 $r$라 하면

$$a_4 = ar^3 = 24 \quad \cdots\cdots \text{㉠}$$

$$a_8 = ar^7 = 384 \quad \cdots\cdots \text{㉡}$$

㉡÷㉠을 하면

$$r^4 = 16 \quad \therefore r = 2 \ (\because r > 0)$$

$r = 2$를 ㉠에 대입하면 $a = 3$

$$\therefore a_n = 3 \times 2^{n-1}$$

$$\therefore a_{10} = 3 \times 2^9$$

답 ②

**057** $\log a_2 = \frac{1}{2}$에서 $a_2 = 10^{\frac{1}{2}}$

$\log a_5 = 2$에서 $a_5 = 10^2$

첫째항을 $a$, 공비를 $r$라 하면

$$a_2 = ar = 10^{\frac{1}{2}} \quad \cdots\cdots \text{㉠}$$

$$a_5 = ar^4 = 10^2 \quad \cdots\cdots \text{㉡}$$

㉡÷㉠을 하면

$$r^3 = 10^{2-\frac{1}{2}} = 10^{\frac{3}{2}} \quad \therefore r = 10^{\frac{1}{2}} = \sqrt{10}$$

$r = \sqrt{10}$을 ㉠에 대입하면 $a = 1$

$a_n = (\sqrt{10})^{n-1}$이므로

$$k = a_1 a_2 a_3 \cdots a_{10}$$
$$= (\sqrt{10})^0 \times (\sqrt{10})^1 \times (\sqrt{10})^2 \times \cdots \times (\sqrt{10})^9$$
$$= (\sqrt{10})^{1+2+3+\cdots+9} = (\sqrt{10})^{45} = 10^{\frac{45}{2}}$$

$$\therefore \log k^2 = \log 10^{45} = 45$$

답 45

**058** 수열 $\{a_n\}$은 $1, -\frac{1}{2}, \frac{1}{4}, -\frac{1}{8}, \cdots$이므로

수열 $\left\{\frac{1}{a_n}\right\}$은 $1, -2, 4, -8, \cdots$

따라서 수열 $\left\{\frac{1}{a_n}\right\}$은 첫째항이 1, 공비가 $-2$인 등비수열이므로

$$\frac{1}{a_n} = 1 \times (-2)^{n-1} = (-2)^{n-1}$$

$$\therefore \frac{1}{a_8} = (-2)^7 = -128$$

답 ①

**059** 첫째항이 1이고, 공비가 2이므로

$$a_n = 2^{n-1}$$

$2^{n-1} > 2000$에서

$2^{10} = 1024$, $2^{11} = 2048$이므로

$$n - 1 \geq 11 \quad \therefore n \geq 12$$

따라서 처음으로 2000보다 커지는 항은 제12항이다.

답 ②

**060** 공비를 $r$라 하면 첫째항이 $-3$, 제4항이 24이므로

$$(-3) \times r^3 = 24, \ r^3 = -8$$

$$\therefore r = -2$$

따라서 $a = -3 \times (-2) = 6$, $b = 6 \times (-2) = -12$이므로

$$a + b = -6$$

답 $-6$

**061** 첫째항이 3, 제10항이 24이므로

$$3r^9 = 24, \ r^9 = 8$$

$(r^3)^3 = 2^3$이므로 $r^3 = 2$

$$\therefore x_3 = 3r^3 = 3 \times 2 = 6$$

답 6

**062** 공비를 $r$라 하면 첫째항이 16, 제5항이 1이므로

$$16r^4 = 1, \ r^4 = \frac{1}{16}$$

$$\therefore r = -\frac{1}{2} \ \text{또는} \ r = \frac{1}{2}$$

$r = -\frac{1}{2}$이면 $x, y, z$는 각각 $-8, 4, -2$

$r = \frac{1}{2}$이면 $x, y, z$는 각각 $8, 4, 2$

따라서 ① $-8$이 $x$의 값이 될 수 있다.

답 ①

**063** 등비수열 $\{a_n\}$의 첫째항을 $a$, 공비를 $r$라 하면

$$a_1 a_3 a_8 = a \times ar^2 \times ar^7 = a^3 r^9 = (ar^3)^3 = 343$$

$(ar^3)^3 = 7^3$이므로 $ar^3 = 7$

$$\therefore a_4 = ar^3 = 7$$

답 ⑤

**064** 등비수열 $\{a_n\}$의 첫째항을 $a$, 공비를 $r$라 하면

$a_3 + a_5 = 60$에서

$$ar^2 + ar^4 = 60 \quad \cdots\cdots \text{㉠}$$

$a_9 = 4a_7$에서

$$ar^8 = 4ar^6 \quad \therefore r^2 = 4 \quad \cdots\cdots \text{㉡}$$

㉡을 ㉠에 대입하면

$$4a + 16a = 60$$

$$20a = 60 \quad \therefore a = 3$$

$$\therefore a_{11} = ar^{10} = a \times (r^2)^5 = 3 \times 4^5 = 3072$$

답 3072

**065** 등비수열 $\{a_n\}$의 첫째항을 $a$, 공비를 $r$라 하면

$$a_1 + a_2 = a + ar = -6 \quad \cdots\cdots \text{㉠}$$

$$a_3 + a_4 = ar^2 + ar^3 = r^2(a + ar) = -24 \quad \cdots\cdots \text{㉡}$$

㉡÷㉠을 하면 $r^2 = 4 \quad \therefore r = -2 \ (\because r < 0)$

$r = -2$를 ㉠에 대입하면 $a = 6$

따라서 첫째항이 6, 공비가 $-2$인 등비수열의 일반항 $a_n$은

$$a_n = 6 \times (-2)^{n-1}$$

답 ②

**066** 등비수열 $\{a_n\}$의 첫째항을 $a$, 공비를 $r$라 하면

$$a_2 a_4 = ar \times ar^3 = a^2 r^4 = 16 \quad \cdots\cdots \text{㉠}$$

$a_3 a_5 = ar^2 \times ar^4 = a^2 r^6 = 64$ ...... ㉡

㉡÷㉠을 하면 $r^2 = 4$  ∴ $r = 2$ (∵ $r > 0$)

$r = 2$를 ㉠에 대입하면

$a^2 = 1$  ∴ $a = 1$ (∵ $a > 0$)

∴ $a_7 = ar^6 = 1 \times 2^6 = 64$  🖪 64

**067** 등비수열 $\{a_n\}$의 공비를 $r$라 하면 첫째항이 32이므로

$a_4 : a_8 = 32r^3 : 32r^7$

$\qquad\quad = 1 : r^4 = 2 : 3$

$2r^4 = 3$  ∴ $r^4 = \dfrac{3}{2}$

∴ $a_{13} = 32r^{12} = 32 \times (r^4)^3$

$\qquad\quad = 32 \times \left(\dfrac{3}{2}\right)^3 = 108$  🖪 108

**068** 등비수열을 이루는 세 실수를 $a, ar, ar^2$이라 하면

$a + ar + ar^2 = 13$ ...... ㉠

$a \times ar \times ar^2 = (ar)^3 = 27$

$ar = 3$  ∴ $a = \dfrac{3}{r}$

$a = \dfrac{3}{r}$을 ㉠에 대입하면

$\dfrac{3}{r} + 3 + 3r = 13$

양변에 $r$를 곱하여 정리하면

$3r^2 - 10r + 3 = 0$, $(3r-1)(r-3) = 0$

∴ $r = \dfrac{1}{3}$ 또는 $r = 3$

(i) $r = \dfrac{1}{3}$이면 $a = 9$이므로

　　구하는 세 수는 9, 3, 1이다.

(ii) $r = 3$이면 $a = 1$이므로

　　구하는 세 수는 1, 3, 9이다.

따라서 구하는 세 수 중에서 가장 큰 수는 9이다.  🖪 ⑤

**069** $\sqrt{3}$이 $a$와 $b$의 등비중항이므로

$ab = (\sqrt{3})^2 = 3$  🖪 3

**070** 세 수 $x-2, x+1, 2x+1$이 이 순서대로 등비수열을 이루므로

$(x+1)^2 = (x-2)(2x+1)$

$x^2 + 2x + 1 = 2x^2 - 3x - 2$

∴ $x^2 - 5x - 3 = 0$

따라서 모든 $x$의 값의 합은 이차방정식의 근과 계수의 관계에 의하여 5이다.  🖪 ④

**071** $\sin\theta, \dfrac{\sqrt{2}}{2}, \cos\theta$가 이 순서대로 등비수열을 이루므로

$\left(\dfrac{\sqrt{2}}{2}\right)^2 = \sin\theta\cos\theta$

∴ $\sin\theta\cos\theta = \dfrac{1}{2}$

∴ $\tan\theta + \dfrac{1}{\tan\theta} = \dfrac{\sin\theta}{\cos\theta} + \dfrac{\cos\theta}{\sin\theta} = \dfrac{\sin^2\theta + \cos^2\theta}{\sin\theta\cos\theta}$

$\qquad\qquad\qquad\qquad = \dfrac{1}{\sin\theta\cos\theta}$ (∵ $\sin^2\theta + \cos^2\theta = 1$)

$\qquad\qquad\qquad\qquad = 2$  🖪 ②

**072** $e, 4, 8$에서 4는 등비중항이므로

$8e = 4^2$  ∴ $e = 2$

$a, 18, 2$에서 18은 등비중항이므로

$2a = 18^2$  ∴ $a = 162$

$162, b, \dfrac{1}{2}$에서 $b$는 등비중항이므로

$b^2 = 81$  ∴ $b = 9$ (∵ $b > 0$)

$9, c, 4$에서 $c$는 등비중항이므로

$c^2 = 36$  ∴ $c = 6$ (∵ $c > 0$)

$\dfrac{1}{2}, d, 8$에서 $d$는 등비중항이므로

$d^2 = 4$  ∴ $d = 2$ (∵ $d > 0$)

∴ $a + b + c + d + e = 181$  🖪 ⑤

**073** 다항식 $f(x) = x^2 + 2x + a$를 $x+1, x-1, x-2$로 나누었을 때의 나머지는 각각

$f(-1) = a - 1$

$f(1) = a + 3$

$f(2) = a + 8$

$a-1, a+3, a+8$이 이 순서대로 등비수열을 이루므로

$a+3$은 $a-1$과 $a+8$의 등비중항이다.

$(a+3)^2 = (a-1)(a+8)$

$a^2 + 6a + 9 = a^2 + 7a - 8$

∴ $a = 17$

∴ $f(x) = x^2 + 2x + 17$

따라서 $f(x)$를 $x+2$로 나누었을 때의 나머지는

$f(-2) = 4 - 4 + 17 = 17$  🖪 17

**074** 직육면체의 가로의 길이, 세로의 길이, 높이를 각각 $a, ar, ar^2$으로 놓으면 모든 모서리의 길이의 합은

$4(a + ar + ar^2) = 52$

$a + ar + ar^2 = 13$

부피는 $a \times ar \times ar^2 = 27$

$a^3 r^3 = (ar)^3 = 27$

∴ $ar = 3$

겉넓이는

$2(a \times ar + a \times ar^2 + ar \times ar^2) = 2(a^2 r + a^2 r^2 + a^2 r^3)$

$\qquad\qquad\qquad\qquad\qquad\qquad = 2ar(a + ar + ar^2)$

$\qquad\qquad\qquad\qquad\qquad\qquad = 2 \times 3 \times 13$

$\qquad\qquad\qquad\qquad\qquad\qquad = 78$  🖪 78

**075** $1, x, 4$가 이 순서대로 등차수열을 이루므로

$2x = 1 + 4 = 5$  ∴ $x = \dfrac{5}{2}$

$1, y, 4$가 이 순서대로 등비수열을 이루므로

$y^2 = 4$  ∴ $y = 2$ (∵ $y > 0$)

∴ $x + y = \dfrac{9}{2}$  🖪 ④

**076** 10은 $a, b$의 등차중항이므로

$a + b = 2 \times 10 = 20$

8은 $a, b$의 등비중항이므로

$ab=8^2=64$

$\therefore (a-b)^2=(a+b)^2-4ab$
$\qquad =20^2-4\times 64=144$

$\therefore a-b=12\ (\because a>b)$ 　　　　　　　답 12

**077** 이차방정식 $x^2-6x+4=0$의 두 근이 $\alpha$, $\beta$이므로 근과 계수의 관계에 의하여

$\alpha+\beta=6,\ \alpha\beta=4$

$\alpha$, $p$, $\beta$는 이 순서대로 등차수열을 이루므로

$2p=\alpha+\beta=6$ 　　$\therefore p=3$

$\alpha$, $q$, $\beta$는 이 순서대로 등비수열을 이루므로

$q^2=\alpha\beta=4$ 　　$\therefore q=2\ (\because q>0)$

$\therefore p+q=5$ 　　　　　　　답 5

**078** 세균의 개체 수는 1시간마다 $r$배 증가하고, 세균 100마리가 3시간 후 800마리로 증가하므로

$100r^3=800,\ r^3=8$

$\therefore r=2$ 　　　　　　　답 2

**079** $n$회 배양했을 때의 세포의 개수를 $a_n$이라 하면

$a_1=10\times(1-0.2)\times 5=40$

$a_2=40\times(1-0.2)\times 5=160$

$\qquad\vdots$

$a_{n+1}=a_n\times(1-0.2)\times 5=4a_n$

따라서 수열 $\{a_n\}$은 첫째항이 40, 공비가 4인 등비수열이므로

$a_n=40\times 4^{n-1}=10\times 4^n$

$\therefore a_{10}=10\times 4^{10}=5\times 2^{21}$ 　　　　　　　답 ③

**080** 박테리아 수가 매시간 일정하게 증가하는 비율을 $r$라 하고, 50시간 전의 박테리아 수를 $A$마리라 하면 현재 박테리아 수는 $2A$마리이므로

$Ar^{50}=2A,\ r^{50}=2$ 　　$\therefore r=2^{\frac{1}{50}}$

앞으로 $t$시간 후에 박테리아 수가 $3A$마리가 된다고 하면 50시간 전으로부터 $(t+50)$시간 후에 박테리아 수가 $3A$마리가 되는 것이므로

$A\left(2^{\frac{1}{50}}\right)^{t+50}=3A,\ 2^{\frac{t+50}{50}}=3$

양변에 상용로그를 취하면

$\dfrac{t+50}{50}\log 2=\log 3$

$t+50=\dfrac{50\log 3}{\log 2}=\dfrac{50\times 0.48}{0.30}=80$

$\therefore t=80-50=30$ 　　　　　　　답 30

**081** $a_1=6$, $a_{n+1}=2a_n$이므로 수열 $\{a_n\}$은 첫째항이 6, 공비가 2인 등비수열이다.

$\therefore a_1+a_2+a_3+\cdots+a_6=\dfrac{6(2^6-1)}{2-1}$
$\qquad\qquad\qquad\qquad\qquad =378$ 　　　　　　　답 378

**082** 주어진 등비수열의 첫째항을 $a$, 공비를 $r$라 하면 제2항이 9, 제5항이 243이므로

$ar=9$ 　　　…… ㉠

$ar^4=243$ 　　　…… ㉡

㉡÷㉠을 하면

$r^3=27$ 　　$\therefore r=3$

$r=3$을 ㉠에 대입하면 $a=3$

따라서 첫째항부터 제5항까지의 합은

$\dfrac{3(3^5-1)}{3-1}=363$ 　　　　　　　답 363

**083** 등비수열 $\{a_n\}$의 일반항은

$a_n=2\times(-3)^{n-1}$

제 $n$항이 $-486$이므로

$2\times(-3)^{n-1}=-486$

$(-3)^{n-1}=-243=(-3)^5$

$n-1=5$ 　　$\therefore n=6$

따라서 첫째항부터 제6항까지의 합은

$\dfrac{2\{1-(-3)^6\}}{1-(-3)}=\dfrac{1-729}{2}=-364$ 　　　답 ①

**084** 주어진 등비수열의 공비를 $r$라 하면 첫째항이 2이므로

$2\times r^{n+1}=512$ 　　　…… ㉠

$a_1+a_2+a_3+\cdots+a_n=508$이므로

$2+a_1+a_2+a_3+\cdots+a_n+512=1022$

첫째항부터 제 $(n+2)$항까지의 합을 $S_{n+2}$라 하면

$S_{n+2}=2+a_1+a_2+a_3+\cdots+a_n+512$
$\qquad =\dfrac{2(r^{n+2}-1)}{r-1}=\dfrac{2\times r^{n+1}\times r-2}{r-1}$
$\qquad =\dfrac{512r-2}{r-1}=1022$

$512r-2=1022r-1022$

$510r=1020$ 　　$\therefore r=2$

$r=2$를 ㉠에 대입하면

$2\times 2^{n+1}=2^{n+2}=2^9$ 　　$\therefore n=7$ 　　　답 7

**085** 첫째항이 1, 공비가 $\dfrac{1}{2}$이므로 첫째항부터 제 $n$항까지의 합을 $S_n$이라 하면

$S_n=\dfrac{1-\left(\frac{1}{2}\right)^n}{1-\frac{1}{2}}=2-2\times\left(\dfrac{1}{2}\right)^n$
$\qquad =2-\left(\dfrac{1}{2}\right)^{n-1}>1.9999$

$\left(\dfrac{1}{2}\right)^{n-1}<0.0001$

양변에 상용로그를 취하면

$\log\left(\dfrac{1}{2}\right)^{n-1}<\log 0.0001$

$(n-1)\log\dfrac{1}{2}<\log\dfrac{1}{10^4}$

$(n-1)(-\log 2)<-\log 10^4$

$-(n-1)\log 2<-4$

$n-1>\dfrac{4}{\log 2}=\dfrac{4}{0.3}=13.\times\times\times$

$\therefore n>14.\times\times\times$

따라서 첫째항부터 제15항까지의 합이 처음으로 1.9999보다 커진다. 　　　　　　　답 ⑤

**086** 두 수열 $\{a_n\}$, $\{b_n\}$의 일반항은

$$a_n = 2 \times 5^{n-1}, \quad b_n = 3 \times \left(\frac{1}{5}\right)^{n-1}$$

따라서 수열 $\{a_n b_n\}$의 일반항은

$$a_n b_n = (2 \times 5^{n-1}) \times \left\{3 \times \left(\frac{1}{5}\right)^{n-1}\right\}$$

$$= (2 \times 3) \times \left(5 \times \frac{1}{5}\right)^{n-1} = 6$$

이므로 수열 $\{a_n b_n\}$은 첫째항이 6, 공비가 1인 등비수열이다.
따라서 첫째항부터 제8항까지의 합은

$$6 \times 8 = 48$$

**답** 48

**087** 등비수열 $\{a_n\}$의 첫째항을 $a$, 공비를 $r$ $(r>0)$라 하면
첫째항과 제2항의 합이 3이므로

$$a + ar = 3, \quad a(1+r) = 3 \qquad \cdots\cdots \text{㉠}$$

첫째항부터 제4항까지의 합이 15이므로

$$a + ar + ar^2 + ar^3 = 3 + ar^2(1+r)$$
$$= 3 + 3r^2 = 15 \qquad \cdots\cdots \text{㉡}$$

㉡에서 $r^2 = 4$ $\qquad \therefore r = 2$ ($\because r > 0$)
$r = 2$를 ㉠에 대입하면

$$a = 1$$

따라서 첫째항부터 제6항까지의 합은

$$\frac{2^6 - 1}{2 - 1} = 63$$

**답** 63

**다른 풀이**

등비수열 $\{a_n\}$의 첫째항을 $a$, 공비를 $r$, 첫째항부터 제$n$항까지의 합을 $S_n$이라 하면

$$S_2 = \frac{a(r^2-1)}{r-1} = 3 \qquad \cdots\cdots \text{㉠}$$

$$S_4 = \frac{a(r^4-1)}{r-1} = \frac{a(r^2-1)(r^2+1)}{r-1} = 15 \qquad \cdots\cdots \text{㉡}$$

㉡÷㉠을 하면
$r^2 + 1 = 5$, $r^2 = 4$ $\qquad \therefore r = 2$ ($\because r > 0$)
따라서 첫째항부터 제6항까지의 합은

$$S_6 = \frac{a(r^6-1)}{r-1} = \frac{a(r^2-1)(r^4+r^2+1)}{r-1}$$

$$= \frac{a(r^2-1)}{r-1} \times (r^4+r^2+1)$$

$$= 3(2^4 + 2^2 + 1)$$

$$= 63$$

**088** 등비수열 $\{a_n\}$의 첫째항을 $a$, 공비를 $r$, 첫째항부터 제$n$항까지의 합을 $S_n$이라 하면

$$S_8 = \frac{a(r^8-1)}{r-1} = 2 \qquad \cdots\cdots \text{㉠}$$

$a_9 + a_{10} + \cdots + a_{16} = S_{16} - S_8$이므로
$S_{16} = S_8 + 512 = 514$

$$\therefore S_{16} = \frac{a(r^{16}-1)}{r-1}$$

$$= \frac{a(r^8-1)(r^8+1)}{r-1}$$

$$= 514 \qquad \cdots\cdots \text{㉡}$$

㉡÷㉠을 하면
$r^8 + 1 = 257$, $r^8 = 256$
$\therefore r = 2$ ($\because r > 0$)

**답** ③

**089** 등비수열 $\{a_n\}$의 첫째항을 $a$, 공비를 $r$, 첫째항부터 제$n$항까지의 합을 $S_n$이라 하면

$$S_4 = \frac{a(r^4-1)}{r-1} = 5 \qquad \cdots\cdots \text{㉠}$$

$a_5 + a_6 + a_7 + a_8 = S_8 - S_4 = 10$이므로
$S_8 = S_4 + 10 = 15$

$$\therefore S_8 = \frac{a(r^8-1)}{r-1}$$

$$= \frac{a(r^4-1)(r^4+1)}{r-1} = 15 \qquad \cdots\cdots \text{㉡}$$

㉡÷㉠을 하면 $r^4 + 1 = 3$ $\qquad \therefore r^4 = 2$

$$\therefore a_1 + a_2 + a_3 + \cdots + a_{24} = \frac{a(r^{24}-1)}{r-1}$$

$$= \frac{a(r^8-1)(r^{16}+r^8+1)}{r-1}$$

$$= \frac{a(r^8-1)}{r-1} \times (r^{16}+r^8+1)$$

$$= 15(2^4 + 2^2 + 1)$$

$$= 315$$

**답** 315

**090** $S_n = 3^n + 2$이므로

$$a_{10} = S_{10} - S_9$$

$$= (3^{10}+2) - (3^9+2)$$

$$= 3^{10} - 3^9 = 2 \times 3^9$$

**답** ④

**091** $S_n = 3^n - 1$이므로
(i) $n \geq 2$일 때,

$$a_n = S_n - S_{n-1}$$

$$= (3^n - 1) - (3^{n-1} - 1)$$

$$= 3^n - 3^{n-1} = 2 \times 3^{n-1}$$

(ii) $n = 1$일 때,

$$a_1 = S_1 = 2$$

$a_1 = 2$는 $a_n = 2 \times 3^{n-1}$에 $n=1$을 대입한 것과 같다.
$\therefore a_n = 2 \times 3^{n-1}$ (단, $n \geq 1$)
ㄱ. $a_1 = S_1 = 2$ (참)
ㄴ. $a_n = 2 \times 3^{n-1}$ (단, $n \geq 1$) (참)
ㄷ. $a_1 + a_3 + a_5 = 2 + 2 \times 3^2 + 2 \times 3^4$

$$= \frac{2\{(3^2)^3 - 1\}}{3^2 - 1}$$

$$= \frac{1}{4}(3^6 - 1) \text{ (참)}$$

따라서 ㄱ, ㄴ, ㄷ 모두 옳다.

**답** ⑤

**092** $\log(S_n + 1) = 2n$에서 $S_n + 1 = 10^{2n}$
$\therefore S_n = 10^{2n} - 1$
(i) $n \geq 2$일 때,

$$a_n = S_n - S_{n-1}$$

$$= 10^{2n} - 1 - (10^{2(n-1)} - 1)$$

$$= 10^{2n} - 10^{2n-2}$$

$$= 100 \times 10^{2n-2} - 10^{2n-2}$$

$$= (100 - 1) \times 10^{2n-2}$$

$$= 99 \times 10^{2n-2}$$

(ii) $n = 1$일 때,

$$a_1 = S_1 = 99$$

$a_1 = 99$는 $a_n = 99 \times 10^{2n-2}$에 $n=1$을 대입한 것과 같다.

$\therefore a_n = 99 \times 10^{2n-2} = 99 \times 100^{n-1}$ (단, $n \geq 1$)

따라서 $p=99$, $q=100$이므로

$p+q = 199$　　　　　　　　　　　　　　　📌 199

**093** $k$회 실시한 후 나타나는 도형에 그려져 있는 원의 개수를 $a_k$라 하면

$a_1 = 1+4$

$a_2 = 1+4+4^2$

$a_3 = 1+4+4^2+4^3$

$\vdots$

$a_{10} = 1+4+4^2+\cdots+4^{10}$

따라서 10회 실시한 후 나타나는 도형에 그려져 있는 원의 개수 $n$은

$n = \dfrac{4^{11}-1}{4-1} = \dfrac{4^{11}-1}{3}$

$\therefore 3n = 4^{11}-1$　　　　　　　　　　　　📌 ④

**094** 오늘 공부할 시간을 $a_1$ (분), $n$일째에 공부해야 할 시간을 $a_n$ (분)이라 하면

$a_n = 2a_{n-1}$ (단, $n \geq 2$)

이므로 수열 $\{a_n\}$은 첫째항이 $a_1$, 공비가 2인 등비수열이다.

즉, $a_1+a_2+a_3+a_4+a_5 = 186$에서

$a_1 + 2a_1 + 2^2 a_1 + 2^3 a_1 + 2^4 a_1 = a_1(1+2+2^2+2^3+2^4)$

$\qquad\qquad\qquad = \dfrac{a_1(2^5-1)}{2-1}$

$\qquad\qquad\qquad = 31a_1 = 186$

$\therefore a_1 = 6$

따라서 마지막 날 공부해야 할 시간은

$6 \times 2^4 = 96$ (분)　　　　　　　　　　　📌 96분

**095** 50만 원을 월이율 1.5 %, 1개월마다 복리로 예금한 12개월 후의 원리합계는

$50(1+0.015)^{12} = 50 \times (1.015)^{12}$

$\qquad\qquad\qquad = 50 \times 1.2$

$\qquad\qquad\qquad = 60$ (만 원)　　　　📌 60만 원

**096**

매년 초에 3만 원씩, 연이율 6 %, 1년마다 복리로 적립한 적립금의 10년 후의 원리합계는

$3 \times 10^4 \cdot 1.06 + 3 \times 10^4 \times 1.06^2 + \cdots + 3 \times 10^4 \times 1.06^{10}$

$= \dfrac{3 \times 10^4 \times 1.06 \times \{(1.06)^{10}-1\}}{1.06-1}$

$= \dfrac{3 \times 10^4 \times 1.06 \times (1.8-1)}{0.06} = 424000$ (원)

따라서 10년 후의 원리합계는 424000원이다.

　　　　　　　　　　　　　　　📌 424000원

**097** 매년 초에 적립하는 금액을 $a$원이라 하면 연이율 4 %의 복리로 적립한 적립금의 15년 후의 원리합계는

$a(1+0.04) + a(1+0.04)^2 + \cdots + a(1+0.04)^{15}$

$= \dfrac{a(1+0.04)\{(1+0.04)^{15}-1\}}{(1+0.04)-1}$

$= \dfrac{a \times 1.04 \times (1.8-1)}{0.04}$

$= \dfrac{a \times 104 \times 0.8}{4} = 52 \times 10^5$

$\therefore a = \dfrac{4 \times 52 \times 10^5}{104 \times 0.8} = 250000$

따라서 매년 초에 250000원씩 적립하면 된다.　📌 ④

**098** 등비수열 $\{a_n\}$의 첫째항을 $a$라 하면 공비가 $\dfrac{1}{2}$이므로

$a_n = a \times \left(\dfrac{1}{2}\right)^{n-1}$

$a_5 = a \times \left(\dfrac{1}{2}\right)^4 = 9$이므로

$a = 9 \times 16 = 144$　　　　　　　　　　📌 ⑤

**099** 등비수열 $\{a_n\}$의 첫째항이 $\dfrac{1}{2}$, 공비가 $\dfrac{1}{4}$이므로

$a_n = \dfrac{1}{2} \times \left(\dfrac{1}{4}\right)^{n-1}$

$\quad = 2^{-1} \times 2^{-2(n-1)} = 2^{-2n+1}$

$\therefore \log_8 a_1 + \log_8 a_2 + \log_8 a_3 + \cdots + \log_8 a_{10}$

$= \log_{2^3} a_1 + \log_{2^3} a_2 + \log_{2^3} a_3 + \cdots + \log_{2^3} a_{10}$

$= \dfrac{1}{3}(\log_2 2^{-1} + \log_2 2^{-3} + \log_2 2^{-5} + \cdots + \log_2 2^{-19})$

$= -\dfrac{1}{3}(1+3+5+\cdots+19)$

$= -\dfrac{1}{3} \times \dfrac{10(1+19)}{2}$

$= -\dfrac{100}{3}$

$k = -\dfrac{100}{3}$이므로

$90k^2 = 90 \times \left(-\dfrac{100}{3}\right)^2$

$\quad = 90 \times \dfrac{10000}{9}$

$\quad = 100000$

$\therefore \log 90k^2 = \log 100000 = 5$　　　　📌 5

**100** 등비수열 $\{a_n\}$의 첫째항을 $a$, 공비를 $r$라 하면

$a_3 + a_5 = ar^2 + ar^4$

$\qquad\quad = ar^2(1+r^2) = 24$　　　$\cdots\cdots$ ㉠

$a_2 a_4 = ar \times ar^3$

$\qquad = (ar^2)^2 = 64$　　　$\cdots\cdots$ ㉡

$a>0$, $r>0$이므로

㉡에서 $ar^2 = 8$

㉠에 대입하면

$r = \sqrt{2}$, $a=4$

$\therefore a_n = 4 \times (\sqrt{2})^{n-1}$

$\therefore a_9 = 4 \times (\sqrt{2})^8 = 64$　　　　📌 64

**101** 등비수열 $\{a_n\}$의 첫째항을 $a$, 공비를 $r$라 하면

$a_4 = ar^3 = 12$ ⋯⋯ ㉠

$a_9 = ar^8 = 384$ ⋯⋯ ㉡

㉡÷㉠을 하면

$r^5 = 32$ ∴ $r = 2$

$r = 2$를 ㉠에 대입하면 $a = \dfrac{3}{2}$

∴ $a_n = \dfrac{3}{2} \times 2^{n-1} = 3 \times 2^{n-2}$

$3 \times 2^{n-2} > 3000$에서 $2^{n-2} > 1000$

$2^9 = 512$, $2^{10} = 1024$이므로

$n-2 \geq 10$ ∴ $n \geq 12$

따라서 제12항부터 3000보다 커진다. 답 ②

**102** $a$, $b$의 등비중항이 4이므로

$ab = 4^2 = 16$

$a$, $b$의 합이 9이므로

$a + b = 9$

∴ $a^2 + b^2 = (a+b)^2 - 2ab$
$= 9^2 - 2 \times 16 = 49$ 답 49

**103** 3, $a$, $b$가 이 순서대로 등차수열을 이루므로

$2a = 3 + b$ ∴ $b = 2a - 3$ ⋯⋯ ㉠

$a$, $\sqrt{5}$, $b$가 이 순서대로 등비수열을 이루므로

$ab = (\sqrt{5})^2 = 5$ ⋯⋯ ㉡

㉠을 ㉡에 대입하면

$a(2a-3) = 5$

$2a^2 - 3a - 5 = 0$, $(a+1)(2a-5) = 0$

∴ $a = -1$ 또는 $a = \dfrac{5}{2}$

$a$는 정수이므로 $a = -1$

$a = -1$을 ㉠에 대입하면 $b = -5$

∴ $a^2 + b^2 = (-1)^2 + (-5)^2 = 26$ 답 26

**104** 등비수열 $\{a_n\}$의 첫째항을 $a$, 공비를 $r$라 하면

$a_1 + a_4 = a + ar^3 = 18$ ⋯⋯ ㉠

$a_4 + a_7 = ar^3 + ar^6$
$= r^3(a + ar^3) = 144$ ⋯⋯ ㉡

㉡÷㉠을 하면

$r^3 = 8$ ∴ $r = 2$

$r = 2$를 ㉠에 대입하면

$a + 8a = 18$ ∴ $a = 2$

따라서 첫째항부터 제7항까지의 합 $S_7$은

$S_7 = \dfrac{2(2^7 - 1)}{2 - 1} = 254$ 답 254

**105** 주어진 등비수열의 첫째항부터 제 $n$항까지의 합을 $S_n$이라 하면 첫째항이 4, 공비가 2이므로

$S_n = \dfrac{4(2^n - 1)}{2 - 1} = 4 \times 2^n - 4$

$4 \times 2^n - 4 > 800$, $2^n > 201$

$2^7 = 128$, $2^8 = 256$이므로 $n \geq 8$

따라서 첫째항부터 제8항까지의 합이 처음으로 800보다 커진다. 답 ③

**106** 등비수열 $\{a_n\}$의 첫째항을 $a$, 공비를 $r$라 하면

$a_1 + a_2 + a_3 = a + ar + ar^2$
$= a(1 + r + r^2) = 1$ ⋯⋯ ㉠

$a_4 + a_5 + a_6 = ar^3 + ar^4 + ar^5$
$= ar^3(1 + r + r^2) = 8$ ⋯⋯ ㉡

㉡÷㉠을 하면 $r^3 = 8$

∴ $a_7 + a_8 + a_9 = ar^6 + ar^7 + ar^8$
$= ar^6(1 + r + r^2)$
$= r^6 \times a(1 + r + r^2)$
$= (r^3)^2 \times 1 = 8^2 = 64$ 답 64

**107** $S_n = 4^n - 2$이므로

$a_1 = S_1 = 4 - 2 = 2$

$a_5 = S_5 - S_4$
$= (4^5 - 2) - (4^4 - 2)$
$= 4^4(4 - 1) = 768$

∴ $a_1 + a_5 = 770$ 답 ③

**108** 두 곡선 $y = x^3 - 4x^2 + 14x$와 $y = 3x^2 + k$가 서로 다른 세 점에서 만나므로 삼차방정식 $x^3 - 7x^2 + 14x - k = 0$은 서로 다른 세 실근을 갖는다.

이 세 실근이 등비수열을 이루므로 $a$, $ar$, $ar^2$으로 놓으면 삼차방정식의 근과 계수의 관계에 의하여

$a + ar + ar^2 = a(1 + r + r^2) = 7$ ⋯⋯ ㉠

$a^2r + a^2r^2 + a^2r^3 = a^2r(1 + r + r^2) = 14$ ⋯⋯ ㉡

$a \times ar \times ar^2 = a^3r^3 = (ar)^3 = k$

㉡÷㉠을 하면 $ar = 2$

∴ $k = (ar)^3 = 2^3 = 8$ 답 ④

**109** $n$개월 후의 적립금의 원리합계가 5억 원 이상이어야 하므로

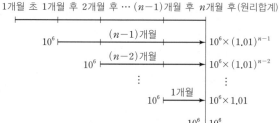

1개월 초 1개월 후 2개월 후 ⋯ $(n-1)$개월 후 $n$개월 후 (원리합계)

$10^6 + 10^6 \times 1.01 + 10^6 \times (1.01)^2 + \cdots$
$+ 10^6 \times (1.01)^{n-1} \geq 5 \times 10^8$

$\dfrac{10^6\{(1.01)^n - 1\}}{1.01 - 1} \geq 5 \times 10^8$, $1.01^n \geq 6$

양변에 상용로그를 취하면

$\log 1.01^n \geq \log 6$, $n \log 1.01 \geq \log 6$

∴ $n \geq \dfrac{\log 2 + \log 3}{\log 1.01} = \dfrac{0.3 + 0.48}{0.0043} = 181.\times\times\times$

따라서 예원이는 182개월 후에 집을 살 수 있다.

답 182개월

참고

매년 말에 $a$원씩, 연이율 $r$의 복리로 $n$년간 적립할 때, 원리합계 $S$는

➡ $S = \dfrac{a\{(1+r)^n - 1\}}{r}$

**001** $a_1+a_2+a_3+\cdots+a_{15}=\sum\limits_{k=1}^{15} a_k$

답 $\sum\limits_{k=1}^{15} a_k$

**002** $1+3+5+\cdots+(2n-1)=\sum\limits_{k=1}^{n}(2k-1)$

답 $\sum\limits_{k=1}^{n}(2k-1)$

**003** $1+\dfrac{1}{2}+\dfrac{1}{3}+\cdots+\dfrac{1}{n}=\sum\limits_{k=1}^{n}\dfrac{1}{k}$

답 $\sum\limits_{k=1}^{n}\dfrac{1}{k}$

**004** $1\times 2+2\times 3+3\times 4+\cdots+n(n+1)=\sum\limits_{k=1}^{n}k(k+1)$

답 $\sum\limits_{k=1}^{n}k(k+1)$

**005** $1^2+2^2+3^2+\cdots+10^2=\sum\limits_{k=1}^{10}k^2$

답 $\sum\limits_{k=1}^{10}k^2$

**006** $3+3^2+3^3+\cdots+3^7=\sum\limits_{k=1}^{7}3^k$

답 $\sum\limits_{k=1}^{7}3^k$

**007** $\dfrac{1}{1\times 2}+\dfrac{1}{2\times 3}+\dfrac{1}{3\times 4}+\cdots+\dfrac{1}{99\times 100}=\sum\limits_{k=1}^{99}\dfrac{1}{k(k+1)}$

답 $\sum\limits_{k=1}^{99}\dfrac{1}{k(k+1)}$

**008** $\sum\limits_{k=1}^{50} a_k=\sum\limits_{i=\boxed{1}}^{50} a_i=\sum\limits_{j=1}^{\boxed{50}}\boxed{a_j}$

답 풀이 참조

**009** $\sum\limits_{k=1}^{5}(2k+3)=\sum\limits_{i=1}^{5}(\boxed{2i+3})=\sum\limits_{j=\boxed{1}}^{\boxed{5}}(2j+3)$

답 풀이 참조

**010** $\sum\limits_{k=1}^{5} a_k+\sum\limits_{k=6}^{10} a_k=\sum\limits_{k=\boxed{1}}^{\boxed{10}} a_k$

답 풀이 참조

**011** $\sum\limits_{k=1}^{5}2k=2+4+6+8+10$

답 $2+4+6+8+10$

**012** $\sum\limits_{k=1}^{5}5=5+5+5+5+5$

답 $5+5+5+5+5$

**013** $\sum\limits_{i=1}^{5}(-1)^i=-1+1-1+1-1$

답 $-1+1-1+1-1$

**014** $\sum\limits_{i=1}^{20}5^i=5^1+5^2+5^3+\cdots+5^{20}$

답 $5^1+5^2+5^3+\cdots+5^{20}$

**015** $\sum\limits_{k=1}^{5}k^2+\sum\limits_{k=1}^{5}2k=\sum\limits_{k=1}^{5}(\boxed{k^2+2k})$

답 $k^2+2k$

**016** $\sum\limits_{k=1}^{20}(k^2-4k+4)=\sum\limits_{k=1}^{\boxed{20}}k^2-\sum\limits_{k=1}^{\boxed{20}}\boxed{4k}+\sum\limits_{k=1}^{20}\boxed{4}$

답 $20,\ 20,\ 4k,\ 4$

**017** $\sum\limits_{k=1}^{8}3k^2=3\sum\limits_{k=1}^{8}\boxed{k^2}$

답 $k^2$

**018** $\sum\limits_{k=1}^{6}7=\boxed{42}$

답 $42$

**019** $\sum\limits_{k=1}^{10}(a_k+b_k)=\sum\limits_{k=1}^{10}a_k+\sum\limits_{k=1}^{10}b_k$
$=5+(-3)=2$

답 $2$

**020** $\sum\limits_{k=1}^{10}(3a_k-b_k)=3\sum\limits_{k=1}^{10}a_k-\sum\limits_{k=1}^{10}b_k$
$=3\times 5-(-3)=18$

답 $18$

**021** $\sum\limits_{k=1}^{10}(a_k+2b_k-1)=\sum\limits_{k=1}^{10}a_k+2\sum\limits_{k=1}^{10}b_k-\sum\limits_{k=1}^{10}1$
$=5+2\times(-3)-1\times 10$
$=-11$

답 $-11$

**022** $\sum\limits_{k=1}^{7}(a_k+1)^2=\sum\limits_{k=1}^{7}(a_k^2+2a_k+1)$
$=\sum\limits_{k=1}^{7}a_k^2+2\sum\limits_{k=1}^{7}a_k+\sum\limits_{k=1}^{7}1$
$=6+2\times 3+1\times 7=19$

답 $19$

**023** $\sum\limits_{k=1}^{7}a_k(a_k-1)=\sum\limits_{k=1}^{7}(a_k^2-a_k)$
$=\sum\limits_{k=1}^{7}a_k^2-\sum\limits_{k=1}^{7}a_k$
$=6-3=3$

답 $3$

**024** $\sum\limits_{k=1}^{7}(a_k+1)(a_k-1)=\sum\limits_{k=1}^{7}(a_k^2-1)$
$=\sum\limits_{k=1}^{7}a_k^2-\sum\limits_{k=1}^{7}1$
$=6-1\times 7=-1$

답 $-1$

**025** $1+2+3+\cdots+20=\sum\limits_{k=1}^{20}k$
$=\dfrac{20\times 21}{2}=210$

답 $210$

**026** $1^2+2^2+3^2+\cdots+10^2=\sum\limits_{k=1}^{10}k^2$
$=\dfrac{10\times 11\times 21}{6}=385$

답 $385$

**027** $1^3+2^3+3^3+\cdots+10^3=\sum\limits_{k=1}^{10}k^3$
$=\left(\dfrac{10\times 11}{2}\right)^2=3025$

답 $3025$

**028** $\sum\limits_{k=1}^{20}5=5\times 20=100$

답 $100$

**029** $\sum\limits_{k=1}^{15}2k=2\sum\limits_{k=1}^{15}k$
$=2\times\dfrac{15\times 16}{2}=240$

답 $240$

**030** 
$$\sum_{k=1}^{12}(k+5)=\sum_{k=1}^{12}k+\sum_{k=1}^{12}5$$
$$=\frac{12\times13}{2}+5\times12$$
$$=78+60=138$$

답 138

**031**
$$\sum_{k=1}^{9}(3k-10)=3\sum_{k=1}^{9}k-\sum_{k=1}^{9}10$$
$$=3\times\frac{9\times10}{2}-10\times9$$
$$=135-90=45$$

답 45

**032**
$$\sum_{k=1}^{10}(k^2+3)=\sum_{k=1}^{10}k^2+\sum_{k=1}^{10}3$$
$$=\frac{10\times11\times21}{6}+3\times10$$
$$=385+30=415$$

답 415

**033**
$$\sum_{k=1}^{6}(k+1)(k+2)=\sum_{k=1}^{6}(k^2+3k+2)$$
$$=\sum_{k=1}^{6}k^2+3\sum_{k=1}^{6}k+\sum_{k=1}^{6}2$$
$$=\frac{6\times7\times13}{6}+3\times\frac{6\times7}{2}+2\times6$$
$$=91+63+12=166$$

답 166

**034**
$$\sum_{k=1}^{10}(k^3+1)=\sum_{k=1}^{10}k^3+\sum_{k=1}^{10}1$$
$$=\left(\frac{10\times11}{2}\right)^2+1\times10$$
$$=3025+10=3035$$

답 3035

**035** 

답 $\sum_{k=1}^{n}(2k-1)$

**036**

답 $\sum_{k=1}^{n}(3-5k)$

**037** 수열 3, 7, 11, 15, …은 첫째항이 3, 공차가 4인 등차수열이므로 일반항 $a_n$은
$$a_n=3+(n-1)\times4=4n-1$$
$4n-1=39$에서 $4n=40$
$$\therefore n=10$$
따라서 첫째항부터 제10항까지의 합은
$$\sum_{k=1}^{10}(4k-1)=4\sum_{k=1}^{10}k-\sum_{k=1}^{10}1$$
$$=4\times\frac{10\times11}{2}-1\times10$$
$$=210$$

답 210

**038** 수열 $-4$, $-1$, 2, 5, …은 첫째항이 $-4$, 공차가 3인 등차수열이므로 일반항 $a_n$은
$$a_n=-4+(n-1)\times3=3n-7$$
$3n-7=14$에서 $3n=21$
$$\therefore n=7$$
따라서 첫째항부터 제7항까지의 합은
$$\sum_{k=1}^{7}(3k-7)=3\sum_{k=1}^{7}k-\sum_{k=1}^{7}7$$
$$=3\times\frac{7\times8}{2}-7\times7$$
$$=35$$

답 35

**039** 수열 20, 18, 16, 14, …은 첫째항이 20, 공차가 $-2$인 등차수열이므로 일반항 $a_n$은
$$a_n=20+(n-1)\times(-2)=-2n+22$$
$-2n+22=6$에서 $2n=16$
$$\therefore n=8$$
따라서 첫째항부터 제8항까지의 합은
$$\sum_{k=1}^{8}(-2k+22)=-2\sum_{k=1}^{8}k+\sum_{k=1}^{8}22$$
$$=-2\times\frac{8\times9}{2}+22\times8$$
$$=104$$

답 104

**040** 수열 $-2$, $-7$, $-12$, $-17$, …은 첫째항이 $-2$, 공차가 $-5$인 등차수열이므로 일반항 $a_n$은
$$a_n=-2+(n-1)\times(-5)=-5n+3$$
$-5n+3=-47$에서 $5n=50$
$$\therefore n=10$$
따라서 첫째항부터 제10항까지의 합은
$$\sum_{k=1}^{10}(-5k+3)=-5\sum_{k=1}^{10}k+\sum_{k=1}^{10}3$$
$$=-5\times\frac{10\times11}{2}+3\times10$$
$$=-245$$

답 $-245$

**[041-043]** 첫째항부터 제$n$항까지의 합을 $S_n$이라 하면

**041** $\sum_{k=1}^{n}a_k=S_n=n^2+2n$이므로 수열의 합과 일반항 사이의 관계에서
(ⅰ) $n\geq2$일 때,
$$a_n=S_n-S_{n-1}$$
$$=(n^2+2n)-\{(n-1)^2+2(n-1)\}$$
$$=2n+1 \quad\cdots\cdots\ㄱ$$
(ⅱ) $n=1$일 때,
$$a_1=S_1=3$$
$a_1=3$은 ㉠에 $n=1$을 대입한 것과 같으므로
$$a_n=2n+1$$

답 $a_n=2n+1$

**042** $\sum_{k=1}^{n}a_k=S_n=n^2+2n+1$이므로 수열의 합과 일반항 사이의 관계에서
(ⅰ) $n\geq2$일 때,
$$a_n=S_n-S_{n-1}$$
$$=(n^2+2n+1)-\{(n-1)^2+2(n-1)+1\}$$
$$=2n+1 \quad\cdots\cdots\ㄱ$$
(ⅱ) $n=1$일 때,
$$a_1=S_1=4$$
$a_1=4$는 ㉠에 $n=1$을 대입한 것과 같지 않으므로
$$a_1=4,\ a_n=2n+1\ (단,\ n\geq2)$$

답 $a_1=4,\ a_n=2n+1$ (단, $n\geq2$)

**043** $\sum\limits_{k=1}^{n} a_k = S_n = 2n^2 - n + 3$이므로 수열의 합과 일반항 사이의 관계에서

(i) $n \geq 2$일 때,

$\quad a_n = S_n - S_{n-1}$

$\qquad = (2n^2 - n + 3) - \{2(n-1)^2 - (n-1) + 3\}$

$\qquad = 4n - 3 \quad \cdots\cdots \ \textcircled{\scriptsize ㉠}$

(ii) $n = 1$일 때, $a_1 = S_1 = 4$

$a_1 = 4$는 ㉠에 $n = 1$을 대입한 것과 같지 않으므로

$a_1 = 4,\ a_n = 4n - 3$ (단, $n \geq 2$)

　　　　　　　🔲 $a_1 = 4,\ a_n = 4n - 3$ (단, $n \geq 2$)

**044** $\sum\limits_{k=1}^{20}\left(\dfrac{1}{k} - \dfrac{1}{k+1}\right)$

$= \left(1 - \dfrac{1}{2}\right) + \left(\dfrac{1}{2} - \dfrac{1}{3}\right) + \cdots + \left(\dfrac{1}{20} - \dfrac{1}{21}\right)$

$= 1 - \dfrac{1}{21} = \dfrac{20}{21}$　　　　　　🔲 $\dfrac{20}{21}$

**045** $\sum\limits_{k=1}^{5}\left(\dfrac{1}{2k-1} - \dfrac{1}{2k+1}\right)$

$= \left(1 - \dfrac{1}{3}\right) + \left(\dfrac{1}{3} - \dfrac{1}{5}\right) + \left(\dfrac{1}{5} - \dfrac{1}{7}\right) + \left(\dfrac{1}{7} - \dfrac{1}{9}\right) + \left(\dfrac{1}{9} - \dfrac{1}{11}\right)$

$= 1 - \dfrac{1}{11} = \dfrac{10}{11}$　　　　　🔲 $\dfrac{10}{11}$

**046** $\sum\limits_{k=1}^{6}\left(\dfrac{1}{k} - \dfrac{1}{k+2}\right)$

$= \left(1 - \dfrac{1}{3}\right) + \left(\dfrac{1}{2} - \dfrac{1}{4}\right) + \left(\dfrac{1}{3} - \dfrac{1}{5}\right) + \left(\dfrac{1}{4} - \dfrac{1}{6}\right)$

$\qquad\qquad\qquad + \left(\dfrac{1}{5} - \dfrac{1}{7}\right) + \left(\dfrac{1}{6} - \dfrac{1}{8}\right)$

$= 1 + \dfrac{1}{2} - \dfrac{1}{7} - \dfrac{1}{8} = \dfrac{69}{56}$　　🔲 $\dfrac{69}{56}$

**047** $\sum\limits_{k=1}^{8}\left(\sqrt{k} - \sqrt{k+1}\right)$

$= (1 - \sqrt{2}) + (\sqrt{2} - \sqrt{3}) + \cdots + (\sqrt{8} - \sqrt{9})$

$= 1 - \sqrt{9} = -2$　　　　　　　🔲 $-2$

**048** $\sum\limits_{k=1}^{12}\left(\sqrt{2k-1} - \sqrt{2k+1}\right)$

$= (1 - \sqrt{3}) + (\sqrt{3} - \sqrt{5}) + \cdots + (\sqrt{23} - \sqrt{25})$

$= 1 - \sqrt{25} = -4$　　　　　　🔲 $-4$

**049** $\dfrac{1}{x(x+1)} = \dfrac{1}{x} - \dfrac{1}{\boxed{x+1}}$　　　🔲 $x+1$

**050** $\dfrac{1}{x(x+3)} = \dfrac{1}{\boxed{3}}\left(\dfrac{1}{x} - \dfrac{1}{\boxed{x+3}}\right)$　🔲 $3,\ x+3$

**051** $\sum\limits_{k=1}^{4}\dfrac{1}{k(k+1)} = \sum\limits_{k=1}^{4}\left(\dfrac{1}{k} - \dfrac{1}{k+1}\right)$

$\qquad\qquad = \left(1 - \dfrac{1}{2}\right) + \left(\dfrac{1}{2} - \dfrac{1}{3}\right) + \left(\dfrac{1}{3} - \dfrac{1}{4}\right) + \left(\dfrac{1}{4} - \dfrac{1}{5}\right)$

$\qquad\qquad = 1 - \dfrac{1}{5} = \dfrac{4}{5}$　　　　🔲 $\dfrac{4}{5}$

**052** $\sum\limits_{k=1}^{5}\dfrac{2}{k(k+2)}$

$= \sum\limits_{k=1}^{5}\left(\dfrac{1}{k} - \dfrac{1}{k+2}\right)$

$= \left(1 - \dfrac{1}{3}\right) + \left(\dfrac{1}{2} - \dfrac{1}{4}\right) + \left(\dfrac{1}{3} - \dfrac{1}{5}\right) + \left(\dfrac{1}{4} - \dfrac{1}{6}\right) + \left(\dfrac{1}{5} - \dfrac{1}{7}\right)$

$= 1 + \dfrac{1}{2} - \dfrac{1}{6} - \dfrac{1}{7}$

$= \dfrac{50}{42} = \dfrac{25}{21}$　　　　　　🔲 $\dfrac{25}{21}$

**053** $3, 5, 7, \cdots$은 첫째항이 $3$, 공차가 $2$인 등차수열이므로 일반항 $a_n$은

$a_n = 3 + (n-1) \times 2 = 2n + 1$

$2n + 1 = 21$에서 $n = 10$이므로

$3 + 5 + 7 + \cdots + 21 = \sum\limits_{k=1}^{10}(2k+1)$

따라서 $a = 10,\ b = 2,\ c = 1$이므로

$a + b + c = 13$　　　　　　　🔲 $13$

**054** $\sum\limits_{k=1}^{8} a_k = a_1 + a_2 + \cdots + a_7 + a_8$

$\sum\limits_{k=1}^{7} a_k = a_1 + a_2 + \cdots + a_7$

$\therefore a_8 = \sum\limits_{k=1}^{8} a_k - \sum\limits_{k=1}^{7} a_k = 5$　　🔲 $5$

**055** $\sum\limits_{k=2}^{10} a_k = a_2 + a_3 + \cdots + a_9 + a_{10}$

$\sum\limits_{k=1}^{9} a_k = a_1 + a_2 + a_3 + \cdots + a_9$

$\therefore a_{10} - a_1 = \sum\limits_{k=2}^{10} a_k - \sum\limits_{k=1}^{9} a_k = 2 - 3 = -1$　🔲 ②

**056** $\sum\limits_{k=1}^{9} a_{k+1} = a_2 + a_3 + \cdots + a_9 + a_{10}$

$\sum\limits_{k=2}^{10} a_{k-1} = a_1 + a_2 + a_3 + \cdots + a_9$

$\therefore \sum\limits_{k=1}^{9} a_{k+1} - \sum\limits_{k=2}^{10} a_{k-1} = a_{10} - a_1 = 45 - 2 = 43$　🔲 ②

**057** $a_5 = a_1 + 4 \times 3$

$a_6 = a_1 + 5 \times 3 = (a_1 + 3) + 4 \times 3 = a_2 + 4 \times 3$

$a_7 = a_1 + 6 \times 3 = (a_1 + 2 \times 3) + 4 \times 3 = a_3 + 4 \times 3$

$a_8 = a_1 + 7 \times 3 = (a_1 + 3 \times 3) + 4 \times 3 = a_4 + 4 \times 3$

이므로 $a_5 - a_1 = a_6 - a_2 = a_7 - a_3 = a_8 - a_4 = 12$

$\therefore \sum\limits_{k=5}^{8} a_k - \sum\limits_{k=1}^{4} a_k = (a_5 + a_6 + a_7 + a_8) - (a_1 + a_2 + a_3 + a_4)$

$\qquad\qquad = (a_5 - a_1) + (a_6 - a_2) + (a_7 - a_3) + (a_8 - a_4)$

$\qquad\qquad = 12 + 12 + 12 + 12$

$\qquad\qquad = 48$　　　　　　　🔲 ④

**058** $f(1) = 3,\ f(2) = 9,\ f(3) = 7,\ f(4) = 1,\ f(5) = 3,\ \cdots$

$f(n)$의 값은 $3, 9, 7, 1$이 반복되고, $50 = 4 \times 12 + 2$이므로

$\sum\limits_{k=1}^{50} f(k) = (3 + 9 + 7 + 1) + \cdots + (3 + 9 + 7 + 1) + 3 + 9$

$\qquad = 20 \times 12 + 12$

$\qquad = 252$　　　　　　　🔲 ④

**059**
$$\sum_{k=1}^{10}(a_k-2b_k)=\sum_{k=1}^{10}a_k-\sum_{k=1}^{10}2b_k$$
$$=\sum_{k=1}^{10}a_k-2\sum_{k=1}^{10}b_k$$
$$=30-2\times12=6$$
달 6

**060**
$$\sum_{k=1}^{n}(a_k^{2}+b_k^{2})=\sum_{k=1}^{n}\{(a_k+b_k)^2-2a_kb_k\}$$
$$=\sum_{k=1}^{n}(a_k+b_k)^2-2\sum_{k=1}^{n}a_kb_k$$
$$=25-2\times5=15$$
달 ③

**061**
$$\sum_{k=1}^{100}(a_k+1)^2=\sum_{k=1}^{100}(a_k^{2}+2a_k+1)=500 \quad\cdots\cdots\text{㉠}$$
$$\sum_{k=1}^{100}(a_k+2)^2=\sum_{k=1}^{100}(a_k^{2}+4a_k+4)=1000 \quad\cdots\cdots\text{㉡}$$
㉡-㉠을 하면
$$\sum_{k=1}^{100}\{(a_k^{2}+4a_k+4)-(a_k^{2}+2a_k+1)\}=500$$
$$\sum_{k=1}^{100}(2a_k+3)=2\sum_{k=1}^{100}a_k+3\times100=500$$
$$\therefore \sum_{k=1}^{100}a_k=100$$
달 ④

**062**
$$\sum_{k=1}^{10}(3k-4)=3\sum_{k=1}^{10}k-\sum_{k=1}^{10}4$$
$$=3\times\frac{10\times11}{2}-4\times10=125$$
달 ②

**063**
$$\sum_{k=1}^{10}(k+3)(k-3)=\sum_{k=1}^{10}(k^2-9)=\sum_{k=1}^{10}k^2-\sum_{k=1}^{10}9$$
$$=\frac{10\times11\times21}{6}-9\times10=295$$
달 295

**064**
$$\sum_{k=1}^{10}(k^2-2k+3)+\sum_{i=1}^{10}(i^2+i-3)$$
$$=\sum_{k=1}^{10}(k^2-2k+3)+\sum_{k=1}^{10}(k^2+k-3)$$
$$=\sum_{k=1}^{10}(2k^2-k)$$
$$=2\sum_{k=1}^{10}k^2-\sum_{k=1}^{10}k$$
$$=2\times\frac{10\times11\times21}{6}-\frac{10\times11}{2}=715$$
달 ④

**065**
$$\sum_{k=1}^{10}(k^3+3k)=\sum_{k=1}^{10}k^3+3\sum_{k=1}^{10}k$$
$$=\left(\frac{10\times11}{2}\right)^2+3\times\frac{10\times11}{2}$$
$$=3190$$
달 ⑤

**066**
$$\sum_{k=1}^{n}(4k^2+2k)=4\sum_{k=1}^{n}k^2+2\sum_{k=1}^{n}k$$
$$=4\times\frac{n(n+1)(2n+1)}{6}+2\times\frac{n(n+1)}{2}$$
$$=\frac{1}{3}n(n+1)(4n+5)=406$$
따라서 $n(n+1)(4n+5)=3\times406=6\times7\times29$이므로
$$n=6$$
달 6

**067**
$1+2+3+\cdots+k=\sum_{i=1}^{k}i=\dfrac{k(k+1)}{2}$이므로
$$\sum_{k=1}^{20}\frac{1+2+3+\cdots+k}{k}=\sum_{k=1}^{20}\frac{1}{k}\times\frac{k(k+1)}{2}$$
$$=\frac{1}{2}\sum_{k=1}^{20}(k+1)$$
$$=\frac{1}{2}\left(\frac{20\times21}{2}+1\times20\right)$$
$$=115$$
달 ③

**068**
$$\sum_{n=1}^{20}\log a_n=\sum_{k=1}^{10}\log a_{2k-1}+\sum_{k=1}^{10}\log a_{2k}$$
$$=\sum_{k=1}^{10}\log5^k+\sum_{k=1}^{10}\log2^k$$
$$=\sum_{k=1}^{10}k\log5+\sum_{k=1}^{10}k\log2$$
$$=\log5\sum_{k=1}^{10}k+\log2\sum_{k=1}^{10}k$$
$$=(\log5+\log2)\sum_{k=1}^{10}k$$
$$=\log10\times\frac{10\times11}{2}=55$$
달 ③

**069**
$$\sum_{k=1}^{7}(k-a)^2=\sum_{k=1}^{7}(k^2-2ak+a^2)$$
$$=\sum_{k=1}^{7}k^2-2a\sum_{k=1}^{7}k+\sum_{k=1}^{7}a^2$$
$$=\frac{7\times8\times15}{6}-2a\times\frac{7\times8}{2}+7a^2$$
$$=7a^2-56a+140$$
$$=7(a-4)^2+28$$
따라서 주어진 값은 $a=4$일 때 최솟값 28을 갖는다.
달 ②

**070**
$x^2-(n+1)x-(n+2)=0$의 두 근이 $a_n$, $\beta_n$이므로
이차방정식의 근과 계수의 관계에 의하여
$a_n+\beta_n=n+1$, $a_n\beta_n=-(n+2)$
$$\therefore \sum_{n=1}^{10}(a_n^{2}+\beta_n^{2})=\sum_{n=1}^{10}\{(a_n+\beta_n)^2-2a_n\beta_n\}$$
$$=\sum_{n=1}^{10}\{(n+1)^2+2(n+2)\}$$
$$=\sum_{n=1}^{10}(n^2+4n+5)$$
$$=\sum_{n=1}^{10}n^2+4\sum_{n=1}^{10}n+\sum_{n=1}^{10}5$$
$$=\frac{10\times11\times21}{6}+4\times\frac{10\times11}{2}+5\times10$$
$$=655$$
달 655

**071**
$$\sum_{k=0}^{9}(2k+1)^2+\sum_{k=1}^{10}(2k)^2$$
$$=(1^2+3^2+\cdots+19^2)+(2^2+4^2+\cdots+20^2)$$
$$=1^2+2^2+3^2+\cdots+20^2$$
$$=\sum_{k=1}^{20}k^2=\frac{20\times21\times41}{6}$$
$$=2870$$
달 ③

**072**
$\displaystyle\sum_{k=1}^{n}(k^2+1)=\sum_{k=0}^{n-1}(k^2-1)+195$에서

$$\sum_{k=1}^{n}(k^2+1)-\sum_{k=0}^{n-1}(k^2-1)$$

$$=\sum_{k=1}^{n}(k^2+1)-\left\{(-1)+\sum_{k=1}^{n}(k^2-1)-(n^2-1)\right\}$$

$$=\sum_{k=1}^{n}\{k^2+1-(k^2-1)\}+n^2$$

$$=\sum_{k=1}^{n}2+n^2$$

$$=n^2+2n=195$$

이므로 $n^2+2n-195=0$

$(n-13)(n+15)=0$　　∴ $n=13$ (∵ $n$은 자연수)　　**탑** 13

---

**073**　$\displaystyle\sum_{k=1}^{10}2k=2+4+6+\cdots+20$

$\displaystyle\sum_{k=2}^{10}2k=4+6+\cdots+20$

$\displaystyle\sum_{k=3}^{10}2k=6+\cdots+20$

　　　⋮

$\displaystyle\sum_{k=10}^{10}2k=20$

$\therefore \displaystyle\sum_{k=1}^{10}2k+\sum_{k=2}^{10}2k+\sum_{k=3}^{10}2k+\cdots+\sum_{k=10}^{10}2k$

$=2+2\times4+3\times6+\cdots+10\times20$

$=2\times1^2+2\times2^2+2\times3^2+\cdots+2\times10^2$

$=\displaystyle\sum_{k=1}^{10}2k^2=2\times\frac{10\times11\times21}{6}=770$　　**탑** ①

---

**074**　주어진 수열 $1+1^2,\ 2+2^2,\ 3+3^2,\ \cdots$의 제$k$항을 $a_k$라 하면

$a_k=k+k^2$

따라서 첫째항부터 제10항까지의 합은

$\displaystyle\sum_{k=1}^{10}(k+k^2)=\sum_{k=1}^{10}k+\sum_{k=1}^{10}k^2$

$\displaystyle=\frac{10\times11}{2}+\frac{10\times11\times21}{6}$

$=440$　　**탑** ⑤

---

**075**　$1\times10+2\times9+3\times8+\cdots+9\times2+10\times1$

$=\displaystyle\sum_{k=1}^{10}k(11-k)=\sum_{k=1}^{10}(11k-k^2)=11\sum_{k=1}^{10}k-\sum_{k=1}^{10}k^2$

$=11\times\dfrac{10\times11}{2}-\dfrac{10\times11\times21}{6}=220$　　**탑** ②

---

**076**　주어진 수열의 제$k$항을 $a_k$라 하면

$a_k=1+2+3+\cdots+k$

$\displaystyle=\frac{k(k+1)}{2}=\frac{k^2+k}{2}$

주어진 식은 첫째항부터 제10항까지의 합이므로

$\displaystyle\sum_{k=1}^{10}a_k=\sum_{k=1}^{10}\frac{k^2+k}{2}=\frac{1}{2}\sum_{k=1}^{10}(k^2+k)$

$\displaystyle=\frac{1}{2}\left(\frac{10\times11\times21}{6}+\frac{10\times11}{2}\right)=220$　　**탑** ④

---

**077**　첫째항부터 제$n$항까지의 합을 $S_n$이라 하면

$\displaystyle\sum_{k=1}^{n}a_k=S_n=n^2-2n$이므로

$n\geq2$일 때,

---

$a_n=S_n-S_{n-1}$

$=(n^2-2n)-\{(n-1)^2-2(n-1)\}$

$=2n-3$

$\therefore a_{35}=2\times35-3=67$　　**탑** 67

---

**078**　첫째항부터 제$n$항까지의 합을 $S_n$이라 하면

$\displaystyle\sum_{k=1}^{n}a_k=S_n=n^2$이므로

(i) $n\geq2$일 때,

　　$a_n=S_n-S_{n-1}$

　　$=n^2-(n-1)^2$

　　$=2n-1$

(ii) $n=1$일 때,

　　$a_1=S_1=1$

$a_1=1$은 $a_n=2n-1$에 $n=1$을 대입한 것과 같다.

$\therefore a_n=2n-1$

$\therefore \displaystyle\sum_{k=1}^{10}a_k^2=\sum_{k=1}^{10}(2k-1)^2$

$=\displaystyle\sum_{k=1}^{10}(4k^2-4k+1)$

$=4\displaystyle\sum_{k=1}^{10}k^2-4\sum_{k=1}^{10}k+\sum_{k=1}^{10}1$

$=4\times\dfrac{10\times11\times21}{6}-4\times\dfrac{10\times11}{2}+1\times10$

$=1330$　　**탑** ③

---

**079**　첫째항부터 제$n$항까지의 합을 $S_n$이라 하면

$\displaystyle\sum_{k=1}^{n}a_k=S_n=n^2-n$이므로

(i) $n\geq2$일 때,

　　$a_n=S_n-S_{n-1}$

　　$=(n^2-n)-\{(n-1)^2-(n-1)\}$

　　$=2n-2$

(ii) $n=1$일 때,

　　$a_1=S_1=0$

$a_1=0$은 $a_n=2n-2$에 $n=1$을 대입한 것과 같다.

$\therefore a_n=2n-2$

$\therefore \displaystyle\sum_{k=1}^{10}a_{2k}=\sum_{k=1}^{10}(2\times2k-2)=\sum_{k=1}^{10}(4k-2)$

$=4\displaystyle\sum_{k=1}^{10}k-\sum_{k=1}^{10}2$

$=4\times\dfrac{10\times11}{2}-2\times10=200$　　**탑** ⑤

---

**080**　$\displaystyle\sum_{i=1}^{6}\left(\sum_{k=1}^{i}2k\right)=\sum_{i=1}^{6}\left(2\sum_{k=1}^{i}k\right)=\sum_{i=1}^{6}\left\{2\times\frac{i(i+1)}{2}\right\}$

$=\displaystyle\sum_{i=1}^{6}(i^2+i)=\sum_{i=1}^{6}i^2+\sum_{i=1}^{6}i$

$=\dfrac{6\times7\times13}{6}+\dfrac{6\times7}{2}$

$=91+21=112$　　**탑** 112

---

**081**　$\displaystyle\sum_{i=1}^{5}\left(\sum_{j=1}^{10}2ij\right)=\sum_{i=1}^{5}\left(2i\sum_{j=1}^{10}j\right)=\sum_{i=1}^{5}2i\times\frac{10\times11}{2}$

$=110\displaystyle\sum_{i=1}^{5}i=110\times\dfrac{5\times6}{2}=1650$　　**탑** 1650

**082** $\sum\limits_{i=1}^{n}\left(\sum\limits_{k=1}^{i}k\right)=\sum\limits_{i=1}^{n}\dfrac{i(i+1)}{2}=\dfrac{1}{2}\sum\limits_{i=1}^{n}(i^2+i)$

$\qquad =\dfrac{1}{2}\left(\sum\limits_{i=1}^{n}i^2+\sum\limits_{i=1}^{n}i\right)$

$\qquad =\dfrac{1}{2}\left\{\dfrac{n(n+1)(2n+1)}{6}+\dfrac{n(n+1)}{2}\right\}$

$\qquad =\dfrac{1}{6}n(n+1)(n+2)=35$

$\qquad n(n+1)(n+2)=6\times35=5\times6\times7$

$\qquad \therefore n=5$ 답 ②

**083** $\sum\limits_{k=1}^{5}(2^k+k)=\sum\limits_{k=1}^{5}2^k+\sum\limits_{k=1}^{5}k=(2+2^2+2^3+2^4+2^5)+\sum\limits_{k=1}^{5}k$

$\qquad =\dfrac{2(2^5-1)}{2-1}+\dfrac{5\times6}{2}=77$ 답 77

**084** $\sum\limits_{k=1}^{5}\left(\dfrac{1}{5}k^2-3^{k+1}\right)=\dfrac{1}{5}\sum\limits_{k=1}^{5}k^2-\sum\limits_{k=1}^{5}3^{k+1}$

$\qquad =\dfrac{1}{5}\times\dfrac{5\times6\times11}{6}-\dfrac{9(3^5-1)}{3-1}$

$\qquad =11-1089=-1078$ 답 ②

**085** $\sum\limits_{k=1}^{50}\dfrac{6^k+2^k}{3^k}=\sum\limits_{k=1}^{50}\left\{2^k+\left(\dfrac{2}{3}\right)^k\right\}=\sum\limits_{k=1}^{50}2^k+\sum\limits_{k=1}^{50}\left(\dfrac{2}{3}\right)^k$

$\qquad =\dfrac{2(2^{50}-1)}{2-1}+\dfrac{\dfrac{2}{3}\left\{1-\left(\dfrac{2}{3}\right)^{50}\right\}}{1-\dfrac{2}{3}}$

$\qquad =2(2^{50}-1)+2\left\{1-\left(\dfrac{2}{3}\right)^{50}\right\}$

$\qquad =2\times2^{50}-2\times\left(\dfrac{2}{3}\right)^{50}$

따라서 $p=2,\ q=-2$이므로 $p-q=4$ 답 ⑤

**086** $\sum\limits_{k=2}^{n}\dfrac{1}{k(k-1)}=\sum\limits_{k=2}^{n}\left(\dfrac{1}{k-1}-\dfrac{1}{k}\right)$

$\qquad =\left(\dfrac{1}{1}-\dfrac{1}{2}\right)+\left(\dfrac{1}{2}-\dfrac{1}{3}\right)+\cdots+\left(\dfrac{1}{n-1}-\dfrac{1}{n}\right)$

$\qquad =1-\dfrac{1}{n}=\dfrac{n-1}{n}$ 답 ②

**087** $f(n)=\log\left(1-\dfrac{1}{n^2}\right)$에서

$1-\dfrac{1}{n^2}=\dfrac{n^2-1}{n^2}=\dfrac{n-1}{n}\times\dfrac{n+1}{n}$이므로

$\sum\limits_{k=2}^{15}f(k)$

$=\sum\limits_{k=2}^{15}\log\left(\dfrac{k-1}{k}\times\dfrac{k+1}{k}\right)$

$=\log\left(\dfrac{1}{2}\times\dfrac{3}{2}\right)+\log\left(\dfrac{2}{3}\times\dfrac{4}{3}\right)+\log\left(\dfrac{3}{4}\times\dfrac{5}{4}\right)+\cdots$

$\qquad\qquad\qquad\qquad\qquad\qquad +\log\left(\dfrac{14}{15}\times\dfrac{16}{15}\right)$

$=\log\left\{\left(\dfrac{1}{2}\times\dfrac{3}{2}\right)\times\left(\dfrac{2}{3}\times\dfrac{4}{3}\right)\times\left(\dfrac{3}{4}\times\dfrac{5}{4}\right)\times\cdots\times\left(\dfrac{14}{15}\times\dfrac{16}{15}\right)\right\}$

$=\log\left(\dfrac{1}{2}\times\dfrac{16}{15}\right)=\log\dfrac{8}{15}$

---

$t=\log\dfrac{8}{15}$이므로

$10^t=10^{\log\frac{8}{15}}=\dfrac{8}{15}$ 답 ④

**088** $\sum\limits_{k=1}^{n}\dfrac{1}{k(k+1)}=\sum\limits_{k=1}^{n}\left(\dfrac{1}{k}-\dfrac{1}{k+1}\right)$

$\qquad =\left(\dfrac{1}{1}-\dfrac{1}{2}\right)+\left(\dfrac{1}{2}-\dfrac{1}{3}\right)+\cdots+\left(\dfrac{1}{n}-\dfrac{1}{n+1}\right)$

$\qquad =1-\dfrac{1}{n+1}$

이므로 $1-\sum\limits_{k=1}^{n}\dfrac{1}{k(k+1)}\leq\dfrac{1}{200}$에서

$\dfrac{1}{n+1}\leq\dfrac{1}{200}$

$n+1\geq200\qquad\therefore n\geq199$

따라서 부등식을 만족시키는 자연수 $n$의 최솟값은 199이다.
답 199

**089** 주어진 수열의 제$k$항을 $a_k$라 하면

$a_k=\dfrac{1}{1+2+3+\cdots+k}=\dfrac{1}{\dfrac{k(k+1)}{2}}$

$\qquad =\dfrac{2}{k(k+1)}=2\left(\dfrac{1}{k}-\dfrac{1}{k+1}\right)$

따라서 첫째항부터 제20항까지의 합은

$\sum\limits_{k=1}^{20}a_k=\sum\limits_{k=1}^{20}2\left(\dfrac{1}{k}-\dfrac{1}{k+1}\right)$

$\qquad =2\left\{\left(\dfrac{1}{1}-\dfrac{1}{2}\right)+\left(\dfrac{1}{2}-\dfrac{1}{3}\right)+\cdots+\left(\dfrac{1}{20}-\dfrac{1}{21}\right)\right\}$

$\qquad =2\left(1-\dfrac{1}{21}\right)=\dfrac{40}{21}$ 답 ②

**090** $a_n=\dfrac{4}{n(n+2)}=2\left(\dfrac{1}{n}-\dfrac{1}{n+2}\right)$이므로

$\sum\limits_{k=1}^{10}a_k=\sum\limits_{k=1}^{10}2\left(\dfrac{1}{k}-\dfrac{1}{k+2}\right)$

$\qquad =2\left\{\left(\dfrac{1}{1}-\dfrac{1}{3}\right)+\left(\dfrac{1}{2}-\dfrac{1}{4}\right)+\left(\dfrac{1}{3}-\dfrac{1}{5}\right)+\cdots\right.$

$\qquad\qquad\qquad\qquad\left.+\left(\dfrac{1}{9}-\dfrac{1}{11}\right)+\left(\dfrac{1}{10}-\dfrac{1}{12}\right)\right\}$

$\qquad =2\left(1+\dfrac{1}{2}-\dfrac{1}{11}-\dfrac{1}{12}\right)=\dfrac{175}{66}$

따라서 $a=66,\ b=175$이므로

$a+b=241$ 답 241

**091** $h(n)=(f\circ g)(n)=f(g(n))=f(2n+1)$

$\qquad =(2n+1-1)(2n+1+1)$

$\qquad =2n(2n+2)=4n(n+1)$

$\therefore \sum\limits_{n=1}^{10}\dfrac{1}{h(n)}=\sum\limits_{n=1}^{10}\dfrac{1}{4n(n+1)}$

$\qquad =\dfrac{1}{4}\sum\limits_{n=1}^{10}\left(\dfrac{1}{n}-\dfrac{1}{n+1}\right)$

$\qquad =\dfrac{1}{4}\left\{\left(\dfrac{1}{1}-\dfrac{1}{2}\right)+\left(\dfrac{1}{2}-\dfrac{1}{3}\right)+\cdots+\left(\dfrac{1}{10}-\dfrac{1}{11}\right)\right\}$

$\qquad =\dfrac{1}{4}\left(\dfrac{1}{1}-\dfrac{1}{11}\right)=\dfrac{5}{22}$ 답 $\dfrac{5}{22}$

**092**

$$\sum_{k=1}^{8}(\sqrt{k+1}-\sqrt{k})$$
$$=(\sqrt{2}-\sqrt{1})+(\sqrt{3}-\sqrt{2})+\cdots+(\sqrt{9}-\sqrt{8})$$
$$=\sqrt{9}-1=2 \qquad \blacksquare\,2$$

**093**

$$\sum_{k=1}^{13}\frac{1}{\sqrt{k+3}+\sqrt{k+2}}$$
$$=\sum_{k=1}^{13}\frac{\sqrt{k+3}-\sqrt{k+2}}{(\sqrt{k+3}+\sqrt{k+2})(\sqrt{k+3}-\sqrt{k+2})}$$
$$=\sum_{k=1}^{13}(\sqrt{k+3}-\sqrt{k+2})$$
$$=(\sqrt{4}-\sqrt{3})+(\sqrt{5}-\sqrt{4})+\cdots+(\sqrt{16}-\sqrt{15})$$
$$=\sqrt{16}-\sqrt{3}=4-\sqrt{3} \qquad \blacksquare\,③$$

**094**

$$\sum_{k=1}^{n}\log_3\frac{\sqrt{k+1}}{\sqrt{k}}$$
$$=\sum_{k=1}^{n}(\log_3\sqrt{k+1}-\log_3\sqrt{k})$$
$$=(\log_3\sqrt{2}-\log_3\sqrt{1})+(\log_3\sqrt{3}-\log_3\sqrt{2})+\cdots$$
$$\qquad\qquad\qquad +(\log_3\sqrt{n+1}-\log_3\sqrt{n})$$
$$=\log_3\sqrt{n+1}-\log_3 1$$
$$=\log_3\sqrt{n+1}=2$$
$$\sqrt{n+1}=3^2=9$$이므로
$$n+1=9^2 \qquad \therefore n=80 \qquad \blacksquare\,80$$

**095** 주어진 수열을 다음과 같이 군수열로 나타낼 수 있다.

$$\left(\frac{1}{1}\right),\left(\frac{1}{2},\frac{2}{1}\right),\left(\frac{1}{3},\frac{2}{2},\frac{3}{1}\right),\left(\frac{1}{4},\frac{2}{3},\frac{3}{2},\frac{4}{1}\right),\cdots$$

제 $n$군은 항의 개수가 $n$인 군수열이므로 제1군부터 제 $n$군까지의 항의 개수를 $a_n$이라 하면

$$a_n=\sum_{k=1}^{n}k=\frac{n(n+1)}{2}$$

$$a_9=\frac{9\times10}{2}=45,\ a_{10}=\frac{10\times11}{2}=55$$이므로 제50항은 제10군의 5번째 항이다.

따라서 제10군은 $\left(\frac{1}{10},\frac{2}{9},\frac{3}{8},\frac{4}{7},\frac{5}{6},\cdots\right)$이므로

제10군의 5번째 항, 즉 제50항은 $\dfrac{5}{6}$이다. $\qquad \blacksquare\,③$

**096** 주어진 수열을 다음과 같은 군수열로 나타낼 수 있다.

$$\left(\frac{1}{2}\right),\left(\frac{1}{4},\frac{3}{4}\right),\left(\frac{1}{8},\frac{3}{8},\frac{5}{8},\frac{7}{8}\right),\cdots$$

제 $n$군은 항의 개수가 $2^{n-1}$인 군수열이므로 제1군부터 제 $n$군까지의 항의 개수는

$$\sum_{k=1}^{n}2^{k-1}=\frac{2^n-1}{2-1}=2^n-1$$

제 $n$군의 분모는 $2^n$이므로 $128=2^7$에서 $\dfrac{5}{128}$는 제7군의 세 번째 항이다.

$$\therefore k=2^6-1+3=66 \qquad \blacksquare\,66$$

**097** 주어진 수열을 다음과 같은 군수열로 나타낼 수 있다.

$$(1),(2,2,2),(3,3,3,3,3),(4,4,\cdots),\cdots$$

제 $n$군의 첫 번째 항은 $n$이고, 제 $n$군의 항의 개수는 $2n-1$이므로 제1군부터 제 $n$군까지의 항의 개수는

$$\sum_{k=1}^{n}(2k-1)=2\sum_{k=1}^{n}k-\sum_{k=1}^{n}1=2\times\frac{n(n+1)}{2}-n=n^2$$

이므로 제81항은 제9군의 17번째 항, 즉 제9군의 마지막항이 된다. 이때, 제 $n$군의 합은

$$n(2n-1)=2n^2-n$$

따라서 제1군부터 제9군까지의 합은

$$\sum_{n=1}^{9}(2n^2-n)=2\sum_{n=1}^{9}n^2-\sum_{n=1}^{9}n$$
$$=2\times\frac{9\times10\times19}{6}-\frac{9\times10}{2}=525 \qquad \blacksquare\,525$$

**098** 사용한 성냥개비의 총 개수 $a_n$을 순서대로 나열하여 규칙을 찾아보면

$$a_1=3$$
$$a_2=3+6$$
$$a_3=3+6+9$$
$$a_4=3+6+9+12$$
$$\vdots$$
$$a_n=3+6+9+12+\cdots+3n=\sum_{k=1}^{n}3k$$

$$\therefore a_{10}=\sum_{k=1}^{10}3k=3\times\frac{10\times11}{2}=165 \qquad \blacksquare\,④$$

**099** 바둑알의 개수를 순서대로 나열하여 규칙을 찾아보면

$$1,\ 1+6,\ 1+6+12,\ 1+6+12+18,\ \cdots$$

이므로 $n$번째 육각형정수는

$$1+6+12+18+\cdots+6(n-1)=1+\sum_{k=1}^{n-1}6k$$

따라서 10번째 육각형정수는

$$1+\sum_{k=1}^{9}6k=1+6\times\frac{9\times10}{2}=271 \qquad \blacksquare\,271$$

**100**

$$\sum_{k=2}^{7}a_k-\sum_{k=1}^{6}a_k$$
$$=(a_2+a_3+\cdots+a_6+a_7)-(a_1+a_2+a_3+\cdots+a_6)$$
$$=a_7-a_1=48$$

등차수열 $\{a_n\}$의 공차를 $d$라 하면

$$a_7-a_1=6d=48 \qquad \therefore d=8 \qquad \blacksquare\,④$$

**101**

$$\sum_{k=1}^{10}(a_k+1)^2=\sum_{k=1}^{10}(a_k^2+2a_k+1)$$
$$=\sum_{k=1}^{10}a_k^2+2\sum_{k=1}^{10}a_k+\sum_{k=1}^{10}1$$
$$=\sum_{k=1}^{10}a_k^2+2\times(-10)+1\times10$$
$$=\sum_{k=1}^{10}a_k^2-10=35$$

$$\therefore \sum_{k=1}^{10}a_k^2=45 \qquad \blacksquare\,③$$

**102**

$$\sum_{k=1}^{5}(k+2)^2-\sum_{k=1}^{5}(k^2+1)=\sum_{k=1}^{5}(k^2+4k+4)-\sum_{k=1}^{5}(k^2+1)$$
$$=\sum_{k=1}^{5}(4k+3)$$
$$=4\sum_{k=1}^{5}k+\sum_{k=1}^{5}3$$
$$=4\times\frac{5\times6}{2}+3\times5=75 \qquad \blacksquare\,⑤$$

**103** $a_n = 2 \times 4^{n-1} = 2 \times (2^2)^{n-1} = 2 \times 2^{2n-2} = 2^{2n-1}$이므로

$$\sum_{k=1}^{50} \log_2 a_k = \sum_{k=1}^{50} \log_2 2^{2k-1} = \sum_{k=1}^{50} (2k-1)\log_2 2$$

$$= \sum_{k=1}^{50} (2k-1) = \sum_{k=1}^{50} 2k - \sum_{k=1}^{50} 1$$

$$= 2 \times \frac{50 \times 51}{2} - 50 = 2500 \qquad \text{답 } ③$$

**104** 주어진 수열 $1 \times 1, 2 \times 3, 3 \times 5, 4 \times 7, \cdots$의 제$k$항을 $a_k$라 하면
$a_k = k(2k-1)$
따라서 첫째항부터 제$n$항까지의 합은

$$\sum_{k=1}^{n} k(2k-1) = \sum_{k=1}^{n} (2k^2 - k)$$

$$= 2\sum_{k=1}^{n} k^2 - \sum_{k=1}^{n} k$$

$$= 2 \times \frac{n(n+1)(2n+1)}{6} - \frac{n(n+1)}{2}$$

$$= \frac{1}{6} n(n+1)(4n-1)$$

$$\text{답 } \frac{1}{6} n(n+1)(4n-1)$$

**105** $\sum_{k=1}^{5} \left\{ \sum_{i=1}^{k} (i-1) \right\} = \sum_{k=1}^{5} \left( \sum_{i=1}^{k} i - \sum_{i=1}^{k} 1 \right)$

$$= \sum_{k=1}^{5} \left\{ \frac{k(k+1)}{2} - 1 \times k \right\}$$

$$= \frac{1}{2} \sum_{k=1}^{5} (k^2 - k)$$

$$= \frac{1}{2} \left( \sum_{k=1}^{5} k^2 - \sum_{k=1}^{5} k \right)$$

$$= \frac{1}{2} \left( \frac{5 \times 6 \times 11}{6} - \frac{5 \times 6}{2} \right) = 20 \qquad \text{답 } ⑤$$

**106** $\sum_{k=2}^{10} \frac{1}{k^2 - 1} = \sum_{k=2}^{10} \frac{1}{(k-1)(k+1)}$

$$= \sum_{k=2}^{10} \frac{1}{2} \left( \frac{1}{k-1} - \frac{1}{k+1} \right)$$

$$= \frac{1}{2} \left\{ \left( 1 - \frac{1}{3} \right) + \left( \frac{1}{2} - \frac{1}{4} \right) + \left( \frac{1}{3} - \frac{1}{5} \right) + \cdots \right.$$
$$\left. + \left( \frac{1}{8} - \frac{1}{10} \right) + \left( \frac{1}{9} - \frac{1}{11} \right) \right\}$$

$$= \frac{1}{2} \left( \frac{1}{1} + \frac{1}{2} - \frac{1}{10} - \frac{1}{11} \right) = \frac{36}{55} \qquad \text{답 } ③$$

**107** $\frac{1}{1 \times 2} + \frac{1}{2 \times 3} + \frac{1}{3 \times 4} + \cdots + \frac{1}{10 \times 11}$

$$= \sum_{k=1}^{10} \frac{1}{k(k+1)} = \sum_{k=1}^{10} \left( \frac{1}{k} - \frac{1}{k+1} \right)$$

$$= \left( \frac{1}{1} - \frac{1}{2} \right) + \left( \frac{1}{2} - \frac{1}{3} \right) + \left( \frac{1}{3} - \frac{1}{4} \right) + \cdots + \left( \frac{1}{10} - \frac{1}{11} \right)$$

$$= 1 - \frac{1}{11} = \frac{10}{11}$$

따라서 $a=11$, $b=10$이므로
$a+b=21$ \qquad 답 ⑤

**108** 직사각형 $A_k$의 가로의 길이는 1이고,
세로의 길이는 $\sqrt{k+1} + \sqrt{k}$이므로
$S_k = \sqrt{k+1} + \sqrt{k}$

$$\therefore \sum_{k=1}^{24} \frac{1}{S_k} = \sum_{k=1}^{24} \frac{1}{\sqrt{k+1} + \sqrt{k}}$$

$$= \sum_{k=1}^{24} \frac{\sqrt{k+1} - \sqrt{k}}{(\sqrt{k+1} + \sqrt{k})(\sqrt{k+1} - \sqrt{k})}$$

$$= \sum_{k=1}^{24} (\sqrt{k+1} - \sqrt{k})$$

$$= (\sqrt{2} - \sqrt{1}) + (\sqrt{3} - \sqrt{2}) + \cdots + (\sqrt{25} - \sqrt{24})$$

$$= \sqrt{25} - 1$$

$$= 4 \qquad \text{답 } ③$$

**109** 주어진 수열을 다음과 같은 군수열로 나타낼 수 있다.
$(1), (2, 2^2), (3, 3^2, 3^3), (4, 4^2, 4^3, 4^4), (5, \cdots), \cdots$
제$n$군은 항의 개수가 $n$인 군수열이므로 제1군부터 제$n$군까지의 항의 개수를 $a_n$이라 하면

$$a_n = \sum_{k=1}^{n} k = \frac{n(n+1)}{2}$$

$$a_9 = \frac{9 \times 10}{2} = 45, \ a_{10} = \frac{10 \times 11}{2} = 55$$이므로 제50항은

제10군의 5번째 항이다.
따라서 제10군의 첫 번째 항은 10이고, 공비가 10인 등비수열을 이루므로 제50항은 $10^5$이다. \qquad 답 ④

**110** $\sum_{k=1}^{n} a_k = \sum_{k=1}^{n} (2k-1) \times 3^{k-1} = S$라 하면

$$S = 1 \times 1 + 3 \times 3 + 5 \times 3^2 + \cdots + (2n-1) \times 3^{n-1}$$
$$-\underline{)\ 3S = 1 \times 3 + 3 \times 3^2 + \cdots + (2n-3) \times 3^{n-1} + (2n-1) \times 3^n}$$
$$-2S = 1 \times 1 + (2 \times 3 + 2 \times 3^2 + \cdots + 2 \times 3^{n-1}) - (2n-1) \times 3^n$$

$$= 1 + \frac{2 \times 3(3^{n-1} - 1)}{3-1} - (2n-1) \times 3^n$$

$$= -2 - 2(n-1) \times 3^n$$

$$\therefore S = (n-1) \times 3^n + 1 \qquad \text{답 } (n-1) \times 3^n + 1$$

**111** 첫째항부터 제$n$항까지의 합을 $S_n$이라 하면
$S_n = 10n - n^2$이므로
(i) $n \geq 2$일 때,
$$a_n = S_n - S_{n-1}$$
$$= (10n - n^2) - \{10(n-1) - (n-1)^2\}$$
$$= 11 - 2n$$
(ii) $n = 1$일 때,
$$a_1 = S_1 = 9$$
$a_1 = 9$는 $a_n = 11 - 2n$에 $n=1$을 대입한 것과 같다.
$$\therefore a_n = 11 - 2n$$
$11 - 2n > 0$에서 $n < 5.5$이므로

$$|a_n| = \begin{cases} 11 - 2n & (n \leq 5) \\ 2n - 11 & (n > 5) \end{cases}$$

따라서 수열 $\{|a_n|\}$은 첫째항부터 제5항까지는 첫째항이 9, 제5항이 1이고 공차가 $-2$인 등차수열, 제6항부터 제25항까지는 제6항이 1, 제25항이 39이고 공차가 2인 등차수열을 이룬다.

$$\therefore \sum_{k=1}^{25} |a_k| = \sum_{k=1}^{5} |a_k| + \sum_{k=6}^{25} |a_k|$$

$$= \frac{5(9+1)}{2} + \frac{20(1+39)}{2}$$

$$= 425 \qquad \text{답 } 425$$

**001** $a_1=4$, $a_{n+1}-a_n=2$에서 $a_{n+1}=a_n+2$이므로
$a_2=a_1+2=4+2=6$, $a_3=a_2+2=6+2=8$
$a_4=a_3+2=8+2=10$ 　답 $a_2=6$, $a_3=8$, $a_4=10$

**002** $a_1=15$, $a_{n+1}-a_n=-3$에서 $a_{n+1}=a_n-3$이므로
$a_2=a_1-3=15-3=12$, $a_3=a_2-3=12-3=9$
$a_4=a_3-3=9-3=6$ 　답 $a_2=12$, $a_3=9$, $a_4=6$

**003** $a_1=1$, $a_{n+1}=a_n+2$에서
$a_2=a_1+2=1+2=3$, $a_3=a_2+2=3+2=5$
$a_4=a_3+2=5+2=7$ 　답 $a_2=3$, $a_3=5$, $a_4=7$

**004** $a_1=-3$, $\dfrac{a_{n+1}}{a_n}=-1$에서 $a_{n+1}=-a_n$이므로
$a_2=-a_1=-(-3)=3$, $a_3=-a_2=-3$
$a_4=-a_3=-(-3)=3$ 　답 $a_2=3$, $a_3=-3$, $a_4=3$

**005** $a_1=24$, $\dfrac{a_{n+1}}{a_n}=\dfrac{1}{2}$에서 $a_{n+1}=\dfrac{1}{2}a_n$이므로
$a_2=\dfrac{1}{2}a_1=\dfrac{1}{2}\times24=12$, $a_3=\dfrac{1}{2}a_2=\dfrac{1}{2}\times12=6$
$a_4=\dfrac{1}{2}a_3=\dfrac{1}{2}\times6=3$ 　답 $a_2=12$, $a_3=6$, $a_4=3$

**006** $a_1=4$, $a_{n+1}=3a_n$에서
$a_2=3a_1=3\times4=12$, $a_3=3a_2=3\times12=36$
$a_4=3a_3=3\times36=108$ 　답 $a_2=12$, $a_3=36$, $a_4=108$

**007** $a_1=-4$, $a_{n+1}=-2a_n$에서
$a_2=-2a_1=-2\times(-4)=8$
$a_3=-2a_2=-2\times8=-16$
$a_4=-2a_3=-2\times(-16)=32$
　답 $a_2=8$, $a_3=-16$, $a_4=32$

**008** $a_1=1$, $a_{n+1}=a_n+n$에서
$a_2=a_1+1=1+1=2$, $a_3=a_2+2=2+2=4$
$a_4=a_3+3=4+3=7$ 　답 $a_2=2$, $a_3=4$, $a_4=7$

**009** $a_1=3$, $a_{n+1}-a_n=2n+1$에서 $a_{n+1}=a_n+2n+1$이므로
$a_2=a_1+2\times1+1=3+3=6$
$a_3=a_2+2\times2+1=6+5=11$
$a_4=a_3+2\times3+1=11+7=18$
　답 $a_2=6$, $a_3=11$, $a_4=18$

**010** $a_1=2$, $a_{n+1}=a_n+2^n$에서
$a_2=a_1+2=2+2=4$, $a_3=a_2+2^2=4+4=8$
$a_4=a_3+2^3=8+8=16$ 　답 $a_2=4$, $a_3=8$, $a_4=16$

**011** $a_1=1$, $a_{n+1}=(n+1)a_n$에서
$a_2=(1+1)a_1=2\times1=2$, $a_3=(2+1)a_2=3\times2=6$
$a_4=(3+1)a_3=4\times6=24$ 　답 $a_2=2$, $a_3=6$, $a_4=24$

**012** $a_1=1$, $a_{n+1}=2a_n+1$에서
$a_2=2a_1+1=2\times1+1=3$, $a_3=2a_2+1=2\times3+1=7$
$a_4=2a_3+1=2\times7+1=15$ 　답 $a_2=3$, $a_3=7$, $a_4=15$

**013** $a_1=2$, $a_{n+1}=3a_n-1$에서
$a_2=3a_1-1=3\times2-1=5$, $a_3=3a_2-1=3\times5-1=14$
$a_4=3a_3-1=3\times14-1=41$ 　답 $a_2=5$, $a_3=14$, $a_4=41$

**014** $a_1=1$, $a_{n+1}=\dfrac{a_n}{a_n+1}$에서

$a_2=\dfrac{a_1}{a_1+1}=\dfrac{1}{1+1}=\dfrac{1}{2}$, $a_3=\dfrac{a_2}{a_2+1}=\dfrac{\frac{1}{2}}{\frac{1}{2}+1}=\dfrac{1}{3}$

$a_4=\dfrac{a_3}{a_3+1}=\dfrac{\frac{1}{3}}{\frac{1}{3}+1}=\dfrac{1}{4}$

　답 $a_2=\dfrac{1}{2}$, $a_3=\dfrac{1}{3}$, $a_4=\dfrac{1}{4}$

**015** $a_1=2$, $a_{n+1}=\dfrac{2a_n}{1+a_n}$에서

$a_2=\dfrac{2a_1}{1+a_1}=\dfrac{2\times2}{1+2}=\dfrac{4}{3}$, $a_3=\dfrac{2a_2}{1+a_2}=\dfrac{2\times\frac{4}{3}}{1+\frac{4}{3}}=\dfrac{8}{7}$

$a_4=\dfrac{2a_3}{1+a_3}=\dfrac{2\times\frac{8}{7}}{1+\frac{8}{7}}=\dfrac{16}{15}$

　답 $a_2=\dfrac{4}{3}$, $a_3=\dfrac{8}{7}$, $a_4=\dfrac{16}{15}$

**016** $a_1=1$, $a_{n+1}=\dfrac{a_n}{a_n+2}$에서

$a_2=\dfrac{a_1}{a_1+2}=\dfrac{1}{1+2}=\dfrac{1}{3}$, $a_3=\dfrac{a_2}{a_2+2}=\dfrac{\frac{1}{3}}{\frac{1}{3}+2}=\dfrac{1}{7}$

$a_4=\dfrac{a_3}{a_3+2}=\dfrac{\frac{1}{7}}{\frac{1}{7}+2}=\dfrac{1}{15}$

　답 $a_2=\dfrac{1}{3}$, $a_3=\dfrac{1}{7}$, $a_4=\dfrac{1}{15}$

**017** $a_1=1$, $a_2=4$, $a_{n+1}-a_n=a_{n+2}-a_{n+1}$에서
$a_{n+2}=2a_{n+1}-a_n$이므로
$a_3=2a_2-a_1=2\times4-1=7$
$\therefore a_4=2a_3-a_2=2\times7-4=10$ 　답 10

다른 풀이

$a_{n+1}-a_n=a_{n+2}-a_{n+1}$이므로 주어진 수열은 첫째항이 1, 공차가
$4-1=3$인 등차수열이다.
따라서 일반항 $a_n$은 $a_n=1+(n-1)\times3=3n-2$
$\therefore a_4=3\times4-2=10$

**018** $a_1=3$, $a_2=5$, $2a_{n+1}=a_n+a_{n+2}$에서
$a_{n+2}=2a_{n+1}-a_n$이므로
$a_3=2a_2-a_1=2\times5-3=7$
$\therefore a_4=2a_3-a_2=2\times7-5=9$ 　답 9

**다른 풀이**

$2a_{n+1}=a_n+a_{n+2}$에서 $a_{n+1}-a_n=a_{n+2}-a_{n+1}$이므로 주어진 수열은 첫째항이 3, 공차가 $5-3=2$인 등차수열이다.

따라서 일반항 $a_n$은 $a_n=3+(n-1)\times 2=2n+1$

$\therefore a_4=2\times 4+1=9$

**019** $a_1=1$, $a_2=3$, $\dfrac{a_{n+1}}{a_n}=\dfrac{a_{n+2}}{a_{n+1}}$에서 $a_{n+2}=\dfrac{a_{n+1}{}^2}{a_n}$이므로

$a_3=\dfrac{a_2{}^2}{a_1}=\dfrac{3^2}{1}=9$　　$\therefore a_4=\dfrac{a_3{}^2}{a_2}=\dfrac{9^2}{3}=27$　　🔳 27

**다른 풀이**

$\dfrac{a_{n+1}}{a_n}=\dfrac{a_{n+2}}{a_{n+1}}$이므로 주어진 수열은 첫째항이 1, 공비가 $\dfrac{3}{1}=3$

인 등비수열이다.

따라서 일반항 $a_n$은 $a_n=1\times 3^{n-1}=3^{n-1}$

$\therefore a_4=3^{4-1}=27$

**020** $a_1=4$, $a_2=2$, $a_{n+1}{}^2=a_na_{n+2}$에서 $a_{n+2}=\dfrac{a_{n+1}{}^2}{a_n}$이므로

$a_3=\dfrac{a_2{}^2}{a_1}=\dfrac{2^2}{4}=1$　　$\therefore a_4=\dfrac{a_3{}^2}{a_2}=\dfrac{1^2}{2}=\dfrac{1}{2}$

🔳 $\dfrac{1}{2}$

**다른 풀이**

$a_{n+1}{}^2=a_na_{n+2}$에서 $\dfrac{a_{n+1}}{a_n}=\dfrac{a_{n+2}}{a_{n+1}}$이므로 주어진 수열은 첫째항

이 4, 공비가 $\dfrac{2}{4}=\dfrac{1}{2}$인 등비수열이다.

따라서 일반항 $a_n$은 $a_n=4\times\left(\dfrac{1}{2}\right)^{n-1}$

$\therefore a_4=4\times\left(\dfrac{1}{2}\right)^{4-1}=\dfrac{1}{2}$

**021** $a_1=1$, $a_2=2$, $a_{n+2}=a_{n+1}+a_n$에서

$a_3=a_2+a_1=2+1=3$

$\therefore a_4=a_3+a_2=3+2=5$　　🔳 5

**022** $a_1=1$, $a_2=2$, $a_{n+2}-3a_{n+1}+2a_n=0$에서

$a_{n+2}=3a_{n+1}-2a_n$이므로

$a_3=3a_2-2a_1=3\times 2-2\times 1=4$

$\therefore a_4=3a_3-2a_2=3\times 4-2\times 2=8$　　🔳 8

**023** $a_1=0$, $a_2=1$, $3a_{n+2}-2a_{n+1}-a_n=0$에서

$a_{n+2}=\dfrac{2a_{n+1}+a_n}{3}$이므로

$a_3=\dfrac{2a_2+a_1}{3}=\dfrac{2\times 1+0}{3}=\dfrac{2}{3}$

$\therefore a_4=\dfrac{2a_3+a_2}{3}=\dfrac{2\times\dfrac{2}{3}+1}{3}=\dfrac{7}{9}$　　🔳 $\dfrac{7}{9}$

**024** 수열 $\{a_n\}$이 등차수열이면

$a_{n+1}-a_n=d$ (일정)

$\Longleftrightarrow 2a_{n+1}=a_n+a_{n+2}$

$\Longleftrightarrow a_{n+1}-a_n=a_{n+2}-a_{n+1}$

$\Longleftrightarrow a_{n+2}-2a_{n+1}+a_n=0$

🔳 ㄱ, ㄴ, ㅅ, ㅇ

**025** 수열 $\{a_n\}$이 등비수열이면

$\dfrac{a_{n+1}}{a_n}=r$ (일정)

$\Longleftrightarrow a_{n+1}{}^2=a_na_{n+2}$

$\Longleftrightarrow \dfrac{a_{n+1}}{a_n}=\dfrac{a_{n+2}}{a_{n+1}}$

따라서 등비수열을 나타낸 것은 ㄷ, ㄹ, ㅁ이다.

🔳 ㄷ, ㄹ, ㅁ

**026** 첫째항 $a_1$은 $a_1=1$이고, 이웃하는 항들 사이의 관계를 살펴보면

$a_2-a_1=4-1=3$

$a_3-a_2=7-4=3$

$a_4-a_3=10-7=3$

$\vdots$

$a_{n+1}-a_n=3$ (단, $n\geq 1$)

따라서 수열 $\{a_n\}$의 귀납적 정의는

$a_1=1$, $a_{n+1}=a_n+3$ (단, $n=1, 2, 3, \cdots$)

🔳 $a_1=1$, $a_{n+1}=a_n+3$ (단, $n=1, 2, 3, \cdots$)

**027** 첫째항 $a_1$은 $a_1=5$이고, 이웃하는 항들 사이의 관계를 살펴보면

$a_2-a_1=7-5=2$

$a_3-a_2=9-7=2$

$a_4-a_3=11-9=2$

$\vdots$

$a_{n+1}-a_n=2$ (단, $n\geq 1$)

따라서 수열 $\{a_n\}$의 귀납적 정의는

$a_1=5$, $a_{n+1}=a_n+2$ (단, $n=1, 2, 3, \cdots$)

🔳 $a_1=5$, $a_{n+1}=a_n+2$ (단, $n=1, 2, 3, \cdots$)

**028** 첫째항 $a_1$은 $a_1=6$이고, 이웃하는 항들 사이의 관계를 살펴보면

$a_2-a_1=2-6=-4$

$a_3-a_2=-2-2=-4$

$a_4-a_3=-6-(-2)=-4$

$\vdots$

$a_{n+1}-a_n=-4$ (단, $n\geq 1$)

따라서 수열 $\{a_n\}$의 귀납적 정의는

$a_1=6$, $a_{n+1}=a_n-4$ (단, $n=1, 2, 3, \cdots$)

🔳 $a_1=6$, $a_{n+1}=a_n-4$ (단, $n=1, 2, 3, \cdots$)

**029** 첫째항 $a_1$은 $a_1=-1$이고, 이웃하는 항들 사이의 관계를 살펴보면

$a_2-a_1=-6-(-1)=-5$

$a_3-a_2=-11-(-6)=-5$

$a_4-a_3=-16-(-11)=-5$

$\vdots$

$a_{n+1}-a_n=-5$ (단, $n\geq 1$)

따라서 수열 $\{a_n\}$의 귀납적 정의는

$a_1=-1$, $a_{n+1}=a_n-5$ (단, $n=1, 2, 3, \cdots$)

🔳 $a_1=-1$, $a_{n+1}=a_n-5$ (단, $n=1, 2, 3, \cdots$)

**030** 첫째항 $a_1$은 $a_1=1$이고, 이웃하는 항들 사이의 관계를 살펴보면
$a_2 \div a_1 = 2 \div 1 = 2$
$a_3 \div a_2 = 4 \div 2 = 2$
$a_4 \div a_3 = 8 \div 4 = 2$
$\vdots$
$a_{n+1} \div a_n = 2$ (단, $n \geq 1$)
따라서 수열 $\{a_n\}$의 귀납적 정의는
$a_1=1$, $a_{n+1}=2a_n$ (단, $n=1, 2, 3, \cdots$)
📖 $a_1=1$, $a_{n+1}=2a_n$ (단, $n=1, 2, 3, \cdots$)

**031** 첫째항 $a_1$은 $a_1=3$이고, 이웃하는 항들 사이의 관계를 살펴보면
$a_2 \div a_1 = (-3) \div 3 = -1$
$a_3 \div a_2 = 3 \div (-3) = -1$
$a_4 \div a_3 = (-3) \div 3 = -1$
$\vdots$
$a_{n+1} \div a_n = -1$ (단, $n \geq 1$)
따라서 수열 $\{a_n\}$의 귀납적 정의는
$a_1=3$, $a_{n+1}=-a_n$ (단, $n=1, 2, 3, \cdots$)
📖 $a_1=3$, $a_{n+1}=-a_n$ (단, $n=1, 2, 3, \cdots$)

**032** 첫째항 $a_1$은 $a_1=-5$이고, 이웃하는 항들 사이의 관계를 살펴보면
$a_2 \div a_1 = 10 \div (-5) = -2$
$a_3 \div a_2 = (-20) \div 10 = -2$
$a_4 \div a_3 = 40 \div (-20) = -2$
$\vdots$
$a_{n+1} \div a_n = -2$ (단, $n \geq 1$)
따라서 수열 $\{a_n\}$의 귀납적 정의는
$a_1=-5$, $a_{n+1}=-2a_n$ (단, $n=1, 2, 3, \cdots$)
📖 $a_1=-5$, $a_{n+1}=-2a_n$ (단, $n=1, 2, 3, \cdots$)

**033** 명제 $p(n)$이 모든 자연수 $n$에 대하여 성립함을 증명하려면 다음 (i), (ii)를 보이면 된다.
(i) $\boxed{n=1}$일 때, 명제 $p(n)$이 성립한다.
(ii) $n=k$일 때, 명제 $p(n)$이 성립한다고 가정하면
$n=\boxed{k+1}$일 때에도 명제 $p(n)$이 성립한다.
이와 같은 증명 방법을 $\boxed{\text{수학적 귀납법}}$이라고 한다.
📖 $n=1$, $k+1$, 수학적 귀납법

**034** 자연수 $k$에 대하여 참인 명제를 나열해 보면
$P(2), P(5), P(8), \cdots, P(3k-1), \cdots$
이므로 $P(1)$부터 $P(80)$ 중에서 참인 명제는
$3k-1 \leq 80$, $3k \leq 81$
$\therefore k \leq 27$
따라서 참인 명제의 개수는 27이다. 📖 27

**035** $P(2), P(4), P(6), \cdots, P(2n), \cdots$이 참임을 증명하려면 다음 (i), (ii)를 보이면 된다.
(i) $P(2)$가 참이다.
(ii) $P(2k)$가 참이라 가정할 때, $P(2(k+1))$이 참이다.
$P(2(k+1))$은 $P(2k+2)$이므로 증명해야 할 것은 ㄴ, ㄹ이다.
📖 ㄴ, ㄹ

**036** (i) $\boxed{n=1}$일 때,
(좌변)$=2$, (우변)$=1 \times 2 = 2$
따라서 주어진 등식이 성립한다.
(ii) $n=k$일 때, 주어진 등식이 성립한다고 가정하면
$2+4+6+\cdots+2k=k(k+1)$
이 식의 양변에 $\boxed{2(k+1)}$을 더하면
$2+4+6+\cdots+2k+\boxed{2(k+1)}$
$=k(k+1)+\boxed{2(k+1)}$
$=(k+1)(\boxed{k+2})$
따라서 $n=\boxed{k+1}$일 때에도 주어진 등식이 성립한다.
(i), (ii)에 의하여 모든 자연수 $n$에 대하여 주어진 등식이 성립한다.
📖 (가): $n=1$, (나): $2(k+1)$, (다): $k+2$, (라): $k+1$

**037** $a_{n+1}=a_n+4$에서 $a_{n+1}-a_n=4$이므로
수열 $\{a_n\}$은 첫째항이 99, 공차가 4인 등차수열이다.
$\therefore a_n = 99+(n-1) \times 4 = 4n+95$
$\therefore a_{20} = 4 \times 20 + 95 = 175$ 📖 ③

**038** $a_{n+1}=a_n+d$에서 $a_{n+1}-a_n=d$ ($d$는 상수)이므로
수열 $\{a_n\}$은 공차가 $d$인 등차수열이다.
$a_3=2+2d=8$이므로 $d=3$
$\therefore a_n = 2+(n-1) \times 3 = 3n-1$
$\therefore a_{20} = 3 \times 20 - 1 = 59$ 📖 ③

**039** $2a_{n+1}=a_n+a_{n+2}$에서 $a_{n+1}-a_n=a_{n+2}-a_{n+1}$이므로
수열 $\{a_n\}$은 첫째항 1, 공차가 $4-1=3$인 등차수열이다.
$\therefore a_n = 1+(n-1) \times 3 = 3n-2$
$\therefore \sum_{k=1}^{10} a_k = \sum_{k=1}^{10} (3k-2) = 3\sum_{k=1}^{10} k - \sum_{k=1}^{10} 2$
$= 3 \times \frac{10 \times 11}{2} - 2 \times 10 = 145$ 📖 145

**040** $a_{n+1}=2a_n$에서 수열 $\{a_n\}$은 첫째항이 1, 공비가 2인 등비수열이므로
$a_n = 1 \times 2^{n-1} = 2^{n-1}$
$\therefore a_5 = 2^4 = 16$ 📖 16

다른 풀이
$a_1=1$, $a_2=2 \times 1 = 2$
$a_3=2 \times 2 = 4$, $a_4=2 \times 4 = 8$
$a_5=2 \times 8 = 16$

**041** $\dfrac{a_{n+1}}{a_n}=\dfrac{1}{2}$에서 $a_{n+1}=\dfrac{1}{2}a_n$이므로
수열 $\{a_n\}$은 첫째항이 2, 공비가 $\dfrac{1}{2}$인 등비수열이다.
$\therefore a_n = 2 \times \left(\dfrac{1}{2}\right)^{n-1} = \left(\dfrac{1}{2}\right)^{n-2}$ 📖 ①

**042** $a_{n+1}=ka_n$ ($k \neq 0$)에서 수열 $\{a_n\}$은 공비가 $k$인 등비수열이므로
첫째항을 $a$라 하면 $a_n = ak^{n-1}$
$a_3 = ak^2 = 8$ $\cdots\cdots$ ㉠

$$a_6 = ak^5 = 1 \quad \cdots\cdots\ \text{ⓛ}$$

ⓛ÷ⓒ에서 $k^3 = \dfrac{1}{8}$ $\quad \therefore k = \dfrac{1}{2}$

$k = \dfrac{1}{2}$을 ⓒ에 대입하면 $a = 32$이므로

$$a_n = 32 \times \left(\dfrac{1}{2}\right)^{n-1}$$

$$\therefore ka_{14} = \dfrac{1}{2} \times \left\{ 32 \times \left(\dfrac{1}{2}\right)^{13} \right\}$$

$$= \dfrac{1}{2}\left( 2^5 \times \dfrac{1}{2^{13}} \right) = \dfrac{1}{2^9}$$

**답** ③

**043** $a_{n+1}{}^2 = a_n a_{n+2}$에서 수열 $\{a_n\}$은 등비수열이므로 첫째항을 $a$, 공비를 $r$라 하면

$$a_2 = ar = \dfrac{3}{2} \quad \cdots\cdots\ \text{㉠}$$

$$a_5 = ar^4 = 12 \quad \cdots\cdots\ \text{㉡}$$

㉡÷㉠을 하면 $r^3 = 8$ $\quad \therefore r = 2$

$r = 2$를 ㉠에 대입하면 $a = \dfrac{3}{4}$

$$\therefore a_{10} = ar^9 = \dfrac{3}{4} \times 2^9 = 384$$

**답** 384

**044** $\dfrac{a_{n+2}}{a_{n+1}} = \dfrac{a_{n+1}}{a_n}$에서 $a_{n+1}{}^2 = a_n a_{n+2}$이므로 수열 $\{a_n\}$은 등비수열이다.

공비를 $r$라 하면 모든 항이 양수이므로 $r > 0$

$a_3 = 3r^2 = 147$에서 $r^2 = 49$

$\therefore r = 7$ $(\because r > 0)$

따라서 $a_n = 3 \times 7^{n-1}$이므로

$$\dfrac{a_{13}}{a_6} = \dfrac{3 \times 7^{12}}{3 \times 7^5} = 7^7$$

$$\therefore p = 7$$

**답** ⑤

**045** $2\log a_{n+1} = \log a_n + \log a_{n+2}$에서

$\log a_{n+1}{}^2 = \log a_n a_{n+2}$ $\quad \therefore a_{n+1}{}^2 = a_n a_{n+2}$

수열 $\{a_n\}$은 첫째항이 2인 등비수열이므로 공비를 $r$라 하면

$a_4 = 2r^3 = 16$에서 $r^3 = 8$ $\quad \therefore r = 2$

$\therefore a_n = 2 \times 2^{n-1} = 2^n$

즉, $a_{2k-1} = 2^{2k-1}$에서 수열 $\{a_{2k-1}\}$의 첫째항이 2, 둘째항은 8이므로 첫째항이 2이고 공비가 4인 등비수열이다.

$$\therefore \sum_{k=1}^{25} a_{2k-1} = \dfrac{2(4^{25}-1)}{4-1} = \dfrac{2}{3}(2^{50}-1)$$

**답** ⑤

**046** $a_1 = 3$, $a_{n+1} = a_n + 3n$이므로

$a_2 = a_1 + 3 \times 1 = 3 + 3 = 6$

$a_3 = a_2 + 3 \times 2 = 6 + 6 = 12$

$a_4 = a_3 + 3 \times 3 = 12 + 9 = 21$

$a_5 = a_4 + 3 \times 4 = 21 + 12 = 33$

**답** ③

**047** $a_1 = 2$, $a_{n+1} = a_n + 2^n$이므로

$a_2 = a_1 + 2 = 2 + 2 = 4$

$a_3 = a_2 + 2^2 = 4 + 4 = 8$

$a_4 = a_3 + 2^3 = 8 + 8 = 16$

$\therefore \sum\limits_{k=1}^{4} a_k = 2 + 4 + 8 + 16 = 30$

**답** 30

**048** $a_1 = 1$, $a_{n+1} = a_n + n^2$의 $n$에 1, 2, 3, $\cdots$, 9를 차례로 대입하여 변끼리 더하면

$a_2 = a_1 + 1^2$

$a_3 = a_2 + 2^2$

$a_4 = a_3 + 3^2$

$\quad\quad \vdots$

$+)\ a_{10} = a_9 + 9^2$

$\overline{a_{10} = a_1 + (1^2 + 2^2 + 3^2 + \cdots + 9^2)}$

$$= a_1 + \sum_{k=1}^{9} k^2$$

$$= 1 + \dfrac{9 \times 10 \times 19}{6}$$

$$= 1 + 285$$

$$= 286$$

**답** 286

**049** $a_1 = 1$, $a_{n+1} = a_n + 3^n$의 $n$에 1, 2, 3, $\cdots$, 9를 차례로 대입하여 변끼리 더하면

$a_2 = a_1 + 3$

$a_3 = a_2 + 3^2$

$a_4 = a_3 + 3^3$

$\quad\quad \vdots$

$+)\ a_{10} = a_9 + 3^9$

$\overline{a_{10} = a_1 + (3 + 3^2 + 3^3 + \cdots + 3^9)}$

$$= a_1 + \sum_{k=1}^{9} 3^k$$

$$= 1 + \dfrac{3(3^9 - 1)}{3 - 1}$$

$$= \dfrac{3^{10} - 1}{2}$$

**답** ②

**050** $a_1 = -2$, $a_{n+1} = a_n + \dfrac{1}{n(n+1)}$의 $n$에 1, 2, 3, $\cdots$, 9를 차례로 대입하여 변끼리 더하면

$$a_2 = a_1 + \dfrac{1}{1 \times 2}$$

$$a_3 = a_2 + \dfrac{1}{2 \times 3}$$

$$a_4 = a_3 + \dfrac{1}{3 \times 4}$$

$\quad\quad \vdots$

$$+)\ a_{10} = a_9 + \dfrac{1}{9 \times 10}$$

$$\overline{a_{10} = a_1 + \left( \dfrac{1}{1 \times 2} + \dfrac{1}{2 \times 3} + \dfrac{1}{3 \times 4} + \cdots + \dfrac{1}{9 \times 10} \right)}$$

$$= a_1 + \left( \dfrac{1}{1} - \dfrac{1}{2} \right) + \left( \dfrac{1}{2} - \dfrac{1}{3} \right) + \left( \dfrac{1}{3} - \dfrac{1}{4} \right)$$

$$\quad\quad\quad\quad\quad\quad\quad\quad + \cdots + \left( \dfrac{1}{9} - \dfrac{1}{10} \right)$$

$$= -2 + 1 - \dfrac{1}{10}$$

$$= -\dfrac{11}{10}$$

**답** ②

**051** $a_1 = 1$, $a_{n+1} = a_n + 2n$의 $n$에 1, 2, 3, $\cdots$, $n-1$을 차례로 대입하여 변끼리 더하면

$$a_2 = a_1 + 2 \times 1$$
$$a_3 = a_2 + 2 \times 2$$
$$a_4 = a_3 + 2 \times 3$$
$$\vdots$$
$$+ )\ a_n = a_{n-1} + 2(n-1)$$
$$\overline{\qquad a_n = a_1 + 2\{1 + 2 + 3 + \cdots + (n-1)\}}$$
$$= 1 + 2 \sum_{k=1}^{n-1} k = 1 + 2 \times \frac{(n-1)n}{2}$$
$$= n^2 - n + 1$$

$k^2 - k + 1 = 31$에서 $k^2 - k - 30 = 0$

$(k+5)(k-6) = 0$

$\therefore k = 6$ ($\because k$는 자연수)　　　　**답** 6

**052**　$a_1 = 32 = 2^5$, $a_{n+1} = 2^n a_n$이므로

$$a_2 = 2 \times a_1 = 2 \times 2^5 = 2^6$$
$$a_3 = 2^2 \times a_2 = 2^2 \times 2^6 = 2^8$$
$$a_4 = 2^3 \times a_3 = 2^3 \times 2^8 = 2^{11}$$
$$a_5 = 2^4 \times a_4 = 2^4 \times 2^{11} = 2^{15}$$

**답** ③

**053**　$a_1 = 2$, $a_{n+1} = \dfrac{2n-1}{2n+1} a_n$의 $n$에 1, 2, 3, $\cdots$, 9를 차례로 대입

하여 변끼리 곱하면

$$a_2 = \frac{1}{3} a_1$$
$$a_3 = \frac{3}{5} a_2$$
$$a_4 = \frac{5}{7} a_3$$
$$\vdots$$
$$\times )\ a_{10} = \frac{17}{19} a_9$$
$$\overline{\qquad a_{10} = \frac{1}{3} \times \frac{3}{5} \times \frac{5}{7} \times \cdots \times \frac{17}{19} \times a_1}$$
$$= \frac{1}{19} \times 2 = \frac{2}{19}$$

**답** ④

**054**　$a_1 = 3$, $\sqrt{n}\, a_{n+1} = \sqrt{n+1}\, a_n$에서 $a_{n+1} = \dfrac{\sqrt{n+1}}{\sqrt{n}} a_n$이므로

$n$에 1, 2, 3, $\cdots$, $n-1$을 차례로 대입하여 변끼리 곱하면

$$a_2 = \frac{\sqrt{2}}{\sqrt{1}} a_1$$
$$a_3 = \frac{\sqrt{3}}{\sqrt{2}} a_2$$
$$a_4 = \frac{\sqrt{4}}{\sqrt{3}} a_3$$
$$\vdots$$
$$\times )\ a_n = \frac{\sqrt{n}}{\sqrt{n-1}} a_{n-1}$$
$$\overline{\qquad a_n = \frac{\sqrt{2}}{\sqrt{1}} \times \frac{\sqrt{3}}{\sqrt{2}} \times \frac{\sqrt{4}}{\sqrt{3}} \times \cdots \times \frac{\sqrt{n}}{\sqrt{n-1}} \times a_1}$$
$$= 3\sqrt{n}$$
$$\therefore a_{100} = 3\sqrt{100} = 30$$

**답** 30

**055**　$a_1 = 2$, $a_n a_{n+1} = 10$의 $n$에 1, 2, 3, $\cdots$을 차례로 대입하면

$2a_2 = 10$에서 $a_2 = 5$

$5a_3 = 10$에서 $a_3 = 2$

$2a_4 = 10$에서 $a_4 = 5$

$$\vdots$$

즉, 수열 $\{a_n\}$은 2, 5가 순서대로 반복된다.

$20 = 2 \times 10$이므로

$a_{20} = a_2 = 5$　　　　**답** 5

**056**　$a_1 = -1$, $a_{n+1} = \dfrac{1}{1-a_n}$의 $n$에 1, 2, 3, $\cdots$을 차례로 대입하면

$$a_2 = \frac{1}{1-a_1} = \frac{1}{1-(-1)} = \frac{1}{2}$$
$$a_3 = \frac{1}{1-a_2} = \frac{1}{1-\frac{1}{2}} = 2$$
$$a_4 = \frac{1}{1-a_3} = \frac{1}{1-2} = -1$$
$$\vdots$$

즉, 수열 $\{a_n\}$은 $-1$, $\dfrac{1}{2}$, 2가 순서대로 반복된다.

$46 = 3 \times 15 + 1$이므로

$a_{46} = a_1 = -1$　　　　**답** ②

**057**　$a_1 = 1$, $a_2 = 3$, $a_{n+2} = a_{n+1} + a_n$이므로

$$a_3 = a_2 + a_1 = 3 + 1 = 4$$
$$a_4 = a_3 + a_2 = 4 + 3 = 7$$
$$a_5 = a_4 + a_3 = 7 + 4 = 11$$
$$\vdots$$

수열 $\{b_n\}$에 대하여 $b_n = (a_n$을 5로 나눈 나머지$)$이므로

$b_1 = (a_1$을 5로 나눈 나머지$) = 1$

$b_2 = (a_2$를 5로 나눈 나머지$) = 3$

$b_3 = (a_3$을 5로 나눈 나머지$) = 4$

$b_4 = (a_4$를 5로 나눈 나머지$) = 2$

$b_5 = (a_5$를 5로 나눈 나머지$) = 1$

$$\vdots$$

즉, 수열 $\{b_n\}$은 1, 3, 4, 2가 순서대로 반복된다.

$50 = 4 \times 12 + 2$, $51 = 4 \times 12 + 3$이므로

$b_{50} = b_2 = 3$, $b_{51} = b_3 = 4$

$\therefore b_{50} + b_{51} = 7$　　　　**답** 7

**058**　$a_1 = 1$, $a_{n+1} = ((a_n+1)^2$을 10으로 나눈 나머지$)$의 $n$에 1, 2, 3, $\cdots$을 차례로 대입하면

$(a_1+1)^2 = (1+1)^2 = 4$이므로 $a_2 = 4$

$(a_2+1)^2 = (4+1)^2 = 25$이므로 $a_3 = 5$

$(a_3+1)^2 = (5+1)^2 = 36$이므로 $a_4 = 6$

$(a_4+1)^2 = (6+1)^2 = 49$이므로 $a_5 = 9$

$(a_5+1)^2 = (9+1)^2 = 100$이므로 $a_6 = 0$

$(a_6+1)^2 = (0+1)^2 = 1$이므로 $a_7 = 1$

$$\vdots$$

즉, 수열 $\{a_n\}$은 1, 4, 5, 6, 9, 0이 순서대로 반복된다.

$100 = 6 \times 16 + 4$이므로

$a_{100} = a_4 = 6$　　　　**답** 6

**059**　$a_1 = -2$, $a_2 = 1$, $a_{n+2} = a_{n+1} - a_n$의 $n$에 1, 2, 3, $\cdots$을 차례로 대입하면

$$a_3 = a_2 - a_1 = 1 - (-2) = 3$$

$a_4 = a_3 - a_2 = 3 - 1 = 2$
$a_5 = a_4 - a_3 = 2 - 3 = -1$
$a_6 = a_5 - a_4 = -1 - 2 = -3$
$a_7 = a_6 - a_5 = -3 - (-1) = -2$
  $\vdots$
즉, 수열 $\{a_n\}$은 $-2, 1, 3, 2, -1, -3$이 순서대로 반복된다.
ㄱ. $a_1 = a_7 = a_{13} = \cdots$이므로 $a_{n+6} = a_n$ (참)
ㄴ. $a_{101} = a_{6 \times 16 + 5} = a_5$  $\therefore a_{101} = -1$ (참)
ㄷ. $a_1 + a_2 + a_3 + \cdots + a_6 = 0$이고
  $100 = 6 \times 16 + 4$이므로
$$\sum_{k=1}^{100} a_k = (a_1 + a_2 + \cdots + a_6) \times 16 + a_1 + a_2 + a_3 + a_4$$
$$= -2 + 1 + 3 + 2 = 4 \text{ (거짓)}$$
따라서 옳은 것은 ㄱ, ㄴ이다. **답 ③**

**060** $a_1 = 1$, $a_2 = 2$, $a_3 = 4$, $a_{n-1} a_{n+1} = a_n a_{n+2}$의 $n$에 $2, 3, 4, \cdots$을 차례로 대입하면
$a_1 a_3 = a_2 a_4$에서 $1 \times 4 = 2a_4$  $\therefore a_4 = 2$
$a_2 a_4 = a_3 a_5$에서 $2 \times 2 = 4a_5$  $\therefore a_5 = 1$
$a_3 a_5 = a_4 a_6$에서 $4 \times 1 = 2a_6$  $\therefore a_6 = 2$
$a_4 a_6 = a_5 a_7$에서 $2 \times 2 = a_7$  $\therefore a_7 = 4$
$a_5 a_7 = a_6 a_8$에서 $1 \times 4 = 2a_8$  $\therefore a_8 = 2$
  $\vdots$
즉, 수열 $\{a_n\}$은 $1, 2, 4, 2$가 순서대로 반복된다.
$12 = 4 \times 3$이므로
$$\sum_{k=1}^{12} a_k = (1 + 2 + 4 + 2) \times 3 = 27$$
**답 27**

**061** $a_1 = 1$, $a_{n+1} = 3a_n + 1$이므로
$a_2 = 3a_1 + 1 = 3 \times 1 + 1 = 4$
$a_3 = 3a_2 + 1 = 3 \times 4 + 1 = 13$
$a_4 = 3a_3 + 1 = 3 \times 13 + 1 = 40$
$\therefore a_1 + a_2 + a_3 + a_4 = 58$
**답 58**

**062** $a_1 = 3$, $a_{n+1} = -a_n + p$이므로 $n$에 $1, 2, 3, \cdots$을 차례로 대입하면
$a_2 = -a_1 + p = -3 + p$
$a_3 = -a_2 + p = -(-3 + p) + p = 3$
$a_4 = -a_3 + p = -3 + p$
  $\vdots$
즉, 수열 $\{a_n\}$은 $3, -3 + p$가 순서대로 반복된다.
$10 = 2 \times 5$이므로
$$\sum_{k=1}^{10} a_k = 5\{3 + (-3 + p)\} = 5p = 30$$
$\therefore p = 6$
**답 6**

**063** $a_1 = 1$, $a_{n+1} = 2a_n + 1$의 $n$에 $1, 2, 3, \cdots$을 차례로 대입하면
$a_2 = 2 \times 1 + 1$
$a_3 = 2(2 \times 1 + 1) + 1 = 2^2 + 2 + 1$
$a_4 = 2(2^2 + 2 + 1) + 1 = 2^3 + 2^2 + 2 + 1$
  $\vdots$
$a_{10} = 2^9 + 2^8 + 2^7 + \cdots + 1$
$$= \frac{2^{10} - 1}{2 - 1} = 1023$$
**답 1023**

**064** $a_1 = 100$, $a_{n+1} = a_n{}^2$의 $n$에 $1, 2, 3, \cdots$을 차례로 대입하면
$a_2 = a_1{}^2 = 100^2 = 10^4$
$a_3 = a_2{}^2 = 10^8$
$a_4 = a_3{}^2 = 10^{16}$
  $\vdots$
$\therefore a_8 = a_7{}^2 = 10^{256}$
**답 ③**

**065** $a_1 = 1$, $a_2 = 3$, $a_{n+2} - 4a_{n+1} + 3a_n = 0$에서
$a_{n+2} = 4a_{n+1} - 3a_n$이므로 $n$에 $1, 2, 3, \cdots$을 차례로 대입하면
$a_3 = 4a_2 - 3a_1 = 4 \times 3 - 3 \times 1 = 9 = 3^2$
$a_4 = 4a_3 - 3a_2 = 4 \times 9 - 3 \times 3 = 27 = 3^3$
$a_5 = 4a_4 - 3a_3 = 4 \times 27 - 3 \times 9 = 81 = 3^4$
  $\vdots$
$\therefore a_n = 3^{n-1}$
**답 $a_n = 3^{n-1}$**

**066** $a_{127} = 2a_{63} + 1$, $a_{63} = 2a_{31} + 1$, $a_{31} = 2a_{15} + 1$, $a_{15} = 2a_7 + 1$,
$a_7 = 2a_3 + 1$, $a_3 = 2a_1 + 1$이므로
$a_3 = 3$, $a_7 = 7$, $a_{15} = 15$, $a_{31} = 31$, $a_{63} = 63$
$\therefore a_{127} = 127$
$a_{128} = 2a_{64} - 1$, $a_{64} = 2a_{32} - 1$, $a_{32} = 2a_{16} - 1$, $a_{16} = 2a_8 - 1$,
$a_8 = 2a_4 - 1$, $a_4 = 2a_2 - 1$, $a_2 = 2a_1 - 1$이므로
$a_2 = a_4 = a_8 = a_{16} = a_{32} = a_{64} = a_{128} = 1$
$\therefore a_{127} + a_{128} = 127 + 1 = 128$
**답 128**

**067** $\dfrac{1}{a_n} = b_n$으로 놓으면
$$b_1 = \frac{1}{a_1} = \frac{1}{2}, \ b_{n+1} - b_n = 3$$
즉, 수열 $\{b_n\}$은 첫째항이 $\dfrac{1}{2}$, 공차가 3인 등차수열이므로
$$b_n = \frac{1}{2} + (n-1) \times 3 = \frac{6n - 5}{2}$$
$$\therefore a_n = \frac{2}{6n - 5}$$
$$\therefore a_5 = \frac{2}{6 \times 5 - 5} = \frac{2}{25}$$
**답 $\dfrac{2}{25}$**

다른 풀이

$a_1 = 2$, $\dfrac{1}{a_{n+1}} = \dfrac{1}{a_n} + 3$에서 $\dfrac{1}{a_{n+1}} - \dfrac{1}{a_n} = 3$이므로
수열 $\left\{\dfrac{1}{a_n}\right\}$은 첫째항이 $\dfrac{1}{a_1} = \dfrac{1}{2}$, 공차가 3인 등차수열이다. 즉,
$$\frac{1}{a_n} = \frac{1}{2} + (n-1) \times 3 = \frac{6n - 5}{2}$$ 이므로
$$a_n = \frac{2}{6n - 5}$$
$$\therefore a_5 = \frac{2}{6 \times 5 - 5} = \frac{2}{25}$$

**068** $a_{n+1} = \dfrac{a_n}{2a_n + 1}$의 양변에 역수를 취하면
$$\frac{1}{a_{n+1}} = 2 + \frac{1}{a_n}$$
$\dfrac{1}{a_n} = b_n$으로 놓으면
$$b_1 = \frac{1}{a_1} = 1, \ b_{n+1} = 2 + b_n$$

즉, 수열 $\{b_n\}$은 첫째항이 1, 공차가 2인 등차수열이므로
$$b_n=1+(n-1)\times2=2n-1$$
$$\therefore a_n=\frac{1}{2n-1}$$
$$\therefore a_{10}=\frac{1}{2\times10-1}=\frac{1}{19}$$
답 ③

**069** 수열 $\{a_n-3\}$은 첫째항이 $a_1-3=1-3=-2$, 공비가 2인 등비수열이다.
즉, $a_n-3=-2\times2^{n-1}=-2^n$이므로
$$a_n=-2^n+3$$
$$\therefore a_{10}=-2^{10}+3=-1024+3$$
$$=-1021$$
답 $-1021$

**070** $n$분 후 시험관 속의 배양균의 개체 수를 $a_n$이라 하면 $(n+1)$분 후 시험관 속의 배양균의 개체 수는 $a_{n+1}$이다.
$a_1=2(10-3)=14$, $a_{n+1}=2(a_n-3)=2a_n-6$이므로
$$a_2=2a_1-6=2\times14-6=22$$
$$a_3=2a_2-6=2\times22-6=38$$
$$a_4=2a_3-6=2\times38-6=70$$
$$a_5=2a_4-6=2\times70-6=134$$
따라서 5분 후 이 배양균의 개체 수는 134이다.
답 ④

**071** 물을 사용하기 시작하여 $n$일째 되는 날 사용하고 다시 채운 물의 양을 $a_n$ L라 하면
$a_1=\frac{1}{2}\times100+10=60$, $a_{n+1}=\frac{1}{2}a_n+10$이므로
$$a_2=\frac{1}{2}a_1+10=\frac{1}{2}\times60+10=40$$
$$a_3=\frac{1}{2}a_2+10=\frac{1}{2}\times40+10=30$$
$$a_4=\frac{1}{2}a_3+10=\frac{1}{2}\times30+10=25$$
따라서 4일째 되는 날 25 L의 물에서 20 L의 물을 추가로 사용한다면 물탱크에는 5 L의 물이 남아 있게 된다.
답 5 L

**072** $n$개의 원이 그려진 평면 위에 조건을 만족시키는 1개의 원을 추가하면 이 원은 기존의 $n$개의 원과 각각 2개의 점에서 만나므로 $2n$개의 새로운 교점이 생긴다.
즉, $(n+1)$개의 원의 교점은 $n$개의 원의 교점보다 $2n$개가 많으므로
$$a_{n+1}=a_n+2n$$
이 관계식의 $n$에 1, 2, 3, $\cdots$, $n-1$을 차례로 대입하여 변끼리 더하면
$$a_2=a_1+2\times1$$
$$a_3=a_2+2\times2$$
$$a_4=a_3+2\times3$$
$$\vdots$$
$$+)\ a_n=a_{n-1}+2\times(n-1)$$
$$\overline{a_n=a_1+2\times1+2\times2+2\times3+\cdots+2\times(n-1)}$$
$$=a_1+2\{1+2+3+\cdots+(n-1)\}$$
$$=a_1+2\sum_{k=1}^{n-1}k=2\times\frac{(n-1)n}{2}\ (\because a_1=0)$$
$$=n(n-1)$$
$$\therefore a_{20}=20\times19=380$$
답 380

**073** (i) $n=1$일 때,
(좌변)$=1$, (우변)$=\frac{1\times2}{2}=1$
따라서 주어진 등식이 성립한다.
(ii) $n=k$일 때, 주어진 등식이 성립한다고 가정하면
$$1+2+3+\cdots+k=\frac{k(k+1)}{2}$$
이 식의 양변에 $\boxed{k+1}$ 을 더하면
$$1+2+3+\cdots+k+\boxed{k+1}=\frac{k(k+1)}{2}+\boxed{k+1}$$
$$=\frac{k(k+1)+2(k+1)}{2}$$
$$=\frac{\boxed{(k+1)(k+2)}}{2}$$
따라서 $n=k+1$일 때에도 주어진 등식이 성립한다.
(i), (ii)에 의하여 주어진 등식은 모든 자연수 $n$에 대하여 성립한다.
$\therefore$ (개): $k+1$, (내): $(k+1)(k+2)$
답 ④

**074** (i) $n=1$일 때,
(좌변)$=1$, (우변)$=\frac{1\times(3\times1-1)}{2}=1$
따라서 주어진 등식이 성립한다.
(ii) $n=k$일 때, 주어진 등식이 성립한다고 가정하면
$$1+4+7+\cdots+(3k-2)=\frac{k(3k-1)}{2}$$
이 식의 양변에 $3k+1$을 더하면
$$1+4+7+\cdots+(3k-2)+(3k+1)$$
$$=\frac{k(3k-1)}{2}+(3k+1)=\frac{3k^2+5k+2}{2}$$
$$=\frac{(k+1)(3k+2)}{2}=\frac{(k+1)\{3(k+1)-1\}}{2}$$
따라서 $n=k+1$일 때에도 주어진 등식이 성립한다.
(i), (ii)에 의하여 주어진 등식은 모든 자연수 $n$에 대하여 성립한다.
답 풀이 참조

**075** (i) $n=1$일 때,
(좌변)$=1^3=1$, (우변)$=\left(\frac{1\times2}{2}\right)^2=1$
따라서 주어진 등식이 성립한다.
(ii) $n=k$일 때, 주어진 등식이 성립한다고 가정하면
$$1^3+2^3+3^3+\cdots+k^3=\left\{\frac{k(k+1)}{2}\right\}^2$$
이 식의 양변에 $\boxed{(k+1)^3}$ 을 더하면
$$1^3+2^3+3^3+\cdots+k^3+\boxed{(k+1)^3}$$
$$=\left\{\frac{k(k+1)}{2}\right\}^2+\boxed{(k+1)^3}$$
$$=\left(\frac{k+1}{2}\right)^2\times k^2+\left(\frac{k+1}{2}\right)^2\times4(k+1)$$
$$=\left(\frac{k+1}{2}\right)^2\times(k^2+4k+4)$$
$$=\left(\frac{k+1}{2}\right)^2\times\boxed{(k+2)^2}$$
$$=\left[\frac{(k+1)\{(k+1)+1\}}{2}\right]^2$$

따라서 $n=k+1$일 때에도 주어진 등식이 성립한다.
(i), (ii)에 의하여 주어진 등식은 모든 자연수 $n$에 대하여 성립한다.
$$\therefore f(k)=(k+1)^3, \ g(k)=(k+2)^2$$
$$\therefore f(2)+g(2)=(2+1)^3+(2+2)^2=43 \qquad \text{답} ②$$

**076** (i) $n=1$일 때,

(좌변)$=1$, (우변)$=2\times\dfrac{1}{1\times2}=1$

따라서 주어진 부등식이 성립한다.

(ii) $n=k \ (k\geq1)$일 때, 주어진 부등식이 성립한다고 가정하면
$$1+\frac{1}{2}+\cdots+\frac{1}{k}\geq2\left\{\frac{1}{1\times2}+\frac{1}{2\times3}+\cdots+\frac{1}{k(k+1)}\right\}$$

이 식의 양변에 $\dfrac{1}{k+1}$을 더하면
$$1+\frac{1}{2}+\cdots+\frac{1}{k}+\frac{1}{k+1}$$
$$\geq2\left\{\frac{1}{1\times2}+\frac{1}{2\times3}+\cdots+\frac{1}{k(k+1)}\right\}+\frac{1}{k+1}$$
$$>2\left\{\frac{1}{1\times2}+\frac{1}{2\times3}+\cdots+\frac{1}{k(k+1)}\right\}+\frac{1}{k+2}$$
$$=2\left\{\frac{1}{1\times2}+\frac{1}{2\times3}+\cdots+\frac{1}{k(k+1)}\right\}$$
$$+\frac{1}{k+1}\times\boxed{\frac{k+1}{k+2}}$$
$$\geq2\left\{\frac{1}{1\times2}+\frac{1}{2\times3}+\cdots+\frac{1}{k(k+1)}\right\}$$
$$+\frac{\boxed{2}}{(k+1)(k+2)} \ (\because k+1\geq2)$$
$$=2\left\{\frac{1}{1\times2}+\frac{1}{2\times3}+\cdots+\frac{1}{(k+1)(k+2)}\right\}$$
$$\therefore 1+\frac{1}{2}+\cdots+\frac{1}{k+1}$$
$$>2\left\{\frac{1}{1\times2}+\frac{1}{2\times3}+\cdots+\frac{1}{(k+1)(k+2)}\right\}$$

따라서 $n=k+1$일 때에도 주어진 부등식이 성립한다.
(i), (ii)에 의하여 주어진 부등식은 모든 자연수 $n$에 대하여 성립한다.
$$\therefore \text{(개)}: \frac{k+1}{k+2}, \ \text{(내)}: 2 \qquad \text{답} ④$$

**077** (i) $n=4$일 때,

(좌변)$=16$, (우변)$=16$이므로 주어진 부등식이 성립한다.

(ii) $n=k \ (k\geq4)$일 때,

주어진 부등식이 성립한다고 하면
$$2^k\geq k^2$$
이 식의 양변에 2를 곱하면 $2^{k+1}\geq2k^2$이고,
$$2k^2-\boxed{(k+1)^2}=2k^2-(k^2+2k+1)$$
$$=k^2-2k-1$$
$$=(k-1)^2-\boxed{2}>0 \ (\because k\geq4)$$
$$\therefore 2^{k+1}>\boxed{(k+1)^2}$$

따라서 $n=k+1$일 때에도 주어진 부등식이 성립한다.

(i), (ii)에 의하여 주어진 부등식은 $n\geq4$인 모든 자연수 $n$에 대하여 성립한다.
$$\therefore \text{(개)}: (k+1)^2, \ \text{(내)}: 2 \qquad \text{답} ④$$

**078** 부등식 $(1+h)^n>1+nh$에서

$n=1$일 때,

(좌변)$=1+h$, (우변)$=1+h$이므로 부등식이 성립하지 않는다.

(i) $n=\boxed{2}$일 때,

(좌변)$-$(우변)$=(1+2h+h^2)-(1+2h)=h^2>0$

이므로 주어진 부등식이 성립한다.

(ii) $n=k$일 때, 주어진 부등식이 성립한다고 가정하면
$$(1+h)^k>1+kh$$
이 식의 양변에 $1+h$를 곱하면
$$(1+h)^k(1+h)>(1+kh)(1+h)$$
$$=1+h+kh+kh^2$$
$$>1+(\boxed{k+1})h \ (\because kh^2>0)$$
$$\therefore (1+h)^{k+1}>1+(\boxed{k+1})h$$

따라서 $n=\boxed{k+1}$일 때에도 주어진 부등식이 성립한다.

(i), (ii)에 의하여 주어진 부등식은 $\boxed{2}$ 이상인 모든 자연수 $n$에 대하여 성립한다.
$$\therefore \text{(개)}: 2, \ \text{(내)}: k+1 \qquad \text{답} ④$$

**079** $a_1=20, \ a_{n+1}=a_n-5$이므로
$$a_2=a_1-5=20-5=15$$
$$a_3=a_2-5=15-5=10$$
$$a_4=a_3-5=10-5=5 \qquad \text{답} 5$$

**080** $2a_{n+1}=a_n+a_{n+2}$를 만족시키는 수열 $\{a_n\}$은 등차수열이므로
공차는 $a_2-a_1=6-1=5$
$$\therefore a_n=1+(n-1)\times5=5n-4$$
$$\therefore a_{30}=5\times30-4=146 \qquad \text{답} ②$$

**081** $a_{n+1}{}^2=a_na_{n+2}$를 만족시키는 수열 $\{a_n\}$은 등비수열이고,

$2a_1=a_2$이므로 공비가 2이다.

수열 $\{a_n\}$의 첫째항을 $a$라 하면
$$a_5=a\times2^4=48$$이므로 $a=3$
$$\therefore a_n=3\times2^{n-1}$$
$$\therefore \sum_{n=1}^{8}a_n=\frac{3(2^8-1)}{2-1}$$
$$=3\times255=765 \qquad \text{답} 765$$

**082** $\log a_n-2\log a_{n+1}+\log a_{n+2}=0$에서
$$2\log a_{n+1}=\log a_n+\log a_{n+2}$$
$$\log a_{n+1}{}^2=\log a_na_{n+2}$$
즉, $a_{n+1}{}^2=a_na_{n+2}$이므로 수열 $\{a_n\}$은 등비수열이다.

$a_2=3a_1$이므로 공비는 3이고,

$a_4=54$에서 $a_1\times3^3=54, \ 27a_1=54$
$$\therefore a_1=2$$
따라서 $a_n=2\times3^{n-1}$이므로
$$a_{10}=2\times3^9 \qquad \text{답} ④$$

**083** $a_1=1, \ a_{n+1}=\dfrac{n+2}{n}a_n$의 $n$에 $1, 2, 3, \cdots, 9$를 차례로 대입하

여 변끼리 곱하면

$$a_2 = \frac{3}{1} a_1$$

$$a_3 = \frac{4}{2} a_2$$

$$a_4 = \frac{5}{3} a_3$$

$$\vdots$$

$$\times \Big) \ a_{10} = \frac{11}{9} a_9$$

$$a_{10} = \frac{3}{1} \times \frac{4}{2} \times \frac{5}{3} \times \cdots \times \frac{11}{9} \times a_1$$

$$= \frac{10 \times 11}{2} = 55$$

답 55

**084** $a_1 = 1, \ a_2 = 4, \ a_{n+2} - 4a_{n+1} - 3a_n = 0$에서

$a_{n+2} = 4a_{n+1} + 3a_n$이므로

$a_3 = 4a_2 + 3a_1 = 4 \times 4 + 3 \times 1 = 19$

$a_4 = 4a_3 + 3a_2 = 4 \times 19 + 3 \times 4 = 88$

$a_5 = 4a_4 + 3a_3 = 4 \times 88 + 3 \times 19 = 409$

$\therefore a_3 + a_4 + a_5 = 19 + 88 + 409 = 516$

답 ⑤

**085** $a_1 = 2, \ a_n + a_{n+1} = n$이므로

$a_1 + a_2 = 2 + a_2 = 1$   $\therefore a_2 = -1$

$a_2 + a_3 = -1 + a_3 = 2$   $\therefore a_3 = 3$

$a_3 + a_4 = 3 + a_4 = 3$   $\therefore a_4 = 0$

$a_4 + a_5 = 0 + a_5 = 4$   $\therefore a_5 = 4$

$a_5 + a_6 = 4 + a_6 = 5$   $\therefore a_6 = 1$

$$\vdots$$

$$\therefore \begin{cases} a_{2k-1} = k+1 \\ a_{2k} = k-2 \end{cases} \text{(단, $k$는 자연수이다.)}$$

따라서 $30 = 2 \times 15$이므로

$$a_{30} = \frac{26}{2} = 13$$

답 13

**086** (i) $n = 1$일 때,

(좌변)$= \frac{1}{1 \times 2} = \frac{1}{2}$, (우변)$= \frac{1}{1+1} = \frac{1}{2}$

따라서 주어진 등식이 성립한다.

(ii) $n = k$일 때, 주어진 등식이 성립한다고 가정하면

$$\frac{1}{1 \times 2} + \frac{1}{2 \times 3} + \frac{1}{3 \times 4} + \cdots + \frac{1}{k(k+1)} = \boxed{\frac{k}{k+1}}$$

이 식의 양변에 $\boxed{\dfrac{1}{(k+1)(k+2)}}$을 더하면

$$\frac{1}{1 \times 2} + \frac{1}{2 \times 3} + \frac{1}{3 \times 4} + \cdots + \frac{1}{k(k+1)}$$
$$+ \boxed{\frac{1}{(k+1)(k+2)}}$$

$$= \boxed{\frac{k}{k+1}} + \boxed{\frac{1}{(k+1)(k+2)}}$$

$$= \frac{k+1}{k+2}$$

따라서 $n = k+1$일 때에도 주어진 등식이 성립한다.

(i), (ii)에 의하여 주어진 등식은 모든 자연수 $n$에 대하여 성립한다.

$$\therefore f(k) = \frac{k}{k+1}, \ g(k) = \frac{1}{(k+1)(k+2)}$$

$$\therefore f(5) + g(1) = \frac{5}{5+1} + \frac{1}{2 \times 3} = 1$$

답 ④

**087** $a_1 = 2$

$a_2 = 3a_1 + 2 = 3 \times 2 + 2 = 8 = 3^2 - 1$

$a_3 = 3a_2 + 2 = 3 \times 8 + 2 = 26 = 3^3 - 1$

$a_4 = 3a_3 + 2 = 3 \times 26 + 2 = 80 = 3^4 - 1$

$$\vdots$$

$\therefore a_n = 3^n - 1$

답 ②

**088** $S_n = 2a_n - 8n$ ⋯⋯ ㉠

$S_{n+1} = 2a_{n+1} - 8(n+1)$ ⋯⋯ ㉡

㉡ − ㉠을 하면

$S_{n+1} - S_n = 2a_{n+1} - 2a_n - 8$

$S_{n+1} - S_n = a_{n+1}$이므로

$a_{n+1} = 2a_{n+1} - 2a_n - 8$

$\therefore a_{n+1} = 2a_n + 8$ ⋯⋯ ㉢

㉢에서 $a_{n+1} = 2a_n + 8$을 $a_{n+1} - \alpha = 2(a_n - \alpha)$로 놓으면

$a_{n+1} = 2a_n - \alpha$에서 $-\alpha = 8$   $\therefore \alpha = -8$

$\therefore a_{n+1} + 8 = 2(a_n + 8)$

㉠에서 $S_1 = a_1 = 2a_1 - 8$   $\therefore a_1 = 8$

즉, 수열 $\{a_n + 8\}$은 첫째항이 $a_1 + 8 = 16$, 공비가 2인 등비수열이므로

$a_n + 8 = 16 \times 2^{n-1} = 2^{n+3}$

$\therefore a_n = 2^{n+3} - 8$

$\therefore a_8 = 2^{11} - 8 = 2040$

답 2040

**089** $a_1 = 1, \ n^2 a_n = (n^2 - 1)a_{n-1} \ (n = 2, 3, 4, \cdots)$에서

$a_n = \dfrac{(n-1)(n+1)}{n^2} a_{n-1}$이므로 $n$에 $2, 3, 4, \cdots, n$을 차례로 대입하여 변끼리 곱하면

$$a_2 = \frac{1 \times 3}{2^2} a_1$$

$$a_3 = \frac{2 \times 4}{3^2} a_2$$

$$a_4 = \frac{3 \times 5}{4^2} a_3$$

$$\vdots$$

$$\times \Big) \ a_n = \frac{(n-1)(n+1)}{n^2} a_{n-1}$$

$$a_n = \frac{(1 \times 3)(2 \times 4)(3 \times 5) \times \cdots \times (n-1)(n+1)}{(2 \times 2)(3 \times 3)(4 \times 4) \times \cdots \times (n \times n)} \times a_1$$

$$= \frac{n+1}{2n}$$

$$\therefore a_{100} = \frac{101}{200}$$

따라서 $p = 200, \ q = 101$이므로

$p + q = 301$

답 301

memo